Das
Oxforder Buch
Deutscher Prosa
von Luther bis Rilke

herausgegeben von
H. G. Fiedler
Professor Emeritus in der Universität Oxford

Oxford
Universitäts-Verlag

Oxford University Press, Amen House, London E.C.4

GLASGOW NEW YORK TORONTO MELBOURNE WELLINGTON
BOMBAY CALCUTTA MADRAS KARACHI KUALA LUMPUR
CAPE TOWN IBADAN NAIROBI ACCRA

FIRST EDITION 1943
REPRINTED 1944, 1947, 1950, 1959

PRINTED IN GREAT BRITAIN AT THE UNIVERSITY PRESS, OXFORD
BY VIVIAN RIDLER, PRINTER TO THE UNIVERSITY

VORWORT

DAS *Oxforder Buch deutscher Prosa* wurde nach denselben Grundsätzen bearbeitet wie *Das Oxforder Buch deutscher Dichtung*. Ich habe Verfasser jeder Richtung aufgenommen und bei der Auswahl mich nur gefragt, ob das Stück interessant, gesund und gut in seiner Art ist. Alle Formen der Prosaliteratur und die verschiedensten Gebiete geistigen Schaffens sind vertreten: Philosophie, Naturkunde, Geschichte, Volkskunde, Sprachkunde, Kritik, Musik, und die bildenden Künste; neben Märchen und Sagen, Erzählungen ernsten und heiteren Charakters, stehen gelehrte Aufsätze, Naturschilderungen, Reiseberichte, Reden, Briefe und Aphorismen.

Einige Stücke habe ich durch Auslassung einzelner Wörter oder Sätze gekürzt, aber nirgends etwas geändert oder hinzugefügt. Die Schreibung und Zeichensetzung habe ich nach dem jetzt üblichen Gebrauch geregelt. Im übrigen sind die Texte nach den Originaldrucken gegeben, in der Regel nach der letzten vom Verfasser überwachten Ausgabe.

Die Lesestücke sind chronologisch nach den Geburtsjahren ihrer Verfasser geordnet, wodurch ein Bild von der Entwicklung des geistigen Lebens und des Prosastils in den vier Jahrhunderten seit Luther gewonnen werden kann.

Die Überschriften sind von mir gewählt und, so weit möglich, aus den Texten genommen.

VORWORT

Unter jedem Lesestück sind Titel und Erscheinungsjahr des Werkes, dem es entnommen wurde, angegeben.

In den Anmerkungen habe ich veraltete und seltene Wörter erklärt, die Quellen gebrauchter Zitate angegeben, über erwähnte Gestalten der Geschichte oder Sage das Wichtigste mitgeteilt, und bei Lesestücken, die aus längeren Werken herausgehoben wurden, den Zusammenhang mit dem Ganzen dargelegt. Allgemeine biographische Angaben über die Verfasser sind ausgeschlossen worden, dagegen habe ich besondere Umstände, unter denen die Schriften entstanden sind, in möglichst knapper Form angedeutet.

H. G. FIEDLER

OXFORD,
am 28. *August* 1942

INHALT

Vorwort iii

Lesestücke I

Anmerkungen 632

Liste der Verfasser . . . 683

MARTIN LUTHER

1483–1546

Luthers Bibelübersetzung

i

DER Herr ist mein Hirte, mir wird nichts
mangeln. Er weidet mich auf einer grünen
Aue und führet mich zum frischen Wasser. Er
erquicket meine Seele, er führet mich auf rechter
5 Straße um seines Namens willen. Und ob ich schon
wanderte im finstern Tal, fürchte ich kein Unglück;
denn du bist bei mir, dein Stecken und Stab trösten
mich.

Psalm xxiii

ii

HERR Gott, du bist unsre Zuflucht für und
10 für. Ehe denn die Berge wurden und die Erde
und die Welt geschaffen wurden, bist du, Gott, von
Ewigkeit zu Ewigkeit, der du die Menschen lässest
sterben und sprichst: „Kommt wieder, Menschen-
kinder!" Denn tausend Jahre sind vor dir wie der
15 Tag, der gestern vergangen ist, und wie eine Nacht-
wache. Du lässest sie dahinfahren wie einen Strom;
sie sind wie ein Schlaf, gleichwie ein Gras, das doch
bald welk wird, das da frühe blüht und bald welk
wird und des Abends abgehauen wird und verdorrt.
20 Unser Leben währet siebzig Jahre, und wenn's hoch
kommt, so sind's achtzig Jahre; und wenn's köstlich
gewesen ist, so ist es Mühe and Arbeit gewesen;
denn es fähret schnell dahin, als flögen wir davon.

Psalm xc

iii

DA ist die Stimme meines Freundes! Siehe, er kommt und hüpft auf den Bergen und springt auf den Hügeln! Mein Freund ist gleich einem Reh oder jungen Hirsch. Siehe, er steht hinter unsrer Wand und sieht durchs Fenster und guckt durchs 5 Gitter. Mein Freund antwortet und spricht zu mir: „Stehe auf, meine Freundin, meine Schöne, und komm her! Denn siehe, der Winter ist vergangen, der Regen ist weg und dahin; die Blumen sind hervorgekommen im Lande, der Lenz ist herbei- 10 gekommen, und die Turteltaube läßt sich hören in unserm Lande; der Feigenbaum hat Knoten gewonnen, die Weinstöcke haben Blüten gewonnen und geben ihren Geruch. Stehe auf, meine Freundin, und komm, meine Schöne, komm her!“ 15

Das Hohelied Salomos, ii. 8–13

iv

UND es waren Hirten in derselben Gegend auf dem Felde bei den Hürden, die hüteten des Nachts ihre Herde. Und siehe, des Herrn Engel trat zu ihnen, und die Klarheit des Herrn leuchtete um sie; und sie fürchteten sich sehr. Und der Engel 20 sprach zu ihnen: „Fürchtet euch nicht; siehe, ich verkündige euch große Freude, die allem Volk widerfahren wird; denn euch ist heute der Heiland geboren, welcher ist Christus, der Herr, in der Stadt Davids. Und das habt zum Zeichen: Ihr 25 werdet finden das Kind in Windeln gewickelt und in einer Krippe liegen.“ Und alsbald war da bei dem Engel die Menge der himmlischen Heerscharen, die lobten Gott und sprachen: „Ehre sei Gott in der Höhe, und Friede auf Erden, und den Menschen ein Wohlgefallen!"

Lukas, ii. 8–14

v

WENN ich mit Menschen- und mit Engel-
5 zungen redete und hätte der Liebe nicht, so wäre ich ein tönend Erz oder eine klingende Schelle. Und wenn ich weissagen könnte und wüßte alle Geheimnisse und alle Erkenntnis und hätte allen Glauben, also daß ich Berge versetzte, und hätte 10 der Liebe nicht, so wäre ich nichts. Und wenn ich alle meine Habe den Armen gäbe und ließe meinen Leib brennen und hätte der Liebe nicht, so wäre mir's nichts nütze. Die Liebe ist langmütig und freundlich, die Liebe eifert nicht, die Liebe treibt 15 nicht Mutwillen, sie blähet sich nicht; sie stellet sich nicht ungebärdig, sie suchet nicht das Ihre, sie läßt sich nicht erbittern, sie rechnet das Böse nicht zu; sie freuet sich nicht der Ungerechtigkeit, sie freuet sich aber der Wahrheit, sie verträgt alles, sie 20 glaubet alles, sie hoffet alles, sie duldet alles. Die Liebe höret nimmer auf, so doch die Weissagungen aufhören werden und die Sprachen aufhören werden und die Erkenntnis aufhören wird. Denn unser Wissen ist Stückwerk, und unser Weissagen ist 25 Stückwerk. Wenn aber kommen wird das Voll-kommene, so wird das Stückwerk aufhören. Da ich ein Kind war, da redete ich wie ein Kind und war klug wie ein Kind und hatte kindische Anschläge; da ich aber ein Mann ward, tat ich ab, was kindisch 30 war. Wir sehen jetzt durch einen Spiegel in einem dunkeln Wort; dann aber von Angesicht zu

Angesicht. Jetzt erkenne ich's stückweise; dann aber werde ich erkennen, gleichwie ich erkannt bin. Nun aber bleibt Glaube, Hoffnung, Liebe, diese drei; aber die Liebe ist die größte unter ihnen.

1 Korinther, **xiii**

2 *Vom rechten Übersetzen*

ICH hab' mich des geflissen im Dolmetschen, daß 5 ich rein und klar Deutsch geben möchte. Und ist uns wohl oft begegnet, daß wir vierzehn Tage, drei, vier Wochen haben ein einiges Wort gesucht und gefragt, haben's dennoch zuweilen nicht funden. Im Hiob arbeiteten wir also, M. Philips, Aurogallus 10 und ich, daß wir in vier Tagen zuweilen kaum drei Zeilen konnten fertigen. Lieber, nu es verdeutscht und bereit ist, kann's ein jeder lesen und meistern; läuft einer itzt mit den Augen durch drei oder vier Blätter und stößt nicht einmal an, wird aber nicht 15 gewahr, welche Wacken und Klötze da gelegen sind, da er itzt über hin geht wie über ein gehobelt Brett, da wir haben müßt schwitzen und uns ängsten, ehe denn wir solche Wacken und Klötze aus dem Wege räumten, auf daß man künnte so fein daher gehen. 20 Es ist gut pflügen, wenn der Acker gereinigt ist; aber den Wald und die Stöcke ausrotten und den Acker zurichten, da will niemand an. Es ist bei der Welt kein Dank zu verdienen. Kann doch Gott selbs mit der Sonne, ja mit Himmel und Erde, noch 25 mit seines eigen Sohns Tod, keinen Dank verdienen.

Man muß nicht die Buchstaben in der lateinischen Sprache fragen, wie man soll deutsch reden; sondern man muß die Mutter im Hause, die Kinder auf der

Gasse, den gemeinen Mann auf dem Markt darum
fragen und denselbigen auf das Maul sehen, wie sie
reden, und danach dolmetschen, so verstehen sie es
denn und merken, daß man deutsch mit ihnen redet.
5 Als wenn Christus spricht: *Ex abundantia cordis os
loquitur.* Wenn ich den Eseln soll folgen, die werden
mir die Buchstaben vorlegen und also dolmetschen:
Aus dem Überfluß des Herzens redet der Mund.
Sage mir, ist das deutsch geredet? Welcher Deutsche
10 versteht solches? Was ist Überfluß des Herzens für
ein Ding? Das kann kein Deutscher sagen, er wollte
denn sagen, es sei, daß einer ein allzu großes Herz
habe. Wiewohl das auch noch nicht recht ist;
denn Überfluß des Herzens ist kein Deutsch, so
15 wenig als das deutsch ist: Überfluß des Hauses,
Überfluß des Kachelofens, Überfluß der Bank;
sondern also redet die Mutter im Haus und der
gemeine Mann: Wes das Herz voll ist, des gehet der
Mund über. Das heißt gut deutsch geredet; des
20 ich mich geflissen und leider nicht allwege erreicht
noch getroffen habe.

Item, da der Engel Mariam grüßt und spricht:
Gegrüßet seist du, Maria, voll Gnaden, der Herr
mit dir! Wohlan, so ist's bisher schlecht den
25 lateinischen Buchstaben nach verdeutschet. Sage
mir aber, ob solches auch gut deutsch sei? Wo redet
der deutsche Mann also: Du bist voll Gnaden? Und
welcher Deutsche versteht, was gesagt sei „voll
Gnaden"? Er muß denken an ein Faß voll Bier oder
30 Beutel voll Geldes. Darum habe ich's verdeutscht
„du Holdselige"; damit doch ein Deutscher desto
mehr hinzudenken kann, was der Engel meint mit
seinem Gruß. Aber hier wollen die Papisten toll

werden über mich, daß ich den engelischen Gruß verderbt habe; wiewohl ich dennoch damit nicht das beste Deutsch getroffen habe. Und hätte ich das beste Deutsch hier nehmen sollen und den Gruß also verdeutschen: Gott grüße dich, du liebe Maria 5 (denn so viel will der Engel sagen und so würde er geredet haben, wenn er hätte wollen sie deutsch grüßen). Ich will sagen „Du holdselige Maria, du liebe Maria"; und lasse sie sagen „du voll Gnaden Maria". Wer Deutsch kann, der weiß wohl, welch 10 ein herzlich fein Wort das ist „du liebe Maria, der liebe Gott, der liebe Kaiser, der liebe Fürst, der liebe Mann, das liebe Kind". Und ich weiß nicht, ob man das Wort „liebe" auch so herzlich und genugsam in lateinischer oder andern Sprachen 15 reden möge, daß es also dringe und klinge ins Herz durch alle Sinne, wie es tut in unserer Sprache.

Sendbrief vom Dolmetschen (1530)

3 *Von Schulen und Lehrern*

MUSS man jährlich so viel wenden an Büchsen, Wege, Stege, Dämme und dergleichen unzählige Stücke mehr, damit eine Stadt zeitlich 20 Friede und Gemach habe: warum sollte man nicht viel mehr doch auch so viel wenden an die arme Jugend, daß man einen geschickten Mann oder zween hielte zu Schulmeistern? „Ja," sprichst du, „solches ist den Eltern gesagt, was geht das die 25 Ratherrn und Obrigkeit an?" Ja, wie? wenn die Eltern solches nicht tun? Wer soll's denn tun? Soll's drum nachbleiben und die Kinder versäumt werden? Daß es von den Eltern nicht geschieht, hat mancherlei Ursach. Aufs erste sind etliche nicht so fromm und redlich, daß sie es täten, ob sie es gleich könnten. Aufs andere, so ist der größte Haufe der Eltern leider ungeschickt dazu und weiß 5 nicht, wie man Kinder ziehen und lehren soll. Aufs dritte, obgleich die Eltern geschickt wären und wollten's gerne selbs tun, so haben sie weder Zeit noch Raum dazu. Darum will's dem Rat und der Obrigkeit gebühren die allergrößte Sorge aufs junge 10 Volk zu haben. Denn weil der ganzen Stadt Gut, Ehre, Leib und Leben ihnen zu treuer Hand befohlen ist, so täten sie nicht redlich, wo sie der Stadt Gedeihen nicht suchten mit allem Vermögen Tag und Nacht. Nun liegt einer Stadt Gedeihen 15 nicht allein darin, daß man große Schätze sammle, feste Mauern, schöne Häuser, viele Büchsen und Harnische zeuge, sondern das ist einer Stadt bestes Gedeihen, daß sie viele feine, gelehrte, ehrbare, wohl erzogene Bürger hat. So sprichst du: „Ja, wer 20 kann seine Kinder so entbehren und alle zu Junkern ziehen? Sie müssen im Hause der Arbeit warten." Antwort: Meine Meinung ist, daß man die Knaben des Tags eine Stunde oder zwo lasse zur Schule gehen und nichts desto weniger die andre Zeit im 25 Hause schaffen, Handwerk lernen, und wozu man sie haben will, daß beides mit einander gehe. Bringen sie doch sonst wohl zehnmal so viel Zeit zu mit Ball-Spielen, Laufen und Rammeln. Also kann ein Mägdlein ja so viel Zeit haben, daß es des Tags 30 eine Stunde zur Schule gehe und dennoch seines Geschäfts im Hause wohl warte; vertanzt und verspielt es doch wohl mehr Zeit.

Am letzten ist auch das wohl zu bedenken, daß

man Fleiß und Kosten nicht spare gute Librareien oder Bücherhäuser, sonderlich in den großen Städten, die solches wohl vermögen, zu verschaffen. Aber mein Rat ist nicht, daß man ohne Unterschied allerlei Bücher zu Hauf raffe und nicht mehr ge- 5 denke denn nur auf die Menge und Haufen Bücher. Erstlich sollte die Heilige Schrift auf Lateinisch, Griechisch, Hebräisch und Deutsch drinnen sein. Danach die besten Ausleger, danach solche Bücher, die Sprachen zu lernen dienen, danach die Bücher 10 von den freien Künsten und sonst von allen andern Künsten. Mit den vornehmsten aber sollten sein die Chroniken und Historien, denn dieselben sind wundernütz der Welt Lauf zu erkennen und zu regieren, ja auch Gottes Wunder und Werke zu 15 sehen.

An die Ratherren aller Städte deutschen Lands: daß sie Schulen aufrichten und halten sollen (1524)

4   *Vom Berufe des Gelehrten*

i

ES meinen wohl etliche, das Schreiberamt sei ein leicht geringes Amt, aber im Harnisch reiten, Hitz, Frost, Staub, Durst, und ander Un- gemach leiden, das sei eine Arbeit. Ja, das ist das 20 alte gemein täglich Liedlein, daß keiner sieht, wo den andern der Schuh drückt. Jedermann fühlet allein sein Ungemach und gaffet auf des andern gut Gemach. Wahr ist's, mir wäre es schwer im Harnisch zu reiten; aber ich wollt' auch gern widerum den 25 Reiter sehen, der mir könnte einen ganzen Tag still sitzen und in ein Buch sehen, wenn er schon nichts

sorgen, denken noch lesen sollt'. Frage einen Kanz-
leischreiber, Prediger und Redner was schreiben und
reden für Arbeit sei; frage einen Schulmeister was
lehren und Knaben ziehen für Arbeit sei. Leicht
5 ist die Schreibfeder, das ist wahr; ist auch kein
Handzeug unter allen Handwerken baß zu erzeugen
denn das der Schreiberei; denn sie bedarf allein der
Gänse Fittich, der man umsonst allenthalben genug
findet. Aber es muß gleichwohl das beste Stücke
10 (als der Kopf) und das edelste Glied (als die Zunge)
und das höchste Werk (als die Rede), so am Men-
schenleibe sind, hier herhalten und am meisten
arbeiten, da sonst bei andern entweder die Faust,
Fuß, Rücken oder dergleichen Glied allein arbeiten,
15 und können daneben fröhlich singen und scherzen,
das ein Schreiber wohl lassen muß. Drei Finger
tun's, sagt man von Schreibern, aber ganz Leib und
Seel' arbeiten dran.

Ich hab' von dem löblichen Kaiser Maximilian
20 hören sagen, wenn die großen Hansen drum murrten,
daß er der Schreiber so viele brauchte zu Botschaften
und sonst, daß er soll gesagt haben: „Wie soll ich
tun? sie wollen sich nicht brauchen lassen, so muß
ich Schreiber dazu nehmen." Und weiter: „Ritter
25 kann ich machen, aber Doctores kann ich nicht
machen." So hab' ich auch von einem Edelmann
gehört, daß er sagte: „Ich will meinen Sohn lassen
studieren. Zwei Bein' über ein Roß hängen, das hat
er mir bald gelernt," und ist fein und wohl geredet.
30 Das will ich aber nicht zur Verachtung des reisigen
Standes noch einiges andern Standes sondern wider
die losen Scharrhansen gesagt haben, die alle Lehre
und Kunst verachten.

9

ii

EINEN fleißigen, frommen Schulmeister oder
Magister oder wer es ist, der Knaben treulich
zieht und lehrt, den kann man nimmer mehr genug
lohnen und mit keinem Gelde bezahlen. Wenn ich
vom Predigamt und andern Sachen ablassen könnte, 5
so wollt' ich kein Amt lieber haben denn Schulmeister oder Knabenlehrer sein. Denn ich weiß,
daß dies Werk nächst dem Predigamt das aller-
nützlichste, größte und beste ist; und weiß dazu
noch nicht, welches unter beiden das beste ist. Laß 10
es der höchsten Tugenden eine sein fremden Leuten
ihre Kinder treulich ziehen, welches schier niemand
tut an seinen eigenen.

Predigt, daß man Kinder zur Schule halten solle (1530)

5   *An sein Söhnchen Hans*

GNAD' und Friede in Christo, mein herzliebes
Söhnichen! Ich sehe gern, daß du wohl lernst 15
und fleißig betest. Tue also, mein Söhnichen, und
fahre fort; wenn ich heim komme, so will ich dir ein
schön Jahrmarkt mitbringen. Ich weiß einen hübschen lustigen Garten, da gehen viele Kinder innen,
haben güldene Röcklein an und lesen schöne Äpfel 20
unter den Bäumen und Birnen, Kirschen und
Pflaumen; singen, springen und sind fröhlich; haben
auch schöne kleine Pferdlein mit gülden Zäumen
und silbern Sätteln. Da fragt' ich den Mann, des der
Garten ist, wes die Kinder wären. Da sprach er: 25
„Es sind die Kinder, die gern beten, lernen und
fromm sind." Da sprach ich: „Lieber Mann, ich

hab' auch einen Sohn, heißt Hänsichen Luther,
möcht' er nicht auch in den Garten kommen, daß
er auch solche schöne Äpfel und Birnen essen möchte
und solche feine Pferdlein reiten und mit diesen
5 Kindern spielen?" Da sprach der Mann: „Wenn er
gern betet, lernt und fromm ist, so soll er auch in
den Garten kommen, Lippus und Jost auch, und
wenn sie alle zusammen kommen, so werden sie auch
Pfeifen, Pauken, Lauten und allerlei Saitenspiel
10 haben, auch tanzen und mit kleinen Armbrüsten
schießen." Und er zeigte mir dort eine feine Wiese
im Garten, zum Tanzen zugericht; da hingen eitel
güldene Pfeifen, Pauken und feine silberne Arm-
brüste. Aber es war noch frühe, daß die Kinder noch
15 nicht gessen hatten. Darum konnte ich des Tanzes
nicht erharren und sprach zu dem Manne: „Ach,
lieber Herr, ich will flugs hingehen und das alles
meinem lieben Söhnlein Hänsichen schreiben, daß
er fleißig bete, wohl lerne und fromm sei, auf daß
20 er auch in diesen Garten komme; aber er hat eine
Muhme Lene, die muß er mitbringen." Da sprach
der Mann: „Es soll ja sein, gehe hin und schreibe
ihm also."

Darum, liebes Söhnlein Hänsichen, lerne und bete
25 ja getrost und sage es Lippus und Josten auch, daß
sie auch lernen und beten: so werdet ihr mit einander
in den Garten kommen. Hiermit sei dem allmächtigen Gott befohlen und grüße Muhme Lenen
und gib ihr einen Buß von meinetwegen.
30 Anno 1530. Dein lieber Vater Martinus Luther.

6   *Von Gottes Wundern und Gaben*

i

ALLE Werke Gottes sind unbegreiflich und unausforschlich. Denn wer kann sagen, wie Gott das allerkleinste Ding und die geringste Creatur geschaffen habe? Welcher Mensch, wie gewaltig, weise und heilig er auch ist, kann aus einer Feige 5 einen Feigenbaum oder eine andere Feige machen? oder aus einem Kirschkern einen andern, oder aber einen Kirschbaum schaffen? oder auch wissen, wie Gott alles schafft, wachsen läßt und erhält? Die Vernunft kann weder verstehen noch fassen, wie es 10 zugeht, daß aus einem Kern ein großer Baum wächst, aus einem Waizenkörnlein, so in der Erden verfault und zunicht wird, zwanzig, dreißig Körnlein kommen. Darum ist die Welt voll Gottes Wunderwerk, so ohn Unterlaß geschehen. Weil ihrer aber 15 so viel und unzählich sind, dazu ganz und gar gemein, achtet man ihrer nicht.

ii

DER schönsten und herrlichsten Gaben Gottes eine ist die Musica, damit man viel böse Gedanken vertreibt. Könige, Fürsten und Herrn 20 müssen die Musicam erhalten, denn großen Potentaten und Regenten gebührt über guten Künsten zu halten. Und obgleich einzelne Privatleute Lust dazu haben und sie lieben, doch können sie die nicht erhalten. Musica ist das beste Labsal einem be- 25 trübten Menschen, dadurch das Herz erquickt und erfrischt wird. Musica ist eine Zuchtmeisterin, so

die Leute sanftmütiger, sittsamer und vernünftiger
macht. Die Jugend soll man stets zu dieser Kunst
gewöhnen, denn sie macht feine, geschickte Leute.
Ich gebe nach der Theologie der Musica die höchste
5 Ehre.

Tischreden (1566)

VOLKSBÜCHER

16. Jahrhundert

7 *Wie Eulenspiegel alle Kranken in einem Spital gesund machte*

AUF eine Zeit kam Eulenspiegel gen Nürnberg,
schlug große Briefe an die Kirchtüren und gab
sich aus für einen guten Arzt zu aller Krankheit.
Und da war eine große Zahl kranker Menschen in
10 dem Spital, und derselben wäre der Spitelmeister
eins Teils gern ledig gewesen und hätte ihnen
Gesundheit wohl gegönnt. Also ging er hin zu
Eulenspiegel und fragte ihn, ob er den Kranken
helfen könnte; es sollte ihm wohl gelohnt werden.
15 Eulenspiegel sprach, er wollte ihm viele seiner
Kranken gesund machen, wenn er zweihundert
Gulden anlegen und ihm die zusagen wollte. Der
Spitelmeister sagte ihm das Geld zu, sofern er den
Kranken hülfe. Also verwilligte sich Eulenspiegel,
20 wenn er die Kranken nit gesund machte, so sollte
er ihm nit einen Pfennig geben. Das gefiel dem
Spitelmeister wohl und gab ihm zwanzig Gulden
darauf. Also ging Eulenspiegel ins Spital und fragte
die Kranken, einen jeglichen, was ihm gebreste;
25 und zuletzt wann er von einem Kranken ging, so

beschwor er ihn und sprach: „Was ich dir offenbaren werde, das sollst du bei dir heimlich bleiben lassen und niemandem offenbaren." Das sagten dann die Siechen bei großem Glauben Eulenspiegeln zu. Darauf sagte er einem jeglichen besonders: „Soll ich nun euch zu Gesundheit helfen, das ist mir unmöglich, ich verbrenne denn euer einen zu Pulver und gebe das den andern zu trinken. Darum, welcher der kränkste unter euch allen ist und nit gehen kann, den will ich zu Pulver verbrennen, auf daß ich den andern helfen möge damit. So werde ich an der Tür stehn und mit lauter Stimme rufen: ‚welcher da nit krank ist, der komme heraus!' Das verschlaf' du nit, denn der letzte muß die Zeche bezahlen." So sprach er zu jeglichem, und solcher Sage nahm jeglicher Acht; und als auf dem gemeldeten Tage Eulenspiegel nun nach seinem Anlaß rief, da eilten sie sich mit Krücken und lahmen Beinen, weil keiner der letzte sein wollte, und begannen zu laufen; etliche, die in zehn Jahren nit von dem Bette kommen waren. Da das Spital nun ganz leer war, begehrt er seines Lohns von dem Spitelmeister und sagte, er müsse an ein ander End' eilends; da gab man ihm das Geld zu großem Dank; da ritt er hinweg. Aber in drei Tagen, da kamen die Kranken alle herwieder und beklagten sich ihrer Krankheit. Da fragte der Spitelmeister: „Wie geht das zu? Ich hatte ihnen doch den großen Meister zubracht, der ihnen doch geholfen hat, daß sie alle selber davon gangen waren." Da sagten sie dem Spitelmeister, wie er ihnen gedroht hatte. Da merkte der Spitelmeister, daß es Eulenspiegels Betrug war, aber er war hinweg. Also blieben die

Kranken wieder im Spital wie vor, und war das
Geld verloren.

Ein kurzweilig Lesen von Dyl Ulenspiegel (1515)

8 *Wie Eulenspiegel einen Esel lesen lehrte*

ALS Eulenspiegel gen Erfurt kam, da eine große
und berühmte Universität ist, schlug er seine
5 Briefe auch an. Die Collegaten der Universität hatten
viel gehört von seinen Listen und wurden zu Rate, daß
sie Eulenspiegeln einen Esel in die Lehre tun wollten.
Sie besandten Eulenspiegel und sprachen zu ihm:
„Magister, Ihr habt Briefe angeschlagen, daß Ihr
10 eine jegliche Kreatur in kurzen Zeiten wollet lehren
schreiben und lesen, so wollen die Herren von der
Universität Euch einen jungen Esel in die Lehre
tun. Getraut Ihr Euch ihn auch zu lehren?" Er
sprach: „Ja," aber er müßte Zeit dazu haben. Des
15 wurden sie mit ihm zufrieden und gaben ihm etlich
Gold darauf. Also nahm Eulenspiegel den Esel an,
bestellte einen Stall für seinen Schüler und legte
ihm einen alten Psalter in die Krippe, und zwischen
jegliches Blatt legte er Hafer. Des ward der Esel
20 inne und warf die Blätter mit dem Maul umher um
des Hafers willen, und so er dann keinen Hafer mehr
fand, rief er „I — a, I — a". Da Eulenspiegel das
merkte, ging er zu dem Rector und sprach: „Wann
wollt Ihr sehen was mein Schüler macht? Es ist mir
25 sehr schwer ihn zu lehren, jedoch habe ich mit
großem Fleiß dazu getan, daß er etliche Buchstaben
und sonderlich etliche Vokale kennt und nennen
kann. Wollt Ihr mit mir gehen, so sollt Ihr das
hören und sehen." Also hatte der gute Schüler die

15

Zeit gefastet bis auf drei nach Mittag. Als Eulenspiegel nun mit dem Rector kam, legte er seinem
Schüler ein neues Buch vor. Sobald er das in der
Krippe fand, warf er bald die Blätter hin und her
den Hafer zu suchen. Als er nichts fand, begann er 5
mit lauter Stimme zu schreien: „I — a, I — a.“
Da sprach Eulenspiegel: „Seht, lieber Herr, die
zween Vokale I und A, die kann er jetzund; ich
hoffe, er soll noch gut werden.“

Ein kurzweilig Lesen von Dyl Ulenspiegel (1515)

9 *Wie Dr. Faustus seinen Gästen ein Gaukelspiel machte*

DOCTOR Faustus hatte etliche stattliche 10
Herren zu Gaste geladen. Nachdem sie
gessen hatten, begehrten sie, daß er ihnen ein
Gaukelspiel machte. Da ließ er auf dem Tisch
Reben wachsen mit zeitigen Trauben, deren vor
jedem eine hing; hieß darauf einen jeglichen die 15
seine mit der einen Hand angreifen und halten und
mit der andern das Messer auf den Stengel setzen,
als wenn er sie abschneiden wollte. Aber es sollte
beileibe keiner schneiden. Danach geht er aus der
Stube, wartet nit lang, kommt wieder: da sitzen sie 20
alle und halten sich ein jeglicher selbst bei der Nase
und das Messer darauf. „Wenn ihr nun gerne wollt,
so mögt ihr die Trauben abschneiden.“ Das war
ihnen angelegen: wollten sie lieber noch lassen
zeitiger werden.   25

Historia von D. Johann Fausten (1587)

10 *Wie Dr. Faustus seinen Studenten die Helden Homers vorstellte*

ES hat sich auch Dr. Faustus viele Jahre in
Erfurt gehalten und in der hohen Schule
daselbst gelesen. Als er nun seinen Zuhörern einmal
den fürtrefflichen Poeten Homerum gelesen, welcher
5 unter andern Historien auch den zehnjährigen Krieg
vor Troja, der sich der schönen Helena wegen
erhoben hatte, beschreibt, und da vielmals der
tapfern Helden Menelai, Achillis, Hectoris, Aga-
memnonis und anderer gedacht wird, hat Faustus
10 derselben Personen Gestalt und Gesichte den
Studenten dermaßen beschrieben, daß sie ein groß
Verlangen bekommen und oft gewünscht, wo es ihr
Praeceptor zuwege bringen könnte, dieselben zu
sehen, haben ihn auch darum bittlichen angelangt.
15 Faustus hat ihnen solches verwilligt, und zugesagt
in der nächsten Lection alle, die sie begehrt zu
sehen, vor Augen zu stellen. Als nun die Stunde
gekommen und Dr. Faustus in seiner Lection fort-
gefahren, auch gesehen, daß wegen seiner getanen
20 Zusage mehr Zuhörer vorhanden denn sonst, hat er
fast mitten in der Lection angefangen und gesagt:
„Ihr lieben Studenten, weil euch gelüstet die berühmten Kriegsfürsten, welcher der Poet hier
gedenkt, in der Person wie sie damals gelebt an-
25 zuschauen, soll euch dieses jetzt begegnen." Und
sind alsbald obernannte Helden in ihrer damals
gebräuchlich gewesenen Rüstung in das Lectorium
nach einander hinein getreten, haben sich frisch
umgesehen und, gleich als wenn sie ergrimmt wären,

die Köpfe geschüttelt; welchen zuletzt nach-
gefolgt ist der greuliche Riese Polyphemus, so nur
ein Auge im Kopfe mitten an der Stirn gehabt hat
und so gräßlich ausgesehen, daß ihnen alle Haare
gen Berg gestanden. Dessen aber Faustus sehr 5
gelacht und ihnen einen nach dem andern bei
Namen genannt; and wie er sie berufen, auch also
geheißen wieder hinauszugehen, welches sie auch
getan. Allein der einäugige Cyclops oder Polyphemus hat sich gestellt, als wollte er nicht weichen 10
sondern noch ein oder zween fressen; darüber sich
die Studenten noch mehr entsetzt, sonderlich weil
er mit seinem großen dicken Spieße wider den
Erdboden stieß, daß sich das ganze Collegium
bewegte und erschütterte. Aber Faustus winkte 15
ihm mit einem Finger, da traf er auch die Tür; und
beschloß also der Doctor seine Lection, des die
Studenten alle wohl zufrieden waren.

Historia von Doct. Johann Fausti Verschreibung,
unchristlichem Leben und Wandel (1589)

11 *Die Lalen versenken ihre Glocke in den See*

AUF eine Zeit, als Kriegsgeschrei einfiel,
fürchteten die Lalen ihrer Hab' und Güter 20
sehr, daß ihnen die von den Feinden geraubt und
hinweg geführt würden; sonderlich aber war ihnen
angst für eine Glocke, welche auf ihrem Rathaus
hing; dachten man würde ihnen dieselbe weg-
nehmen und Büchsen daraus gießen. Also wurden 25
sie nach langem Ratschlag eins dieselbe bis zu Ende

des Kriegs in den See zu versenken und sie dann,
wann der Krieg vorüber und der Feind hinweg
wäre, wiederum heraus zu ziehen und wieder auf-
zuhängen, tragen sie derowegen in ein Schiff und
5 führen sie auf den See. Als sie aber die Glocke
wollten hinein werfen, sagte einer: „Wie wollen wir
aber den Ort wieder finden, da wir sie ausgeworfen
haben?" „Da lasse dir," sprach der Schultheiß,
„kein graues Haar wachsen", ging hinzu und mit
10 einem Messer schnitt er eine Kerbe in das Schiff an
dem Ort, da sie die Glocke hinausgeworfen hatten,
sprechend: „Hier bei diesem Schnitt wollen wir sie
wieder finden." Ward also die Glocke hinaus geworfen und versenkt. Nachdem aber der Krieg aus
15 war, fuhren sie wieder auf den See ihre Glocke zu
holen und fanden den Kerbschnitt an dem Schiffe
wohl, aber die Glocke konnten sie darum nicht
finden noch den Ort im Wasser, da sie solche hinein
gesenkt.

Das Lalebuch (1597)

ADAM OLEARIUS

1599–1671

12 *Von Sitten der Russen*

20 WENN man die Russen nach ihren Gemütern,
Sitten und Leben betrachtet, sind sie billig
unter die Barbaren zu rechnen. Es pflegen die
meisten von hohen und ihnen unbekannten Wissenschaften und Künsten, wenn sie etwa selbige an
25 Ausländern vernehmen, gar grobe und unverständige
Urteile zu fällen. Ob zwar die Ärzte mit ihrer Kunst
von ihnen geliebt und geehrt werden, wollen sie

doch nicht zulassen, daß man solche in Deutschland
und andern Orten gebräuchlichen Mittel, wodurch
man die Kuren desto besser anzustellen erlerne, vor
die Hand nehme und traktiere; als da sind: einen
menschlichen Körper anatomieren oder Sceleta zu 5
haben, für welches die Russen den größten Abscheu
haben. Es hat sich zugetragen, daß vor wenig
Jahren ein erfahrner Balbier, mit Namen Quirinus,
ein Deutscher von lustigem Gemüte, so in des
Großfürsten Dienst gewesen, ein Menschen-Gerippe 10
in der Kammer an der Wand aufgehängt gehabt.
Als er einsmals (wie er oft in Gebrauch gehabt) an
dem Tische sitzend auf der Laute gespielt, gehen
die Strelitzen, welche auf des Deutschen Hofe stets
Wache hielten, nach dem Ton und gucken durch 15
die Tür. Da sie die menschlichen Knochen an der
Wand gewahr werden, erschrecken sie, und desto
mehr, weil sie sehen, daß die Gebeine sich regen;
gehen deswegen und bringen aus, der deutsche
Balbier hätte einen toten Körper an der Wand 20
hängen, und wenn er auf der Laute spielte, so regte
sich der Tote. Dies Geschrei kommt vor den Großfürsten und Patriarchen; die schickten andere mit
Befehl fleißig zuzusehen, sonderlich wenn der
Balbier würde auf der Laute schlagen. Diese be- 25
kräftigen nicht allein der ersten Aussage sondern
sagen gar, der Tote hätte an der Wand nach der
Laute getanzt. Dies gibt den Russen groß Wunder,
gehen darüber zu Rate und schließen, der Balbier
müsse unfehlbar ein Zauberer sein; man müsse ihn 30
mitsamt seinen Totenbeinen verbrennen. Als dem
Quirinus dieser gefährliche Schluß wider ihn in
geheim kund getan wird, sendet er einen vor-

nehmen deutschen Kaufmann, welcher bei den
großen Herrn wohl gelitten war, zu Iwan Boriswitz
Zyrkaski solch unbilliges Vornehmen zu hinter-
treiben. Der Kaufmann redet dem Bojaren zu und
5 sagt: daß durch solch Sceleton dem Balbier durchaus keine Zauberei könnte zugemessen werden,
denn in Deutschland sei der Gebrauch, daß die
Ärzte und Balbiere solche Gebeine darum zu haben
pflegten, damit, wenn etwa ein Beinbruch oder
10 andre Verletzung eines Gliedes bei den Lebendigen
sich begäbe, sie desto besser wüßten, wie sie es
angreifen und heilen sollten. Daß aber die Gebeine
sich bewegt hätten, wäre nicht von dem Lauten-
schlagen sondern von dem durch das offene Fenster
15 streichenden Winde. Darauf wird zwar das Urteil
geändert, Quirinus aber mußte alsbald aus dem
Lande und das Sceleton verbrannt werden.

Vor diesem war es eine gefährliche Sache um die
großfürstlichen Leibärzte: wenn die gegebene
20 Arznei nicht nach ihrem Willen wirken wollte oder
der Patient starb, wurden sie mit höchster Ungnade
belegt und als Sklaven traktiert. Als im Jahr 1602
Herzog Hans, Christians des IV., Königes zu Dänemark, Herr Bruder, des Großfürsten Tochter zu
25 heiraten kam und plötzlich mit einer Krankheit
befallen wurde, gebot der Großfürst mit sehr harten
Drohworten, daß die Ärzte ihre beste Kunst an
dem Herzog erweisen und ihn nicht sterben lassen
sollten. Als aber keine Arznei verfangen wollte,
30 sondern der Herzog starb, mußten die Ärzte sich
verstecken und eine Zeit lang nicht sehen lassen.
Der Großfürst hatte unter andern auch einen
Deutschen, welchen er selbst zum Doctor gemacht.

Als derselbe einst um Erlaubnis bat auf eine deutsche
Universität zu ziehen und den Gradum Doctoris
anzunehmen, fragte der Großfürst was das wäre:
Doctor werden und wodurch es geschehe? Als er
vernommen, daß man sich in seiner Kunst müsse 5
examinieren lassen, und würde er für tüchtig befunden, so erkläre man ihn zum Doctor und gebe ihm
dessen ein Zeugnis unter der medizinischen Fakultät
Insiegel, sagte der Großfürst: „Den Weg und die
Unkosten kannst du sparen. Ich habe deine Kunst 10
erfahren (denn er hatte ihm kurz zuvor an den
podagrischen Schmerzen Linderung geschafft). Ich
will dich zum Doctor machen und so großen Brief
geben, als du draußen nicht bekommen sollst,"
welches auch geschah. 15

Beschreibung der Moscowitischen
und Persianischen Reise (1647)

13 *Empfang beim Schah*

DEN 3. August haben wir endlich durch Gottes
Hilfe unser lang gesuchtes Ziel erreicht und
sind in die königliche Residenzstadt Ispahan ein-
gezogen. Wir wurden durch viele Gassen, in
welchen das Volk uns zu sehen oben auf den Häusern 20
lag, am königlichen Palast vorbei geführt und in
einer Vorstadt, welche von den reichsten armeni-
schen Kaufleuten bewohnt wird, einquartiert. Den
16. August ließ der König die Gesandten zur
Audienz fordern und schickte zum Aufreiten vierzig 25
prächtig aufgeputzte Pferde, deren Sättel mit
dickem Golde beschlagen waren. Als wir, von vielen
Reitern begleitet, vor das königliche Haus kamen,

wurden die Gesandten von dem königlichen Marschall empfangen Bald darauf ließ der König uns
durch etliche große Herren vor sich fordern. Wir
wurden durch einen langen Hof geführt, welcher
5 auf beiden Seiten mit niedrigen Wänden besetzt war,
hinter welchen große Tzinarbäume, wie hohe Tannenbäume anzusehen, standen. Vor den Wänden aber
standen etliche Trabanten, so hohe spitze Mützen
mit Federbüschen trugen. Zu Ende des Hofes stand
10 ein offen Gemach, in welchem der König Audienz
gab. Hinter den Bäumen standen des Königs
Pferde, mit köstlichen Decken belegt von gestickter
Arbeit, mit Gold überzogen und mit Edelsteinen
besetzt. Neben den Pferden waren große güldene
15 Schalen, aus denen man ihnen zu trinken gab. Das
Haus war drei Stufen höher als der Hof, vorne mit
roten Gardinen, die man mit Stricken auf und
nieder lassen konnte, behangen. Die Pilaren, auf
welchen die Decke ruhte, waren von Holz, achteckig,
20 gemalt und vergüldet, gleich auch das ganze Gemach mit güldenem Blumwerk geziert. In der
Mitte war ein Brunnen, in welchem allerhand
Blumen und Früchte schwammen. Hinter dem
Brunnen an der Wand saß der König auf einem
25 seidenen Kissen und hatte die Beine übereinander
geschlagen; war ein Herr von siebenundzwanzig
Jahren, wohlgestalt, frisch von Angesicht; hatte wie
die Perser fast alle eine erhabene Habichtsnase und
einen kleinen schwarzen Knebelbart. Sein Habit
30 war von der gemeinen Art nicht abgesondert, nur
daß er auf dem Kopfbund ein schön Kleinod mit
einer Kranichfeder trug. Der Säbel an seiner Seite
funkelte von Gold und Edelsteinen. Zur Rechten

23

standen zwanzig junge Knaben, deren einer einen
Fächer oder Windwedel hatte, mit welchem er
dem Könige die Luft kühlte. Vor dem Könige
stand der Großmarschall, er hielt einen mit Gold
überzogenen Stab in der Hand. Zur Linken des 5
Königs saß der Reichskanzler und dann die Chane
oder Fürsten.

Als unsre Gesandten hinauf traten, gingen zwei
Fürsten ihnen entgegen, ergriffen sie bei den
Armen und führten einen nach dem andern zum 10
Könige. Dieses Armgreifen, so die Führer mit
beiden Händen verrichten, soll neben Erweisung
hoher Ehre gegen die Gesandten auch zur Versicherung des Königs gemeint sein, wenn etwa eine
Conspiration obhanden wäre. Unsere Gesandten, 15
indem sie vor den König kamen, neigten sich mit
gebührender Reverenz, der König hingegen gab
ihnen mit fröhlichen Gebärden einen freundlichen
Wink. Darauf wurden sie zur Seite geführt und
neben den Chanen auf niedrige Stühle gesetzt. 20
Dann ließ der König nach dem Namen des Herren,
der sie geschickt habe, fragen und was ihr Begehren
wäre. Als sie darauf Antwort gegeben, erhoben sie
sich und überreichten mit einem kurzen Sermon
(weil es nicht der Brauch ist vor dem Könige lange 25
Reden zu tun) ihr Credentialschreiben, welches der
Reichskanzler entgegennahm. Darauf wurden sie
berichtet, daß der Schah es wolle übersetzen lassen.
Mittlerweile wurde die Tafel mit Konfekt und
Obst besetzt, in großen güldenen Gefäßen, und 30
dazwischen dicke güldene Flaschen gesetzt, über
dreihundert Stück, so daß man nichts als lauter
Gold blinken sah. Nach einer guten Stunde wurde

das Konfekt abgenommen, die Tafel zur rechten
Mahlzeit bereitet. Zehn Personen brachten die
Speisen in großen güldenen Gefäßen herein, teils auf
den Köpfen, teils auf Tragen. Der königliche Vor-
5 schneider zerteilte die Speisen und setzte dieselben
zuerst dem Könige, dann den Gesandten und den
andern Herren vor. Die Mahlzeit wurde ohne sonderliche Gespräche zugebracht; sie hatten gleichwohl
unter der Mahlzeit ihre Lust an der Musik. Die In-
10 strumente waren Handpauken, Pfeifen, Schalmeien,
Lauten und Geigen; darein sang der Handpauker
einen, in unsern Ohren, gar jämmerlichen Ton.
Tänzerinnen sprangen auf eine seltsame Manier
lustig herum. Etliche wohlgeübte Ringer ließen ihre
15 Kunst mit feinen Handgriffen sehen. Indem dieses
alles vorging, hatten sie hinter den Gesandten in
der Tür, die mit einer Decke behängt war, einen
Perser versteckt, um zu hören, was doch die Gesandten unter sich redeten. Als ohngefähr bei
20 anderthalb Stunden das Essen gestanden hatte,
wurde die Tafel aufgehoben und warm Wasser zum
Handwaschen aus einer güldenen Kanne herumgegeben. Dann rief der Marschall: „Gott vergelte
diese Mahlzeit, vermehre des Königs Güter und
25 mache stark dessen Diener!" Darauf fingen die
andern alle an: „Allah, Allah, Gott, Gott gebe es!"
Bald danach stand einer der Gäste nach dem
andern auf. Wir standen derwegen auch auf,
neigten uns gegen den König und ritten nach Hause.

Beschreibung der Moscowitischen
und Persianischen Reise (1647)

CHRISTOPH VON GRIMMELSHAUSEN

1625–76

14 *Simplicissimus lernt lesen und schreiben*

ALS ich das erstemal den Einsiedel in der Bibel
lesen sah, konnte ich mir nicht einbilden, mit
wem er doch ein solch heimlich, und meinem Be-
dünken nach sehr ernstlich Gespräch haben müßte;
ich sah die Bewegung seiner Lippen, hingegen aber 5
niemand, der mit ihm redete, und ob ich zwar
nichts vom Lesen und Schreiben gewußt, so merkte
ich doch an seinen Augen, daß er's mit etwas in
selbigem Buch zu tun hatte. Ich gab Achtung
auf das Buch, und nachdem er solches beigelegt, 10
machte ich mich dahinter, schlug's auf und bekam
im ersten Griff das erste Kapitel des Hiobs und die
davor stehende Figur, so ein feiner Holzschnitt und
schön illuminiret war, in die Augen. Ich fragte
dieselbigen Bilder seltsame Sachen, weil mir aber 15
keine Antwort widerfahren wollte, ward ich ungeduldig und sagte eben, als der Einsiedel hinter
mich schlich: „Ihr kleinen Hudler, habt ihr dann
keine Mäuler mehr? habt ihr nicht allererst mit
meinem Vater (denn also mußte ich den Einsiedel 20
nennen) lang genug schwätzen können?" Der
Einsiedel mußte wider seinen Willen und Gewohnheit lachen und sagte: „Liebes Kind, diese Bilder
können nicht reden, was aber ihr Tun und Wesen
sei, kann ich aus diesen schwarzen Linien sehen, 25
welches man lesen nennt, und wann ich dergestalt
lese, so hältst du davor, ich rede mit den Bildern,
so aber nichts ist." Ich antwortete: „Wann ich ein

Mensch wie du, so müßte ich auch an den schwarzen
Zeilen können sehen, was du kannst. Wie soll ich
mich in dein Gespräch richten? Lieber Vater,
bericht' mir doch eigentlich, wie ich die Sache
5 verstehen solle." Darauf sagte er: „Nun wohlan,
mein Sohn, ich will dich lehren, daß du so wohl als
ich mit diesen Bildern wirst reden können; allein
wird es Zeit brauchen, in welcher ich Geduld und
du Fleiß anzulegen." Demnach schrieb er mir ein
10 Alphabet auf birkene Rinden, nach dem Druck
formiert; und als ich die Buchstaben kannte, lernte
ich buchstabieren, folgends lesen und endlich besser
schreiben als es der Einsiedel selbst konnte, weil ich
alles dem Druck nachmalte.

Der abentheurliche Simplicissimus (1669)

15 *Simplicissimus leidet Schiffbruch und kommt auf eine unbewohnte Insel*

15 ALS wir nun erwünschten Wind hatten, nahmen
wir unsern Lauf das *caput bonae speranzae* zu
passieren, segelten auch etliche Wochen glücklich
dahin. Da wir aber vermeinten bald gegenüber der
Insel Madagascar zu sein, erhob sich solch ein
20 Ungestüm, daß wir kaum Zeit hatten die Segel
einzunehmen. Solches vermehrte sich je länger je
mehr, so daß wir die Maste abhauen und das Schiff
dem Willen der Wellen lassen mußten. Dieselben
führten uns in die Höhe gleichsam an die Wolken
25 und senkten uns wiederum bis auf den Abgrund
hinunter. Endlich warfen sie uns auf eine verborgene
Klippe mit solcher Stärke, daß das Schiff mit

grausamem Krachen zu Stücken zerbrach, wovon sich ein jämmerliches Geschrei erhob. Da ward die Gegend in einem Augenblick mit Kisten, Ballen und Trümmern überstreut. Ich und ein Zimmermann lagen auf einem großen Stück vom Schiff, daran wir uns fest hielten. Mithin legten sich die grausamen Winde allgemach, davon die wütenden Wellen sich nach und nach besänftigten. Hingegen aber folgte die stockfinstere Nacht mit einem schrecklichen Platzregen, daß es das Ansehen hatte, als hätten wir von oben herab ersäuft werden sollen. In diesem erbärmlichen Zustand trieben wir fort, bis wir inne wurden, daß wir auf dem Grunde sitzen blieben. Der Zimmermann hatte eine Axt in seinem Gürtel stecken, damit visitierte er die Tiefe des Wassers und fand nicht viel Schuh tief Wassers, welches uns Hoffnung gab, Gott hätte uns irgends hin an Land geholfen, das uns auch ein lieblicher Geruch zu verstehen gab. Sobald sich der liebe Tag im Osten ein wenig zeigte, sahen wir ein wenig Land allernächst vor uns liegen. Derowegen begaben wir uns alsobald ins Wasser, welches je länger je seichter ward, bis wir endlich mit großen Freuden auf das trockene Land kamen. Da fielen wir nieder auf die Knie, küßten den Erdboden und dankten Gott, daß er uns so väterlich erhalten.

Wir konnten noch nicht wissen, ob wir auf einem festen Land oder nur auf einer Insel waren, aber das merkten wir gleich, daß es ein fruchtbarer Erdboden sein müßte, weil alles vor uns mit Büschen und Bäumen bewachsen war, also daß wir kaum dadurch kommen konnten. Als es aber völlig Tag worden und wir keine einzige Anzeigung menschlicher

Wohnung verspürten, konnten wir unschwer er-
achten, daß wir auf einer unbekannten Insel sein
müßten. Wir fanden Citronen und Pomeranzen,
mit welchen wir uns trefflich erquickten; und als die
5 Sonne aufging, kamen wir auf eine Ebene, welche
überall mit Palmen bewachsen war. Daselbst
setzten wir uns an die Sonne unsere Kleider zu
trocknen, welche wir auszogen und an die Bäume
aufhängten. Als die liebe Sonne unsere Kleider
10 getrocknet, zogen wir selbige an und stiegen auf das
felsichte hohe Gebirge, so zwischen dieser Ebene
und dem Meer liegt, und sahen uns um. Und weil
wir nur Wasser und Himmel sahen, wurden wir
betrübt und verloren alle Hoffnung wiederum
15 Menschen zu sehen, doch tröstete uns wiederum,
daß uns die Güte Gottes nicht an einen Ort ge-
sendet hatte, der mit Menschenfressern bewohnt
gewesen wäre. Darauf fingen wir an zu denken,
was uns zu tun sein möchte; und weil wir gleichsam
20 wie Gefangene in dieser Insel bei einander leben
mußten, schwuren wir einander beständige Treue.
Das Gebirge saß und flog nicht allein voller Vögel
sondern lag auch so voll Nester mit Eiern, daß wir
uns nicht genugsam darüber verwundern konnten.
25 Wir tranken derer etliche aus und nahmen noch
mehr mit uns das Gebirge herunter, an welchem
wir die Quelle des süßen Wassers fanden, welches
sich so stark, daß es ein Mühlrad treiben könnte, in
das Meer ergießt; darüber wir eine neue Freude
30 empfingen und beschlossen bei derselbigen Quelle
unsre Wohnung anzustellen. Zu solcher Haushaltung hatten wir keinen andern Hausrat als eine
Axt, einen Löffel, drei Messer, eine Gabel und eine

Schere. Mein Kamerad hatte zwar dreißig Dukaten bei sich, aber sie waren uns zu nichts nütz, ja weniger wert als mein Pulverhorn, welches noch mit Zündkraut gefüllt war. Dasselbe dörrte ich an der Sonne, zettelte davon auf einen Stein, belegte es mit 5 leichtbrennender Materie, deren es von Moos und Baumwolle von den Kokosbäumen genugsam gab, strich darauf mit einem Messer durch das Pulver und fing so Feuer, welches uns so hoch erfreute als die Erlösung aus dem Meer. Wir fingen etwas vom 10 Geflügel, dessen die Menge bei uns ohne Scheu herum ging, rupften's und steckten's an einen hölzernen Spieß. Da fing ich an Braten zu wenden und was uns an Salz abging, ersetzten wir mit Citronensaft. Wegen überstandener Abmattung 15 drang uns der Schlaf, daß wir uns zur Ruhe legen mußten bis an den lichten Morgen. Als wir solchen erlebt, gingen wir dem Bächlein nach hinunter bis an den Mund, da es sich ins Meer ergießt, und sahen mit Verwunderung, wie sich eine unsägliche Menge 20 Fische in der Größe als mittelmäßige Salmen ins Flüßlein hinaufzog. Und weil wir auch etliche Bananas antrafen, so treffliche Früchte sind, sagten wir zusammen, wir hätten Schlauraffenland genug, wenn wir nur Gesellschaft hätten die Fische und 25 Vögel dieser edlen Insel genießen zu helfen.

Continuatio des abentheurlichen Simplicissimi (1669)

PHILIPP JAKOB SPENER

1635-1705

16 *An seinen Sohn, als er die Apotheker-Kunst lernte*

LIEBER SOHN,
Es ist mir dein Neujahrswunsch angenehm
gewesen. Gott erfülle ihn an mir, wie es zu seinen
Ehren dienlich, meinem Amte heilsamlich und den
5 Meinigen nützlich sein wird. Er lasse dir aber auch
alle deine Jahre, so viel er dir in dieser Zeitlichkeit
bestimmt haben wird, also zugebracht werden, daß
sich täglich das göttliche Licht in deiner Seele vermehre. Daß er dir auch an Gesundheit und übrigem
10 dieses Lebens Segen alles zuwerfe, so viel er dir
selig zu sein erkennt: dieses ist mein täglicher Wunsch.
Damit aber solcher auch möge kräftig sein, so setze
dein herzliches Gebet auch täglich hinzu. Lasse
also deine Hauptsorge sein, wie du deinem himm-
15 lischen Vater treulich dienen könnest. Lies auch
so viel du Zeit haben kannst in der heiligen Bibel
und andern gottseligen Büchern und höre das Wort
Gottes in den Predigten mit Andacht, damit der
gute Anfang der Erkenntnis Gottes möge immer dir
20 so viel tiefer in die Seele gedrückt werden. Dazu
aber ist nicht eben gar viel zu lesen nötig, sondern
daß du das wenige, was du liest, fleißig erwägst;
und wo du morgens nicht mehr als ein Sprüchlein
gelesen hättest, hingegen den ganzen Tag unter
25 deiner Arbeit daran gedenkst, ist dir nützlicher als
ganze Kapitel ohne weiteres Nachsinnen. Nimm
dir also täglich einen solchen Spruch vor und mache

31

ihn zu Nutz. Am aller angelegensten aber lasse dir
das liebe Gebet befohlen sein, daß du so wohl
morgens als abends vor und nach der Mahlzeit dein
Gebet tust, aber allezeit so, daß es mit herzlicher
Andacht geschehe und du dir in deiner Seele vor- 5
stellst, mit wem du redest. Am lieben Sonntage
suche sonderlich die Zeit, so viel dir deren werden
mag, zum Geistlichen anzuwenden und tue dich
mehr und mehr ab von der gemeinen Gewohnheit,
da man den Sonntag ansieht für den Tag der Lust 10
und Fröhlichkeit; suche du lieber Lust in Gott und
dem Geistlichen, als versichert, daß diese die ver-
gnüglichste sei. Nächst Gott hast du an deine
Eltern zu denken, daß du dich der Treue erinnerst,
die sie an dir tun; als auch, daß du dich befleißigst 15
dich also zu halten, daß sie keine Betrübnis oder
Schande von dir haben sondern sich deiner freuen
und Gott über dich preisen.

Nachdem dich aber nunmehr der himmlische
Vater aus deiner Eltern Hause zu einem andern 20
Herrn geführt hat, so gedenke, daß du solchem
deinem Herrn alle diejenige Pflicht auch schuldig
seist, welche du deinen Eltern schuldig bist. Du
hast ihn von Grund deiner Seele zu lieben, und
nicht nur aus Furcht der Strafe sondern von Herzen 25
ihm zu gehorchen. Was die Gesellen anlangt, von
denen du auch zu lernen hast, erfordert nicht nur
der Brauch sondern auch Gottes Ordnung, daß du
denselben untertan seist. Was sonsten Gesinde und
deine Mit-Lehrjungen anlangt, da gehe mit allen 30
freundlich und liebreich um und sei jedem in allen
Stücken zu Willen, es sei denn solches wider Gott
oder wider deine Herrschaft. In deiner Lehre selbst

sei fleißig, gib auf alles acht, gedenke das sei die
Kunst, welche du itzo lernst, davon du nicht allein
dein Stück Brot verdienen sondern auch Gott und
deinen Nächsten dienen sollst. Was andere Leute
5 anlangt, mit denen du umzugehen hast, so bezeige
dich gegen jedermann freundlich und demütig.
Scheue dich keiner Arbeit, worin du jemand einen
christlichen Dienst erzeigen kannst. Halte dich
allzeit lieber zu Leuten, die älter sind als du, von
10 denen du was lernen kannst. Vor Spielen und
überflüssigem Trinken hüte dich als vor dem Teufel
selbst, wie es denn desselben gefährliche Stricke sind,
womit er ihrer so viele in zeitliches und ewiges
Verderben zieht.
15 Hiermit hast du, lieber Sohn, was ich als dein
Vater, der dein zeitlich und ewiges Heil verlangt,
dir für diesmal zu deiner Erinnerung dienlich
erachtet habe. Lies diesen Brief vielmal, sonderlich
Sonntags, und examiniere dich allemal danach,
20 worin du demselben nachgekommen seist oder zurück
geblieben wärest, damit du allsobald, wo du Fehler
findest, sie wiederum besserst.

ABRAHAM A SANTA CLARA

1644–1709

17 *„Wer hat den Türken gezogen in*
Europam?"

SO lang' Adam im Stand der Unschuld verharrt,
so lang' er sich göttlichem Gehorsam nicht
25 entzogen hat, so lang' sind alle Geschöpfe seiner
Botmäßigkeit unterworfen gewesen; die Katzen

täten nicht kratzen, der Löwe hielt sich gegen ihn
wie ein Polster-Truckerl gegen eine Dame, nicht ein'
Mucken traute sich auf seine Nase, was noch wunder-
licher! dazumalen prangte die liebfarbe Rose mit
ihrem majestätischen Purpur ohne Dörner. Sobald 5
aber Adam gesündigt und Gott beleidigt, den
Augenblick hat die Rose solche feindliche Waffen
und Stichdegen an der Seite gehabt. Derzeiten hat
die Welt, absonderlich unser Europa, einen solchen
harten Zustand, welchen so bald kein Medicus 10
wenden kann, zumal kein Land fast ohne Krieg ist,
kein Land ohne feindliche Waffen; von vielen
Jahren her ist das Römisch Reich schier Römisch
Arm worden durch stäte Kriege; von etlichen
Jahren her ist Niederland noch niederer worden 15
durch lauter Kriege; Elsaß ist ein Elendsaß worden
durch lauter Kriege; der Rhein-Strom ist ein Pein-
Strom worden durch lauter Kriege, und andere
Länder in Elender verkehrt worden durch lauter
Kriege: Hungarn führt ein doppeltes Kreuz im 20
Wappen, und bishero hat es viel tausend Kreuze
ausgestanden durch lauter Kriege. Die Sünd' ist
der Magnet, welcher das scharfe Eisen und Kriegs-
schwert in unsere Länder zieht. Lebt man doch
allerseits, als hätte der allmächtige Gott das Chiragra 25
und könne nicht mehr dreinschlagen. Wer hat den
Türken, diesen Erbfeind, gezogen in Europam, in
Hungarn? Niemand anders als die Sünd'; nach
dem S im ABC folgt das T, nach der Sünd' folgt
der Türk'. Ein' wahrhafte Made, so unsern Wohl- 30
stand zerbeißt, ist die Sünd', und gleich wie David
dem Goliath mit dessen eigenem Schwert den Kopf
abgehauen, also straft uns Gott mit dem feindlichen

Säbel, den niemand anders geschmiedet hat als unsere eigene Sünd'.

Auf, auf ihr Christen ! (1683)

18   *Was ist Wahrheit?*

ES ist einmal der gebenedeite Herr und Heiland so matt und müd' gewesen, daß er etwas zu 5 ruhen sich bei einem Brunnen niedergesetzt und sehr heilsame Reden geführt mit der Samaritanin. Ich armer Tropf bin auch auf eine Zeit so müd' worden, daß mir sogar die Füß' das weitere Gehen und Stehen rund haben abgeschlagen. Die Ursach' 10 meiner Mattigkeit war, weil ich etwas gesucht und nicht gefunden. Sonst lautet wohl das Sprichwort: „Wer sucht der findet." Joseph hat seine Brüder gesucht und hat sie gefunden; Joseph und Maria haben den zwölfjährigen Jesum gesucht und haben 15 ihn gefunden, der gute Hirte hat das verlorne Lämbl gesucht und hat's gefunden, das Weib im *Evangelio* hat den verlornen Groschen gesucht und hat ihn gefunden: ich aber hab' lang' etwas gesucht und nicht gefunden. Ich habe die Wahrheit gesucht. 20   Es hatte Pilatus unserm Herrn *Christo* einst gar glimpflich vorgetragen, daß die Hebräer wider ihn sehr scharfe Klagen eingaben, wie daß er ein Aufrührer des Volks sei, auch eine neue Lehr' ausstreue, ja des Lands Ruhestand zu stürzen trachte; and was 25 noch mehr: er gebe sich aus für einen gesalbten König der Juden. „Siehe", sagte Pilatus zu *Christo*, „ ich mein's gar gut mit dir, bekenne es mir, bist du ein König der Juden? Du hast weder Land noch Pfand, weder Güter noch Hüter, weder Gesandten

35

noch Trabanten, weder Kron' noch Thron. Hast
du es dann gesagt, bist du der Juden König?"
Worauf der Heiland geantwortet: „Ich bin dazu in
die Welt kommen, daß ich der Wahrheit Zeugnis
gebe." Darauf geschwind Pilatus: „Was ist Wahr- 5
heit?" Pilatus, ein solcher vornehmer Herr, dem
Land und Leute unterworfen, in dessen Gewalt war
allenthalben anzuschaffen, abzuschaffen, einzu-
schaffen, fortzuschaffen; ein Herr mit ziemlicher
Zahl der Bedienten, mit großer Menge der Auf- 10
wärter; ein Herr von absonderlichem Verstand und
reifem Witz, soll nicht wissen, was Wahrheit sei?
Nein, er wußte es nicht. Das ist aber kein Wunder,
denn er war ein vornehmer Herr, hielt einen großen
Hof; und zu Hof, wo die *Politica* den Vortanz hat, 15
allda hat die Wahrheit den Forttanz. In Egyptien
ist der Schnee etwas seltsames, in Norwegen ist der
Wein etwas seltsames, in Mauritania ist ein weiß
Gesicht etwas seltsames, in Italien sind gelbe Haare
etwas seltsames, in Deutschland sind die Elefanten 20
etwas seltsames, bei Höfen und großen Herren ist
die Wahrheit etwas seltsames.

Judas der Erzschelm (1686)

19 *Kinderzucht*

IHR Eltern tut zu viel und tut zu wenig: ihr tut
zu wenig strafen, ihr tut zu viel lieben euere
Kinder. Ihr habt ohne Zweifel vernommen, wie 25
einst die Bäume sind zusammen kommen und einen
König erwählt. Die meisten Stimmen sind gefallen
auf den Ölbaum, den Feigenbaum, den Weinstock.
Wenn ich wäre gegenwärtig gewesen und eine freie

Wahl hätte gehabt, so hätte ich unfehlbar den
Birkenbaum zum König erkoren, denn niemand
glaubt's, wie ruhmwürdig dieser regiert, absonderlich in der Kinderzucht. Die Erd' bringt kein'
5 Frucht sondern Distel, wenn man sie nit mit
scharfen Pflugeisen durchgräbt. Das Eisen, so erst
aus dem Bergwerk gebrochen, ist nichts Gutes, es
komme denn der harte Hammerstreich darauf. Der
Weinstock wird nit tragen sondern verfaulen, so nit
10 ein Stecken dabei steht. Die Musik wird auf Katzen-
art bleiben, wenn der Taktstreich des Capellmeisters
abgeht. Die Leinwand des Malers wird kein schön
Bildnis vorstellen, wenn er den Streichpinsel nit in
die Hand nimmt. Nero wäre kein solcher Böswicht
15 worden, wenn ihn seine Mutter hätte schärfer gehalten. Ein Bub' ist drei Jahr in einer Schul' wegen
seiner Faulheit sitzen blieben, welches ihm der Vater
hart verwiesen, dem aber der Sohn zugeredet:
„Mein Vater, verwundert euch doch nit so sehr
20 über dies, ist doch mein Professor schon das vierte
Jahr in dieser Schul'." Dieser Bub' wäre nicht so
träg und faul gewesen, dafern er die Rute mehr
gekostet hätte.

Judas der Erzschelm (1686)

GOTTFRIED WILHELM VON LEIBNIZ

1646–1716

20 *Über die deutsche Sprache*

ES ist bekannt, daß die Sprache ein Spiegel des
25 Verstandes ist, und daß die Völker, wenn sie
den Verstand hoch schwingen, auch zugleich die
Sprache wohl ausüben, welches der Griechen und

Römer Beispiele zeigen. Ich finde, daß die Deutschen ihre Sprache bereits hoch gebracht in allem,
so mit den fünf Sinnen zu begreifen ist und auch
dem gemeinen Mann vorkommt; absonderlich in
leiblichen Dingen, auch Kunst- und Handwerks- 5
Sachen, weil die Gelehrten fast allein mit dem
Latein beschäftigt gewesen und die Muttersprache
dem gemeinen Lauf überlassen, welche nichts desto
weniger von den sogenannten Ungelehrten nach
Lehre der Natur gar wohl getrieben worden ist. 10
Und halt' ich dafür, daß keine Sprache in der Welt
sei, die zum Beispiel von Erz und Bergwerken reicher
und ausdrücklicher rede als die deutsche. Dergleichen kann man von allen andern gemeinen
Lebens-Arten und Professionen sagen, als von 15
Jagd- und Weidwerk, von der Schiffahrt und dergleichen. Wie denn alle die Europäer, so auf dem
großen Weltmeer fahren, die Namen der Winde
und viele andere Seeworte von den Deutschen,
nämlich von den Sachsen, Normannen, Osterlingen 20
und Niederländern entlehnt haben. Es ereignet
sich aber einiger Abgang bei unserer Sprache in den
Dingen, so man weder sehen noch fühlen sondern
allein durch Betrachtung erreichen kann; als bei
Ausdrückung der Gemüts-Bewegungen, auch der 25
Tugenden und Laster und vieler Beschaffenheiten,
so zur Sittenlehre und Regierungskunst gehören,
welches alles dem gemeinen Mann etwas entlegen
ist, da hingegen der Gelehrte und Hofmann sich des
Lateins oder anderer fremden Sprachen in der- 30
gleichen fast allein beflissen haben. Nun wäre zwar
dieser Mangel bei den metaphysischen Kunst-
wörtern noch in etwas zu verschmerzen, am aller-

meisten aber ist unser Mangel bei den Worten zu
spüren, die sich auf gemeinlichen Wandel und allerhand bürgerliche Lebens- und Staatsgeschäfte beziehen; wie man wohl findet, wenn man etwas aus
5 andern Sprachen in die unsrige übersetzen will.
Und weil solche Worte und Reden zum täglichen
Umgang als auch zur Brief-Wechselung erfordert
werden, so hätte man fürnehmlich auf deren Er-
setzung oder, weil sie schon vorhanden aber ver-
10 gessen sind, auf deren Wiederbringung zu denken,
und wo sich dergleichen nichts ergeben will, einigen
guten Worten der Ausländer das Bürgerrecht zu
verstatten. Hat es demnach die Meinung nicht,
daß man in der Sprache zum Puritaner werde und
15 mit einer abergläubischen Furcht ein fremdes aber
bequemes Wort als eine Todsünde vermeide, dadurch aber sich selbst entkräfte und seiner Rede den
Nachdruck nehme.

Anitzo scheint es, daß bei uns der Mischmasch
20 abscheulich überhand genommen, also daß der
Prediger auf der Kanzel, der Sachwalter in der
Kanzlei, der Bürgersmann im Schreiben und Reden,
mit erbärmlichem Französischen sein Deutsches verderbt; mithin es fast das Ansehen gewinnen will,
25 wenn man so fortfährt und nichts dagegen tut, es
werde Deutsch in Deutschland nicht weniger verloren gehen als das Engelsächsische in Engelland.
Gleichwohl wäre es ewig Schade und Schande,
wenn unsere Haupt- und Heldensprache dergestalt
30 durch unsere Fahrlässigkeit zu Grunde gehen sollte,
weil die Annehmung einer fremden Sprache gemeiniglich den Verlust der Freiheit und ein fremdes
Joch mit sich geführt hat. Im Jahrhundert der

Reformation redete man ziemlich rein Deutsch,
außer weniger italienischer zum Teil auch spanischer
Worte, so vermittelst des kaiserlichen Hofes eingeschlichen. Solches aber, wann es mäßiglich geschieht, ist weder zu ändern noch eben so sehr zu 5
tadeln, zu Zeiten auch wohl zu loben, zumal wenn
neue und gute Sachen zusamt ihren Namen aus der
Fremde zu uns kommen. Allein wie der dreißig-
jährige Krieg eingerissen, da ist Deutschland von
fremden Völkern wie mit einer Wasserflut über- 10
schwemmt worden, und ist nicht weniger unsere
Sprache als unser Gut in die Rapuse gangen. Bis
dahin war Deutschland zwischen den Italienern und
den Franzosen gleichsam in der Wage gestanden.
Aber nach dem Münsterschen Frieden hat so wohl 15
die französische Macht als Sprache bei uns überhand
genommen. Man hat Frankreich zum Muster aller
Zierlichkeit aufgeworfen, und unsere jungen Leute,
so ihre eigene Heimat nicht gekannt und deswegen
alles bei den Franzosen bewundert, haben ihr 20
Vaterland nicht nur bei den Fremden in Verachtung
gesetzt sondern auch selbst verachten helfen und
einen Ekel der deutschen Sprache und Sitten aus
Ohnerfahrenheit angenommen, der auch an ihnen
bei zuwachsenden Jahren und Verstand behenken 25
blieben. Und weil die meisten dieser jungen Leute
hernach, wo nicht durch gute Gaben doch wegen
ihrer Herkunft und Reichtums, zu Ansehen und
fürnehmen Ämtern gelangt, haben solche Franz-
Gesinnte viele Jahre über Deutschland regiert und 30
solches fast, wo nicht der französischen Herrschaft
doch der französischen Mode und Sprache, unter-
würfig gemacht. Ich will doch gleichwohl nicht in

Abrede sein, daß mit diesen Fremdenzen auch viel
Gutes bei uns eingeführt worden. Man hat mit
einiger Munterkeit im Wesen die deutsche Ernst-
haftigkeit gemäßigt und, so viel die Sprache betrifft,
5 einige gute Redensarten als fremde Pflanzen in
unsere Sprache versetzt. Die Einbürgerung ist bei
guter Gelegenheit nicht auszuschlagen und den
Sprachen so nützlich als den Völkern. Holland ist
durch Zulauf der Leute wie durch den Zufluß
10 seiner Ströme aufgeschwollen; die englische Sprache
hat alles angenommen, und wenn jedermann das
Seinige abfordern wollte, würde es den Engländern
gehen wie der Äsopischen Krähe, da andere Vögel
ihre Federn wieder geholt.

*Unvorgreifliche Gedanken betreffend die Ausübung und
Verbesserung der teutschen Sprache* (1697)

CHRISTIAN THOMASIUS

1655–1728

21 *Nachahmung der Franzosen*

15 ES ist kein Zweifel, daß wenn unsere Vorfahren
anitzo auferstehen sollten, ihnen nicht dünken
würde, daß sie in ihrem Vaterlande und bei ihren
Landsleuten wären, sondern sie würden sich vielmehr einbilden, daß sie in einem fremden Lande
20 bei unbekannten Menschen sich aufhielten. So
große Änderungen sind vorgegangen, unter welchen
nicht die geringste ist, daß heutzutage alles bei uns
französisch sein muß. Französische Kleider, französische Speisen, ja gar französische Sünden sind
25 durchgehends im Schwange. Sollten wir uns nicht
schämen? Wenn unsere Vorfahren einen Blick in

41

die jetzige Welt tun sollten, sie würden uns entweder einen derben Verweis geben oder, uns nicht einmal ihres Zorns würdig achtend, mit einem bittern Gelächter von sich stoßen.

Auf diese Weise pflegt man öfters von unserer heutigen Lebensart zu urteilen, aber meines Bedünkens, wenn man keine anderen Ursachen vorbringen kann, möchte man wohl die guten alten Deutschen in ihren Gräbern ruhen lassen. Es ist von Anfang der Welt so hergegangen, daß die Sitten sich verändert haben. Dannenhero ist ungereimt, wenn man ein geändertes Leben bloß wegen der Änderung tadeln will ohne zu sehen, ob man das Gute mit Bösem oder dieses mit jenem verwechselt habe. Die alten Deutschen waren wegen eines und andern billig zu loben, aber wer wollte leugnen, daß wir auch in vielen Stücken einen merklichen Vorteil vor ihnen aufzuweisen hätten? So halte ich auch gänzlich dafür, daß die Nachahmung der Franzosen für sich selbst ohne Ursache gescholten werden könne. Eine Nachahmung ist allezeit lobenswürdig, wenn die Sache selbst nichts scheltwürdiges an sich hat; also sind die französischen Kleider, Speisen, Hausrat, Sprache und Sitten solche Dinge, welche mit nichten als den göttlichen Gesetzen zuwider ausgerufen werden können. Derowegen sei es so, man ahme den Franzosen nach, denn sie sind doch heutzutage die geschicktesten Leute und wissen allen Sachen ein recht Leben zu geben. Sie verfertigen die Kleider wohl und bequem und ersinnen solche artige Moden, die nicht nur das Auge belustigen sondern mit der Jahreszeit wohl übereinkommen. Sie wissen die Speisen so gut zu prä-

parieren, daß sowohl der Geschmack als der Magen
vergnügt wird. Ihre Sprache ist anmutig und lieb-
reizend, und ihre ehrerbietige Freiheit ist geschickter
sich in die Gemüter der Menschen einzuschleichen
5 als eine affektierte bauerstolze Gravität. Was aber
die Gelehrsamkeit betrifft, so ist wohl kein Zweifel,
daß es heutzutage unter den Franzosen mit den
Gelehrten auf das höchste gekommen ist, und sie,
durch die Magnifizenz des Königs angefrischt,
10 emsig bemüht sind anmutige und nützliche Wissenschaften fortzupflanzen und die Grillen der Schul-
füchse aus dem Lande zu jagen. Was müßte ich
für Zeit und Gelegenheit haben, wenn ich alle die
gelehrten französischen Scribenten nur erzählen
15 wollte! Dieses kann ich nicht unangemerkt lassen,
daß sie nicht allein ihre Werke mehrenteils in
französischer Sprache herausgeben sondern auch
den Kern von den lateinischen, griechischen, ja
auch deutschen Autoren in ihre Muttersprache
20 übersetzen; denn dadurch wird die Gelehrsamkeit
fortgepflanzt, wenn ein jeder das, was zu einer
klugen Wissenschaft erfordert wird, in seiner Sprache
lesen kann. Es gibt ja auch in Deutschland gelehrte
Leute aber nicht so häufig als in Frankreich, weil
25 sich sehr viele von den unsrigen auf die *abstractiones*
metaphysicas der Schullehrer befleißigen (durch
welche man weder dem gemeinen Besten was nützt
noch seiner Seele Seligkeit befördert) oder die
nötigen Wissenschaften nur obenhin ohne gründ-
30 lichen Verstand lernen. So ist auch offenbar, daß
wir unsere Sprache bei weitem so hoch nicht halten
als die Franzosen die ihrige. Denn anstatt daß wir
uns befleißigen sollten die guten Wissenschaften in

deutscher Sprache geschickt zu schreiben, so fallen wir entweder auf die eine Seite aus und bemühen uns die lateinischen und griechischen *terminos technicos* mit dunkeln und lächerlichen Worten zu verhunzen, oder aber wir kommen in die andere 5 Ecke und bilden uns ein unsere Sprache sei nur zu den Handlungen im gemeinen Leben nützlich oder schicke sich, wenn es aufs höchste kommt, zu nichts mehr als Histörchen und neue Zeitungen darin zu schreiben. Ja, ich wollte wetten, daß unter denen, 10 so diesen meinen Discurs lesen werden, fast die Hälfte ihre erste Zensur werden sein lassen, daß ich ungereimt gehandelt, weil ich solchen nicht in lateinischer Zunge verfertigt habe.

Discours, welcher Gestalt man denen Franzosen nach-ahmen solle (1687)

22   *Vom Charakter der Nationen*

EINE jede Nation hat ihren absonderlichen 15 Charakter. Führt derselbe eines Teils etwas Gutes mit sich, so hat er gewißlich auch am andern Teil etwas Verdrießliches dabei, daß also keine Nation Ursache hat die andere zu verachten oder allzu übermäßig zu erheben. Ein weiser Mann 20 redet unparteiisch von Freunden und Feinden und übersieht jener ihre Fehler noch weniger, als er dieser ihre Tugenden zu rühmen vergißt. Es würde viel zu weitläufig werden, wenn wir die Arten des französischen und deutschen Geistes nach Würde 25 der Sache ausführlich gegeneinander halten sollten; derohalben wollen wir das, was wir davon zu sagen haben, in wenig Worte zusammenfassen. Es ist wahr,

die Deutschen haben wegen ihres Temperaments
nicht so viel Hitze als die Franzosen, und das ist die
Ursache, warum unter ihnen nicht so viel *beaux
esprits* als unter den Franzosen anzutreffen sind.
5 Aber sie haben hingegen desto größere Geduld; und
eben diese Geduld ist es, die notwendig erfordert
wird, wenn man etwas Solides schreiben und sich
mit einem *faux brillant* nicht begnügen will.
Wiederum ist es auch wahr, daß die Franzosen
10 insgemein mit einer Lebhaftigkeit des Geistes vor
andern Nationen begabt sind; aber diese Lebhaftigkeit ist nach ihrem eigenen Geständnis sehr
flüchtig, und die mit dieser Flüchtigkeit vergesell-
schafte Ungeduld verhindert sie, daß sie gar selten
15 sich Zeit nehmen die guten Erfindungen, mit denen
ihr Geist ausgefüllt ist, in Ordnung zu bringen.
Solchergestalt aber werde ich allen Unparteiischen
von beiderlei Nationen sagen dürfen, daß die
französische Lebhaftigkeit niemalen zu einem hohen
20 Grad der Gelahrtheit gelangen könne, wenn sie
nicht mit einer deutschen Geduld temperiert
werde, und daß andern Teils die deutsche Geduld
nimmermehr einen Deutschen zu einem wohl-
verdienten Ruhm erheben werde, wenn sie nicht
25 von einer französischen Lebhaftigkeit angefeuert und
belebt wird; und steht dahin, ob man nicht mehr
Exempel unter uns Deutschen werde aufbringen
können, die mit einer gleichen Lebhaftigkeit der
Schwere ihres Geistes Flügel gemacht, als die
30 Franzosen vielleicht unter ihren Landesleuten
werden vorstellen können, die ihre Lebhaftigkeit
mit einer gehörigen Geduld figiert hätten.

Kleine Schriften (1701)

45

JOHANN CHRISTOPH GOTTSCHED

1700–66

23 *Viel Büchermachens ist kein Ende*

WAS wird nicht heutiges Tages für eine unsägliche Menge von Büchern geschrieben! Mehr denn zehntausend Druckerpressen sind Jahr aus Jahr ein in beständiger Bewegung. Unzählige Papiermühlen machen ihre Arbeiter durch ihr unaufhörliches Knarren und Klappern halb taub. Man kann sich ja in Städten und Dörfern kaum der Lumpensammler erwehren. Das ungestüme Überlaufen dieser Leute nimmt so überhand, daß man uns mit der Zeit die Schürzen und Hemden von den Leibern reißen wird. Und warum das? Papier zu machen, damit ja nicht ein einziger Einfall eines Gelehrten verloren gehe sondern bis auf die späte Nachkommenschaft erhalten werde. Wo nimmt man aber alles Zeug zum Schreiben her? Ach daran wird es nicht fehlen, so lange die Welt steht! Was Plato für einen Knopf am Hute getragen? Ob Aristoteles in seinem Garten mit Pantoffeln oder Schuhen herumspaziert? Ob Äneas mit dem rechten oder linken Fuße zuerst das italienische Ufer betreten habe? Diese Fragen, sage ich, sind schon wichtig genug in Schriften abgehandelt zu werden. Wer sich in den Altertümern so hoch nicht verstiegen hat, der tut sich in der Historie seines Vaterlandes hervor. Er untersucht mit unglaublicher Mühe, wieviel Küster an seiner Dorfkirche schon gewesen? Wieviel Frauen und Kinder sie gehabt? Wie sie gelebt und wann sie gestorben? Hat jemand zur

Kritik Lust, so schreibt er ein Traktat, ob eine
Münze im Lateinischen *nummus* oder *numus* heiße?
Ob wir uns Teutsche oder Deutsche nennen sollen?
Ein andrer liebt die Naturwissenschaft. Gräbt man
5 einen unförmlichen Stein aus der Erde, so schreibt
man ein Buch davon und nennt ihn *Caput Medusae.*
Man sammelt Mücken und Ameisen zusammen und
gibt uns große Register davon heraus. Ein Bauer
pflügt ein Stückchen Kupfer, so er selbst einmal von
10 seinem Rockknopfe verloren, aus seinem Acker,
welches vom Roste halb verzehrt ist und deswegen
einige Gruben und Höhen auf seinen Flächen zeigt.
Er hebt es auf und zeigt es seinem Schulmeister, der
gibt es dem Pfarrer, von da kommt es einem *Anti-*
15 *quario* in die Hände. Dieser schreibt augenblicklich
eine *Disquisitionem Historico-Critico-Numismaticam*
und erweist, daß dieses eben der Schaupfennig sei,
den Nimrod in den Grundstein des babylonischen
Turms hat legen lassen. Das ist noch nicht genug:
20 diese Schrift kommt einem andern in die Hände,
der noch scharfsichtiger sein will. Er widerlegt den
ersten in einem *Schediasmate Philologico-Litterario-*
Curioso und erweist ganz unwidersprechlich, daß
dieses Blech vom Knopfe diejenige Huldigungs-
25 münze sei, welche Semiramis bei ihrer Krönung in
Ninive hat auswerfen lassen.

Die vernünftigen Tadlerinnen (1725)

24 *Von den drei Einheiten im Drama*

ES hat viele Poeten gegeben, die in allem andern
Zubehör des Trauerspiels, in den Charaktern,
in dem Ausdrucke, in den Affekten und so weiter

glücklich gewesen, aber in der Fabel ist es sehr
wenigen gelungen. Das macht, daß dieselbe eine
dreifache Einheit haben muß: die Einheit der
Handlung, der Zeit, und des Ortes. Die ganze
Fabel hat nur eine Hauptabsicht, nämlich einen 5
moralischen Satz; also muß sie auch nur eine Haupt-
handlung haben, um deretwegen alles übrige vor-
geht. Alle Stücke sind also tadelhaft und verwerf-
lich, die aus zwoen Handlungen bestehen, davon
keine die vornehmste ist.   10

Die Einheit der Zeit ist das andre, das in der
Tragödie unentbehrlich ist. Die Fabel eines Helden-
gedichtes kann viele Monate dauern; das macht,
sie wird nur gelesen; aber die Fabel eines Schau-
spieles, die mit lebendigen Personen in etlichen 15
Stunden lebendig vorgestellt wird, kann nur einen
Umlauf der Sonnen, wie Aristoteles spricht, das ist
einen Tag, dauern. Denn was hat es für eine Wahrscheinlichkeit, wenn man im ersten Auftritte den
Helden in der Wiege, weiterhin als einen Knaben, 20
hernach als einen Jüngling, Mann, Greis, und
zuletzt gar im Sarge vorstellen wollte. Oder wie ist
es wahrscheinlich, daß man es auf der Bühne
etlichemal Abend werden sieht, und doch selbst
ohne zu essen oder zu trinken oder zu schlafen 25
immer auf einer Stelle sitzen bleibt? Die besten
Fabeln sind also diejenigen, die nicht mehr Zeit
nötig gehabt hätten wirklich zu geschehen als sie
zur Vorstellung brauchen; das ist etwa drei oder vier
Stunden: und so sind die Fabeln der meisten 30
griechischen Tragödien. Kommt es hoch, so be-
dürfen sie sechs, acht oder zum höchsten zwölf
Stunden zu ihrem ganzen Verlaufe; und höher muß

es ein Poet nicht treiben, wenn er nicht wider die Wahrscheinlichkeit handeln will. Es müssen aber diese Stunden bei Tage und nicht bei Nacht sein, weil diese zum Schlafen bestimmt ist; es wäre denn,
5 daß die Handlung erst nach Mittage anfinge und sich bis spät in die Nacht verzöge, oder umgekehrt, frühmorgens anginge und bis zu Mittage dauerte.

Zum dritten gehört zur Tragödie die Einigkeit des Ortes. Die Zuschauer bleiben auf einer Stelle
10 sitzen; folglich müssen auch die spielenden Personen auf einem Platze bleiben, den jene übersehen können ohne ihren Ort zu ändern. Es ist also in einer regelmäßigen Tragödie nicht erlaubt den Schauplatz zu ändern. Wo man ist, da muß man
15 bleiben; und daher auch nicht in dem ersten Aufzuge im Walde, in dem andern in der Stadt, in dem dritten im Kriege und in dem vierten in einem Garten oder gar auf der See sein. Das sind lauter Fehler wider die Wahrscheinlichkeit. Eine Fabel
20 aber, die nicht wahrscheinlich ist, taugt nichts, weil dieses ihre vornehmste Eigenschaft ist.

Versuch einer kritischen Dichtkunst (1730)

25 *Nutzen des Übersetzens für angehende Schriftsteller*

ÜBERSETZEN ist eben das, was einem Anfänger in der Malerkunst das Nachzeichnen eines ihm vorgelegten Musters ist. Man weiß, daß die Stücke
25 großer Meister von mittelmäßigen Künstlern oder Anfängern, die gern weiter kommen wollen, gern und fleißig nachgemalt werden. Indem sie nun dieselben nachzeichnen, schattieren und ausmalen,

49

so beobachten sie mit der größten Scharfsinnigkeit alle Kunst und Geschicklichkeit des Urhebers, alle Schönheit und Vollkommenheit ihres Vorbildes. Sie machen sich auch in während Arbeit selbst hundert kleine Regeln; sie merken sich hundert 5 Kunstgriffe und Vorteile an, die nicht ein jeder sogleich weiß und darauf sie von sich selbst nicht gekommen wären. Ja selbst ihre Hand erlangt eine gewisse Fertigkeit den Pinsel auf eine sichere Art zu führen. Eben so ist es mit einem Übersetzer. 10 Wenn er eine gute Schrift vor sich hat und dieselbe in seine Muttersprache übersetzen will, so gibt er auf alle Worte, Redensarten, Sätze und Glieder der ganzen Rede weit mehr Achtung als ein bloßer Leser. Er bemerkt alle Zierate und Schönheiten 15 einer solchen Stelle, die ein andrer übersehen hätte. Er stiehlt, so zu reden, seinem Originale die Kunst ab und erwirbt sich unvermerkt eine Fähigkeit und Geschicklichkeit eben so zu denken und seine Gedanken eben so auszudrücken als sein Vorgänger 20 getan hat.

Wenn es sich nun fragt, wie man sich beim Übersetzen zu verhalten habe, so müssen wir einige Hauptregeln dabei geben. Erstens wähle man sich nichts zum Übersetzen, darin man entweder der 25 Sache oder doch der Sprache noch nicht gewachsen ist: denn was man selbst noch nicht versteht, das wird man unmöglich in andern Sprachen recht auszudrücken vermögend sein. Zweitens bemühe man sich nicht so wohl alle Worte als vielmehr den 30 rechten Sinn und die völlige Meinung eines jeden Satzes, den man übersetzt, wohl auszudrücken. Denn obgleich die Wörter den Verstand bei sich

führen, so lassen sie sich doch in einer andern
Sprache so genau nicht geben, daß man ihnen Fuß
vor Fuß folgen könnte. Daher drücke man drittens
alles mit solchen Redensarten aus, die in seiner
5 Sprache nicht fremd klingen sondern derselben
eigentümlich sind. Eine jede Mundart hat ihre
eigenen Ausdrückungen, die sich in keiner andern
ganz genau geben lassen. Und da muß ein Redner
allezeit etwas an die Stelle zu setzen wissen, was
10 eben den Nachdruck und eben die Schönheit hat
als die Redensart des Originals. Endlich behalte man
viertens so viel als möglich ist, alle Figuren, alle
verblümten Reden aus dem Originale bei. Denn
weil diese sonderlich den Charakter des einen
15 Scribenten von der Schreibart des andern unterscheiden, so muß man auch in der Übersetzung
einem jeden Schriftsteller seine Art lassen, daran
man ihn zu erkennen pflegt. Doch wollte ich es
deswegen nicht raten auch alle weitläuftigen Sätze
20 eines Schriftstellers, die sich oft ohne die größte
Verwirrung nicht in einem Satze deutsch geben
lassen, in einem Stücke beisammen zu lassen. Nein,
hier kann sich ein Übersetzer billig die Freiheit
nehmen einen verworrenen Satz in zween, drei oder
25 mehr Teile abzusondern.

Um sich nun zu diesem allen desto geschickter
zu machen, so nehme man die Übersetzungen andrer
zur Hand und vergleiche dieselben mit ihren Ori-
ginalen. Man bemerke den Nachdruck des Grund-
30 textes und sehe, ob der Dolmetscher ihn im Deutschen
erreicht hat. Man untersuche die Schönheit und
Anmut aller Ausdrückungen und prüfe jeden Satz
der Übersetzung: ob er auch mehr oder weniger

sagt als der Schriftsteller hat sagen wollen; ob er zu
kurz oder zu weitläuftig, zu erhaben oder zu niedrig,
zu matt oder zu lebhaft, zu dunkel oder zu deutlich
geraten ist; und ob er endlich im Deutschen eben
den Wohlklang und eben die Richtigkeit in der 5
ganzen Wortfügung hat, die man mit Recht fordern
kann. Durch solche Prüfungen lernt man gewißlich
nicht wenig. Man wird selbst viel aufmerksamer in
seinen eigenen Arbeiten und lernt viele Fehler vermeiden, die man sonst nicht einmal wahrgenommen 10
oder doch nicht für Fehler angesehen hätte.

Ausführliche Redekunst (1736)

GOTTLIEB WILHELM RABENER

1714–71

26   *„Kleider machen Leute"*

IN diesen Worten liegt eine unerschöpfliche Weisheit verborgen. Kleider sind der Schlüssel zu
den erstaunlichsten Begebenheiten des menschlichen
Lebens, welche so vielen, und den Philosophen am 15
meisten, unbegreiflich vorkommen. Sie sind das
wahre, das einzige Mittel alle diejenigen Glück-
seligkeiten zu erlangen, um welche sich ein großer
Teil der Menschen vergebens bemüht. Toren sind
es, welche sich und andern weismachen, daß nur die 20
Tugend glückselig und uns zu wahrhaftig großen
und berühmten Leuten macht. Kleider, glückselige
Erfindung! nur Kleider machen das, was Tugend
und Verdienste, Redlichkeit und Liebe zum Vaterlande vergebens unternehmen. Nunmehr ist mir 25
nichts so lächerlich als ein ehrlicher Mann in einem

schlechten Aufzuge; und das ist mir ganz unerträglich, wenn ein solcher Mann darum, weil er ehrlich ist, angesehen und bewundert zu sein verlangt. Wie lange muß er sich durch Hunger und Verachtung hindurch winden, ehe er es nur so weit bringt, daß er von Leuten, welche ihre Kleider vorzüglich machen, einigermaßen gelitten wird! Eine ängstliche Bemühung seinen Pflichten Genüge zu tun, bringt ihn in dreißig Jahren zu der Hochachtung nicht, zu welcher er durch ein prächtiges Kleid in vier und zwanzig Stunden gelangen kann. Man stelle sich einen solchen Mann vor, welcher mit seinen altväterlichen Tugenden und einförmiger Kleidung sich in eine Gesellschaft von vornehmen Kleidern zum ersten Male wagt. Er muß sehr glücklich sein, wenn ihm der Türsteher nicht den ersten Schritt ins Haus verwehrt. Drängt er sich auch bis in das Vorzimmer, so hat er sich noch durch eine Menge von Bedienten durchzuarbeiten, wovon ihn die meisten lächerlich finden, viele gleichgültig ansehen, und die billigsten gar nicht merken. Er verlangt Seiner Excellenz untertänig aufzuwarten. Ein Lakai weist ihn an den andern, und keiner meldet ihn an. Er bittet gehorsamst ihm die hohe Gnade zu verschaffen, daß er Seiner Excellenz seine ganz untertänigste Aufwartung machen dürfe. „Komme der Herr morgen wieder; es ist heute Gesellschaft im Zimmer!" Er schleicht sich beschämt zur Türe, um sich der Verachtung der Antichambre zu entziehen. Man stößt ihn mit Gewalt von derselben weg; man reißt beide Flügel mit einer ehrfurchtsvollen Beschäftigung auf, alle Bedienten kommen in Bewegung, alle richten sich in

eine demütige Stellung, der Kammerdiener fliegt
ins Zimmer seines Herrn. Seine Excellenz eilen
entgegen, und wem? einem vergoldeten Narren,
welcher die Treppe herauf gefaselt kommt und den
Schweiß seines betrogenen Gläubigers auf der Weste 5
trägt.

Da wir bloß den Kleidern den entscheidenden
Wert unsrer Verdienste zu danken haben, so scheue
ich mich nicht zu gestehen, daß ich wenige Personen
mit so viel Ehrfurcht ansehe als meinen Schneider. 10
Ich besuche seine Werkstatt oft, und niemals ohne
einen heiligen Schauer, wenn ich sehe, wie Ver-
dienste, Tugenden und Vernunft unter seinen
schaffenden Händen hervorwachsen und teure
Männer durch den Stich seiner Nadel aus dem 15
Nichts hervorspringen, so wie das erste Roß an dem
Ufer mutig hervorsprang, als Neptun mit seinem
gewaltigen Dreizack in den Sand stach. Vor etlichen
Wochen ging ich zu ihm und fand ihn in einem
Chaos von Sammet und reichen Stoffen, aus welchen 20
er erlauchte Männer schuf. Er schnitt eben einen
Domherrn zu und war sehr unzufrieden, daß der
Sammet nicht zureichen wollte den hochwürdigen
Bauch auszubilden. Über dem Stuhle hingen zwo
Excellenzen ohne Ärmel. Auf der Bank lagen noch 25
eine ganze Menge junger Stutzer, liebenswürdige
junge Herrchen und seufzende Liebhaber, welche
mit Ungeduld auf ihre Bildung und die Ent-
wickelung ihres Wesen zu warten schienen. Unter
der Bank stak ein großes Pack schlechter Tücher und 30
Zeuge für Gelehrte, Kaufleute, Künstler und andere
niedere Geschöpfe. Zwei Jungen, welche noch nicht
geschickt genug waren, saßen an der Türe und

übten sich an dem Kleide eines Poeten. Ich stand
bei dem Meister, hielt den Hut unterm Arme und
blieb länger als eine Stunde in eben der ehrfurchtsvollen Stellung, welche ich annehme, wenn ich in
5 Gesellschaft vornehmer und großer Männer bin.
So erhaben meine Gedanken sind, wenn ich den
erstaunenden Wirkungen meines Schneiders in seiner
Werkstatt zusehe, so kleinmütig werde ich, so oft
ich bei einer Trödelbude vorbeigehe. Diese ist in
10 Ansehung der Kleider eben das, was uns Menschen
die Begräbnisse sind. Hier hört aller Unterschied
auf. Oftmals sehe ich in der Trödelbude den
abgetragenen Rock eines witzigen Kopfs sehr vertraut neben dem Kleide eines reichen Wucherers
15 liegen, und es ist wohl geschehen, daß die Weste
eines Dorfschulmeisters über dem Sammetkleide
seines Prälaten gehangen hat.

Abhandlung von Sprichwörtern (1755)

CHRISTIAN FÜRCHTEGOTT GELLERT
1715–69

27 *Gespräch mit Friedrich dem Großen*

GESTERN nachmittag halb drei Uhr sitze ich
mit verschloßner Türe und lese zu meiner
20 Erbauung in den Psalmen. Kaum habe ich zu lesen
angefangen, so pocht jemand sehr ungestüm an
meine Türe. In der Angst rufe ich: herein! und
öffne die Türe und sehe zu meinem Schrecken einen
Offizier vor mir stehen. — „Ich bin der Major
25 Quintus. Der König läßt bitten, daß Sie ihn um
drei Uhr besuchen möchten." — „Herr Major, ich

55

muß mich niedersetzen, ich bin erschrocken, daß ich zittre. Sie sehn, daß ich krank bin (ich war in vier Tagen nicht balbiert, hatte eine Nachtmütze auf und mochte blaß wie der Tod aussehn), und ich schicke mich nicht für den König." — „Herr Pro- 5 fessor, ich sehe, daß Sie krank sind. Fürchten Sie nichts; ich bin ein großer Verehrer Ihrer Schriften, trauen Sie mir, Sie haben nichts bei dem Könige zu fürchten; Sie gewinnen aber auch nichts, wenn Sie heute zu Hause bleiben; denn ich komme morgen 10 und übermorgen wieder und immer so fort. Itzt will ich Ihnen drei Viertelstunden Zeit geben, wenn Sie sich anziehn wollen, und um halb vier Uhr bei Ihnen sein. Leben Sie wohl."— Nun war er fort. Ich hatte keinen Balbier, keine Perücke, nichts, 15 keinen Menschen um mich; aber ich ward um halb vier Uhr mit meinem Anzuge fertig, und der Major kam, und um vier Uhr waren wir schon bei dem Könige.

Der König: Ist Er Professor Gellert? Ich habe 20 Ihn gern sprechen wollen. Der englische Gesandte hat mir Seine Schriften noch heute sehr gelobt. Sind sie denn wirklich schön? Gelehrt mögen die Deutschen wohl schreiben, aber sie schreiben nicht mit Geschmack. 25

Ich: Ob meine Schriften schön sind, das kann ich selbst nicht sagen, Sire; aber ganz Deutschland sagt es und ist mit mir zufrieden, ich selbst bin es nicht.

Der König: Er ist sehr bescheiden. Aber warum nötigen uns die deutschen Skribenten nicht, daß 30 wir ihre Schriften lesen müssen, so wie es die Franzosen mit ihren Werken tun?

Ich: Das kann ich nicht beantworten, Sire; da

die Griechen schön schrieben, führten die Römer noch Krieg; da die Römer gut schrieben, hatten die Griechen aufgehört zu schreiben.

Der König: Er hat recht. Er mag wohl ein guter 5 Mann sein. Aber weiß Er, was Ihm fehlt? Er sollte reisen und die große Welt kennen lernen; dieses hilft schreiben.

Ich: Ich glaube es sehr wohl, Eure Majestät. Aber ich bin zu alt und zu krank zum Reisen und auch 10 nicht reich genug dazu.

Der König: Ja, die deutschen Dichter mögen wohl selten unterstützt werden. Es ist nicht gut.

Ich: Vielleicht fehlen uns noch Auguste und Ludwig-Quatorze.

15 *Der König*: Er hat recht. Sind itzt böse Zeiten?

Ich: Das werden Eure Majestät besser bestimmen können als ich. Ich wünsche ruhige Zeiten. Geben Sie uns nur Frieden, Sire.

Der König: Kann ich denn, wenn dreie gegen 20 einen sind?

Ich: Das weiß ich nicht zu beantworten. Wenn ich König wäre, so hätten die Deutschen bald Frieden.

Der König: Hat Er den Lafontaine nachgeahmt?

25 *Ich*: Nein, Sire, ich bin ein Original; das kann ich ohne Eitelkeit sagen; aber darum sage ich noch nicht, daß ich ein gutes Original bin.

Der Major: Ja, Eure Majestät. Man hat in Paris die Gellertschen Fabeln übersetzt und ihn für den 30 deutschen Lafontaine erklärt.

Der König: Das ist viel. Aber warum ist Er krank? Er scheint mir die Hypochondrie zu haben. Ich habe sie auch gehabt und will Ihn kurieren.

Erstlich muß Er alle Tage eine Stunde reiten, und zwar traben. Will Er das tun?

Ich: Ihre Regeln, Sire, wie man gut schreiben soll, die werde ich in acht nehmen; aber Ihren medizinischen Vorschriften werde ich nicht ge- 5 horchen. Ich bin zufrieden, wenn ich ruhig sterbe, gesetzt daß ich nicht gesund werde.

Der König: Wie alt ist Er?

Ich: Fünfundvierzig Jahre.

Der König: Das ist kein Alter. Er muß noch 10 schreiben, für die Welt leben.

Ich: Ich habe es getan, und ich habe schon zuviel geschrieben. Es ist eine große Geschicklichkeit zu rechter Zeit aufzuhören; und endlich liegt mir an der Unsterblichkeit wenig, wenn ich nur genützt 15 habe.

Der König: Weiß Er keine von seinen Fabeln auswendig?

Ich: Nein.

Der König: Besinne Er sich. Ich will etlichemal 20 im Zimmer auf und ab gehen.

Ich: Nunmehr kann ich Eurer Majestät eine sagen.

Ich sagte ihm die Fabel vom Maler in Athen. Als ich bis auf die Moral war, sagte er: „Nun, die Moral?" Ich sagte die Moral. 25

Der König: Das ist gut; das ist sehr gut! Ich muß Ihn loben. Das habe ich nicht gedacht; nein, das ist sehr schön, gut und kurz. Wo hat Er so schreiben lernen? Wenn ich hier bleibe, so besuche Er mich wieder und stecke Er seine Fabeln zu sich und lese 30 Er mir welche vor.—

Dieses, Gnädiges Fräulein, ist der kurze Auszug eines Gesprächs, das beinahe zwei Stunden gedauert

CHRISTIAN FÜRCHTEGOTT GELLERT

hat. Solange ich auf meiner Stube war, zitterte ich.
Sobald ich auf die Gasse kam, faßte ich mich und
ward beherzt. Und eben weil ich unbesorgt war
Beifall zu erlangen, habe ich ihn erhalten. Gott sei
5 Dank, daß ich's überstanden habe!

Brief an Fräulein von Schönfeld (19 Dec. 1760)

JOHANN JOACHIM WINCKELMANN

1717–68

28   *Laokoon*

DER einzige Weg für uns groß, ja wenn es
möglich ist, unnachahmlich zu werden, ist die
Nachahmung der Alten; und was jemand vom
Homer gesagt, daß derjenige ihn bewundern lernt,
10 der ihn wohl verstehen gelernt, gilt auch von den
Kunstwerken der Alten, sonderlich der Griechen.
Man muß mit ihnen wie mit seinem Freunde bekannt geworden sein, um den Laokoon eben so
unnachahmlich als den Homer zu finden. In solcher
15 genauen Bekanntschaft wird man wie Nikomachus
von der Helena des Zeuxis urteilen: „Nimm meine
Augen", sagte er zu einem Unwissenden, der das
Bild tadeln wollte, „so wird sie dir eine Göttin
scheinen."
20   Das allgemeine vorzügliche Kennzeichen der
griechischen Meisterstücke ist eine edle Einfalt und
eine stille Größe, sowohl in der Stellung als im
Ausdruck. So wie die Tiefe des Meeres allezeit ruhig
bleibt, die Oberfläche mag noch so wüten, ebenso
25 zeigt der Ausdruck in den Figuren der Griechen
bei allen Leidenschaften eine große und gesetzte
Seele. Diese Seele schildert sich in dem Gesichte

des Laokoons, und nicht in dem Gesichte allein,
bei dem heftigsten Leiden. Der Schmerz, welcher
sich in allen Muskeln und Sehnen des Körpers
entdeckt, und den man ganz allein, ohne das Gesicht
und andere Teile zu betrachten, an dem schmerzlich 5
eingezogenen Unterleibe beinahe selbst zu empfinden glaubt; dieser Schmerz, sage ich, äußert sich
dennoch mit keiner Wut in dem Gesichte und in
der ganzen Stellung. Er erhebt kein schreckliches
Geschrei, wie Virgil von seinem Laokoon singt. 10
Die Öffnung des Mundes gestattet es nicht; es ist
vielmehr ein ängstliches und beklemmtes Seufzen.
Der Schmerz des Körpers und die Größe der Seele
sind durch den ganzen Bau der Figur mit gleicher
Stärke ausgeteilt und gleichsam abgewogen. Lao- 15
koon leidet, aber er leidet wie des Sophokles Philoktetes: sein Elend geht uns bis an die Seele; aber wir
wünschten, wie dieser große Mann das Elend ertragen zu können.

*Über die Nachahmung der griechischen Werke in der
Malerei und Bildhauerkunst* (1755)

JUSTUS MÖSER

1720–94

29 *In einem Londoner Speisekeller*

HERR Schuter, ein berühmter Acteur auf dem 20
Schauplatze im Konventgarten, welcher damals eben die niedrigen Klassen der Menschen
studierte, um eine völlige Kenntnis vom *high life
below stairs* zu erhalten, führte mich dahin. Die
Magd, welche uns empfing, setzte geschwind die 25
Leiter an, worauf wir hinunterstiegen, und zog

solche sogleich wieder herauf, damit wir ihr ohne
Bezahlung nicht entlaufen möchten. Im Keller
fanden wir zehn saubere Tische, woran Messer und
Gabeln an langen Ketten hingen. Man setzte uns
5 eine gute Rindfleischsuppe, etwa vier Lot Rind-
fleisch mit Senf, einen Erbsenpudding mit etwa
6 Lot Speck, zwei Stück gutes Brot und zwei
Gläser Bier vor; und vor der Mahlzeit forderte die
Wäscherin unser Hemd, um es während derselben
10 zu waschen und zu trocknen — alles für 2½ Pence
oder 16 Pfennig unsrer Münze, mit Einschluß der
Wäsche. Am Sonntag wird kein Hemd gewaschen,
und dafür ½ Pfund gebratenes Rindfleich mit
Kartoffeln zur Mahlzeit aufgesetzt. In diesem
15 Keller fanden wir uns in Gesellschaft der Gassen-
bettler. Da wir uns vorher eine dazu schickliche
Kleidung vom Trödelmarkte gemietet hatten, so
wurden wir bald mit ihnen vertraut, und man tat
uns leicht die Ehre an zu glauben, daß wir Diebe
20 oder Bettler wären. Allein wie sehr erstaunten wir,
als wir die angenehme und unbekümmerte Lebensart dieser Bettler erblickten! Erstlich zählte ein
jeder seinen Gewinn vom Tage; und besonders
ließen sich die Blinden von zwei andern ihre Ein-
25 nahme öffentlich und auf ihre Ehre zählen, damit
sie von ihren Führerinnen nicht betrogen werden
möchten. Es war keiner unter ihnen, der nicht
doppelt und dreimal so viel erbettelt hatte als der
fleißigste Handwerksmann in einem Tage verdienen
30 kann. Nachdem das Finanzwesen in Ordnung
gebracht und die Mahlzeit vorüber war, ließ sich
ein jeder einen Humpen mit starkem Porterbier
geben, welcher auf die Gesundheit aller wohltätigen

Seelen ausgeleert wurde. Hierauf spielten die Blinden zum Tanz; und es war ein Vergnügen zu sehen, wie geschickt Bettler und Bettlerinnen, auch sogar einige, die des Tages über lahm gewesen waren, mit einander tanzten. Die kräftigsten Gassenlieder 5 folgten auf diese Bewegung, bis endlich der erwartete Durst erfolgte. Dann ward von gewärmtem Porter und Rum ein starker Punsch gemacht, die Zeitung dabei gelesen, und der Abend bis drei Uhr des Morgens mit Trinken und politischen Urteilen 10 über das Ministerium auf das vergnügteste zugebracht.

Patriotische Phantasien (1774)

30 *Trostgründe bei dem zunehmenden Mangel des Geldes*

GELD! entsetzliche Erfindung! du bist das wahre Übel in der Welt. Ohne deine Zauberei wäre kein Räuber oder Held vermögend unzählbare 15 Heere zum Fluch seiner Nachbarn zu erhalten. Du warst es, wodurch er zuerst die Herden seiner Nachbarn, ihre Ernten und ihre Kinder sich eigen machte und den Schweiß von Millionen armer Untertanen in tiefen Gewölben bewachen ließ. Ehe 20 du erfunden wurdest, waren keine Schatzungen und keine stehenden Heere; der Hirte gab ein Böcklein von seiner Herde, der Weinbauer von seinem Stocke einen Eimer Weins, und der Ackersmann den Zehnten gern von allem, was er baute; denn er 25 hatte genug für sich und genoß des Opfers mit, welches er von seinem Überflusse brachte. Welch ein lächerliches Geschöpf würde ein Geizhals zu der

Zeit gewesen sein, da man deine Zauberei, die Kunst
das Vermögen von hundert Mitbürgern in einer
papiernen Verschreibung zu besitzen, noch nicht
kannte! Berge von Korn, unzählbare Herden hätten
5 seinen Schatz ausmachen müssen; und wer hätte
seinen Vorrat vor Würmern, seine Herden vor
Seuchen und ihn selbst wider die Rache seiner
Nachbarn sicher stellen wollen? Ehe du kamst, war
der Unterschied der Stände nicht groß unter den
10 Menschen. Jetzt hat der Himmel oft Mühe einen
Reichen arm zu machen, da er seine Früchte in
hartes Metall verwandelt und bei unzähligen
Schuldnern verwahrt. Damals aber lebte er mit
seiner Herde und mit seinen Scheunen unter der
15 unmittelbaren Furcht vor jedem Wetterstrahle;
und dankbar betete er die göttliche Vorsehung bei
jeder Landplage, gleich dem geringsten unter
seinen Flurgenossen, an. Ehe du kamst, war noch
Freiheit in der Welt. Keine Macht konnte un-
20 bemerkt und sicher den Schwächern zu Haupte
steigen, kein Richter konnte heimlich bestochen
werden. Größere Feindschaften währten nicht
länger als bis der Kriegsvorrat verzehrt war; und der
Hunger war ein sicherer Friedensbote. Ehe du
25 kamst, wußte man nichts von fremden Torheiten
und Lastern. Deutschland konnte weder in Frankreich verzehrt noch die Ernten aus Westphalen für
Wein und Kaffee versandt werden. Wer satt hatte,
konnte nichts mehr verlangen; and satt hatten alle
30 Länder, denen der Himmel Vieh und Futter gab.
Jeder liebte seinen eignen Acker und sein Vaterland,
weil er nicht anders reisen konnte als ein Bettler auf
die Rechnung der allgemeinen Gastfreiheit, und wo

er mit einer stolzen Begleitung reisen wollte, als
ein Feind zurückgewiesen wurde. Ehe du kamst,
entschieden Klugheit und Stärke, diese wahren
Vorzüge der Menschen, das Schicksal der Völker;
und die Krämer herrschten nicht mit ihrem Gelde 5
über die Tapfersten.

Glückselige Zeiten, denen wir uns nunmehr
wieder nähern können, da die mächtige Zauberin
zusehends verschwindet! Wie mäßig, wie ruhig, wie
sicher werden wir leben, wenn wir ohne Geld alles 10
mit Korn wieder bezahlen können; wenn der
Steuereinnehmer, der Gutsherr, der Richter und
der Gläubiger nicht mehr nehmen mögen als sie
verzehren und vor den Würmern bewahren können;
wenn der Bettler mit seinem täglichen Brote zu- 15
frieden sein muß, und keine Pfänder mehr verkauft
werden können! Bedauert demnach den Mangel des
Geldes nicht. Bemüht euch vielmehr den Rest
dieses Übels vollends los zu werden! Werft eure
Reichtümer ins Meer, oder schickt sie zur Strafe 20
den bösen Nationen zu, die euch mit Wein, Kaffee
und neuen Moden versorgen.

Patriotische Phantasien (1774)

31 *Friedrich der Große und die deutsche Literatur*

DAS von dem Könige so sehr heruntergesetzte
Stück *Götz von Berlichingen* ist immer ein
edles und schönes Produkt unsers Bodens; es hat 25
recht vielen geschmeckt, und ich sehe nicht ab,
warum wir dergleichen nicht ferner ziehen sollen.
Alles was der König daran auszusetzen hat, besteht

darin, daß es eine Frucht sei, die ihm den Gaumen
zusammen gezogen habe, und welche er auf seiner
Tafel nicht verlange. Aber das entscheidet ihren
Wert noch nicht. Der Zungen, welche an Ananas
5 gewöhnt sind, wird hoffentlich in unserm Vaterlande eine geringe Zahl sein; und wenn von einem
Volksstücke die Rede ist, so muß man den Geschmack
der Hofleute bei Seite setzen.

Die wahre Ursache, warum Deutschland nach
10 den Zeiten der Minnesänger so lange in der Kultur
seiner Sprache und der schönen Wissenschaften
zurückgeblieben ist, scheint mir hauptsächlich darin
zu liegen, daß wir immer von lateinisch gelehrten
Männern erzogen sind, die unsre einheimischen
15 Früchte verachteten und lieber italienische oder
französische von mittelmäßiger Güte ziehen als
deutsche Art und Kunst zur Vollkommenheit
bringen wollten; ohne zu bedenken, daß wir auf
diese Weise nichts hervorbringen könnten, was
20 jenen gefallen und uns Ehre bringen würde. Sie
zogen Zwergbäume und Spalierbäume und allerlei
schöne Krüppel, die wir mit Strohmatten wider den
Frost bedecken, mit Mauern an die Sonne zwingen
oder mit kostbaren Treibhäusern beim Leben er-
25 halten mußten. Und einige unter uns waren töricht
genug zu glauben, daß wir diese unsere halbreifen
Früchte den Fremden, bei denen sie ursprünglich
zu Hause sind, als Seltenheiten zuschicken könnten.
Goethes Absicht in seinem *Götz von Berlichingen*
30 war gewiß uns eine Sammlung von Gemälden aus
dem National-Leben unsrer Vorfahren zu geben
und uns zu zeigen was wir hätten und was wir
könnten, wenn wir einmal der artigen Kammer-

jungfern und der witzigen Bedienten auf der
französisch-deutschen Bühne müde wären und Veränderung suchten. Leicht hätte er seiner Sammlung
mit Hilfe einer Liebesgeschichte das Verdienst der
drei Einheiten geben und sie in eine Handlung 5
flechten können, die sich angefangen, verwickelt und
aufgelöst hätte, wenn er aus dem einen Stücke drei
gemacht und diejenigen Gemälde zusammen geordnet hätte, welche sich zu jeder Handlung
schickten und sich mit Zeit und Ort vertrugen. 10
Allein er wollte einzelne Partien malen, und diese
stehen zusammen wie die Gemälde vieler großen
Landschaftsmaler, ohne daß die Gallerie, worin sie
sich befinden, gerade eine Epopee ist. Daneben
sollten diese Partien wahre einheimische Volksstücke 15
sein, er wählte dazu ritterliche, ländliche und
bürgerliche Handlungen einer Zeit, worin die
Nation noch Original war. Und da ihm gewiß
niemand vorwerfen kann, daß er unrichtig gezeichnet, das Colorit vernachlässigt, oder wider Kostüm 20
gefehlt habe: so behandelt man ihn wider seine
Absicht, wenn man ihn darum verdammt, daß er
nicht bloß für den Hof gearbeitet und kein reguläres
Ganze geliefert hat. Jedoch ich will den Tadel des
Königs, so weit er uns allgemein trifft, einmal als 25
richtig annehmen und ihn also ausdrücken: daß wir
Deutsche in der Wahl der Partien, die wir dem
Auge oder dem Ohre dargestellt haben, zu wenig
Geschmack bewiesen, und auch diese so wunderlich
und abenteuerlich zusammen gestellt haben, wie 30
es Shakespeare nach dem Urteile des Herrn von
Voltaire getan haben soll. Ich will einmal zugeben,
daß wir noch kein einziges Stück haben, das mit den

Meisterstücken eines Corneille oder Voltaire verglichen werden könnte; so kommt es doch immer
auf die Frage an, ob wir auf unserm Wege oder auf
demjenigen, welchen andre Nationen erwählt haben,
5 fortgehen dürfen, um das Ziel der Vollkommenheit
zu erreichen, das die Natur für uns bestimmt hat.

Der Weg, welchen die Italiener und Franzosen
erwählt haben, ist dieser: daß sie zu sehr der Schönheit geopfert, sich davon hohe Ideale gemacht und
10 nun alles verworfen haben, was sich nicht sogleich
dazu schicken wollte. Hierüber ist bei ihnen die
dichterische Natur verarmt und die Mannigfaltigkeit verloren gegangen. Der Deutsche hingegen
hat wie der Engländer die Mannigfaltigkeit der
15 höchsten Schönheit vorgezogen und lieber mitunter
ein plattes Gesicht als lauter Habichtsnasen malen
wollen. Man sieht die Verschiedenheit der Wege,
worauf diese Nationen zum Tempel des Ge-
schmacks gegangen sind, nicht deutlicher, als wenn
20 man den Tod Cäsars, so wie ihn Shakespeare und
Voltaire uns gegeben haben, neben einander stellt.
Voltaire sagt es ausdrücklich, und man sieht es auch
leicht, daß er ihn durchaus dem Engländer ab-
geborgt und nur dasjenige weggelassen habe, was
25 sich mit den Regeln eines guten Trauerspiels und
der französischen Bühne nicht vereinigen ließe.
Hier sieht man beim Shakespeare ein aufgebrachtes
Volk, bei dem alle Muskeln in Bewegung sind, dem
die Lippen zittern, die Augen funkeln und die
30 Lungen schäumen; ein bitteres, böses, wildes und
wütendes Volk. Was tut nun Voltaire? Er wischt
alle diese starken Züge aus und gibt uns ein glattes,
schönes, glänzendes Bild, das in dieser Kunst nicht

seinesgleichen hat, aber nun gerade von allem dem
nichts ist, was es sein sollte. Wollen Sie die Sache
noch deutlicher haben, so vergleichen Sie, mein
Freund, einen englischen und französischen Garten.
In jenem finden Sie eben wie in Shakespeares 5
Stücken Tempel, Grotten, Klausen, Dickichte,
Riesensteine, Grabhügel, Ruinen, Felsenhöhlen,
Wälder, Wiesen, Weiden, Dorfschaften und unendliche Mannigfaltigkeiten wie in Gottes Schöpfung
durcheinander vermischt; in diesem hingegen 10
schöne gerade Gänge, geschorne Hecken, herrliche
schöne Obstbäume paarweise geordnet oder künstlich gebogen, Blumenbeete wie Blumen gestaltet,
Lusthäuser im feinsten Geschmack — und das alles
so regelmäßig geordnet, daß man beim Auf- und 15
Niedergehen sogleich alle Einteilungen mit wenigen
Linien abzeichnen kann. Welcher von diesen beiden
Wegen sollte nun aber wohl der beste sein, der Weg
zur Einförmigkeit und Armut in der Kunst, welchen
uns der verfeinerte Geschmack und der sogenannte 20
gute Ton zeigen, oder der Weg zur Mannigfaltigkeit,
den uns der allmächtige Schöpfer eröffnet? Ich
denke der letztere, ob er gleich zur Verwilderung
führen kann.

Über die deutsche Sprache und Literatur (1781)

IMMANUEL KANT

1724–1804

32   *Vergänglichkeit*

MAN darf nicht erstaunen selbst in dem 25
Großen der Werke Gottes eine Vergänglichkeit zu verstatten. Alles, was endlich ist, was

einen Anfang und Ursprung hat, muß vergehen und
ein Ende haben. Die Dauer eines Weltbaues hat
durch die Vortrefflichkeit seiner Errichtung eine *perfection*
Beständigkeit in sich, die unsern Begriffen nach
5 einer unendlichen Dauer nahe kommt. Vielleicht
werden tausend, vielleicht Millionen Jahrhunderte
sie nicht vernichten; allein weil die Eitelkeit, die
an den endlichen Naturen haftet, beständig an ihrer
Zerstörung arbeitet, so wird die Ewigkeit alle
10 möglichen Perioden in sich halten, um durch einen
allmählichen Verfall den Zeitpunkt ihres Unter-
ganges doch endlich herbeizuführen. Newton,
dieser große Bewunderer der Eigenschaften Gottes
aus der Vollkommenheit seiner Werke, sah sich
15 genötigt der Natur ihren Verfall durch den natürlichen Hang, den die Mechanik der Bewegungen
dazu hat, zu verkündigen. Wir dürfen aber den
Untergang eines Weltgebäudes nicht als einen
wahren Verlust der Natur bedauern. Sie beweist
20 ihren Reichtum in einer Art von Verschwendung,
welche, indem einige Teile der Vergänglichkeit den
Tribut bezahlen, sich durch unzählige neue Zeu-
gungen in dem ganzen Umfange ihrer Vollkommenheit unbeschadet erhält. Welch' eine unzählige
25 Menge Blumen und Insekten zerstört ein einziger
kalter Tag; aber wie wenig vermißt man sie, ohnerachtet es herrliche Kunstwerke der Natur und
Beweistümer der göttlichen Allmacht sind; an
einem andern Orte wird dieser Abgang mit Über-
30 fluß wiederum ersetzt. Der Mensch, der das Meisterstück der Schöpfung zu sein scheint, ist selbst von
diesem Gesetze nicht ausgenommen. Die Natur
beweist, daß sie ebenso reich, ebenso unerschöpft in

Hervorbringung des Trefflichsten unter den Kreaturen als des Geringschätzigsten ist, und daß selbst
deren Untergang eine notwendige Schattierung in
der Mannigfaltigkeit ihrer Sonnen ist, weil die
Erzeugung derselben ihr nichts kostet. Erdbeben, 5
Überschwemmungen vertilgen ganze Völker von
dem Erdboden; allein es scheint nicht, daß die
Natur dadurch einigen Nachteil erlitten habe. Auf
gleiche Weise verlassen ganze Welten und Systeme
den Schauplatz, nachdem sie ihre Rolle ausgespielt 10
haben. Die Unendlichkeit der Schöpfung ist groß
genug, um eine Welt oder eine Milchstraße von
Welten gegen sie anzusehen, wie man eine Blume
oder ein Insekt in Vergleichung gegen die Erde
ansieht. Indessen die Natur mit veränderlichen 15
Auftritten die Ewigkeit ausziert, bleibt Gott in
einer unaufhörlichen Schöpfung geschäftig den Zeug
zur Bildung noch größerer Welten zu formen.

Laßt uns also unser Auge an diese erschrecklichen
Umstürzungen als an die gewöhnlichen Wege der 20
Vorsehung gewöhnen und sie sogar mit einer Art
von Wohlgefallen ansehen. Und in der Tat ist dem
Reichtume der Natur nichts anständiger als dieses.
Denn wenn ein Weltsystem in der langen Folge
seiner Dauer alle Mannigfaltigkeit erschöpft, die 25
seine Einrichtung fassen kann, wenn es nun ein
überflüssiges Glied in der Kette der Wesen geworden,
so ist nichts geziemender, als daß es in dem Schauspiele der ablaufenden Veränderungen des Universi
die letzte Rolle spielt, die jedem endlichen Dinge 30
gebührt, nämlich der Vergänglichkeit ihr Gebühr
abtrage.

Allgemeine Naturgeschichte und Theorie des Himmels (1755)

33 *Das Erhabene und das Schöne*

DIE Rührung, die das Gefühl des Erhabenen und das Gefühl des Schönen in uns hervorbringen, ist angenehm, aber auf sehr verschiedene Weise. Der Anblick eines Gebirges, dessen beschneite
5 Gipfel sich über Wolken erheben, die Beschreibung eines rasenden Sturmes oder die Schilderung des höllischen Reiches von Milton erregen Wohlgefallen, aber mit Grausen; dagegen die Aussicht auf blumenreiche Wiesen, Täler mit schlängelnden
10 Bächen, bedeckt von weidenden Herden, die Beschreibung des Elysiums oder Homers Schilderung von dem Gürtel der Venus veranlassen auch eine angenehme Empfindung, die aber fröhlich und lächelnd ist. Damit jener Eindruck auf uns in
15 gehöriger Stärke geschehen könne, so müssen wir ein Gefühl des Erhabenen, und um die letztere recht zu genießen, ein Gefühl für das Schöne haben. Hohe Eichen und einsame Schatten im heiligen Haine sind erhaben. Blumenbeete, niedrige Hecken
20 und in Figuren geschnittene Bäume sind schön. Die Nacht ist erhaben, der Tag ist schön. Gemütsarten, die ein Gefühl für das Erhabene besitzen, werden durch die ruhige Stille eines Sommerabends, wenn das zitternde Licht der Sterne durch die braunen
25 Schatten der Nacht hindurchbricht und der einsame Mond im Gesichtskreise steht, allmählich in hohe Empfindungen gezogen von Freundschaft, von Verachtung der Welt, von Ewigkeit. Der glänzende Tag flößt geschäftigen Eifer und ein Gefühl von
30 Lustigkeit ein.

Das Erhabene rührt, das Schöne reizt. Die Miene

des Menschen, der im vollen Gefühle des Erhabenen
sich befindet, ist ernsthaft, bisweilen starr und
erstaunt. Dagegen kündigt sich die lebhafte Empfindung des Schönen durch glänzende Herrlichkeit
in den Augen, durch Züge des Lächelns und oft 5
durch laute Lustigkeit an. Das Erhabene ist wiederum verschiedener Art. Das Gefühl desselben ist
bisweilen mit einigem Grausen oder auch Schwermut, in einigen Fällen bloß mit ruhiger Bewunderung und in noch andern mit einer über einen 10
erhabenen Plan verbreiteten Schönheit begleitet.
Das erstere will ich das Schreckhaft-Erhabene, das
zweite das Edle und das dritte das Prächtige nennen.
Tiefe Einsamkeit ist erhaben, aber auf eine schreck-
hafte Art. Daher große, weitgestreckte Einöden 15
jederzeit Anlaß gegeben haben fürchterliche Schatten, Kobolde und Gespensterlarven dahin zu versetzen. Das Erhabene muß jederzeit groß, das
Schöne kann auch klein sein. Das Erhabene muß
einfältig, das Schöne kann geputzt und geziert sein. 20
Eine große Höhe ist ebensowohl erhaben als eine
große Tiefe; allein diese ist mit der Empfindung des
Schauderns begleitet, jene mit der der Bewunderung; daher diese Empfindung schreckhaft erhaben und jene edel sein kann. 25

*Beobachtungen über das Gefühl des Schönen und
Erhabenen* (1764)

34 *Der kategorische Imperativ und Wohltun*

ES gibt einen Imperativ, der, ohne irgend eine andere durch ein gewisses Verhalten zu erreichende

Absicht als Bedingung zum Grunde zu legen, dieses
Verhalten unmittelbar gebietet. Dieser Imperativ
ist kategorisch. Er betrifft nicht die Materie der
Handlung und das, was aus ihr erfolgen soll, sondern
5 die Form und das Prinzip, woraus sie selbst folgt,
und das Wesentlich-Gute derselben besteht in der
Gesinnung, der Erfolg mag sein, welcher er wolle.—
Der kategorische Imperativ ist also dieser: Handle
nur nach derjenigen Maxime, durch die du zugleich
10 wollen kannst, daß sie ein allgemeines Gesetz werde.

Anderen Menschen nach unserem Vermögen
wohlzutun, ist Pflicht, man mag sie lieben oder
nicht; und diese Pflicht verliert nichts an ihrem
Gewicht, wenn man gleich die traurige Bemerkung
15 machen müßte, daß unsere Gattung leider dazu
nicht geeignet ist, daß, wenn man sie näher kennt,
sie nicht sonderlich liebenswürdig befunden werden
dürfte. Wohltun ist Pflicht. Wer diese oft ausübt
und die Absicht seines Wohltuns gelingen sieht,
20 kommt endlich wohl gar dahin den, welchem er
wohl getan hat, zu lieben. Wenn es also heißt: du
sollst deinen Nächsten lieben als dich selbst, so
heißt das nicht: du sollst unmittelbar (zuerst) lieben
und vermittelst dieser Liebe (nachher) wohltun,
25 sondern tue deinem Nebenmenschen wohl, und
dieses Wohltun wird Menschenliebe in dir bewirken!

Grundlegung zur Metaphysik der Sitten (1785)

35 *Der bestirnte Himmel und das moralische Gesetz*

ZWEI Dinge erfüllen das Gemüt mit immer
neuer und zunehmender Bewunderung und

Ehrfurcht, je öfter und anhaltender sich das Nachdenken damit beschäftigt: der bestirnte Himmel
über mir und das moralische Gesetz in mir. Beide
darf ich nicht als in Dunkelheiten verhüllt oder im
Überschwenglichen außer meinem Gesichtskreise 5
suchen und bloß vermuten; ich sehe sie vor mir und
verknüpfe sie unmittelbar mit dem Bewußtsein
meiner Existenz. Das erste fängt von dem Platz
an, den ich in der äußern Sinnenwelt einnehme, und
erweitert die Verknüpfung, darin ich stehe, ins 10
unabsehlich Große mit Welten über Welten und
Systemen von Systemen, überdem noch in grenzenlose Zeiten ihrer periodischen Bewegung, deren
Anfang und Fortdauer. Das zweite fängt von
meinem unsichtbaren Selbst, meiner Persönlichkeit, 15
an und stellt mich in einer Welt dar, die wahre
Unendlichkeit hat aber nur dem Verstande spürbar
ist, und mit welcher (dadurch aber auch zugleich
mit allen jenen sichtbaren Welten) ich mich, nicht
wie dort, in bloß zufälliger sondern allgemeiner und 20
notwendiger Verknüpfung erkenne. Der erstere
Anblick einer zahllosen Weltenmenge vernichtet
gleichsam meine Wichtigkeit als eines tierischen
Geschöpfs, das die Materie, daraus es ward, dem
Planeten (einem bloßen Punkt im Weltall) wieder 25
zurückgeben muß, nachdem es eine kurze Zeit (man
weiß nicht wie) mit Lebenskraft versehen gewesen.
Der zweite erhebt dagegen meinen Wert als einer
Intelligenz unendlich durch meine Persönlichkeit,
in welcher das moralische Gesetz mir ein von der 30
Tierheit und selbst von der ganzen Sinnenwelt
unabhängiges Leben offenbart, wenigstens soviel sich
aus der zweckmäßigen Bestimmung meines Daseins

74

durch dieses Gesetz, welches nicht auf Bedingungen
und Grenzen dieses Lebens eingeschränkt ist sondern
ins Unendliche geht, abnehmen läßt.

Kritik der praktischen Vernunft (1788)

36   *Das Lachen*

DAS Lachen ist ein Affect aus der plötzlichen
Verwandlung einer gespannten Erwartung in
nichts. Wenn jemand erzählt, daß, als ein Inder
an der Tafel eines Engländers in Surat eine Bouteille
mit Ale öffnen und alles dieses Bier in Schaum verwandelt herausdringen sah und mit vielen Aus-
rufungen seine große Verwunderung anzeigte, auf
die Frage des Engländers „was ist denn hier sich so
sehr zu verwundern" antwortete: „ich wundere mich
auch nicht darüber, daß es herausgeht, sondern wie
Ihr's habt hinein kriegen können", so lachen wir, und
es macht uns eine herzliche Lust, nicht weil wir uns
etwa klüger finden als diesen Unwissenden, oder
sonst über etwas, was uns der Verstand hierin
Wohlgefälliges bemerken ließe, sondern unsere Erwartung war gespannt und verschwindet plötzlich
in nichts. Oder wenn der Erbe eines reichen Verwandten diesem sein Leichenbegängnis recht feierlich veranstalten will und klagt, daß es ihm hiermit
nicht recht gelingen wolle, und dann sagt: „je mehr
ich meinen Trauerleuten Geld gebe betrübt auszusehen, desto lustiger sehen sie aus", so lachen wir,
und der Grund liegt darin, daß eine Erwartung sich
plötzlich in nichts verwandelt. Man muß wohl
bemerken, daß sie sich nicht in das Gegenteil eines
erwarteten Gegenstandes, denn das ist immer etwas

und kann öfters betrüben, sondern in nichts verwandeln müsse. Denn wenn jemand uns mit der
Erzählung einer Geschichte große Erwartung erregt
und wir beim Schlusse die Unwahrheit sofort ein-
sehen, so macht es uns Mißfallen, wie z. B. die von 5
Leuten, die vor großem Gram in einer Nacht graue
Haare bekommen haben sollen; dagegen, wenn auf
eine dergleichen Erzählung zur Erwiderung ein
anderer Schalk sehr umständlich den Gram eines
Kaufmanns erzählt, der aus Indien mit allem seinem 10
Vermögen in Waren nach Europa zurückkehrend,
in einem schweren Sturm alles über Bord zu werfen
genötigt wurde und sich dermaßen grämte, daß ihm
darüber in derselben Nacht die Perrücke grau wurde,
so lachen wir, und es macht uns Vergnügen, weil wir 15
unsern eigenen Mißgriff nach einem für uns übrigens
gleichgültigen Gegenstande, oder vielmehr unsere
verfolgte Idee wie einen Ball noch eine Zeit durch
hin- und herschlagen, indem wir bloß gemeint sind
ihn zu greifen und festzuhalten.   20

Kritik der Urteilskraft (1790)

37   *Völkerbund und ewiger Friede*

i

DIE Natur treibt durch die Kriege, durch die
überspannte und niemals nachlassende Zu-
rüstung zu denselben, durch die Not, die dadurch
endlich ein jeder Staat selbst mitten im Frieden
innerlich fühlen muß, zu anfänglich unvollkommenen 25
Versuchen, endlich aber nach vielen Verwüstungen,

Umkippungen und selbst durchgängiger innerer
Erschöpfung ihrer Kräfte zu dem, was ihnen die
Vernunft auch ohne soviel traurige Erfahrung hätte
sagen können, nämlich: aus dem gesetzlosen Zu-
5 stande der Wilden hinauszugehen und in einen
Völkerbund zu treten; wo jeder, auch der kleinste
Staat seine Sicherheit und Rechte nicht von eigener
Macht oder eigener rechtlicher Beurteilung sondern
allein von diesem großen Völkerbunde, von einer
10 vereinigten Macht und von der Entscheidung nach
Gesetzen des vereinigten Willens erwarten könnte.
Endlich wird selbst der Krieg allmählich nicht allein
ein so künstliches, im Ausgange von beiden Seiten so
unsicheres, sondern auch durch die Nachwehen, die
15 der Staat in einer immer anwachsenden Schuldenlast
fühlt, ein so bedenkliches Unternehmen, dabei der
Einfluß, den jede Staatserschütterung in unserem
durch seine Gewerbe so sehr verketteten Weltteil
auf alle anderen Staaten tut, so merklich: daß sich
20 diese, durch ihre eigene Gefahr gedrungen, obgleich
ohne gesetzliches Ansehen, zu Schiedsrichtern anbieten, und so alles von weitem zu einem künftigen
großen Staatskörper anschicken, wovon die Vorwelt
kein Beispiel aufzuzeigen hat. Obgleich dieser Staats-
25 körper für jetzt nur noch sehr im rohen Entwurfe
dasteht, so fängt sich dennoch gleichsam schon ein
Gefühl in allen Gliedern, deren jedem an der
Erhaltung des Ganzen gelegen ist, an zu regen;
und dieses gibt Hoffnung, daß nach manchen Re-
30 volutionen der Umbildung endlich das, was die
Natur zur höchsten Absicht hat, ein allgemeiner
weltbürgerlicher Zustand als der Schoß, worin
alle ursprünglichen Anlagen der Menschengattung

77

entwickelt werden, dereinst einmal zustande kommen
werde.

Idee zu einer allgemeinen Geschichte (1784)

ii

WENN es Pflicht, wenn zugleich gegründete
Hoffnung da ist, den Zustand eines öffentlichen
Rechts, obgleich nur in einer ins Unendliche fort- 5
schreitenden Annäherung wirklich zu machen, so ist
der ewige Friede, der auf die bisher fälschlich
sogenannten Friedenschlüsse (eigentlich Waffen-
stillstände) folgt, keine leere Idee, sondern eine
Aufgabe, die nach und nach aufgelöst, ihrem Ziele 10
(weil die Zeiten, in denen gleiche Fortschritte geschehen, hoffentlich immer kürzer werden) beständig näher kommt.

Zum ewigen Frieden (1795)

GOTTHOLD EPHRAIM LESSING

1729–81

38 *Die Grenzen der Malerei und Poesie*

WENN es wahr ist, daß die Malerei zu ihren
Nachahmungen ganz andere Mittel oder 15
Zeichen gebraucht als die Poesie; jene nämlich
Figuren und Farben in dem Raume, diese aber
artikulierte Töne in der Zeit; wenn unstreitig die
Zeichen ein bequemes Verhältnis zu dem Be-
zeichneten haben müssen: so können neben einander 20
geordnete Zeichen auch nur Gegenstände ausdrücken, die neben einander oder deren Teile neben
einander existieren; auf einander folgende Zeichen

aber auch nur Gegenstände ausdrücken, die auf einander oder deren Teile auf einander folgen. Gegenstände, die neben einander oder deren Teile neben einander existieren, heißen Körper. Folglich 5 sind Körper mit ihren sichtbaren Eigenschaften die eigentlichen Gegenstände der Malerei. Gegenstände, die auf einander oder deren Teile auf einander folgen, heißen überhaupt Handlungen. Folglich sind Handlungen der eigentliche Gegen-10 stand der Poesie.

Doch alle Körper existieren nicht allein in dem Raume sondern auch in der Zeit. Sie dauern fort und können in jedem Augenblick ihrer Dauer anders erscheinen und in anderer Verbindung stehen. Jede 15 dieser augenblicklichen Erscheinungen und Verbindungen ist die Wirkung einer vorhergehenden und kann die Ursache einer folgenden und sonach gleichsam das Centrum einer Handlung sein. Folglich kann die Malerei auch Handlungen nachahmen, 20 aber nur andeutungsweise durch Körper. Auf der andern Seite können Handlungen nicht für sich selbst bestehen sondern müssen gewissen Wesen anhängen. In so fern nun diese Wesen Körper sind oder als Körper betrachtet werden, schildert die 25 Poesie auch Körper, aber nur andeutungsweise durch Handlungen. Die Malerei kann in ihren coexistierenden Kompositionen nur einen einzigen Augenblick der Handlung nutzen und muß daher den prägnantesten wählen, aus dem das Vorhergehende 30 und Folgende am begreiflichsten wird. Ebenso kann auch die Poesie in ihren fortschreitenden Nachahmungen nur eine einzige Eigenschaft der Körper nutzen, und muß daher diejenige wählen, welche

das sinnlichste Bild des Körpers von der Seite
erweckt, von welcher sie ihn braucht. Hieraus
fließt die Regel von der Einheit der malerischen
Beiwörter und der Sparsamkeit in den Schilderungen
körperlicher Gegenstände. 5

Ich würde in diese trockene Schlußkette kein Vertrauen setzen, wenn ich sie nicht durch die Praxis
des Homers vollkommen bestätigt fände, oder wenn
es nicht vielmehr die Praxis des Homers selbst wäre,
die mich darauf gebracht hätte. Ich finde, Homer 10
malt nichts als fortschreitende Handlungen, und
alle Körper, alle einzelnen Dinge, malt er nur durch
ihren Anteil an diesen Handlungen gemeiniglich
mit einem Zuge. Ein Schiff ist ihm bald das
schwarze Schiff, bald das hohle Schiff, bald das 15
schnelle Schiff, höchstens das wohlberuderte schwarze Schiff. Weiter läßt er sich in die Malerei des
Schiffes nicht ein. Aber wohl das Schiffen, das
Abfahren, das Anlanden des Schiffes macht er zu
einem ausführlichen Gemälde, aus welchem der 20
Maler fünf, sechs besondere Gemälde machen
müßte, wenn er es ganz auf seine Leinwand bringen
wollte. Zwingen den Homer ja besondere Umstände
unsern Blick auf einen einzelnen körperlichen
Gegenstand länger zu heften, so wird demunge- 25
achtet kein Gemälde daraus, dem der Maler mit dem
Pinsel folgen könnte; sondern er weiß durch unzählige Kunstgriffe diesen einzelnen Gegenstand in
eine Folge von Augenblicken zu setzen, in deren
jedem er anders erscheint, und in deren letztem ihn 30
der Maler erwarten muß, um uns entstanden zu
zeigen, was wir bei dem Dichter entstehen sehen.
Zum Exempel: will Homer uns den Wagen der

Juno sehen lassen, so muß ihn Hebe vor unsern
Augen Stück für Stück zusammensetzen. Wir sehen
die Räder, die Achsen, den Sitz, die Deichsel und
Riemen und Stränge, nicht sowohl wie es beisammen
5 ist, als wie es unter den Händen der Hebe zusammen
kommt. Will uns Homer zeigen, wie Agamemnon
bekleidet gewesen, so muß sich der König vor unsern
Augen seine völlige Kleidung Stück für Stück
umtun, das weiche Unterkleid, den großen Mantel,
10 die schönen Halbstiefel, den Degen; und so ist er
fertig und ergreift das Zepter. Wir sehen die
Kleider, indem der Dichter die Handlung des
Bekleidens malt; ein anderer würde die Kleider bis
auf die geringste Franse gemalt haben, und von der
15 Handlung hätten wir nichts zu sehen bekommen.

Laokoon (1766)

39   *Gespenster auf der Bühne*

DIE Erscheinung eines Geistes war in einem
französischen Trauerspiele eine so kühne Neuheit, und der Dichter, der sie wagte, rechtfertigt sie
mit so eignen Gründen, daß es sich der Mühe lohnt
20 einen Augenblick dabei zu verweilen. „Man schrie
und schrieb von allen Seiten", sagt der Herr von
Voltaire, „daß man an Gespenster nicht mehr
glaube, und daß die Erscheinung der Toten in den
Augen einer erleuchteten Nation nicht anders als
25 kindisch sein könne." „Wie?" versetzt er dagegen;
„das ganze Altertum hätte diese Wunder geglaubt,
und es sollte nicht vergönnt sein sich nach dem
Altertume zu richten?" Sehr wohl; das ganze
Altertum hat Gespenster geglaubt. Die drama-

tischen Dichter des Altertums hatten also recht
diesen Glauben zu nutzen; wenn wir bei einem von
ihnen wieder kommende Tote aufgeführt finden,
so wäre es unbillig ihm nach unsern besseren Einsichten den Prozeß zu machen. Aber hat darum der 5
neue dramatische Dichter die nämliche Befugnis?
Gewiß nicht. Aber wenn er seine Geschichte in jene
leichtgläubigeren Zeiten zurücklegt? Auch alsdann
nicht. Denn der dramatische Dichter ist kein
Geschichtschreiber; er erzählt nicht, was man ehe- 10
mals geglaubt, daß es geschehen, sondern er läßt es
vor unsern Augen nochmals geschehen; und läßt es
nochmals geschehen, nicht der bloßen historischen
Wahrheit wegen sondern in einer ganz andern und
höhern Absicht; die historische Wahrheit ist nicht 15
sein Zweck sondern das Mittel zu seinem Zwecke;
er will uns täuschen und durch die Täuschung
rühren. Wenn es also wahr ist, daß wir jetzt keine
Gespenster mehr glauben; wenn dieses Nichtglauben
die Täuschung notwendig verhindern müßte; wenn 20
ohne Täuschung wir unmöglich sympathisieren
können; so handelt jetzt der dramatische Dichter
wider sich selbst, wenn er uns demungeachtet solche
unglaubliche Märchen ausstaffiert; alle Kunst, die
er dabei anwendet, ist verloren. 25

Folglich? Folglich ist es durchaus nicht erlaubt
Gespenster auf die Bühne zu bringen? Folglich ist
diese Quelle des Schrecklichen und Pathetischen für
uns vertrocknet? Nein; dieser Verlust wäre für die
Poesie zu groß; und hat sie nicht Beispiele für sich, 30
wo das Genie aller unserer Philosophie trotzt und
Dinge, die der kalten Vernunft sehr spöttisch vorkommen, unserer Einbildung sehr fürchterlich zu

machen weiß? Die Folge muß daher anders fallen,
und die Voraussetzung wird nur falsch sein. Wir
glauben keine Gespenster mehr? Wer sagt das?
Oder vielmehr, was heißt das? Heißt es so viel: wir
5 sind endlich in unsern Einsichten so weit gekommen,
daß wir die Unmöglichkeit davon erweisen können;
gewisse unumstößliche Wahrheiten, die mit dem
Glauben an Gespenster im Widerspruche stehen,
sind so allgemein bekannt worden, sind auch dem
10 gemeinsten Manne immer und beständig so gegenwärtig, daß ihm alles, was damit streitet, notwendig
lächerlich und abgeschmackt vorkommen muß?
Das kann es nicht heißen. Wir glauben jetzt keine
Gespenster kann also nur so viel heißen: in dieser
15 Sache, über die sich fast ebenso viel dafür als
dawider sagen läßt, die nicht entschieden ist und
nicht entschieden werden kann, hat die gegenwärtig
herrschende Art zu denken den Gründen dawider
das Übergewicht gegeben; einige wenige haben diese
20 Art zu denken, und viele wollen sie zu haben
scheinen; diese machen das Geschrei und geben den
Ton, der größte Haufe schweigt und verhält sich
gleichgültig und denkt bald so, bald anders, hört
beim hellen Tage mit Vergnügen über die Ge-
25 spenster spotten und bei dunkler Nacht mit Grausen
davon erzählen.

Aber in diesem Verstande keine Gespenster
glauben kann und darf den dramatischen Dichter
im geringsten nicht abhalten Gebrauch davon zu
30 machen. Der Same sie zu glauben liegt in uns allen
und in denen am häufigsten, für die er vornehmlich
dichtet. Es kommt nur auf seine Kunst an diesen
Samen zum Keimen zu bringen; nur auf gewisse

Handgriffe, den Gründen für ihre Wirklichkeit in
der Geschwindigkeit den Schwung zu geben. Hat
er diese in seiner Gewalt, so mögen wir in gemeinem
Leben glauben, was wir wollen; im Theater müssen
wir glauben, was er will. So ein Dichter ist Shake- 5
speare fast einzig und allein. Vor seinem Gespenste
im *Hamlet* richten sich die Haare zu Berge,
sie mögen ein gläubiges oder ungläubiges Gehirn
bedecken. Der Herr von Voltaire tat gar nicht wohl
sich auf dieses Gespenst zu berufen; es macht ihn 10
und seinen Geist des Ninus — lächerlich. Shakespeares Gespenst kommt wirklich aus jener Welt;
so dünkt uns. Denn es kommt zu der feierlichen
Stunde, in der schaudernden Stille der Nacht, in
der vollen Begleitung aller der düstern, geheimnis- 15
vollen Nebenbegriffe, mit welchen wir, von der
Amme an, Gespenster zu erwarten und zu denken
gewohnt sind. Aber Voltaires Geist ist auch nicht
einmal zum Popanze gut, Kinder damit zu schrecken;
es ist der bloße verkleidete Komödiant, der nichts 20
hat, nichts sagt, nichts tut, was es wahrscheinlich
machen könnte, er wäre das, wofür er sich ausgibt;
alle Umstände vielmehr, unter welchen er erscheint,
stören den Betrug und verraten das Geschöpf eines
kalten Dichters, der uns gern täuschen und schrecken 25
möchte, ohne daß er weiß, wie er es anfangen soll.
Man überlege auch nur dieses einzige: am hellen
Tage mitten in der Versammlung der Stände des
Reichs, von einem Donnerschlage angekündigt, tritt
das Voltairische Gespenst aus seiner Gruft hervor. 30
Wo hat Voltaire jemals gehört, daß Gespenster so
dreist sind? Welche alte Frau hätte ihm nicht sagen
können, daß die Gespenster das Sonnenlicht scheuen

und große Gesellschaften gar nicht gern besuchen?
Doch Voltaire wußte zuverlässig das auch; aber er
war zu furchtsam, zu ekel, diese gemeinen Umstände
zu nutzen; er wollte uns einen Geist zeigen, aber es
5 sollte ein Geist von einer edlern Art sein und durch
diese edlere Art verdarb er alles. Das Gespenst, das
sich Dinge herausnimmt, die wider alles Her-
kommen, wider alle guten Sitten unter den Gespenstern sind, dünkt mich kein rechtes Gespenst
10 zu sein; und alles, was die Illusion hier nicht
befördert, stört die Illusion.

Hamburgische Dramaturgie, xi (1767)

40 *Der tragische Dichter und die historische Wahrheit*

ARISTOTELES hat es längst entschieden, wie
weit sich der tragische Dichter um die historische Wahrheit zu bekümmern habe: nicht weiter
15 als sie einer wohleingerichteten Fabel ähnlich ist, mit
der er seine Absichten verbinden kann. Er braucht
eine Geschichte nicht darum, weil sie geschehen ist,
sondern darum, weil sie so geschehen ist, daß er sie
schwerlich zu seinem gegenwärtigen Zwecke besser
20 erdichten könnte. Findet er diese Schicklichkeit von
ungefähr an einem wahren Falle, so ist ihm der
wahre Fall willkommen; aber die Geschichtsbücher
erst lange darum nachzuschlagen lohnt der Mühe
nicht. Und wie viele wissen denn, was geschehen ist?
25 Wenn wir die Möglichkeit, daß etwas geschehen
kann, nur daher abnehmen wollen, weil es geschehen
ist: was hindert uns eine gänzlich erdichtete Fabel

für eine wirklich geschehene Historie zu halten,
von der wir nie etwas gehört haben? Was ist das
erste, was uns eine Historie glaubwürdig macht?
Ist es nicht ihre innere Wahrscheinlichkeit? Und
ist es nicht einerlei, ob diese Wahrscheinlichkeit von 5
gar keinen Zeugnissen und Überlieferungen bestätigt wird oder von solchen, die zu unserer
Wissenschaft noch nie gelangt sind? Es wird ohne
Grund angenommen, daß es eine Bestimmung des
Theaters mit sei das Andenken großer Männer zu 10
erhalten; dafür ist die Geschichte, aber nicht das
Theater. Auf dem Theater sollen wir nicht lernen,
was dieser oder jener einzelne Mensch getan hat,
sondern was ein jeder Mensch von einem gewissen
Charakter unter gewissen gegebenen Umständen tun 15
werde. Die Absicht der Tragödie ist weit philosophischer als die Absicht der Geschichte; und es
heißt sie von ihrer wahren Würde herabsetzen, wenn
man sie zu einem bloßen Panegyrikus berühmter
Männer macht oder sie gar den Nationalstolz zu 20
nähren mißbraucht.

Hamburgische Dramaturgie, xix (1767)

41   *Die drei Einheiten*

DIE Einheit der Handlung war das erste dramatische Gesetz der Alten; die Einheit der Zeit
und die Einheit des Ortes waren gleichsam nur
Folgen aus jener, die sie schwerlich strenger be- 25
obachtet haben würden als es jene notwendig
erfordert hätte, wenn nicht die Verbindung des
Chors dazu gekommen wäre. Da nämlich ihre
Handlungen eine Menge Volks zum Zeugen haben

mußten und diese Menge immer die nämliche blieb,
welche sich weder weiter von ihren Wohnungen
entfernen noch länger aus denselben wegbleiben
konnte, als man gewöhnlichermaßen der bloßen
5 Neugierde wegen zu tun pflegt: so konnten sie fast
nicht anders als den Ort auf einen und eben denselben individuellen Platz und die Zeit auf einen
und eben denselben Tag einschränken. Dieser
Einschränkung unterwarfen sie sich denn auch *bona*
10 *fide*; aber mit einer Biegsamkeit, mit einem Verstande, daß sie unter neun Malen siebenmal weit
mehr dabei gewannen als verloren. Denn sie ließen
sich diesen Zwang einen Anlaß sein die Handlung
selbst so zu simplifizieren, alles Überflüssige so sorg-
15 fältig von ihr abzusondern, daß sie, auf ihre wesentlichen Bestandteile gebracht, nichts als ein Ideal von
dieser Handlung ward, welches sich gerade in derjenigen Form am glücklichsten ausbildete, die den
wenigsten Zusatz von Umständen der Zeit und des
20 Ortes verlangte.

Die Franzosen hingegen, die an der wahren Einheit der Handlung keinen Geschmack fanden, die
durch die wilden Intrigen der spanischen Stücke
schon verwöhnt waren, ehe sie die griechische Sim-
25 plizität kennen lernten, betrachteten die Einheiten
der Zeit und des Orts nicht als Folgen jener Einheit
sondern als für sich zur Vorstellung einer Handlung
unumgängliche Erfordernisse, welche sie auch ihren
reichern und verwickeltern Handlungen in eben der
30 Strenge anpassen müßten, als es nur immer der
Gebrauch des Chors erfordern könnte, dem sie doch
gänzlich entsagt hatten. Da sie aber fanden, wie
schwer, ja wie unmöglich öfters dieses sei, so trafen

sie mit den tyrannischen Regeln, welchen sie ihren
völligen Gehorsam aufzukündigen nicht Mut genug
hatten, ein Abkommen. Anstatt eines einzigen
Ortes führten sie einen unbestimmten Ort ein,
unter dem man sich bald den, bald jenen einbilden 5
könne; genug, wenn diese Orte zusammen nur nicht
gar zu weit aus einander lägen und keiner eine
besondere Verzierung bedürfe, sondern die nämliche Verzierung ungefähr dem einen so gut als dem
andern zukommen könne. Anstatt der Einheit des 10
Tages schoben sie die Einheit der Dauer unter; und
eine gewisse Zeit, in der man von keinem Aufgehen
und Untergehen der Sonne hörte, in der niemand
zu Bette ging, wenigstens nicht öfter als einmal zu
Bette ging, mochte sich doch sonst noch so viel und 15
mancherlei darin ereignen, ließen sie für einen Tag
gelten. Niemand würde ihnen dieses verdacht
haben; denn unstreitig lassen sich auch so noch
vortreffliche Stücke machen; und das Sprichwort
sagt: „Bohre das Brett, wo es am dünnsten ist." Aber 20
ich muß meinen Nachbar nur auch da bohren lassen.
Ich muß ihm nicht immer nur die dickste Kante,
den astigsten Teil des Brettes zeigen und schreien:
„Da bohre mir durch! da pflege ich durchzubohren!"
Gleichwohl schreien die französischen Kunstrichter 25
alle so, besonders wenn sie auf die dramatischen
Stücke der Engländer kommen. Was für ein Aufhebens machen sie von der Regelmäßigkeit, die sie
sich so unendlich erleichtert haben!

Hamburgische Dramaturgie, xlvi (1767)

Über sich selbst

i

ICH bin weder Schauspieler noch Dichter. Man erweist mir zwar manchmal die Ehre mich für den letztern zu erkennen. Aber nur, weil man mich verkennt. Aus einigen dramatischen Versuchen, die
5 ich gewagt habe, sollte man nicht so freigebig folgern. Nicht jeder, der den Pinsel in die Hand nimmt und Farben verquistet, ist ein Maler. Die ältesten von jenen Versuchen sind in den Jahren hingeschrieben, in welchen man Lust und Leichtig-
10 keit so gern für Genie hält. Was in den neueren Erträgliches ist, davon bin ich mir sehr bewußt, daß ich es einzig und allein der Kritik zu verdanken habe. Ich fühle die lebendige Quelle nicht in mir, die durch eigene Kraft sich emporarbeitet, durch eigene Kraft
15 in so reichen, so frischen, so reinen Strahlen aufschießt; ich muß alles durch Druckwerk und Röhren aus mir herauspressen. Ich würde so arm, so kalt, so kurzsichtig sein, wenn ich nicht einigermaßen gelernt hätte fremde Schätze bescheiden zu borgen,
20 an fremdem Feuer mich zu wärmen und durch die Gläser der Kunst mein Auge zu stärken. Ich bin daher immer beschämt oder verdrießlich geworden, wenn ich zum Nachteil der Kritik etwas las oder hörte. Sie soll das Genie ersticken, und ich schmei-
25 chelte mir etwas von ihr zu erhalten, was dem Genie sehr nahe kommt. Ich bin ein Lahmer, den eine Schmähschrift auf die Krücke unmöglich erbauen kann. Doch freilich, wie die Krücke dem Lahmen wohl hilft sich von einem Orte zum andern zu

bewegen, aber ihn nicht zum Läufer machen kann,
so auch die Kritik. Wenn ich mit ihrer Hilfe etwas
zustande bringe, welches besser ist als es einer von
meinen Talenten ohne Kritik machen würde, so
kostet es mich so viel Zeit, ich muß von andern 5
Geschäften so frei, von unwillkürlichen Zerstreu-
ungen so ununterbrochen sein, ich muß meine
ganze Belesenheit so gegenwärtig haben, ich muß
bei jedem Schritte alle Bemerkungen, die ich jemals
über Sitte und Leidenschaften gemacht, so ruhig 10
durchlaufen können, daß zu einem Arbeiter, der ein
Theater mit Neuigkeiten unterhalten soll, niemand
in der Welt ungeschickter sein kann als ich.

Hamburgische Dramaturgie, ci–civ (1768)

43   *ii*

SEINES Fleißes darf sich jedermann rühmen.
Ich glaube die dramatische Dichtkunst studiert 15
zu haben, sie mehr studiert zu haben als zwanzig,
die sie ausüben. Auch habe ich sie soweit ausgeübt
als es nötig ist um mitsprechen zu dürfen; denn ich
weiß wohl, so wie der Maler sich von niemandem
gern tadeln läßt, der den Pinsel ganz und gar nicht 20
zu führen weiß, so auch der Dichter. Ich habe es
wenigstens versucht, was er bewerkstelligen muß,
und kann von dem, was ich selbst nicht zu machen
vermag, doch urteilen, ob es sich machen läßt. Aber
man kann studieren und sich tief in den Irrtum 25
hinein studieren. Was mich also versichert, daß mir
dergleichen nicht begegnet sei, daß ich das Wesen
der dramatischen Dichtkunst nicht verkenne, ist
dieses: daß ich es vollkommen so erkenne, wie es
Aristoteles aus den unzähligen Meisterstücken der 30

griechischen Bühne abstrahiert hat. Ich habe von dem Entstehen, von der Grundlage der Dichtkunst dieses Philosophen meine eigenen Gedanken, indes stehe ich nicht an zu bekennen (und sollte ich in 5 diesen erleuchteten Zeiten auch darüber ausgelacht werden!), daß ich sie für ein ebenso unfehlbares Werk halte als die Elemente des Euklides nur immer sind. Ihre Grundsätze sind ebenso wahr und gewiß, nur freilich nicht so faßlich und daher mehr der 10 Schikane ausgesetzt als alles, was diese enthalten. Besonders getraue ich mir von der Tragödie unwidersprechlich zu beweisen, daß sie sich von der Richtschnur des Aristoteles keinen Schritt entfernen kann, ohne sich ebensoweit von ihrer Vollkommen-15 heit zu entfernen.

Hamburgische Dramaturgie, ci–civ (1768)

44 *iii*

NICHT die Wahrheit, in deren Besitz irgend ein Mensch ist oder zu sein vermeint, sondern die aufrichtige Mühe, die er angewandt hat hinter die Wahrheit zu kommen, macht den Wert des 20 Menschen. Denn nicht durch den Besitz sondern durch die Nachforschung der Wahrheit erweitern sich seine Kräfte, worin allein seine immer wachsende Vollkommenheit besteht. Der Besitz macht ruhig, träg und stolz. Wenn Gott in seiner Rechten alle 25 Wahrheit und in seiner Linken den einzigen immer regen Trieb nach Wahrheit, obschon mit dem Zusatze mich immer und ewig zu irren, verschlossen hielte und spräche zu mir: „Wähle!" ich fiele ihm mit Demut in seine Linke und sagte: „Vater,

gib! die reine Wahrheit ist ja doch nur für dich
allein!"

Eine Duplik (1778)

SALOMON GESSNER

1730–88

45   *Damon und Daphne*

DAMON. Es ist vorüber gegangen, Daphne, das
schwarze Gewitter; die schreckende Stimme
des Donners schweigt. Zittre nicht, Daphne! Die 5
Blitze schlängeln sich nicht mehr durchs schwarze
Gewölk. Laß uns die Höhle verlassen. Die Schafe,
die sich ängstlich unter diesem Laubdach gesammelt,
schütteln den Regen von der triefenden Wolle und
zerstreuen sich wieder auf der erfrischten Weide. 10
Laß uns hervorgehn und sehn, wie schön die Gegend
im Sonnenschein glänzt.

Itzt traten sie Hand in Hand aus der schützenden
Grotte hervor. Wie herrlich! rief *Daphne*, dem Hirt
die Hand drückend, wie herrlich glänzt die Gegend! 15
Wie hell schimmert das Blau des Himmels durch das
zerrißne Gewölk! Sie fliehen, die Wolken! Wie sie
ihre Schatten in der sonnenbeglänzten Gegend
zerstreuen! Sieh, Damon! Dort liegt der Hügel
mit seinen Hütten und Herden im Schatten; itzt 20
flieht der Schatte und läßt ihn im Sonnenglanz; sieh,
wie er durchs Tal hin über die blumichten Wiesen
läuft.

Wie schimmert dort, rief *Damon*, der Bogen der
Iris, von einem glänzenden Hügel zum andern aus- 25
gespannt; am Rücken das graue Gewölk, verkündigt

die freundliche Göttin von ihrem Bogen der Gegend
die Ruhe und lächelt durchs unbeschädigte Tal hin.

Daphne antwortete, mit zartem Arm ihn um-
schlingend: Sieh, die Zephyre kommen zurück und
5 spielen froher mit den Blumen, die verjüngt mit
den hellblitzenden Regentropfen prangen, und die
bunten Schmetterlinge und die beflügelten Würmchen fliegen wieder froher im Sonnenschein; und
der nahe Teich — sieh, wie die genetzten Büsche und
10 die Weiden zitternd um ihn her glänzen! — er
empfängt wieder ruhig das Bild des hellen Himmels
und der Bäume umher.

Damon. Umarme mich, Daphne, umarme mich!
O was für Freude durchströmt mich! wie herrlich
15 ist alles um uns her! Welche unerschöpfliche Quelle
von Entzücken! Von der belebenden Sonne bis zur
kleinsten Pflanze sind alles Wunder! O wie reißt
das Entzücken mich hin, wenn ich vom hohen
Hügel die weitausgebreitete Gegend übersehe; oder
20 wenn ich ins Gras hingestreckt die mannigfaltigen
Blumen und Kräuter betrachte und ihre kleinen
Bewohner, oder wenn ich in nächtlichen Stunden
den gestirnten Himmel, wenn ich den Wechsel der
Jahreszeiten oder das Wachstum der unzählbaren
25 Gewächse — wenn ich die Wunder betrachte, dann
schwillt mir die Brust, Gedanken drängen sich dann
auf, ich kann sie nicht entwickeln; dann wein' ich
und sinke hin und stammle mein Erstaunen dem,
der die Erde schuf! O Daphne, nichts gleicht dem
30 Entzücken, es sei denn das Entzücken von dir
geliebt zu sein!

Idyllen (1756)

46

Phillis und Chloe

PHILLIS. Du, Chloe, immer trägst du dein
Körbchen am Arm.

Chloe. Ja, Phillis! Immer trag' ich das Körbchen
am Arm, ich würd' es nicht um eine ganze Herde
geben; nein, ich würd' es nicht geben, sprach sie, 5
und drückt' es lächelnd an ihre Seite.

Phillis. Warum, Chloe, warum hältst du dein
Körbchen so wert? Soll ich raten? Sieh, du wirst
rot, soll ich raten? *Chloe.* Hu — rot?

Phillis. Ja, wie wenn einem das Abendrot ins 10
Angesicht scheint.

Chloe. Ich will dir's sagen; der junge Amyntas
hat mir's geschenkt, der schönste Hirt; er hat es
selbst geflochten. Ach, sieh wie nett, sieh wie schön
die grünen Blätter und die roten Blumen in das 15
weiße Körbchen geflochten sind; und ich halt' es
wert; wo ich hingehe, da trag' ich's am Arm; die
Blumen dünken mir schöner, sie riechen lieblicher,
die ich in meinem Körbchen trage, und die Früchte
sind süßer, die ich aus dem Körbchen esse. Phillis — 20
doch was soll ich alles sagen? — Ich — ich hab's
schon oft geküßt. Er ist doch der beste, der schönste
Hirt.

Phillis. Ich hab' es ihn flechten gesehn; wüßtest
du, was er da zu dem Körbchen sprach! Aber Alexis, 25
mein Hirt, ist eben so schön, du solltest ihn singen
hören! Ich will das Liedchen dir singen, das er
gestern mir sang.

Chloe. Aber, Phillis! Was hat Amyntas zum
Körbchen gesagt? 30

Phillis. Ja, ich muß erst das Liedchen singen.

Chloe. Ach! — ist es lang?

Phillis. Höre nur: „Froh bin ich, wenn das Abendrot am Hügel mich bescheint. Doch Phillis, froher bin ich noch, wenn ich dich lächeln seh'.
5 So froh geht nicht der Schnitter heim, wenn er die letzte Garb' in seine volle Scheune trägt als ich, wenn ich von dir geküßt in meine Hütte geh'.“ So hat er gesungen.

Chloe. Ein schönes Lied! Aber Phillis, was sprach
10 Amyntas zum Körbchen?

Phillis. Ich muß lachen. Er saß am Sumpf im Weidenbusch, und indes seine Finger die grünen und die weißen Ruten flochten, indes —.

Chloe. Nu denn, warum schweigst du?

15 Indes, fuhr *Phillis* lachend fort, indes sprach er: „Du Körbchen, dich will ich Chloen schenken, der schönen Chloe, die so lieblich lächelt. Da sie gestern die Herde bei mir vorbei trieb, ‚sei mir gegrüßt Amyntas‘, sprach sie und lächelte so freundlich, so
20 freundlich, daß mir das Herz pochte. Schmiegt euch gehorsam, ihr bunten Ruten, und zerbrecht nicht unter dem Flechten; ihr sollt dann an der liebsten Chloe Seite hangen. Ja, wenn sie es wert hält, o wenn sie es wert hielte, wenn sie es oft an
25 ihrer Seite trüge!“ So sprach er, und indes war das Körbchen gemacht, und da sprang er auf und hüpfte, daß es ihm so wohl gelungen war.

Chloe. Ach, ich geh'! Dort hinter jenem Hügel treibt er seine Herde, ich will bei ihm vorbeigehn;
30 sieh, will ich sagen, sieh, Amyntas, ich habe dein Körbchen am Arm.

Idyllen (1756)

95

CHRISTOPH MARTIN WIELAND

1733–1813

47   *Vom Charakter der Abderiten*

ES mangelte den Abderiten nie an Einfällen:
aber selten paßten ihre Einfälle auf die Gelegenheit, wo sie angebracht wurden, oder kamen erst,
wenn die Gelegenheit vorbei war. Sie sprachen viel,
aber immer ohne sich einen Augenblick zu bedenken, 5
was sie sagen wollten, oder wie sie es sagen wollten.
Die natürliche Folge hiervon war, daß sie selten den
Mund auftaten ohne etwas Albernes zu sagen. Zum
Unglück erstreckte sich diese schlimme Gewohnheit
auch auf ihre Handlungen; denn gemeiniglich 10
schlossen sie den Käfig erst, wenn der Vogel ent-
flogen war. Dies zog ihnen den Vorwurf der
Unbesonnenheit zu; aber die Erfahrung bewies, daß
es ihnen nicht besser ging, wenn sie sich besannen.
Machten sie irgend einen dummen Streich, so kam 15
es immer daher, weil sie es gar zu gut machen
wollten; und wenn sie lange und ernstliche Berat-
schlagungen hielten, so konnte man sicher darauf
rechnen, daß sie unter allen möglichen Ent-
schließungen die schlechteste ergreifen würden. Sie 20
wurden endlich zum Sprichwort unter den Griechen.
Ein abderitischer Einfall, ein Abderitenstückchen war
bei diesen ungefähr, was bei uns ein Schildbürger-
streich ist, und die guten Abderiten ermangelten
nicht die Spötter und Lacher reichlich mit sinn- 25
reichen Zügen dieser Art zu versehen. Für jetzt
mögen davon nur ein Paar Beispiele zur Probe
dienen.

Einsmals fiel ihnen ein, daß eine Stadt wie Abdera billig auch einen schönen Brunnen haben müsse. Er sollte in die Mitte ihres großen Marktplatzes gesetzt werden, und zu Bestreitung der
5 Kosten wurde eine neue Auflage gemacht. Sie ließen einen berühmten Bildhauer von Athen kommen, um eine Gruppe von Statuen zu verfertigen, welche den Gott des Meeres auf einem von vier Seepferden gezogenen Wagen, mit Nymphen, Tritonen und
10 Delphinen umgeben, vorstellte. Die Seepferde und Delphinen sollten eine Menge Wassers aus ihren Nasen hervorspritzen. Aber wie alles fertig stand, fand sich, daß kaum Wasser genug da war, um die Nase eines einzigen Delphins zu befeuchten; und
15 als man das Werk spielen ließ, sah es nicht anders aus, als ob alle diese Seepferde und Delphinen den Schnupfen hätten.

Ein andermal erhandelten sie eine sehr schöne Venus von Elfenbein, die man unter die Meister-
20 stücke des Praxiteles zählte. Sie war ungefähr fünf Fuß hoch und sollte auf einen Altar der Liebesgöttin gestellt werden. Als sie angelangt war, geriet ganz Abdera in Entzücken über die Schönheit ihrer Venus; denn die Abderiten gaben sich für
25 feine Kenner und schwärmerische Liebhaber der Künste aus. „Sie ist zu schön", riefen sie einhellig, „um auf einem niedrigen Platze zu stehen. Ein Meisterstück, das der Stadt so viel Ehre macht und so viel Geld gekostet hat, kann nicht zu hoch auf-
30 gestellt werden; sie muß das erste sein, was den Fremden beim Eintritt in Abdera in die Augen fällt." Diesem glücklichen Gedanken zufolge stellten sie das kleine niedliche Bild auf einen Obelisk von

achtzig Fuß; und wiewohl es nun unmöglich war
zu erkennen, ob es eine Venus oder eine Auster-
nymphe vorstellen sollte, so nötigten sie doch alle
Fremden zu gestehen, daß man nichts Vollkomm-
neres sehen könne.   5

Geschichte der Abderiten, i (1774)

48   *Hyperbolus und Thlaps*

DAMALS waren unter einer ziemlichen Anzahl
von Theaterdichtern vornehmlich zwei im
Besitz der höchsten Gunst des abderitischen Publikums. Der eine machte Tragödien, der andre,
namens Thlaps, eine Art von Mitteldingen, wobei 10
einem weder wohl noch weh geschah, wovon er der
erste Erfinder war, und die deswegen nach seinem
Namen Thlapsödien genannt wurden. Der erste
war Hyperbolus. Er hatte sich zwar auch in den
übrigen Gattungen hervorgetan; die außerordent- 15
liche Parteilichkeit seiner Landsleute für ihn hatte
ihm in allen den Preis zuerkannt; und eben dieser
Vorzug erwarb ihm den hochtrabenden Zunamen
Hyperbolus, denn von Haus aus nannte er sich
Hegesias. Der Grund, warum dieser Mensch ein so 20
besonderes Glück bei den Abderiten machte, war
der natürlichste von der Welt — nämlich eben der,
weswegen er und seine Werke an jedem andern Orte
der Welt ausgepfiffen worden wären. Er war unter
allen ihren Dichtern derjenige, in welchem der 25
eigentliche Geist von Abdera am leibhaftesten
wohnte, der immer alles just so machte, wie sie es
auch gemacht haben würden, immer das eigentliche
Pünktchen traf, wo sie gekitzelt sein wollten, mit

einem Wort, der Dichter nach ihrem Sinn und Herzen. Ein Mann, der des abderitischen Genius so voll war, konnte natürlicherweise in Abdera alles sein, was er wollte. Auch war er ihr Anakreon, ihr
5 Alkäus, ihr Pindar, ihr Äschylus, ihr Aristophanes, und seit kurzem arbeitete er an einem großen Nationalheldengedicht in acht und vierzig Gesängen, die *Abderiade* genannt — zu großer Freude des ganzen abderitischen Volks.

10 Indessen war doch die Tragödie das eigentliche Fach des Hyperbolus. Er hatte deren hundert und zwanzig verfertigt — ein Umstand, der ihm bei einem Volke, das in allen Dingen nur auf Anzahl und Umfang sah, allein schon einen außerordentlichen
15 Vorzug geben mußte. Denn von allen seinen Neben- buhlern hatte es keiner auch nur auf das Drittel dieser Zahl bringen können. Ungeachtet ihn die Abderiten wegen des Bombasts seiner Schreibart ihren Äschylus zu nennen pflegten, so wußte er
20 sich selbst doch nicht wenig mit seiner Originalität. „Man weise mir", sprach er, „einen Charakter, einen Gedanken, einen Ausdruck in allen meinen Werken, den ich aus einem andern genommen hätte!" — „Oder aus der Natur", setzte Demokritus hinzu.—
25 „O!" rief Hyperbolus, „was das betrifft, das kann ich Ihnen zugeben, ohne daß ich viel dabei verliere. Natur! Natur! Die Herren klappern immer mit ihrer Natur und wissen am Ende nicht, was sie wollen. Die gemeine Natur — und die meinen Sie
30 doch — gehört in die Komödie, ins Possenspiel, in die Thlapsödie, wenn Sie wollen! Aber die Tragödie muß über die Natur gehen, oder ich gebe nicht eine hohle Nuß darum." Von den seinigen galt dies im

vollsten Maße. So wie seine Personen hatte nie ein Mensch ausgesehen, nie ein Mensch gefühlt, gedacht, gesprochen, noch gehandelt. Aber das wollten die Abderiten eben; und daher kam es auch, daß sie unter allen auswärtigen Dichtern am wenigsten aus dem Sophokles machten. „Wenn ich aufrichtig sagen soll, wie ich denke", sagte einst Hyperbolus in einer vornehmen Gesellschaft, wo über diese Materie auf gut Abderitisch raisonniert wurde, „ich habe nie begreifen können, was an dem Ödipus oder an der Elektra des Sophokles, insonderheit was an seinem Philoktet so Außerordentliches sein soll? Nun ja, attische Urbanität, die streit' ich ihm nicht ab! Urbanität, so viel Sie wollen! Aber der Feuerstrom, die wetterleuchtenden Gedanken, die Donnerschläge, der hinreißende Wirbelwind — kurz, die Riesenstärke, der Adlersflug, der Löwengrimm, der Sturm und Drang, der den wahren tragischen Dichter macht, wo ist der?" „Das nenn' ich wie ein Meister von der Sache sprechen", sagte einer von der Gesellschaft. „O! über solche Dinge verlassen Sie sich auf das Urteil des Hyperbolus", rief ein andrer; „wenn er das nicht verstehen sollte!" — „Er hat hundert und zwanzig Tragödien gemacht", flüsterte eine Abderitin einem Fremden ins Ohr.

Wie aber die menschliche Unbeständigkeit sich auch an dem, was in seiner Neuheit noch so angenehm ist, gar bald ersättigt, so fingen auch die Abderiten bereits an es überdrüssig zu werden immer und alle Tage gar schön zu finden, was ihnen in der Tat schon lange gar wenig Vergnügen machte: als ein junger Dichter, namens Thlaps, auf den

Einfall kam Stücke aufs Theater zu bringen, die
weder Komödie noch Tragödie sondern eine Art
von lebendigen abderitischen Familiengemälden
wären; wo weder Helden noch Narren sondern gute
5 ehrliche hausgebackne Abderiten auftreten, ihren
täglichen Stadt-, Markt-, Haus- und Familien-
geschäften nachgehen, und vor einem löblichen
Spektatorium gerade so handeln und sprechen
sollten, als ob sie auf der Bühne zu Hause wären.
10 Sein erstes Stück (es hieß *Eugamia oder Die vierfache
Braut*) wurde mit einem Entzücken aufgenommen,
wovon man noch kein Beispiel gesehen hatte. Die
ehrlichen Abderiten sahen sich selbst zum erstenmal
auf der Schaubühne *in puris naturalibus*, ohne
15 Stelzen, ohne Löwenhäute, ohne Keule, Scepter und
Diadem, in ihren gewöhnlichen Hauskleidern, ihre
gewöhnliche Sprache redend, nach ihrer ange-
bornen abderitischen Art und Weise leiben und
leben, und das war eben, was ihnen so viel Vergnügen
20 machte; sie konnten's gar nicht genug bekommen.
Die vierfache Braut wurde vierundzwanzigmal hinter
einander gespielt, und eine lange Zeit wollten die
Abderiten nichts als Thlapsödien sehen. Alles
legte sich auf die neue Gattung; und in weniger als
25 drei Jahren waren alle möglichen Süjets und Titel
von Thlapsödien so erschöpft, daß es wirklich ein
Jammer war die Not der armen Dichter zu sehen,
wie sie drucksten und schwitzten, um aus dem
Schwamme, den schon so viele vor ihnen ausge-
30 drückt hatten, noch einen Tropfen trübes Wasser
heraus zu pressen.

Geschichte der Abderiten, iii (1774)

49 *Aufführung der „Andromeda"*
des Euripides

DIE Abderiten trugen, ohne eben sehr zu wissen
warum, große Ehrerbietung für den Namen
Euripides und alles, was diesen Namen trug. Verschiedne seiner Tragödien waren schon öfters aufgeführt und allemal sehr schön gefunden worden. 5
Die *Andromeda* wurde jetzt zum erstenmal auf die
abderitische Schaubühne gebracht. Der Nomophylax hatte die Musik dazu gemacht und (wie er
seinen Freunden ziemlich laut ins Ohr sagte) diesmal
sich selbst übertroffen; das heißt, der Mann hatte 10
sich vorgesetzt alle seine Künste auf einmal zu
zeigen, und darüber war ihm der gute Euripides
unvermerkt ganz aus den Augen gekommen. Kurz,
er hatte sich selbst komponiert; unbekümmert, ob
seine Musik den Text oder der Text seine Musik 15
zu Unsinn mache — welches denn gerade der Punkt
war, der auch die Abderiten am wenigsten kümmerte. Genug, sie machte großen Lärm, hatte (wie
seine Brüder, Vettern, Schwäger und Hausbedienten
als Kenner versicherten) sehr erhabne und rührende 20
Stellen und wurde mit dem lautesten Beifall aufgenommen. Das Orchester tat diesmal sein Äu-
ßerstes, um sich seines Oberhauptes würdig zu zeigen.
„Ich hab' ihnen aber auch alle Hände voll zu tun
gegeben", sagte der Nomophylax und schien sich 25
viel darauf zu gut zu tun, daß die armen Leute
schon im zweiten Akt keinen trocknen Faden mehr
am Leibe hatten. Im Vorbeigehen gesagt, das
Orchester war eins von den Instituten, worin die

Abderiten es mit allen Städten in der Welt auf-
nahmen. Das erste, was sie einem Fremden davon
sagten, war: daß es hundert und zwanzig Köpfe
stark sei. „Das athenische", pflegten sie mit be-
5 deutendem Akzent hinzu zu setzen, „soll nur
achtzig haben; aber freilich mit hundert und
zwanzig Mann läßt sich auch was ausrichten!"

Wie es aber auch mit der Musik beschaffen
sein mochte: gewiß ist, daß in langer Zeit kein
10 Stück so allgemein gefallen hatte. Dem Sänger,
der den Perseus machte, wurde so gewaltig zuge-
klatscht, daß er mitten in der schönsten Scene aus
dem Tone kam und in eine Stelle aus dem *Kyklops*
sich verirrte. Andromeda — in der Scene, wo sie,
15 an den Boden gefesselt, von allen ihren Freunden
verlassen und dem Zorn der Nereiden Preis gegeben,
angstvoll das Auftauchen des Ungeheuers erwartet
— mußte ihren Monolog dreimal wiederholen. Der
Nomophylax konnte seine Freude über einen so
20 glänzenden Erfolg nicht bändigen. Er ging von
Reihe zu Reihe herum den Tribut von Lob einzu-
sammeln, der ihm aus allen Lippen entgegenschallte;
und mitten unter der Versicherung, daß ihm zu
viel Ehre widerfahre, gestand er, daß er selbst mit
25 keinem seiner Spielwerke (wie er seine Opern
mit vieler Bescheidenheit zu nennen beliebte) so
zufrieden sei wie mit dieser *Andromeda*.

Geschichte der Abderiten, iii (1774)

50 *Der Streit um des Esels Schatten*

EIN Zahnarzt, namens Struthion, hatte sich in
Abdera niedergelassen; und weil er im ganzen

Lande der einzige von seiner Profession war, so
erstreckte sich seine Kundschaft über einen ansehnlichen Teil des mittäglichen Thrakien. Nun begab
sich's einsmals, da er den Jahrmarkt zu Gerania
besuchen sollte, daß seine Eselin abends zuvor ein 5
Füllen geworfen hatte, folglich nicht imstande war
die Reise mitzumachen. Struthion mietete sich also
einen anderen Esel, und der Eigentümer begleitete
ihn zu Fuße, um das lastbare Tier zu besorgen und
wieder nach Hause zu reiten. Der Weg ging über 10
eine große Heide. Es war mitten im Sommer und
die Hitze des Tages sehr groß. Der Zahnarzt, dem
sie unerträglich zu werden anfing, sah sich lechzend
nach einem schattigen Platz um, wo er einen Augenblick absteigen und etwas frische Luft schöpfen 15
könnte. Aber da war weit und breit weder Baum noch
Staude, noch irgend ein anderer schattengebender
Gegenstand zu sehen. Endlich machte er Halt,
stieg ab und setzte sich in den Schatten des Esels.

„Nu, Herr, was macht Ihr da?", sagte der Esel- 20
treiber, „was soll das?" „Ich setze mich ein wenig
in den Schatten", versetzte Struthion, „denn die
Sonne prallt mir ganz unleidlich auf den Schädel."
„Nein, mein guter Herr", erwiderte der andere,
„so haben wir nicht gehandelt! Ich vermietete Euch 25
den Esel, aber des Schattens wurde mit keinem
Worte dabei gedacht." „Ihr spaßt, guter Freund",
sagte der Zahnarzt lachend; „der Schatten geht mit
dem Esel, das versteht sich." „Ei, beim Jason! das
versteht sich nicht", rief der Eselmann, „ein anderes 30
ist der Esel, ein anderes ist des Esels Schatten. Ihr
habt mir den Esel um so und so viel abgemietet.
Hättet Ihr den Schatten auch dazu mieten wollen,

so hättet Ihr's sagen müssen. Mit einem Wort,
Herr, steht auf und setzt Eure Reise fort oder
bezahlt mir für des Esels Schatten was billig ist."
„Was?" schrie der Zahnarzt, „ich habe für den Esel
bezahlt und soll jetzt auch noch für seinen Schatten
bezahlen?" Nennt mich selbst einen dreifachen
Esel, wenn ich das tue! Der Esel ist einmal für
diesen ganzen Tag mein, und ich will mich in
seinen Schatten setzen, so oft mir's beliebt, und
darin sitzen bleiben, so lange mir's beliebt, darauf
könnt Ihr Euch verlassen." „Ist das im Ernst Eure
Meinung?" fragte der andere mit der ganzen Kalt-
blütigkeit eines abderitischen Eseltreibers. „In
ganzem Ernste", versetzte Struthion. „So komme
der Herr nur gleich stehenden Fußes wieder zurück
nach Abdera vor die Obrigkeit", sagte jener, „da
wollen wir sehen, wer von uns beiden Recht behalten wird."

Der Zahnarzt hatte große Lust den Eseltreiber
durch die Stärke seines Arms zur Gebühr zu weisen.
Schon ballte er seine Faust zusammen, schon hob
sich sein kurzer Arm; aber als er seinen Mann
genauer ins Auge faßte, fand er für besser den
erhobenen Arm allmählich wieder sinken zu lassen
und es noch einmal mit gelinderen Vorstellungen zu
versuchen. Aber er verlor seinen Atem dabei. Der
ungeschlachte Mensch bestand darauf, daß er für
den Schatten seines Esels bezahlt sein wollte; und
da Struthion ebenso hartnäckig dabei blieb nicht
bezahlen zu wollen, so war kein anderer Weg übrig
als nach Abdera zurückzukehren und die Sache bei
dem Stadtrichter anhängig zu machen.

Geschichte der Abderiten, iv (1774)

JOHANN KARL MUSÄUS

51 *Rübezahl*

DER Zahlungstermin kam nun heran, und Veit
hatte so viel erübrigt, daß er seine Schuld
abtragen konnte. An dem bestimmten Tage war er
früh auf, weckte das Weib und seine Kinder und
hieß sie ihre Sonntagskleider anziehen. Er selbst 5
holte seinen Gottestischrock herbei und rief zum
Fenster hinaus: „Hans, spann' an!" „Mann, was
hast du vor?" fragte die Frau, „es ist heute weder
Feiertag noch ein Kirchweihfest, was macht dich so
guten Mutes, und wo gedenkst du uns hinzuführen?" 10
Er antwortete: „Ich will mit euch die reichen
Vettern jenseit des Gebirges heimsuchen und dem
Gläubiger Schuld und Zins bezahlen, denn heute
ist der Zahltag." Das gefiel der Frau wohl, sie putzte
sich und die Kinder stattlich heraus, und damit die 15
reichen Vettern eine gute Meinung von ihrem
Wohlstande bekämen, band sie eine Schnur ge-
krümmter Dukaten um den Hals. Veit rüttelte den
schweren Geldsack zusammen, nahm ihn zu sich,
und da alles in Bereitschaft war, saß er auf mit Frau 20
und Kind. Hans peitschte die vier Hengste an,
und sie trabten mutig über das Blachfeld nach dem
Riesengebirge zu.

Vor einem steilen Hohlwege ließ Veit den Wagen
halten, stieg ab und hieß die andern Gleiches tun; 25
dann gebot er dem Knechte: „Hans, fahr gemachsam den Berg hinan, oben bei den drei Linden
sollst du unser warten; ich weiß hier einen Fußpfad,
er ist etwas um, doch lustig zu wandeln!" Darauf

schlug er sich in Geleitschaft des Weibes und der
Kinder waldein durch dicht verwachsenes Gebüsch
und spekulierte hin und her, daß die Frau meinte,
ihr Mann habe sich verirrt, ermahnte ihn darum
5 zurückzukehren und der Landstraße zu folgen.
Veit aber hielt plötzlich still und redete also: „Du
wähnst, liebes Weib, daß wir zu deiner Freundschaft ziehen, dahin steht jetzt nicht mein Sinn.
Deine reichen Vettern sind Knauser, die, als ich in
10 meiner Armut Trost und Zuflucht bei ihnen suchte,
mich gefoppt, gehöhnt und mit Übermut von sich
gestoßen haben. Hier wohnt der reiche Vetter,
dem wir unsern Wohlstand verdanken, der mir aufs
Wort das Geld geliehen, das in meiner Hand so
15 wohl gewuchert hat. Auf heute hat er mich her
beschieden Zins und Kapital ihm wieder zu er-
statten. Wißt ihr nun, wer unser Schuldherr ist?
Der Herr vom Berge, Rübezahl genannt!“ Das Weib
entsetzte sich heftig über diese Rede, und die Kinder
20 bebten und gebärdeten sich ängstlich vor Furcht
und Schrecken, daß sie der Vater zu Rübezahl
führen wollte. Sie hatten viel von ihm gehört, daß
er ein scheußlicher Riese und Menschenfresser sei.
Veit erzählte ihnen, wie ihm der Geist in Gestalt
25 eines Köhlers auf seinen Rufen erschienen sei und
was er mit ihm verhandelt habe in der Höhle, und
pries seine Mildtätigkeit mit dankbarem Herzen.
„Verzieht hier“, so fuhr er fort, „jetzt geh' ich in
die Höhle mein Geschäft auszurichten. Fürchtet
30 nichts, ich werde nicht lange sein, und wenn ich's
vom Gebirgherrn erlangen kann, so bring' ich ihn
zu euch. Scheuet euch nicht eurem Wohltäter die
Hand zu schütteln, ob sie gleich schwarz und rußig

ist; er tut euch nichts zu Leide." Ob nun gleich das
bängliche Weib viel gegen die Wallfahrt in die
Felsenhöhle einzuwenden hatte und auch die
Kinder jammerten und weinten und, da er sie auf
die Seite schob, ihn an den Rockfalten zurück- 5
zuziehen sich anstemmten: so riß er sich doch mit
Gewalt von ihnen in den dicht verwachsenen Busch
und gelangte zu dem wohlbekannten Felsen. Er
fand alle Merkzeichen der Gegend wieder, die er
sich wohl ins Gedächtnis geprägt hatte; die alte 10
verstorbene Eiche, an deren Wurzel die Kluft sich
öffnete, stand noch wie sie vor drei Jahren gestanden hatte, doch von einer Höhle war keine Spur
mehr vorhanden. Veit versuchte auf alle Weise sich
den Eingang in den Berg zu öffnen, er nahm einen 15
Stein, klopfte an den Felsen; er sollte, meinte er,
sich auftun; er zog den schweren Geldsack hervor,
klingelte mit den harten Talern und rief so laut er
nur konnte: „Geist des Gebirges, nimm hin was
dein ist!" Doch der Geist ließ sich weder hören noch 20
sehen. Also mußte sich der ehrliche Schuldner
entschließen mit seinem Säckel wieder umzukehren.
Sobald ihn das Weib und die Kinder von ferne
erblickten, eilten sie ihm freudenvoll entgegen; er
war mißmutig und sehr bekümmert, daß er seine 25
Zahlung nicht abliefern konnte, setzte sich zu den
Seinen auf einen Rasenrain, und überlegte was nun
zu tun sei. Da kam ihm sein altes Wagestück wieder
ein: „Ich will", sprach er, „den Geist bei seinem
Ekelnamen rufen, wenn's ihn auch verdrießt; mag 30
er mich bleuen und zausen wie er Lust hat, wenigstens hört er auf diesen Ruf gewiß;" schrie darauf
aus Herzenskraft: „Rübezahl! Rübezahl!" Das

angstvolle Weib wollt' ihm den Mund zuhalten: er
ließ sich nicht wehren und trieb's immer ärger; aber
Rübezahl kam nicht zum Vorschein, und alles Rufen
war umsonst.

5 Die Familienkaravane trat nun den Rückweg an,
und Vater Veit ging ganz betrübt und schwermütig
auf der breiten Landstraße vor sich hin. Da erhob
sich vom Walde her ein sanftes Rauschen in den
Bäumen, die schlanken Birken neigten ihre Wipfel,
10 das bewegliche Laub der Espen zitterte. Das
Brausen kam näher, und der Wind schüttelte die
weit ausgestreckten Äste der Eichen, trieb dürres
Laub und Grashalme vor sich her, kräuselte am
Wege kleine Staubwolken empor, an welchem
15 artigen Schauspiel die Kinder, die nicht mehr an
Rübezahl dachten, sich belustigten und nach den
Blättern haschten, womit der Wirbelwind spielte.
Unter dem dürren Laube wurde auch ein Blatt
Papier über den Weg geweht, auf welches der
20 jüngste Bube Jagd machte; doch wenn er darnach
griff, hob es der Wind auf und führt' es weiter, daß
er's nicht erlangen konnte. Drum warf er seinen
Hut darnach, der's endlich bedeckte. Weil's nun
ein schöner weißer Bogen war und der ökonomische
25 Vater jede Kleinigkeit in seinem Haushalt zu
nutzen pflegte, so brachte ihm der Knabe den Fund,
um sich ein kleines Lob zu verdienen. Als dieser
das zusammengerollte Papier aufschlug, um zu sehen
was es wäre, fand er, daß es der Schuldbrief war,
30 den er an den Berggeist ausgestellt hatte, von oben
herein zerrissen und unten stand geschrieben: „zu
Dank bezahlt".

Volksmärchen der Deutschen (1782)

1735-98

52   *Als ich ein Geißbub war*

„JA! Ja!" sagte eines Tages mein Vater, „der Bub
wächst. Von nun an muß er mir die Geißen
hüten." „Nein! Nein!" sagte meine Mutter, „er ist
noch zu jung." „Was, jung?" sagte der Vater, „ich
will's drauf wagen. Die Geißen werden ihn schon 5
lehren, sie sind oft witziger als die Buben, ich weiß
sonst nichts mit ihm anzufangen." Nun trat ich
mein neues Ehrenamt an. Anfangs wollten mir die
Geißen kein gut tun. Das machte mich wild, und
ich versucht' es ihnen mit Prügeln den Meister zu 10
zeigen, aber sie zeigten ihn mir. Ich mußte also die
glatten Wort' und das Streicheln und Schmeicheln
zur Hand nehmen. Da taten sie was ich wollte.
Auf die vorige Art hingegen verscheucht' ich sie so,
daß ich gar nicht mehr wußte was anfangen, wenn 15
sie alle ins Holz und Gesträuch liefen und ich meist
keine einzige mehr erblicken konnte, halbe Tage
herumlaufen, pfeifen und johlen, brüllen und lamen-
tieren mußte, bis ich sie wieder beieinander hatte.

Drei Jahre hatte ich so meine Herde gehütet; sie 20
ward immer größer, zuletzt über hundert Köpfe;
mir immer lieber, und ich ihnen. Alle Tag' hütete
ich an einem andern Ort, bald sonnen- bald schatten-
halb. Zu Mittag aß ich mein Brötlein und was mir
sonst die Mutter verstohlen mitgab. Welche Lust, 25
bei angenehmen Sommertagen über die Hügel
fahren, durch Schattenwälder streichen, durchs
Gebüsch Einhörnchen jagen und Vogelnester aus-
nehmen! Alle Mittag lagerten wir uns am Bach;

da ruhten meine Geißen zwei bis drei Stunden aus, wann es heiß war noch mehr. Ich aß mein Mittagsbrot, badete im spiegelhellen Wasser und spielte mit den jungen Gitzen. Immer hatt' ich ein Gertel oder
5 eine kleine Axt bei mir und fällte junge Tännchen, Weiden oder Ulmen. Dann kamen meine Geißen haufenweis und kafelten das Laub ab. Wenn ich ihnen „Leck, Leck!" rief ging's gar im Galopp, und wurd' ich von ihnen wie eingemauert. Alles Laub
10 und die Kräuter, die sie fraßen, kostete auch ich; und einige schmeckten mir sehr gut. So lang der Sommer währte, florierten die Erd-, Heidel- und Brombeeren; deren hatt' ich immer vollauf und konnte noch der Mutter am Abend mehr als genug
15 nach Haus bringen. Und welch' Vergnügen machte mir jeder Tag, jeder neue Morgen! wenn jetzt die Sonne die Hügel vergoldete, denen ich mit meiner Herde entgegenstieg, dann jenen haldigen Buchenwald und endlich die Wiesen und Weidplätze be-
20 schien. Tausendmal denk' ich dran, und oft dünkt's mich, die Sonne scheine jetzt nicht mehr so schön. Wenn dann alle anliegenden Gebüsche von jubilierenden Vögeln ertönten und diese um mich her hüpften, o! was fühlt' ich da! Ha, ich weiß es nicht!
25 Halt süße, süße Luft! Da sang und trillerte ich mit, bis ich heißer ward. Ein andermal spürte ich den muntern Waldbürgern durch alle Stauden nach, ergötzte mich an ihrem hübschen Gefieder und wünschte, daß sie nur halb so zahm wären wie meine
30 Geißen, beguckte ihre Jungen und ihre Eier, und erstaunte über den wundervollen Bau ihrer Nester. Oft fand ich deren in der Erde, im Moos, im Farn, in den dicksten Dörnern, in Felsritzen, in hohlen

Tannen oder Buchen, oft hoch im Gipfel, zu
äußerst auf einem Ast. Das war mir eine Wonne,
und fast mein einziges Sinnen und Denken alle
Tage gewiß einmal nach allen zu sehn, wie die
Jungen wuchsen, wie das Gefieder zunahm, wie die 5
Alten sie fütterten. Anfangs trug ich einige mit
mir nach Haus, aber dann waren sie dahin. Nun
ließ ich's bleiben und sie lieber groß werden.
Ebensoviel Freuden brachten mir meist meine
Geißen. Ich hatte von allen Farben, große und 10
kleine, kurz- und langhaarige, bös- und gutgeartete.
Alle Tage rief ich sie zwei- bis dreimal zusammen
und überzählte sie, ob ich sie voll habe. Ich hatte
sie gewöhnt, daß sie auf mein „Leck, Leck!" aus
allen Büschen hergesprungen kamen. Einige liebten 15
mich sonderbar und gingen den ganzen Tag nie
einen Büchsenschuß weit von mir; wenn ich mich
verbarg, fingen sie alle ein Zetergeschrei an. Welch'
Vergnügen dann am Abend meiner Herde auf
meinem Horn zur Heimreise zu blasen und zu hören, 20
wie munter sie sich heimblökten! Wie stolz war ich,
wann mich der Vater lobte, daß ich gut gehütet habe!

Der arme Mann im Tockenburg (1789)

HELFERICH PETER STURZ

1736–79

53   *Der englische König*

London, den 23. Sept. 1768

ALLE Reisebeobachter sind gewohnt allgemeine
Schlüsse auf einzelne Tatsachen zu gründen;
daher rührt das schiefe Urteil, welches man mit 25
kühnem Leichtsinn über Menschen und Staaten

ausspricht. Wer die hiesige Verfassung nicht kennt
und den König an einem feierlichen Tage unter
seinen Hofämtern erblickt, wie er im glänzenden
Haufen, wo er sein Auge hinlenkt, alle Großen
5 niederbeugt, die ihn mit den Zeichen ihrer Würde,
dem weißen und schwarzen Stab, in dem Kanzler-
und Bischofsornat, in schweigender Ehrfurcht umgeben: der glaubt nicht im Lande der Freiheit
sondern an dem Hofe eines morgenländischen
10 Sultans zu sein. Wenig Schritte von diesem Schauspiel, in dem Café zu St. James, findet er dann ein
öffentliches Blatt, welches über die Regierung mit
aufrührerischem Frevel lästert. Lange kann er nicht
entscheiden, welche von beiden Erscheinungen ein
15 Traum war; er weiß den Widerspruch nicht zu
erklären; endlich glaubt er, daß das Hofgepränge
nur eine leere Theaterpracht und die Zeitung der
Geist und die Stimme eines zügellosen Volks ist.
„Welche Bosheit", ruft er aus, „bringt die gepriesene
20 Freiheit hervor! Wie eingeschränkt ist die Gewalt
des Monarchen, der diesen Trotz nicht bändigen
kann!" Dennoch ist ein englischer König, sobald
er nicht eigenwillig, sondern nach den Gesetzen
regiert, ein mächtiger und, wenn das Glück auf
25 irgend einem Throne weilt, auch ein glücklicher
Herr. Die Verfassung hat seine Würde zuverlässiger
gegen alle Gefahren verschanzt, scharfsinniger von
den traurigsten Pflichten, von dem Leiden der
Herrschaft befreit, als es irgend ein Staatsklügler
30 ausdenken mag. Er kann nur wohltun, ehren,
belohnen, nur vergeben und nicht strafen; selbst
das Richteramt, welches immer den einen Teil
beleidigt, ist von dem Thron unabhängig.

Auch seine Minister sind sicher unter allem
Geheule der Parteien, wenn sie's nur verstehn im
Parlamente der größeren Anzahl zu gefallen.
Chesterfield und Pulteney haben Robert Walpole
viele Jahre lang Schritt für Schritt durch Philippiken 5
im *Craftsman* verfolgt, ohne daß es ihnen gelang
diesen stromkundigen Steuermann des Parlaments
zu stürzen. Indessen kränkt der Frevel, welchen die
Preßfreiheit schützt, alle Freunde der Ordnung und
der bürgerlichen Ruhe, und selbst eifrige Whigs 10
haben strengere Mittel gegen ihren Mißbrauch
gewünscht; aber man fürchtet die Hand der Regierung zu waffnen, und so erträgt man das Übel,
weil es aus der Freiheit, dem größten Vorrecht der
Menschheit, entspringt, wie hier und da eine 15
schädliche Pflanze aus einem wohltätigen Boden
sproßt. In den bittersten Schriften dieser Zeit wird
jedoch der persönliche Charakter des Königs geschont. Wahre Tugend erzwingt unwillkürliche
Ehrfurcht und schreckt auch die verwegenste 20
Bosheit zurück. Alle Unzufriedenen gestehen, daß
er seine hohen Pflichten mit warmer eifriger Treue
erfüllt. Er hat seinen Tag nach einer strengen
Ordnung verteilt und verschwendet nicht eine
Stunde, welche seinem Volke gehört. Kein Staats- 25
kundiger ist gründlicher als er von dem Zustand der
Finanzen, der Flotte, der Kriegsmacht unterrichtet.
Wer den täglichen Wandel dieser Gegenstände und
ihren weiten Umfang kennt, begreift es kaum, daß
er auch seine deutschen Staaten mit einer gleich 30
durchschauenden, alles umfassenden Sorgfalt regiert; und dennoch ist er nur bei seinen Ministern,
im Rat und in St. James' König; er erübrigt sich

Zeit für den Genuß des häuslichen Glücks. In der
Königin Palast ist er Freund und Beschützer der
Wissenschaften und Künste, liebevoller Vater und
zärtlicher Gatte. Wahre Freuden der Ehe gedeihen
5 selten am Thron; aber selbst in der Hütte würde
so ein Paar die Ehrfurcht des Weisen verdienen.
Charlotte verherrlicht die Wahl des Monarchen
durch ihre sanften, Herzen gewinnenden Gaben.
Sie wandelt in einer verdorbenen Zeit, im Gewühle
10 der Hofintrigen, mit einer Grazie, welche den
Weltmann entzückt, und einer Tugend, die den
Himmel befriedigt.

Briefe aus England (1768)

54 *Bei Garrick zu Besuch*

London, den 24. August 1768

ICH habe gestern einen meiner schönsten Tage
auf Garricks Landhause zugebracht. Ich verließ
15 London früh. Es war ein wollüstiger Sommer-
morgen. Ein durchsichtiger Nebel zitterte durch
die Gegend wie in Claude Lorrains Landschaften,
und die Natur gewann im Schleier. Ich fühlte mich
wie vom Äther getragen, alles rundum lächelte
20 Wonne. So ein Gefühl des Lebens vernichtet alle
Sophismen vom Übergewicht des Übels in der
besten Welt. Garricks Haus ist ein kleiner Palast
nach guten Verhältnissen gebaut. Es liegt am Ufer
der Themse, die sich hier durch eine reich bewohnte
25 und ausgeschmückte Gegend windet; was man aber
seinen Garten nennt, ist nicht mehr als ein rein ge-
haltener Rasen, auf welchem mancherlei Gebüsche
und gesellschaftliche Bäume ohne Symmetrie verstreut

sind. Unten am Wasser steht Shakespeares Tempel.
Das Bild des Unsterblichen ist von weißem Marmor,
in natürlicher Größe, und der Künstler hat ihm
einen Blick der Entzückung gegeben, als wenn er
in den Wellen seiner eignen Schöpfung herum- 5
irrte und auf die Gesänge Ariels lauschte. Im
Wohnhause finden wir weder Pracht noch Mode-
geschmack, aber eine heitre edle Einfalt, die in
das ländliche Leben gehört, und hie und da
Merkmale von dem Geiste oder der Laune des 10
Besitzers. Alle Tapeten sind helle, von sanften,
verträglichen Farben; sie sind mit den Gemälden
berühmter Schauspieler und Schauspielerinnen behangen, die sämtlich in wichtigen Scenen ihres
Spiels mit vielem Ausdruck vorgestellt sind. Ferner 15
sah ich hier Garricks Bildnis, von unsrer Landsmännin
Angelika Kauffmann grau in grau gemalt.

Aber Sie verlangen den Mann kennen zu lernen.
Von dem Schauspieler rede ich nicht, denn man
kann darüber nichts besseres als Herr Professor 20
Lichtenberg sagen. Sie wissen schon, daß er ein
schöner Mann ist, zwar nicht aus der Klasse der
schönen Körper, die zu Halbgöttern taugen, denn
er ist kaum von mittlerer Größe; und zu den Ideal-
figuren der römischen und griechischen Helden, zu 25
dem, was die Franzosen das hohe Tragische nennen,
fehlt ihm beinahe ein *pied de roi*. Aber seine Figur
ist zierlich gebaut, nervig und fein, gedrungen ohne
Fettigkeit, und jedes Spiel seiner Muskeln, jede
äußere Schwingung stimmt genau zur innern 30
Empfindung, die überall, in der Bewegung der Hand
so gut als im Ausdruck des Gesichts durchscheint.
Beim ersten Anblick entscheiden Sie gleich, daß ihn

die Natur zur Freude, zum Spott und Lustspiel
berief. Aus den Augen strahlt launiger Scharfsinn
und satirische Schalkheit, die aber durch offene
Freude mehr anzieht als abschreckt. Sie begreifen,
5 welche sichere Kunst, welche Schöpfergewalt dazu
gehört in den großen tragischen Rollen diesen
Stempel der Natur zu verwischen; und doch
forschen Sie umsonst danach, wenn er als Lear im
Ungewitter schrecklich betet oder mit der Hölle
10 im Blick als Richard vom Lager auffährt. Von der
Art seines Witzes gibt nichts einen deutlichern
Begriff als seine Prologe und Epiloge, die voll
gesellschaftlicher Einfälle sind. Sein Herz würden
Sie am besten aus seinen freundschaftlichen Briefen
15 kennen lernen und seinen Verstand, wenn er von
seiner Kunst spricht. Wenn er erzählt, so agiert er
zugleich. Jeder erscheint mit einer Grimasse auf
seinem Gesicht und spricht mit dem Ton seiner
Stimme; auch das kleinste Geschichtchen wird zum
20 Drama. Hier ist Gebärdensprache, deren Beweglich-
keit und Wahrheit einen Teil der Pantomimenwunder
begreiflich macht. Was er dadurch, ohne Sprache,
zu wirken vermag, sah ich neulich im *Macbeth*. Als
er mit einem zum Morde entschlossenen satanischen
25 Blick einen Dolch zu sehen glaubt und mit einem
Griff, wie man nur nach Kronen greift, nach dem
Hefte haschte, sank ein Fremder in meiner Loge,
der nichts von der Handlung begriff, weil er nicht
ein Wort Englisch verstand, vor Entsetzen zurück.

Briefe aus England (1768)

MATTHIAS CLAUDIUS

1740–1815

55 *Nach einer Theater-Vorstellung*

ALS die *Minna von Barnhelm* des Herrn Lessing am 8. November hier aufgeführt ward, war ein naiver Jüngling im Parterre, der in dem folgenden Briefe von dem, was er erlebt hat, seinem Vater Bericht abstattet.   5

Hamburg, den 9ten Nov. 1767

Mein lieber Vater!

Dieser Brief kommt Ihnen zu sagen, daß Ihr Fritz gesund und wohl in Hamburg angekommen ist. Vetter Steffen hat sich sehr gefreut, als er mich sah. 10 Aber das heiß' ich eine Stadt, das Hamburg, da gibt's was zu sehen: Rathäuser, Weinhäuser, Kaffeehäuser und Musikhäuser; mein Vetter geht allenthalben mit mir hin. Gestern abend — den Abend vergeß' ich nicht so lange ich lebe — gestern abend, 15 etwas nach fünf Uhr, führte er mich in ein Musikhaus. Wir kamen durch einen wunderlichen Gang in einen großen, prächtigen Saal. Hier saßen wohl tausend Menschen, teils auf Bänken auf der Erde hintereinander, und teils in kleinen Schränkchen, 20 die rundherum an den Wänden übereinander befestigt waren. Wir hatten eine herrliche Musik zu hören und ein großes schönes Gemälde zu sehen, das auf einem Vorhange gemalt war. Der Vorhang ward hernach weggetan, und dahinter war noch ein 25 ganzes geräumiges Wirtshaus, wo man vermutlich alles haben konnte, was man wollte. Es würde auch

gewiß den Abend was Rechtes verzehrt worden sein,
denn im Saal waren viele vornehme und reiche
Mann- und Frauenzimmer, wenn sich nicht, gerade
als die Musik aufhörte, in dem Wirtshause ein
5 besonderer Vorfall ereignet hätte.

Reisende Leute, die sich kannten und suchten und,
ohne es zu wissen, in demselben Wirtshause logierten,
fanden sich. Das war ein Lärm, da war Freude und
Leid und Zank und wieder Freude und wieder Zank
10 und Liebe und Freundschaft und Großmut, alles
durcheinander. Doch es mochte eine recht gute
Art Leute sein. Sie waren freigebig, edel, hart
gegen sich selbst, wollten mit Gewalt glücklich
machen und nicht glücklich gemacht sein. Da war
15 eine hübsche Witwe, die betrübter war, als sie
aussah; eine Kammerjungfer, die mutwilliger aussah,
als sie war; ein vortrefflicher Wachtmeister, ein Kerl,
der Geld hatte; und ein junges schlankes Fräulein,
für die ich alles in der Welt hätte tun können — ja,
20 aber der Major von Tellheim tat auch als ein recht-
schaffener Mann bei ihr. Er hatte, konnte ich wohl
merken, dem Fräulein die Ehe versprochen und
wollte sie auch noch gerne haben, wollte sie aber
auch nicht haben, weil er unglücklich geworden war.
25 Das junge Fräulein freute sich herzlich, daß sie
ihren Tellheim wieder gefunden hatte, und wollte
ihn mit allem seinem Unglück; sie stürmte erst mit
freundlichen, muntern Einfällen und edler Schalk-
haftigkeit, dann mit verstelltem Unglück und einer
30 großmütigen Entsagung auf sein Herz. O! ich kann
Ihnen nicht so recht sagen, wie das alles war; aber
ich will Ihr Fritz nicht sein, wenn mir nicht dreimal
bei dem, was diese Leute sagten und taten, die

Tränen in die Augen getreten sind. Das Fräulein
war aus Sachsen und hieß Minna von Barnhelm.
Sie war so witzig, so ungekünstelt, so sanft, kurz,
wie gesagt, ein junges, schlankes Fräulein, für die
ich alles in der Welt hätte tun können. Ich habe 5
auf meine eigne Hand Jubel gesungen, daß die
Sache so nach ihrem Wunsch ablief. Nun wird sie
wohl mit ihrem Tellheim schon auf ihre Güter in
Sachsen gereist sein, und ich werde sie nicht wieder
sehen. Mag sei doch, wenn's ihr nur wohlgeht. 10

Vetter Steffen sagte mir im Vertrauen, daß ein
Mann, der Lessing heißt und der sich hier aufhalten
soll, diese ganze Geschichte gemacht habe. Nun, so
vergeb's ihm Gott, daß er dem Major und dem
armen Fräulein so viel Unruhe gemacht hat. Aber 15
zehn Taler wollte ich darum geben, wenn ich noch
einmal eine solche Geschichte mit ansehen könnte.
Mir war den ganzen Abend das Herz so groß und
so warm — ich hatte einen so heißen Durst nach
edlen Taten — ja, ich glaube wahrhaftig, wenn man 20
solche Leute oft sähe, man könnte endlich selbst
rechtschaffen und großmütig mit ihnen werden.

Der Wandsbecker Bote (1767)

56 *An seinen Sohn*

LIEBER JOHANNES!
Gold und Silber habe ich nicht,
was ich aber habe gebe ich dir. 25

Die Zeit kommt allgemach heran, daß ich den
Weg gehen muß, den man nicht wiederkommt. Ich
kann dich nicht mitnehmen und lasse dich in einer
Welt zurück, wo guter Rat nicht überflüssig ist.

Niemand ist weise von Mutterleibe an; Zeit und
Erfahrung lehren. Ich habe die Welt länger gesehen
als du. Es ist nicht alles Gold, lieber Sohn, was
glänzt, und ich habe manchen Stern vom Himmel
5 fallen und manchen Stab, auf den man sich verließ,
brechen sehen. Darum will ich dir einigen Rat
geben und dir sagen, was ich gefunden habe und
was die Zeit mich gelehrt hat.

Es ist nichts groß, was nicht gut ist. Der Mensch
10 ist hier nicht zu Hause; denn sieh nur, alle andern
Dinge hier, mit und neben ihm, sind und gehen dahin
ohne es zu wissen; der Mensch ist sich bewußt und
wie eine hohe, bleibende Wand, an der die Schatten
vorübergehen. Alle Dinge mit und neben ihm gehen
15 dahin, einer fremden Macht unterworfen; er ist sich
selbst anvertraut und trägt sein Leben in seiner
Hand. Und es ist nicht für ihn gleichgültig, ob er
rechts oder links gehe. Laß dir nicht weismachen,
daß er sich raten könne und selbst seinen Weg wisse.
20 Halte dich zu gut Böses zu tun! Hänge dein Herz
an kein vergänglich Ding! Was du sehen kannst,
das sieh und brauche deine Augen, und über das
Unsichtbare und Ewige halte dich an Gottes Wort!
Scheue niemand so viel als dich selbst! Inwendig
25 in uns wohnt der Richter, der nicht trügt, und an
dessen Stimme uns mehr gelegen ist als an dem
Beifall der ganzen Welt. Nimm es dir vor nichts
wider seine Stimme zu tun; und was du sinnst und
vorhast, frage ihn um Rat! Er spricht anfangs nur
30 leise und stammelt wie ein unschuldiges Kind; doch
wenn du seine Unschuld ehrst, löst er gemach seine
Zunge und wird dir vernehmlicher sprechen. Lerne
gern von andern, und wo von Weisheit, Menschen-

glück, Licht, Freiheit und Tugend geredet wird,
da höre fleißig zu! Doch traue nicht flugs und
unbedingt; denn die Wolken haben nicht alle Wasser
und es gibt mancherlei Weise. Sie meinen auch,
daß sie die Sache hätten, wenn sie davon reden 5
können und davon reden. Das ist aber nicht so.
Man hat darum die Sache nicht, daß man davon
reden kann und davon redet. Worte sind nur Worte,
und wo sie so gar leicht und behende dahinfahren,
da sei auf deiner Hut; denn die Pferde, die den 10
Wagen mit Gütern hinter sich haben, gehen langsameren Schrittes.

Erwarte nichts vom Treiben und den Treibern,
und wo Geräusch auf den Gassen ist, da geh fürbaß!
Wenn dich jemand will Weisheit lehren, da sieh in 15
sein Angesicht! Dünkt er sich hoch, und sei er noch
so gelehrt und noch so berühmt, laß ihn und geh
seiner Kundschaft müßig! Was einer nicht hat, das
kann er auch nicht geben. Und der ist nicht frei,
der da will tun können was er will, sondern der ist 20
frei, der da wollen kann was er tun soll. Und der ist
nicht weise, der sich dünkt, daß er wisse, sondern
der ist weise, der seiner Unwissenheit inne geworden
und durch die Sache des Dünkels genesen ist.
Verachte keine Religion; denn du weißt nicht, was 25
unter unansehnlichen Bildern verborgen sein könne.
Es ist leicht zu verachten, und verstehen ist viel
besser. Lehre nicht andere, bis du selbst gelehrt
bist! Nimm dich der Wahrheit an, wenn du kannst,
und laß dich gern ihretwegen hassen! Tu das Gute 30
vor dich hin und bekümmere dich nicht, was daraus
werden wird! Sorge für deinen Leib, doch nicht so,
als wenn er deine Seele wäre! Gehorche der Obrig-

keit und laß die andern über sie streiten! Sei
rechtschaffen gegen jedermann, doch vertraue dich
schwerlich! Mische dich nicht in fremde Dinge,
aber die deinigen tu mit Fleiß! Schmeichle niemand
5 und laß dir nicht schmeicheln! Werde niemand
nichts schuldig; doch sei zuvorkommend, als ob sie
alle deine Gläubiger wären! Wolle nicht immer
großmütig sein, aber gerecht sei immer! Hilf und
gib gern, wenn du hast, und dünke dich darum nicht
10 mehr! Tu keinem Mädchen Leides, und denke, daß
deine Mutter auch ein Mädchen gewesen ist! Sage
nicht alles was du weißt, aber wisse immer was du
sagst! Hänge dich an keinen Großen! Sitze nicht,
wo die Spötter sitzen, denn sie sind die elendesten
15 unter allen Kreaturen! Nicht die frömmelnden aber
die frommen Menschen achte und geh ihnen nach!
Ein Mensch, der wahre Gottesfurcht im Herzen hat,
ist wie die Sonne, die da scheint und wärmt, wenn
sie auch nicht redet. Tu was des Lohnes wert ist,
20 und begehre keinen! Wenn du Not hast, so klage
sie dir und keinem andern! Habe immer etwas Gutes
im Sinn!

Dein treuer Vater

HEINRICH JUNG-STILLING

1740–1817

57 *Auf der Landstraße anno 1620*

VATER Stilling erzählte: — Mein Großvater,
Heinrich Stilling, war 1596 geboren, er wurde
25 101 Jahre alt, daher hab' ich ihn eben noch gekannt. Er war ein sehr lebhafter Mann, kaufte sich

in seiner Jugend ein Pferd, wurde ein Fuhrmann und fuhr nach Braunschweig, Brabant und Sachsen. Er war ein Schirrmeister, hatte gemeiniglich zwanzig bis dreißig Fuhrleute bei sich. Zu der Zeit waren die Räubereien noch so sehr im Gange und noch 5 wenige Wirtshäuser an den Straßen, daher nahmen die Fuhrleute Proviant mit sich. Des Abends stellten sie die Karren in einen Kreis herum, so daß einer an den andern stieß; die Pferde stellten sie mitten ein, und mein Großvater mit den Fuhr- 10 leuten war bei ihnen. Wenn sie dann gefüttert hatten, so rief er: „Zum Gebet, ihr Nachbarn!" dann kamen sie alle, und Heinrich Stilling betete sehr ernstlich zu Gott. Einer von ihnen hielt die Wache, und die andern krochen unter ihre Karren 15 ins Trockene und schliefen. Sie führten aber immer scharf geladene Gewehre und gute Säbel bei sich.

Nun trug es sich einmal zu, daß mein Großvater selbst die Wache hatte; sie lagen im Hessenland auf einer Wiese, ihrer waren sechsundzwanzig starke 20 Männer. Gegen elf Uhr des Abends hörte er einige Pferde auf der Wiese traben; er weckte in der Stille alle Fuhrleute, stand hinter seinem Karren und betete bei sich selbst ernstlich. Endlich stieg er auf seinen Karren und sah umher. Es war genug Licht, 25 so, daß der Mond eben untergehen wollte. Da sah er ungefähr zwanzig Männer zu Pferd, wie sie abstiegen und leise auf die Karren losgingen. Er kroch wieder herab, ging unter den Karren, damit sie ihn nicht sähen, gab aber wohl acht, was sie 30 anfingen. Die Räuber gingen rund um die Wagenburg herum, und als sie keinen Eingang fanden, fingen sie an, an einem Karren zu ziehen. Stilling,

sobald er dies sah, rief: „Im Namen Gottes, schießt!"
Ein jeder von den Fuhrleuten hatte den Hahnen
aufgezogen, und sie schossen unter den Karren
heraus, so daß der Räuber sofort sechse nieder-
5 sanken; die andern Räuber erschraken, zogen sich
ein wenig zurück und redeten zusammen. Die
Fuhrleute luden wieder ihre Flinten; nun sagte
Stilling: „Gebt acht, wenn sie wieder näher kommen,
dann schießt!" Sie kamen aber nicht sondern ritten
10 fort. Die Fuhrleute spannten mit Tagesanbruch
wieder an und fuhren weiter; ein jeder trug seine
geladene Flinte und seinen Degen, denn sie waren
nicht sicher. Des Vormittags sahen sie aus einem
Wald einige Reiter wieder auf sie zureiten. Stilling
15 fuhr zuvörderst und die andern alle hinter ihm her.
Dann rief er: „Ein jeder hinter seinen Karren und
den Hahnen gespannt!" Die Reiter hielten stille;
der vornehmste unter ihnen ritt allein auf sie zu ohne
Gewehr und rief: „Schirrmeister hervor!" Mein
20 Großvater trat hervor, die Flinte in der Hand und
den Degen unter dem Arm. „Wir kommen als
Freunde!" rief der Reiter. Stilling traute nicht und
stand da. Der Reiter stieg ab, bot ihm die Hand und
fragte: „Seid ihr verflossene Nacht von Räubern
25 angegriffen worden?" „Ja", antwortete mein Großvater, „nicht weit von Hirschfeld auf einer Wiese."
„Recht so", antwortete der Reiter, „wir haben sie
verfolgt und kamen eben bei der Wiese an, wie sie
fortjagten und ihr einigen das Licht ausgeblasen
30 hattet; ihr seid wackere Leute." Stilling fragte, wer
er wäre; der Reiter antwortete: „Ich bin der Graf
von Wittgenstein, ich will euch zehn Reiter zum
Geleit mitgeben, denn ich habe noch Mannschaft

genug dort hinten im Wald bei mir." Stilling nahm's
an und akkordierte mit dem Grafen, wie viel er ihm
jährlich geben sollte, wenn er ihn immer durchs
Hessische geleitete. Der Graf gelobte es ihm, und
die Fuhrleute fuhren nach Hause. 5

Heinrich Stillings Jugend (1777)

58 *Joringel und Jorinde*

ES war einmal ein altes Schloß mitten in einem
großen dicken Wald; darinnen wohnte eine
alte Frau ganz allein, das war eine Zauberin. Am
Tage machte sie sich bald zur Katze oder zur
Nachteule; des Abends aber wurde sie ordentlich 10
wieder wie ein Mensch gestaltet. Sie konnte das
Wild herbeilocken, und dann schlachtete sie's, kochte
und bratete es. Wenn jemand auf hundert Schritte
nah ans Schloß kam, so mußte er stille stehen und
konnte sich nicht von der Stelle bewegen, bis sie 15
ihn los sprach. Wenn aber eine keusche Jungfrau
in diesen Kreis kam, so verwandelte sie dieselbe in
einen Vogel und sperrte sie dann in einen Korb ein.
Sie hatte wohl sieben tausend solcher Körbe mit so
raren Vögeln im Schlosse. 20

Nun war einmal eine Jungfer, die hieß Jorinde;
sie war schöner als alle anderen Mädchen. Die und
ein gar schöner Jüngling, namens Joringel, hatten
sich zusammen versprochen. Sie waren in den
Brauttagen und hatten ihr größtes Vergnügen eins 25
am andern. Damit sie nun einsmalen vertraut zusammen reden könnten, gingen sie in den Wald
spazieren. „Hüte dich", sagte Joringel, „daß du nicht
zu nah an das Schloß kommst!" Es war ein schöner

Abend, die Sonne schien zwischen den Stämmen der
Bäume hell ins dunkle Grün des Walds, und die
Turteltaube sang kläglich auf den alten Buchen.
Jorinde weinte zuweilen, setzte sich hin in Sonnen-
5 schein und klagte. Joringel klagte auch. Sie waren
so bestürzt, als wenn sie hätten sterben sollen. Sie
sahen sich um, waren irre und wußten nicht, wohin
sie nach Hause gehen sollten. Noch halb stand die
Sonne über dem Berg und halb war sie unter.
10 Joringel sah durchs Gebüsch und sah die alte Mauer
des Schlosses nah bei sich, er erschrak und wurde
todbang, Jorinde sang:

> „Mein Vögelein mit dem Ringelein rot,
> Singt Leide Leide Leide;
15 > Es singt dem Täubelein seinen Tod,
> Singt Leide Lei—zicküt zicküt zicküt.“

Joringel sah nach Jorinde. Jorinde war in eine
Nachtigall verwandelt, die sang zicküt zicküt. Eine
Nachteule mit glühenden Augen flog dreimal um
20 sie herum und schrie dreimal schu-hu-hu. Joringel
konnte sich nicht regen; er stand da wie ein Stein,
konnte nicht weinen, nicht reden, nicht Hand noch
Fuß regen. Nun war die Sonne unter; die Eule flog
in einen Strauch, und gleich darauf kam eine alte
25 krumme Frau aus diesem Strauch hervor, gelb und
mager, große rote Augen, krumme Nase, die mit der
Spitze ans Kinn reichte. Sie murmelte und fing die
Nachtigall, trug sie auf der Hand fort. Joringel
konnte nichts sagen, nicht von der Stelle kommen;
30 die Nachtigall war fort. Endlich kam das Weib
wieder und sagte mit dumpfer Stimme: „Grüß dich,
Zachiel, wenns Möndel ins Körbel scheint, bind

los, Zachiel, zu guter Stund!" Da wurde Joringel
los; er fiel vor dem Weib auf die Knie und bat, sie
möchte ihm seine Jorinde wiedergeben; aber sie
sagte, er sollte sie nie wieder haben und ging fort.
Er rief, er weinte, er jammerte, aber alles umsonst. 5
Joringel ging fort und kam endlich in ein fremdes
Dorf; da hütete er die Schafe lange Zeit. Oft ging
er rund um das Schloß herum, aber nicht zu nahe
dabei. Endlich träumte er einmal des Nachts, er
fände eine blutrote Blume, in deren Mitte eine 10
schöne große Perle war; die Blume bräche er ab,
ginge damit zum Schlosse, und alles, was er mit der
Blume berührte, ward von der Zauberei frei. Auch
träumte er, er hätte seine Jorinde dadurch wieder
bekommen. Des Morgens als er erwachte, fing er 15
an durch Berg und Tal zu suchen, ob er eine solche
Blume fände. Er suchte bis an den neunten Tag,
da fand er die blutrote Blume am Morgen früh.
In der Mitte war ein großer Tautropfen, so groß
wie die schönste Perle. Diese Blume trug er Tag und 20
Nacht bis zum Schloß. Wie er auf hundert Schritt
nahe bei's Schloß kam, da ward er nicht fest, sondern
ging fort, bis ans Tor. Joringel freute sich hoch,
berührte die Pforte mit der Blume, und sie sprang
auf. Er ging hinein, durch den Hof, horchte, wo er 25
die vielen Vögel vernähme. Endlich hörte er sie; er
ging und fand den Saal; darin war die Zauberin,
fütterte die Vögel in den sieben tausend Körben.
Wie sie den Joringel sah, ward sie bös, sehr bös,
schalt, spie Gift und Galle gegen ihn aus, aber sie 30
konnt' auf zwei Schritte nicht an ihn kommen. Er
kehrte sich nicht an sie und besah die Körbe mit
den Vögeln; da waren aber viel hundert Nachti-

gallen; wie sollte er nun seine Jorinde wieder finden?
Indem er so zusah, merkte er, daß die Alte heimlich
ein Körbchen mit einem Vogel nimmt und damit
nach der Türe geht. Flugs sprang er hinzu, berührte
5 das Körbchen mit der Blume und auch das alte
Weib. Nun konnte sie nichts mehr zaubern; und
Jorinde stand da, hatte ihn um den Hals gefaßt, so
schön als sie ehemals war. Da machte er auch all die
andern Vögel wieder zu Jungfern, und da ging er
10 mit seiner Jorinde nach Hause, und lebten lange
vergnügt zusammen.

Heinrich Stillings Jugend (1777)

JOHANN JAKOB ENGEL

1741–1802

59 *Herr Lorenz Stark*

HERR Lorenz Stark galt für einen sehr wunderlichen, aber auch sehr vortrefflichen alten
Mann. Das Äußerliche seiner Kleidung und seines
15 Betragens verkündigte auf den ersten Blick die altdeutsche Einfalt seines Charakters. Er ging in ein
einfarbiges aber sehr feines Tuch, grau oder bräun-
lich, gekleidet; auf dem Kopfe trug er einen kurzen
Stutz, oder wenn's galt, eine wohlgepuderte Trod-
20 delperücke; mit seinem kleinen Hute kam er zweimal
außer der Mode und zweimal wieder hinein; die
Strümpfe waren mit großer Zierlichkeit über das
Knie hinaufgewickelt; und die stark besohlten
Schuhe, auf denen ein Paar sehr kleiner, aber sehr
25 hell polierter Schnallen glänzten, waren vorne
stumpf abgeschnitten. Von überflüssiger Leinewand

vor dem Busen und über den Händen war er kein
Freund; sein größter Staat war eine feine Halskrause
mit Spitzen. Die Fehler, deren dieser vortreffliche
Mann nicht wenig hatte, und die denen, welche mit
ihm leben mußten, oft sehr zur Last fielen, waren so 5
innig mit den besten seiner Eigenschaften verwebt,
daß die einen ohne die andern kaum bestehen zu
können schienen. Weil er in der Tat klüger war als
fast alle, mit denen er zu tun hatte, so war er sehr
eigenwillig und rechthaberisch; weil er fühlte, daß 10
man ihm selbst seiner Gesinnungen und Handlungen
wegen keinen gegründeten Vorwurf machen könnte,
so war er gegen andre ein sehr freier, oft sehr be-
schwerlicher Sittenrichter; und weil er bei seiner
natürlichen Gutmütigkeit über keinen Fehler sich 15
leicht erhitzen aber auch keinen ungeahndet konnte
hingehen lassen, so war er sehr ironisch und spöttisch.
In seiner Kasse stand es außerordentlich gut; denn
er hatte die langen lieben Jahre über, da er gehandelt
und gewirtschaftet hatte, den einfältigen Grund- 20
satz befolgt: daß man, um wohlhabend zu werden,
weniger ausgeben als einnehmen müsse. Da sein
Anfang nur klein gewesen und er sein ganzes Glück
sich selbst, seiner eigenen Betriebsamkeit und Wirt-
lichkeit schuldig war, so hatte er in frühern Jahren 25
sich nur sehr karg beholfen; nachher, da er schon
längst die ersten Zwanzigtausend geschafft hatte,
von denen er zu sagen pflegte, daß sie ihm saurer als
sein nachheriger ganzer Reichtum geworden, blieb
noch immer der ursprüngliche Geist der Sparsam- 30
keit in seinem Hause herrschend.

Herrn Stark waren von seinen vielen Kindern nur
zwei am Leben geblieben: ein Sohn, der sich nach

dem Beispiel des Vaters der Handlung gewidmet
hatte, und eine Tochter. Letztere war an einen der
berühmtesten Ärzte des Orts verheiratet, einen
Mann, der nicht weniger Geschicklichkeit besaß
5 Leben hervorzubringen als zu erhalten. Er hatte
das ganze Haus voll Kinder; und eben dies machte
die Tochter zum Liebling des Alten, der ein großer
Kinderfreund war. Weil der Schwiegersohn unfern
der Kirche wohnte, die Herr Stark zu besuchen
10 pflegte, so war es ausgemacht, daß er jeden Sonntag
bei dem Schwiegersohn aß. Es ging ihm immer das
Herz auf, wenn ihm der kleine Schwarm beim
Hereintreten ins Haus mit Jubelgeschrei entgegen-
sprang, sich an seine Hände und Rockschöße hängte
15 und ihm die kleinen Geschenke abschmeichelte, die
er für sie in den Taschen hatte. Unter dem Tisch-
gebete schweiften zuweilen die Augen der Kleinen
umher, und er pflegte ihnen dann leise zuzurufen:
„Andacht! Andacht!“ aber der gerade am wenigsten
20 Andacht hatte, war er selbst, denn sein ganzes Herz
war bei seinen Enkeln. Mit seinem Sohne war
dagegen Herr Stark desto unzufriedener. Auf der
einen Seite war er ihm zu verschwenderisch, weil
er ihm zu viel Geld verkleidete, verritt und verfuhr;
25 insbesondere aber, weil er zu viel in Kaffeehäuser
und Spielgesellschaften ging. Auf der andern Seite
verdroß es Herrn Stark, daß der Sohn als Kaufmann
zu wenig Unternehmungsgeist und als Mensch zu
wenig von der Wohltätigkeit und Großmut seines
30 eigenen Charakters hatte. Er hielt ihn für ein
Mittelding von einem Geizhalse und einem Ver-
schwender: zwei Eigenschaften, die Herr Stark in
gleichem Grade verabscheute. Er selbst war der

wahre Sparsame, der bei seinem Sammeln und Auf-
bewahren nicht sowohl das Geld als vielmehr das
viele Gute im Auge hat, das mit Gelde bewirkt
werden kann. Wo er keine Absicht fand, da gab er
sicherlich keinen Heller; aber wo ihm die Absicht 5
des Opfers wert schien, da gab er mit dem kältesten
Blute von der Welt ganze Hunderte hin. Was ihn
aber am meisten auf den Sohn verdroß, war der
Umstand, daß dieser noch in seinem dreißigsten
Jahre unverheiratet geblieben war, und daß es allen 10
Anschein hatte, als ob er die Zahl der alten Hage-
stolze vermehren würde.

Lorenz Stark (1801)

GEORG CHRISTOPH LICHTENBERG

1742–99

60   *David Garrick als Hamlet*

London, den 1. Oktober 1775

ICH habe Herrn Garrick nunmehr achtmal spielen
sehen und darunter in einigen seiner vorzüglichsten Rollen. Folgen Sie mir jetzt mit ihm in 15
einige Scenen. Ich will heute die aus dem *Hamlet*
nehmen, wo ihm der Geist erscheint.

Hamlet erscheint in einem schwarzen Kleide, dem
einzigen, das leider noch am ganzen Hofe für seinen
armen Vater, der kaum ein paar Monate tot ist, 20
getragen wird. Horazio und Marcellus sind bei ihm
und haben Uniform; sie erwarten den Geist. Die
Arme hat Hamlet hoch untergesteckt und den Hut
in die Augen gedrückt; es ist eine kalte Nacht und
eben zwölfe; das Theater ist verdunkelt, und die 25

ganze Versammlung von einigen Tausenden wird so
stille und alle Gesichter so unbeweglich, als wären
sie an die Wände des Schauplatzes gemalt; man
könnte am entferntesten Ende des Theaters eine
5 Nadel fallen hören. Auf einmal, da Hamlet eben
ziemlich tief im Theater etwas zur Linken geht und
den Rücken nach der Versammlung kehrt, fährt
Horazio zusammen: „Sehen Sie, Mylord, dort
kommt's", sagt er und deutet nach der Rechten, wo
10 der Geist schon unbeweglich hingepflanzt steht,
ehe man ihn einmal gewahr wird. Garrick auf diese
Worte wirft sich plötzlich herum und stürzt in
demselben Augenblicke zwei bis drei Schritte mit
zusammenbrechenden Knieen zurück, sein Hut fällt
15 auf die Erde, die beiden Arme, hauptsächlich der
linke, sind fast ausgestreckt, die Hand so hoch als
der Kopf, der rechte Arm ist mehr gebogen und die
Hand niedriger, die Finger stehen auseinander und
der Mund offen. So bleibt er wie erstarrt stehen,
20 unterstützt von seinen Freunden, die mit der
Erscheinung bekannter sind und fürchteten, er
würde niederfallen; in seiner Miene ist das Entsetzen so ausgedrückt, daß mich, noch ehe er zu
sprechen anfing, ein wiederholtes Grausen an-
25 wandelte. Die fast fürchterliche Stille der Versammlung trug vermutlich nicht wenig dazu bei.
So spricht er endlich, nicht mit dem Anfange sondern
mit dem Ende eines Atemzugs und bebender
Stimme: *„Angels and ministers of grace defend us!"*
30 Worte, die alles vollenden, was dieser Scene noch
fehlen könnte sie zu einer der größten und schreck-
lichsten zu machen, deren vielleicht der Schauplatz
fähig ist. Der Geist winkt ihm; da sollten Sie ihn

sich von seinen Freunden, die ihn warnen nicht zu folgen und festhalten, losarbeiten sehen, immer mit den Augen auf den Geist, ob er gleich mit seinen Gefährten spricht. Aber endlich, da sie es ihm zu lange machen, wendet er auch sein Gesicht nach 5 ihnen, reißt sich mit großer Heftigkeit los und zieht mit einer Geschwindigkeit, die einen schaudern macht, den Degen gegen sie: *„By heaven I'll make a ghost of him, that lets me"*, sagt er. Das ist genug für sie; alsdann legt er den Degen gegen das Gespenst aus: 10 *„Go on, I'll follow thee"*; so geht der Geist ab. Hamlet steht noch immer still, mit vorgehaltenem Degen, um mehr Entfernung zu gewinnen; endlich da der Zuschauer den Geist nicht mehr sieht, fängt er an ihm langsam zu folgen, steht zuweilen still und geht 15 dann weiter, immer mit ausgelegtem Degen, die Augen starr nach dem Geist, mit verwirrtem Haar und noch außer Atem, bis er sich ebenfalls hinter den Scenen verliert. Mit was für einem lauten Beifall dieser Abzug begleitet wird, können Sie sich 20 leicht denken. Er fängt an, sobald der Geist fort ist, und dauert bis Hamlet ebenfalls verschwindet.

Briefe aus England

61 *Aphorismen*

i

WENN man auf einer entfernten Insel einmal ein Volk anträfe, bei dem alle Häuser mit scharf geladenem Gewehr behängt wären und man 25 beständig des Nachts Wache hielte, was würde ein Reisender anders denken können, als daß die ganze

Insel von Räubern bewohnt wäre? Ist es aber mit den europäischen Reichen anders?

ii

Wie glücklich würde mancher leben, wenn er sich um anderer Leute Sachen so wenig bekümmerte als 5 um seine eigenen.

iii

Unternimm nie etwas, wozu du nicht das Herz hast dir den Segen des Himmels zu erbitten.

iv

Das Wort „Schwierigkeit" muß gar nicht für einen Menschen von Geist als existent gedacht werden. 10 Weg damit!

v

Die Wahrheit finden wollen ist Verdienst, wenn man auch auf dem Wege irrt.

vi

Ehe man tadelt, sollte man immer erst versuchen, ob man nicht entschuldigen kann.

vii

15 Die Leute, die niemals Zeit haben, tun am wenigsten.

viii

Es kommt nicht darauf an, ob die Sonne in eines Monarchen Staaten nicht untergeht, wie sich

Spanien ehedem rühmte, sondern was sie während
ihres Laufes in diesen Staaten zu sehen bekommt.

ix

Wenn man eine Arbeit vorhat, so ist es gut bei der
Ausführung sich nicht gleich das Ganze vorzustellen,
denn dieses hat viel Niederschlagendes; sondern man 5
arbeite an dem, was man gerade vor sich hat; und
wenn man damit fertig ist, gehe man an das nächste.

x

Mir ist es immer vorgekommen, als wenn man
den Wert der Neuern gegen die Alten auf einer sehr
falschen Wage wäge und den letztern Vorzüge 10
einräumte, die sie nicht verdienen. Die Alten
schrieben zu einer Zeit, da die große Kunst schlecht
zu schreiben noch nicht erfunden war und bloß
schreiben hieß gut schreiben. Sie schrieben wahr,
wie die Kinder wahr reden. Heutzutage finden wir 15
uns, wenn wir im sechzehnten Jahre zu uns selbst
kommen, schon, möcht' ich sagen, von einem bösen
Geist besessen; und diesen erst durch eigene Be-
obachtung und Streit gegen Ansehen und Vorurteil
und gegen die Macht einer vierzehnjährigen Er- 20
ziehung auszutreiben und dann noch wieder die
eigene Haushaltung der Natur anzufangen, erfordert
sicherlich mehr Kraft als in den ersten Zeiten der
Welt natürlich zu schreiben; jetzt da natürlich
schreiben, möcht' ich sagen, fast unnatürlich ist. 25
Homer hat gewiß nicht gewußt, daß er gut schrieb,
so wenig wie Shakespeare. Unsre heutigen guten
Schriftsteller müssen alle die fatale Kunst lernen:
zu wissen, daß sie gut schreiben.

JOHANN GOTTFRIED HERDER

1744–1803

62 *Shakespeare*

i

WENN bei einem Manne mir jenes ungeheure Bild einfällt: „hoch auf einem Felsengipfel sitzend, zu seinen Füßen Sturm, Ungewitter und Brausen des Meers; aber sein Haupt in den Strahlen 5 des Himmels!" so ist's bei Shakespeare: Nur freilich auch mit dem Zusatz: „wie unten am tiefsten Fuße seines Felsenthrones Haufen murmeln, die ihn er- klären, retten, verdammen, entschuldigen, anbeten, verleumden, übersetzen und lästern! — und die er 10 alle nicht hört!" Welche Bibliothek ist schon über, für und wider ihn geschrieben, die ich nun auf keine Weise zu vermehren Lust habe! Ich möchte es vielmehr gern, daß in dem kleinen Kreise, wo dies gelesen wird, es niemand mehr in den Sinn komme 15 über, für und wider ihn zu schreiben; ihn weder zu entschuldigen noch zu verleumden; aber zu erklären, zu fühlen wie er ist, zu nützen, und — wo möglich — uns Deutschen herzustellen. Trüge dies Blatt dazu etwas bei! Die kühnsten Feinde Shake- 20 speares haben ihn — unter wie vielfachen Gestalten! — beschuldigt und verspottet, daß er, wenn auch ein großer Dichter doch kein guter Schauspiel- dichter, und wenn auch dies doch wahrlich kein so klassischer Trauerspieldichter sei als Sophokles, 25 Euripides, Corneille und Voltaire, die alles Höchste und Ganze dieser Kunst erschöpft. Und die kühnsten Freunde Shakespeares haben sich meistens

nur begnügt ihn hierüber zu entschuldigen, zu
retten; seine Schönheiten nur immer mit Anstoß
gegen die Regeln zu wägen, zu kompensieren; ihm
als Angeklagten das *absolvo* zu erreden und dann sein
Großes desto mehr zu vergöttern, je mehr sie über 5
Fehler die Achsel ziehen mußten.

63   ***ii***

DES Sophokles Drama und Shakespeares Drama
sind zwei Dinge, die in gewissem Betracht
kaum den Namen gemein haben. — Shakespeare
fand vor und um sich nichts weniger als Simplizität 10
von Vaterlandssitten, Taten, Neigungen und Ge-
schichtstraditionen, die das griechische Drama
bildete, und da nach dem ersten metaphysischen
Weisheitssatze aus nichts nichts wird, so wäre,
Philosophen überlassen, nicht bloß kein griechisches 15
sondern, wenn's außerdem nichts gibt, auch gar kein
Drama in der Welt mehr geworden und hätte
werden können. Da aber Genie mehr ist als Philosophie, und Schöpfer ein ander Ding als Zer-
gliederer: so war's ein Sterblicher, mit Götterkraft 20
begabt, eben aus dem entgegengesetztesten Stoff
und in der verschiedensten Bearbeitung dieselbe
Wirkung hervorzurufen: Furcht und Mitleid! und
beide in einem Grade, wie jener erste Stoff und
Bearbeitung es kaum vormals hervorzubringen ver- 25
mocht! Eben das Neue, Erste, ganz Verschiedene
zeigt die Urkraft seines Berufs. Shakespeare fand
keinen Chor vor sich aber wohl Staats- und Mario-
nettenspiele — wohl! er bildete also aus diesen
Staats- und Marionettenspielen, dem so schlechten 30
Lehm, das herrliche Geschöpf, das da vor uns steht

und lebt! Er fand keinen so einfachen Volks- und
Vaterlandscharakter sondern ein Vielfaches von
Ständen, Lebensarten, Gesinnungen, Völkern und
Spracharten; er dichtete also Stände und Menschen,
5 Völker und Spracharten, König und Narren, Narren
und König zu dem herrlichen Ganzen! Er fand
keinen so einfachen Geist der Geschichte, der Fabel,
der Handlung: er nahm Geschichte, wie er sie fand,
und setzte mit Schöpfergeist das verschiedenartigste
10 Zeug zu einem Wunderganzen zusammen, was wir,
wenn nicht Handlung im griechischen Verstande,
so Aktion im Sinne der mittleren oder in der
Sprache der neuern Zeiten Begebenheit, großes
Ereignis nennen wollen — o Aristoteles, wenn du
15 erschienest, wie würdest du den neuen Sophokles
homerisieren; würdest dich freuen von jedem seiner
Stücke Handlung, Charakter, Meinungen, Ausdruck, Bühne, wie aus zwei Punkten des Dreiecks
Linien ziehen zu können, die sich oben in einem
20 Punkte des Zwecks, der Vollkommenheit begegnen;
würdest zu Sophokles sagen: „Male das heilige Blatt
dieses Altars! und du, o nordischer Barde, alle
Seiten und Wände dieses Tempels in dein unsterb-
liches Fresko!"

25 Man lasse mich als Ausleger und Rhapsodisten
fortfahren: denn ich bin Shakespeare näher als dem
Griechen. Wenn bei diesem das Eine einer Handlung herrscht, so arbeitet jener auf das Ganze eines
Ereignisses, einer Begebenheit. Wenn bei diesem ein
30 Ton der Charaktere herrscht, so bei jenem alle
Charaktere, Stände und Lebensarten, so viel nur fähig
und nötig sind den Hauptklang seines Konzerts zu
bilden. Wenn in diesem eine singende feine Sprache

wie in einem höhern Äther tönt, so spricht jener die
Sprache aller Alter, Menschen und Menschenarten,
ist Dolmetscher der Natur in all ihren Zungen —
und auf so verschiedenen Wegen beide Vertraute
einer Gottheit. Und wenn dieser Griechen vor- 5
stellt und lehrt und rührt und bildet, so lehrt, rührt
und bildet Shakespeare nordische Menschen. Wer
kann sich einen größern Dichter der nordischen
Menschheit und in dem Zeitalter denken?

Von deutscher Art und Kunst (1773)

64   *Das Wunder der Sprache*

WENN uns jemand ein Rätsel vorlegte, wie 10
Bilder des Auges und alle Empfindungen
unserer verschiedensten Sinne nicht nur in Töne
gefaßt, sondern auch diesen Tönen mit inwohnender
Kraft so mitgeteilt werden sollten, daß sie Gedanken
ausdrücken und Gedanken erregen; ohne Zweifel 15
hielte man dies Problem für den Einfall eines Wahn-
sinnigen, der die Farbe zum Ton, den Ton zum
Gedanken, den Gedanken zum malenden Schall zu
machen gedächte. Die Gottheit hat das Problem
tätig aufgelöst. Ein Hauch unseres Mundes wird 20
das Gemälde der Welt, der Ausdruck unserer Gedanken und Gefühle in des andern Seele. Von
einem bewegten Lüftchen hängt alles ab, was
Menschen je auf der Erde Menschliches dachten,
wollten, taten und tun werden; denn alle liefen wir 25
noch in Wäldern umher, wenn nicht dieser göttliche
Odem uns angehaucht hätte und wie ein Zauberton
auf unseren Lippen schwebte. Die ganze Ge-

schichte der Menschheit also mit allen Schätzen
ihrer Tradition und Kultur ist nichts als eine Folge
dieses aufgelösten göttlichen Rätsels.

Wie sonderbar, daß ein bewegter Lufthauch das
5 einzige, wenigstens das beste Mittel unserer Gedanken und Empfindungen sein sollte! Ohne sein
unbegreifliches Band mit allen ihm so ungleichen
Handlungen unserer Seele wären diese Handlungen
ungeschehen, die feinen Zubereitungen unseres
10 Gehirns müßig, die ganze Anlage unseres Wesens
unvollendet geblieben, wie die Beispiele der Menschen, die unter die Tiere gerieten, zeigen. Die
Taub- und Stummgeborenen, ob sie gleich jahrelang in einer Welt von Gebärden und andern
15 Ideenzeichen lebten, betrugen sich dennoch nur
wie Kinder oder wie menschliche Tiere. Nach der
Analogie dessen, was sie sahen und nicht verstanden,
handelten sie; einer eigentlichen Vernunftver-
bindung waren sie durch allen Reichtum des
20 Gesichts nicht fähig worden. Ein Volk hat keine
Idee, zu der es kein Wort hat; die lebhafteste Anschauung bleibt dunkles Gefühl, bis die Seele ein
Merkmal findet und es durchs Wort dem Gedächtnis, der Rückerinnerung, dem Verstande, ja endlich
25 der Tradition einverleibt; eine reine Vernunft ohne
Sprache ist auf Erden ein utopisches Land. Mit den
Leidenschaften des Herzens, mit allen Neigungen
der Gesellschaft ist es nicht anders. Nur die Sprache
hat den Menschen menschlich gemacht, indem sie
30 die ungeheure Flut seiner Affekte in Dämme ein-
schloß und ihr durch Worte vernünftige Denkmale
setzte. Nicht die Leier Amphions hat Städte
errichtet, keine Zauberrute hat Wüsten in Gärten

verwandelt; die Sprache hat es getan, sie, die große
Gesellerin der Menschen. Durch sie vereinigten
sie sich bewillkommend einander und schlossen den
Bund der Liebe. Gesetze stiftete sie und verband
Geschlechter; nur durch sie ward eine Geschichte 5
der Menschheit möglich. Noch jetzt sehe ich die
Helden Homers und fühle Ossians Klagen, obgleich
die Schatten der Sänger und ihrer Helden so lange
der Erde entflohen sind. Ein bewegter Hauch des
Mundes hat sie unsterblich gemacht und bringt ihre 10
Gestalten vor mich; die Stimme der Verstorbenen
ist in meinem Ohre; ich höre ihre längst ver-
stummten Gedanken. Was je der Geist der Menschen ersann, was die Weisen der Vorzeit dachten,
kommt allein durch Sprache zu mir. Durch sie ist 15
meine denkende Seele an die Seele des ersten und
vielleicht des letzten denkenden Menschen geknüpft.

Ideen zur Philosophie der Geschichte der Menschheit
(1784–91)

65   *Humanität ist der Zweck der*
Menschennatur

BETRACHTEN wir die Menschheit, wie wir sie
kennen, nach den Gesetzen, die in ihr liegen,
so kennen wir nichts Höheres als Humanität im 20
Menschen; denn, selbst wenn wir uns Engel oder
Götter denken, denken wir sie uns nur als idealische,
höhere Menschen. Zu diesem offenbaren Zwecke ist
unsere Natur organisiert, zu ihm sind unsere feineren
Sinne und Triebe, unsere Vernunft und Freiheit, 25
unsere Sprache, Kunst und Religion uns gegeben.
In allen Zuständen und Gesellschaften hat der

Mensch durchaus nichts anders im Sinne haben,
nichts anders anbauen können als Humanität, wie
er sich dieselbe auch dachte. Ihr zu gut sind die
Anordnungen unserer Geschlechter und Lebensalter
5 von der Natur gemacht, daß unsere Kindheit länger
daure und nur mit Hilfe der Erziehung eine Art
Humanität lerne. Ihr zu gut sind auf der weiten
Erde alle Lebensarten der Menschen eingerichtet,
alle Gattungen der Gesellschaft eingeführt worden.
10 Jäger oder Fischer, Hirt oder Ackersmann und
Bürger; in jedem Zustande lernte der Mensch
Nahrungsmittel unterscheiden, Wohnungen für sich
und die Seinigen errichten; er lernte Kleidungen
zum Schmucke erhöhen und sein Hauswesen ordnen.
15 Er erfand mancherlei Gesetze und Regierungs-
formen, die alle zum Zwecke haben wollten, daß
jeder, unbefehdet vom andern, seine Kräfte üben
und einen schönern, freiern Genuß des Lebens sich
erwerben könnte. Hierzu ward das Eigentum ge-
20 sichert und Arbeit, Kunst, Handel, Umgang
zwischen Menschen erleichtert: es wurden Strafen
für die Verbrecher, Belohnungen für die Vortrefflichen erfunden, auch tausend sittliche Gebräuche der verschiedenen Stände im öffentlichen
25 und häuslichen Leben, selbst in der Religion angeordnet. Hierzu endlich wurden Kriege geführt,
Verträge geschlossen, allmählich eine Art Kriegs-
und Völkerrecht nebst mancherlei Bündnissen der
Gastfreundschaft und des Handels errichtet, damit
30 auch außer den Grenzen seines Vaterlandes der
Mensch geschont und geehrt würde.

Alle bisherige Tätigkeit des menschlichen Geistes
ist auf Mittel hinausgegangen die Humanität und

Kultur unseres Geschlechts tiefer zu gründen und weiter zu verbreiten. Welch ein ungeheurer Fortgang ist's von dem ersten Floße zu einem europäischen Schiff! Weder der Erfinder jener noch die zahlreichen Erfinder der mancherlei Künste und 5 Wissenschaften, die zur Schiffahrt gehören, dachten daran, was aus der Zusammensetzung ihrer Entdeckungen werden würde; jeder folgte seinem Triebe der Not oder der Neugierde, und nur in der Natur des menschlichen Verstandes, des Zusammen- 10 hanges aller Dinge lag's, daß kein Versuch, keine Entdeckung vergebens sein konnte. Wie das Wunder einer andern Welt staunten jene Insulaner, die nie ein europäisches Schiff gesehen hatten, dieses Ungeheuer an und verwunderten sich noch mehr, da 15 sie bemerkten, daß Menschen wie sie es nach Gefallen über die wilde Meerestiefe lenkten. Wohin reichen jetzt bloß durch dies eine Werkzeug die Hände der Europäer! Wohin werden sie künftig nicht reichen! Und wie diese Kunst, so hat das 20 Menschengeschlecht in wenigen Jahren ungeheuer viele Künste erfunden, die über Luft, Wasser, Himmel und Erde seine Macht ausbreiten. Ja, wenn wir bedenken, daß nur wenige Nationen in diesem Konflikte der Geistestätigkeit waren, indes 25 der größte Teil der andern über alten Gewohnheiten schlummerte; wenn wir erwägen, daß fast alle Erfindungen unseres Geschlechtes in sehr junge Zeiten fallen: welche Aussicht gibt uns diese Regsamkeit des menschlichen Geistes in das Unendliche 30 künftiger Zeiten!

Ideen zur Philosophie der Geschichte der Menschheit
(1784–91)

66

Briefe an seine Kinder

i

Bozen, den 1. September 1788

ALLE meine lieben Kinder: Gottfried, August, Wilhelm, Adelbert, Luischen und Emil!
Ich bin jetzt nah an den Grenzen Deutschlands und habe das große Tiroler Gebirge beinahe zurück-
5 gelegt. Es sind hohe Berge, auf einigen war viel Schnee, und die sogenannte Pforte oder Klause, durch welche man nach Tirol kommt, ist besonders wild, schön und prächtig. Auch die Martinswand sind wir vorbeigekommen, wo der Kaiser Maximilian
10 sich verstieg, und haben in Innsbruck mitten in der Kirche ein sehr schönes Denkmal auf ihn gesehen, von dem ich Euch mündlich erzählen werde. Jetzt bin ich in Bozen, wo heute eine unsägliche Menge Volks ist, weil 19 000 Kinder gefirmelt werden
15 sollen, da der Bischof in vielen Jahren nicht ge-firmelt hat. Da ist nun vor unserm Wirtshause zur Sonne ein solcher Obstmarkt, wie Ihr in Eurem Leben noch keinen gesehen habt; da gibt es Birnen, Zwetschen, Weintrauben, Nüsse, Feigen; denn hier
20 wachsen schon Feigen. Bald werden wir auch dahin kommen, wo die Pomeranzen- und Zitronenbäume wachsen. O, daß Ihr hier mit wäret, oder ich Euch einen Korb solches Obst zuschicken könnte! Aber das schöne Obst faulte unterwegs, wie zuweilen die
25 schönen menschlichen Hoffnungen von innen heraus verwesen. — Auch gibt es hier schon platte Dächer, wie es in Italien viele geben soll, wo man denn weit umher sehen kann; und die Luft ist gar sanft, warm

und mild. Auf den Tiroler Gebirgen haben wir auch Gemsli springen sehen, auch eins in Innsbruck gegessen, und ein zahmes gesehen, das gar niedlich war, seiner Nährerin, einer Bauersfrau, überall hinfolgte und so schlank war, wie ich Euch allen zu 5 sein wünsche. Da wollt' ich, daß Ihr dabei gewesen wäret und es gesehen hättet, auch wünsche ich, daß Ihr die Tiroler Berge einmal sehen und fröhlich bereisen möget.

Lernt nur fleißig und führt Euch gut auf; lernt 10 auch hübsch zeichnen, denn das beklage ich sehr, daß ich's nicht kann. Es sind gar zu schöne Gegenden und tausend Wasserfälle zwischen den Bergen, die ein Strom, die Etsch, macht. Er fließt sehr schnell zwischen den Gebirgen, und hat be- 15 sonders im Bischoftume Brixen schöne Bäume an seinen Ufern: Pappel-, Birken- und Weidenbäume. Wir sind viele Stunden weit neben ihm gefahren. Sucht nur hübsch auf der Karte nach, da könnt Ihr unsre Fahrt finden. Morgen kommen wir nach 20 Trento, da finde ich vielleicht Nachricht von Euch. Lebt wohl, liebe Kinder, habt mich lieb und seid gesund, und lebt mit Eurer Mutter und dem ganzen Hause wohl! Es ist spät und Ihr werdet schon in Euren Bettchen schlafen. Schlaft wohl! 25

67   *ii*

Venedig, den 6. Jun 1789

LIEBE KINDER!
Nun bin ich in solch einem kleinen schwarzen Hause geschwommen, das man eine Gondel nennt. Es ist lang und schmal, vorn und hinten spitz, und

sieht wie ein Frauenpantoffel aus; das viereckige
Kämmerchen darauf mit vier Sitzen ist mit schwarzem Tuche beschlagen, so wie auch die Gondel
schwarz ist. Der Gondelier steht hinten drauf und
5 lenkt die Gondel mit seinem Ruder so geschickt,
daß man es sich kaum denken kann, wenn man's
nicht gesehen hat. Man schwimmt dicht auf den
Wellen so sanft wie in einer Wiege und sieht an
beiden Seiten große hohe Paläste, einen dicht am
10 andern. Unter den Brücken fährt man durch;
zwischen Gondeln, Schiffen, Barken fährt man wie
auf einem Pfeile hin, daß im größten Gedränge eine
Gondel die andere kaum berührt. In manchen
ziemlich engen Kanälen gehen drei Gondeln neben
15 einander so schnell vorbei, als wenn man an einander
vorüberflöge. Die Damen sitzen mit ihren Herren
drin, und sie haben es zehnmal bequemer, als wenn
sie in den Kutschen gerüttelt würden. In Venedig
sind keine Kutschen; alles wiegt sich in Gondeln,
20 was nicht über die Brückentreppen auf- und ablaufen will. Es ist eine besondere Stadt, die gleichsam aus der See emporsteigt, voll Gedränges von
Menschen, voll Fleiß und Betrügerei. Es ist mir
lieb, daß ich sie gesehen habe. Morgen geht's nach
25 Padua, auch zu Wasser; dann weiterhin zu Lande,
und endlich zweimal über die Berge, bis ich bei
Euch bin und Euch wiedersehe.

Lebt wohl, Ihr Lieben, lebt wohl! Ich sehe Euch
bald, behaltet mich lieb, wie ich Euch lieb habe.
30 Gebt alle sechs der Mutter einen Kuß in meinem
Namen und seid hübsch artig und ihr gehorsam.
Lebt wohl, Ihr Lieben!

68 *Vitae non scholae discendum*

NICHT der Schule muß man lernen, sondern
dem Leben. Der Schule lernt man auf eine
gute Weise, wenn man ihr Ehre macht, wenn man
das Gepräge mit sich nimmt, man sei in einer guten
Schule gewesen; ein Gepräge, das sich nie verwischt, 5
das immer kenntlich und lobenswert bleibt, Zutrauen erweckt und auf der Bahn des Lebens viele
Vorteile gewährt. Was heißt „dem Leben lernen"?
Offenbar was nützlich im Leben ist, was angewandt
werden kann, wodurch wir besser leben lernen. Da 10
aber das Leben so viel und mancherlei bedarf, da
der Anwendungen und Nutzbarkeiten so viele und
gewiß nicht alle unmittelbare sind, indem eine
Kenntnis auf die andere bauen, der andern fort-
helfen muß, so wäre es sehr töricht bei allem, was ich 15
lerne, zu fragen: „Wozu kann ich's anwenden? was
wird mir's bringen oder helfen?" Weißt du alle
Umstände vorher, in die du kommen kannst?
Weißt du, was in jedem Geschäft, in jeder Minute
brauchbar oder entbehrlich sei? Wenn du Geld 20
sammelst, weißt du bestimmt voraus, wozu du es
anwenden; wenn du eine Sprache lernst, weißt du,
mit wem du die Sprache sprechen werdest? Also
führt der Ausdruck „dem Leben lernen" darauf
zurück, daß man sich selbst in allen seinen Anlagen 25
und Fähigkeiten, in Seelen- und Leibeskräften zu
dem bilde, was Leben heißt; an sich nichts unge-
bildet lasse, sondern dahin arbeite, daß man ein
ganz gesunder Mensch fürs Leben und für eine uns
angemessene Wirksamkeit im Leben werde. 30

JOHANN GOTTFRIED HERDER

Übe und bilde alle deine Seelen- und Leibeskräfte und zwar im richtigen Verhältnis, so lernst du dem Leben. Wer Seelenkräfte bildet und den Körper vernachlässigt, gleich als ob er ein Geist wäre, wer
5 für den Kopf studiert ohne ans Herz zu denken, der lernt nicht fürs Leben; denn im Leben muß der ganze ungeteilte Mensch, der gesunde Mensch mit allen seinen Kräften, mit Kopf und Herz, wirken. Erwache Jugend, und lerne fürs Leben! Die Zeit,
10 für welche du dich bereitest, braucht lebensgelehrte Männer; das heißt Männer, die leben gelernt haben, Männer von richtigen Sinnen, von fester Hand in allerlei Künsten, von Bekanntschaft mit Dingen der Natur, mit dem Zustande der Welt, mit ihren
15 Bedürfnissen und Geschäften. Die Zeiten, da man Schäfergedichte machte, Anakreons Lieder übersetzte oder sonst mit der Sprache und Poesie tändelte sind vorüber; das Leben, wozu sich Jünglinge zu bereiten haben, fordert andere Geschicklichkeit als
20 anakreontische oder Schäferlieder. Endlich, da das Leben nicht nur neue Kenntnisse sondern auch Willen und Taten braucht, so wendet sich der Spruch „nicht der Schule, sondern dem Leben lernen" vorzüglich auf Bildung des Herzens und des
25 Charakters. Was hülfe es tausend Kenntnisse und keinen Willen haben? Im Willen leben wir; das Herz muß uns verdammen oder trösten, stärken oder niederschlagen, lohnen oder strafen; nicht auf Kenntnisse allein sondern auf Charakter ist die
30 Wirksamkeit und der Wert, das Glück oder Unglück unseres Lebens gebaut.

Rede im Weimarer Gymnasium (1800)

GOTTFRIED AUGUST BÜRGER

1747–94

69 *Über Volkspoesie*

DIE alten Volkslieder bieten dem reifenden
Dichter ein sehr wichtiges Studium der natürlich poetischen, besonders der lyrischen und episch-
lyrischen Kunst dar. Sie sind meist, sowohl in
Phantasie als Empfindung, wahre Ausgüsse ein- 5
heimischer Natur. Freilich hat die mündliche
Tradition oft manches hinzugetan und wegge-
nommen und dadurch viel lächerlichen Unsinn
hineingebracht. Wer aber das Gold von den
Schlacken zu scheiden weiß, wird wahrlich keinen 10
verächtlichen Schatz erbeuten. In jener Absicht
hat öfters mein Ohr in der Abenddämmerung dem
Zauberschalle der Balladen und Gassenhauer unter
den Linden des Dorfs, auf der Bleiche und in den
Spinnstuben gelauscht. Selten ist mir ein soge- 15
nanntes Stückchen zu unsinnig und albern gewesen,
daß nicht wenigstens etwas, und sollt' es auch nur
ein Pinselstrich des magisch rostigen Kolorits gewesen sein, poetisch mich erbaut hätte. Durch
Popularität, mein' ich, soll die Poesie das wieder 20
werden, wozu sie Gott erschaffen und in die Seelen
der Auserwählten gelegt hat: lebendiger Odem,
der über aller Menschen Herzen und Sinnen hin-
weht, Odem Gottes, der vom Schlaf und Tod
aufweckt, die Blinden sehend, die Tauben hörend, 25
die Lahmen gehend und die Aussätzigen rein macht!
Und das alles zum Heil und Frommen des Menschen-
geschlechts in diesem Jammertale!

Ich hemme meine Herzensergießung mit dem
Wunsche, daß doch endlich ein deutscher Percy
aufstehen, die Überbleibsel unserer alten Volkslieder sammeln und dabei die Geheimnisse dieser
5 magischen Kunst mehr als bisher geschehen auf-
decken möge. Öfters hab' ich zwar schon mündlich
diesen Wunsch meinen Freunden geäußert und
gesagt, er sollte weiter fortgepflanzt und irgendwer
veranlaßt werden ihn auszuführen. Allein bisher
10 noch vergebens! Unter unseren Bauern, Hirten,
Jägern, Bergleuten, Handwerksburschen, Boots-
knechten und Fuhrleuten kursiert wirklich eine
erstaunliche Menge von Liedern, worunter nicht
leicht eins sein wird, woraus der Dichter fürs Volk
15 nicht wenigstens etwas lernen könnte. Manche
davon, die ich gehört, hatten im Ganzen, viele in
einzelnen Stellen wahres poetisches Verdienst. Ein
Gleiches versprech' ich mir von weit mehreren, die
ich nicht gehört habe. So eine Sammlung von
20 einem Kunstverständigen, mit Anmerkungen versehen! — Was wollt' ich nicht dafür geben!

Aus Daniel Wunderlichs Buche (1776)

Münchhausen erzählt

i

70

ICH trat meine Reise nach Rußland mitten im
Winter an, weil ich ganz richtig schloß, daß
Frost und Schnee die Wege durch die nördlichen
25 Gegenden von Deutschland, Polen und Liefland,
welche nach der Beschreibung der Reisenden fast
noch elender sind als die Wege nach dem Tempel

der Tugend, ohne besondere Kosten hochpreislicher wohlfürsorgender Landesregierungen, ausbessern müßte. Ich reiste zu Pferde, welches, wenn es sonst nur gut um Gaul und Reiter steht, die bequemste Art zu reisen ist. Ich ritt bis Nacht und Dunkelheit 5 mich überfielen. Das ganze Land lag unter Schnee, und ich wußte weder Weg noch Steg. Des Reitens müde, stieg ich endlich ab und band mein Pferd an eine Art von spitzem Baumstaken, der über dem Schnee hervorragte. Zur Sicherheit nahm ich meine 10 Pistolen unter den Arm, legte mich nicht weit davon in den Schnee nieder und tat ein so gesundes Schläfchen, daß mir die Augen nicht eher wieder aufgingen, als bis es heller lichter Tag war. Wie groß war aber mein Erstaunen, als ich fand, daß ich 15 mitten in einem Dorfe auf dem Kirchhofe lag! Mein Pferd war anfänglich nirgends zu sehen, doch hörte ich's bald darauf irgendwo über mir wiehern. Als ich nun emporsah, wurde ich gewahr, daß es an den Wetterhahn des Kirchturms gebunden war und 20 von da herunterhing. Nun wußte ich sogleich, wie ich dran war. Das Dorf war nämlich die Nacht über ganz zugeschneit gewesen; das Wetter hatte sich auf einmal umgesetzt; ich war im Schlaf nach und nach, sowie der Schnee zusammengeschmolzen war, 25 ganz sanft herabgesunken; und was ich in der Dunkelheit für den Stumpf eines Bäumchens, der über dem Schnee hervorragte, gehalten und daran mein Pferd gebunden hatte, das war das Kreuz oder der Wetterhahn des Kirchturmes gewesen. Ohne 30 mich nun lange zu bedenken, nahm ich eine von meinen Pistolen, schoß nach dem Halfter, kam glücklich auf die Art wieder zu meinem Pferde und

verfolgte meine Reise. Hierauf ging alles gut, bis
ich nach Rußland kam.

71   *ii*

DA es einige Zeit dauerte, ehe ich bei der Armee
angestellt werden konnte, so hatte ich ein paar
5 Monate lang vollkommene Muße und Freiheit meine
Zeit sowohl als auch mein Geld auf die adligste Art
von der Welt zu verjunkerieren. Manche Nacht
wurde beim Spiele zugebracht und viele bei dem
Klange voller Gläser. Die Kälte des Landes und
10 die Sitten der Nation haben der Bouteille unter den
gesellschaftlichen Unterhaltungen in Rußland einen
viel höheren Rang angewiesen als in unserm nüch-
ternen Deutschland; und ich habe daher dort
häufig Leute gefunden, die in der edlen Kunst zu
15 trinken für wahre Virtuosen gelten konnten. Alle
waren aber elende Stümper gegen einen grau-
bärtigen, kupferfarbigen General, der mit uns an dem
öffentlichen Tische speiste. Der alte Herr, der seit
einem Gefechte mit den Türken die obere Hälfte
20 seines Hirnschädels vermißte und daher, so oft ein
Fremder in die Gesellschaft kam, sich mit der
artigsten Treuherzigkeit entschuldigte, daß er an
der Tafel seinen Hut aufbehalten müsse, pflegte
immer während des Essens einige Flaschen Wein-
25 branntwein zu leeren und dann gewöhnlich mit
einer Bouteille Arrak den Beschluß, oder nach
Umständen einigemal Dakapo zu machen; und doch
konnte man nicht ein einziges Mal auch nur so viel
Betrunkenheit an ihm merken. Die Sache über-
30 steigt Ihren Glauben? Ich verzeihe es Ihnen, meine

Herren; sie überstieg auch meinen Begriff. Ich
wußte lange nicht, wie ich sie mir erklären sollte, bis
ich ganz von ungefähr den Schlüssel fand. — Der
General pflegte von Zeit zu Zeit seinen Hut etwas
aufzuheben. Dies hatte ich oft gesehen ohne daraus 5
nur Arg zu haben. Daß es ihm warm vor der Stirne
wurde, war natürlich, und daß er dann seinen Kopf
lüftete, nicht minder. Endlich aber sah ich, daß er
zugleich mit seinem Hute eine an demselben be-
festigte silberne Platte aufhob, die ihm statt des 10
Hirnschädels diente, und daß alsdann immer aller
Dunst der geistigen Getränke, die er zu sich genommen hatte, in einer leichten Wolke in die Höhe
stieg. Nun war das Rätsel auf einmal gelöst.

72   *iii*

E INST, als ich all mein Blei verschossen hatte, 15
stieß mir, ganz wider mein Vermuten, der
stattlichste Hirsch von der Welt auf. Er blickte mir
so mir nichts dir nichts ins Auge, als ob er's auswendig gewußt hätte, daß mein Beutel leer war.
Augenblicklich lud ich indessen meine Flinte mit 20
Pulver und darüber her eine ganze Hand voll Kirsch-
steine, wovon ich, so hurtig sich das tun ließ, das
Fleisch abgezogen hatte. Und so gab ich ihm die
volle Ladung mitten auf seine Stirn zwischen das
Geweihe. Der Schuß betäubte ihn zwar, er tau- 25
melte, machte sich aber doch aus dem Staube. Ein
oder zwei Jahre danach war ich in demselben Walde
auf der Jagd: und siehe! zum Vorschein kam ein
stattlicher Hirsch mit einem voll ausgewachsenen
Kirschbaum, mehr denn zehn Fuß hoch, zwischen 30

seinem Geweihe. Mir fiel gleich mein voriges
Abenteuer wieder ein; ich betrachtete den Hirsch
als mein längst wohlerworbenes Eigentum und legte
ihn mit einem Schusse zu Boden, wodurch ich denn
5 auf einmal an Braten und Kirschtunke zugleich
geriet; denn der Baum hing reichlich voll Früchte,
die ich in meinem ganzen Leben so delikat nicht
gegessen hatte.

73   *iv*

W IR belagerten ich weiß nicht mehr welche
10   Stadt, und dem Feldmarschall war ganz
erstaunlich viel an genauer Kundschaft gelegen,
wie die Sachen in der Festung ständen. Es schien
äußerst schwer, ja fast unmöglich, durch alle
Vorposten, Wachen und Festungswerke hineinzu-
15 gelangen; auch war eben kein tüchtiges Subjekt
vorhanden, wodurch man so etwas glücklich auszurichten hätte hoffen können. Vor Mut und
Diensteifer fast ein wenig allzu rasch, stellte ich mich
neben eine der größten Kanonen, die soeben nach
20 der Festung abgefeuert ward, und sprang im Hui
auf die Kugel, in der Absicht, mich in die Festung
hineintragen zu lassen. Als ich aber halbweges durch
die Luft geritten war, stiegen mir allerlei nicht
unerhebliche Bedenklichkeiten zu Kopfe. Hm,
25 dachte ich, hinein kommst du nun wohl, allein wie
hernach sogleich wieder heraus? Und wie kann's
dir in der Festung ergehen? Man wird dich sogleich
als einen Spion erkennen und an den nächsten
Galgen hängen. Ein solches Bette der Ehre wollte
30 ich mir denn doch wohl verbitten. Nach diesen und

ähnlichen Betrachtungen entschloß ich mich kurz, nahm die glückliche Gelegenheit wahr, als eine Kanonenkugel aus der Festung einige Schritte weit von mir vorüber nach unserm Lager flog, sprang von der meinigen auf diese hinüber und kam, zwar 5 unverrichteter Sache jedoch wohlbehalten, bei den lieben Unsrigen wieder an.

74 *v*

ICH mußte, weil mein Litauer in der Türkei geblieben war, mit der Post reisen. Als sich's nun fügte, daß wir an einen engen Weg zwischen hohen 10 Dornhecken kamen, so erinnerte ich den Postillon mit seinem Horne ein Zeichen zu geben, damit wir uns in diesem engen Passe nicht etwa gegen ein anderes entgegenkommendes Fuhrwerk festfahren möchten. Mein Kerl setzte an und blies aus Leibes- 15 kräften in das Horn, aber alle seine Bemühungen waren umsonst. Nicht ein einziger Ton kam heraus, welches uns ganz unerklärlich, ja in der Tat für ein rechtes Unglück zu achten war, indem bald eine andere uns entgegenkommende Kutsche auf uns 20 stieß, vor welcher nun schlechterdings nicht vorbeizukommen war. Nichtsdestoweniger sprang ich aus meinem Wagen und spannte zuvörderst die Pferde aus. Hierauf nahm ich den Wagen nebst den vier Rädern und allen Päckereien auf meine Schultern 25 und sprang damit über Ufer und Hecke, ungefähr neun Fuß hoch, welches in Rücksicht auf die Schwere der Kutsche eben keine Kleinigkeit war, auf das Feld hinüber. Durch einen andern Rücksprung gelangte ich wieder in den Weg. Darauf 30

eilte ich zurück zu unsern Pferden, nahm unter jeden
Arm eins und holte sie auf die vorige Art, nämlich
durch einen zweimaligen Sprung hinüber und herüber, gleichfalls herbei, ließ wieder anspannen und
5 gelangte glücklich zur Herberge.

Hier erholten wir uns von unserm Abenteuer.
Der Postillon hängte sein Horn an einen Nagel beim
Küchenfeuer, und ich setzte mich ihm gegenüber.
Nun hört, Ihr Herren, was geschah! Auf einmal
10 ging's: Tereng! Tereng! teng! teng! Wir machten
große Augen, und fanden nun auf einmal die
Ursache, warum der Postillon sein Horn nicht hatte
blasen können. Die Töne waren in dem Horne fest
gefroren und kamen nun, sowie sie nach und nach
15 auftauten, hell und klar zu nicht geringer Ehre des
Fuhrmannes heraus; denn die ehrliche Haut unter-
hielt uns nun eine Zeit lang mit der herrlichsten
Modulation ohne den Mund an das Horn zu bringen.

Des Freiherrn von Münchhausen wunderbare Reisen
und Abenteuer (1786)

JOHANN WOLFGANG VON GOETHE
1749–1832

75   *Ankunft in Straßburg*

ICH war im Wirtshaus „Zum Geist" abgestiegen
20 und eilte sogleich das sehnlichste Verlangen zu
befriedigen und mich dem Münster zu nähern,
welcher durch Mitreisende mir schon lange gezeigt
und eine ganze Strecke her im Auge geblieben war.
Als ich nun erst durch die schmale Gasse diesen
25 Koloß gewahrte, sodann aber auf dem freilich sehr

engen Platz allzu nah vor ihm stand, machte derselbe auf mich einen Eindruck ganz eigner Art, den ich aber auf der Stelle zu entwickeln unfähig, für diesmal nur dunkel mit mir nahm, indem ich das Gebäude eilig bestieg, um nicht den schönen Augen- 5 blick einer hohen und heitern Sonne zu versäumen, welche mir das weite reiche Land auf einmal offenbaren sollte.

Und so sah ich denn von der Plattform die schöne Gegend vor mir, in welcher ich eine Zeit lang 10 wohnen und hausen durfte: die ansehnliche Stadt, die weitumherliegenden, mit herrlichen dichten Bäumen besetzten und durchflochtenen Auen, diesen auffallenden Reichtum der Vegetation, der dem Laufe des Rheins folgend die Ufer, Inseln und 15 Werder bezeichnet. Nicht weniger mit mannigfaltigem Grün geschmückt ist der von Süden herab sich ziehende flache Grund, welchen die Ill bewässert; selbst westwärts nach dem Gebirge zu finden sich manche Niederungen, die einen eben so 20 reizenden Anblick von Wald und Wiesenwuchs gewähren, so wie der nördliche mehr hügelige Teil von unendlichen kleinen Bächen durchschnitten ist, die überall ein schnelles Wachstum begünstigen. Denkt man sich nun zwischen diesen üppig aus- 25 gestreckten Matten, zwischen diesen fröhlich ausgesäten Hainen alles zum Fruchtbau schickliche Land trefflich bearbeitet, grünend und reifend, und die besten und reichsten Stellen desselben durch Dörfer und Meierhöfe bezeichnet, und eine solche 30 große und unübersehliche, wie ein neues Paradies für den Menschen recht vorbereitete Fläche näher und ferner von teils angebauten, teils waldbewachsenen Bergen begrenzt, so wird man das Entzücken begreifen, mit dem ich mein Schicksal segnete, das mir für einige Zeit einen so schönen Wohnplatz bestimmt hatte.

Dichtung und Wahrheit, ix (1811)

76   *Bekanntschaft mit Herder*

DAS bedeutendste Ereignis, was die wichtigsten Folgen für mich haben sollte, war die Bekanntschaft und die daran sich knüpfende nähere Verbindung mit Herder. Er hatte den Prinzen von Holstein-Eutin, der sich in traurigen Gemütszuständen befand, auf Reisen begleitet und war mit ihm bis Straßburg gekommen. Unsere Sozietät, sobald sie seine Gegenwart vernahm, trug ein großes Verlangen sich ihm zu nähern; und mir begegnete dies Glück zuerst ganz unvermutet und zufällig. Ich war nämlich in den Gasthof „Zum Geist" gegangen, ich weiß nicht welchen bedeutenden Fremden aufzusuchen. Gleich unten an der Treppe fand ich einen Mann, der eben auch hinaufzusteigen im Begriff war und den ich für einen Geistlichen halten konnte. Sein gepudertes Haar war in eine runde Locke aufgesteckt; das schwarze Kleid bezeichnete ihn gleichfalls, mehr noch aber ein langer, schwarzer seidner Mantel, dessen Ende er zusammengenommen und in die Tasche gesteckt hatte. Dieses einigermaßen auffallende, aber doch im Ganzen galante und gefällige Wesen, wovon ich schon hatte sprechen hören, ließ mich keineswegs zweifeln, daß er der berühmte Ankömmling sei, und meine Anrede mußte ihn sogleich überzeugen, daß ich ihn kene. Er fragte nach meinem Namen, der ihm von keiner Bedeutung sein konnte; allein meine Offenheit schien ihm zu gefallen, indem er sie mit großer Freundlichkeit erwiderte und, als wir die Treppe hinaufstiegen, sich sogleich zu einer lebhaften Mit- 5 teilung bereit finden ließ. Es ist mir entfallen, wen wir damals besuchten; genug, beim Scheiden bat ich mir die Erlaubnis aus ihn bei sich zu sehen, die er mir denn auch freundlich genug erteilte.

Ich versäumte nicht mich dieser Vergünstigung 10 wiederholt zu bedienen und ward immer mehr von ihm angezogen. Er hatte etwas Weiches in seinem Betragen, das sehr schicklich und anständig war, ohne daß es eigentlich adrett gewesen wäre, ein rundes Gesicht, eine bedeutende Stirn, eine etwas 15 stumpfe Nase, einen etwas aufgeworfenen, aber höchst individuell angenehmen, liebenswürdigen Mund. Unter schwarzen Augenbrauen ein paar kohlschwarze Augen, die ihre Wirkung nicht ver- fehlten, obgleich das eine rot und entzündet zu sein 20 pflegte. Durch mannigfaltige Fragen suchte er sich mit mir und meinem Zustande bekannt zu machen, und seine Anziehungskraft wirkte immer stärker auf mich. Ich war überhaupt sehr zutraulicher Natur, und vor ihm besonders hatte ich gar kein Geheimnis. 25 Es währte jedoch nicht lange, als der abstoßende Puls seines Wesens eintrat und mich in nicht geringes Mißbehagen versetzte. Von diesem seinem Widersprechungsgeiste sollte ich noch gar manches ausstehen: denn er entschloß sich, teils weil er sich 30 vom Prinzen abzusondern gedachte, teils eines Augenübels wegen, in Straßburg zu verweilen. Dieses Übe ist eines der beschwerlichsten und

unangenehmsten und um desto lästiger, als es nur
durch eine schmerzliche, höchst verdrießliche und
unsichere Operation geheilt werden kann.

Herder war nun vom Prinzen getrennt, in ein
5 eignes Quartier gezogen; der Entschluß war gefaßt
sich operieren zu lassen. Hier kamen mir jene
Übungen gut zustatten, durch die ich meine
Empfindlichkeit abzustumpfen versucht hatte: ich
konnte der Operation beiwohnen und einem so
10 werten Manne auf mancherlei Weise dienstlich und
behilflich sein. Hier fand ich nun alle Ursache seine
große Standhaftigkeit und Geduld zu bewundern;
denn weder bei den vielfachen chirurgischen Ver-
wundungen noch bei dem oftmals wiederholten
15 schmerzlichen Verbande bewies er sich im mindesten
verdrießlich; aber in der Zwischenzeit hatten wir
freilich den Wechsel seiner Laune vielfach zu
ertragen. Die ganze Zeit dieser Kur besuchte ich
Herdern morgens und abends; ich blieb auch wohl
20 ganze Tage bei ihm und gewöhnte mich in kurzem
um so mehr an sein Schelten und Tadeln, als ich
seine schönen und großen Eigenschaften, seine ausgebreiteten Kenntnisse, seine tiefen Einsichten
täglich mehr schätzen lernte. Die Einwirkung dieses
25 gutmütigen Polterers war groß und bedeutend. Er
hatte fünf Jahre mehr als ich, welches in jüngeren
Tagen schon einen großen Unterschied macht; und
da ich ihn für das anerkannte, was er war, da ich
dasjenige zu schätzen suchte, was er schon geleistet
30 hatte, so mußte er eine große Superiorität über mich
gewinnen. Aber behaglich war der Zustand nicht:
denn ältere Personen, mit denen ich bisher um-
gegangen, hatten mich mit Schonung zu bilden

gesucht, vielleicht auch durch Nachgiebigkeit ver-
zogen; von Herdern aber konnte man niemals eine
Billigung erwarten, man mochte sich anstellen, wie
man wollte. Indem nun also auf der einen Seite
meine große Neigung und Verehrung für ihn und 5
auf der andern das Mißbehagen, das er in mir
erweckte, beständig miteinander im Streit lagen,
so entstand ein Zwiespalt in mir, der erste in seiner
Art, den ich in meinem Leben empfunden hatte.
Da seine Gespräche jederzeit bedeutend waren, er 10
mochte fragen, antworten oder sich sonst auf
eine Weise mitteilen, so mußte er mich zu neuen
Ansichten täglich, ja stündlich befördern. In
Leipzig hatte ich mir ein enges und abgezirkeltes
Wesen angewöhnt, und was seit einigen Jahren in 15
der weiten literarischen Welt vorgegangen, war mir
meistens fremd geblieben. Nun wurde ich auf
einmal durch Herder mit allem neuen Streben und
mit allen den Richtungen bekannt, welche dasselbe
zu nehmen schien. Er selbst hatte sich schon 20
genugsam berühmt gemacht, und durch seine
Fragmente, die kritischen Wälder und anderes unmittelbar an die Seite der vorzüglichsten Männer
gesetzt, welche seit längerer Zeit die Augen des
Vaterlands auf sich zogen. Was in einem solchen 25
Geiste für eine Bewegung, was in einer solchen
Natur für eine Gährung müsse gewesen sein, läßt
sich weder fassen noch darstellen. Groß aber war
gewiß das eingehüllte Streben, wie man leicht ein-
gestehen wird, wenn man bedenkt, wie viele Jahre 30
nachher und was er alles gewirkt und geleistet hat.

So war denn auch kein Tag, der nicht auf das
fruchtbarste lehrreich für mich gewesen wäre. Ich

ward mit der Poesie von einer ganz andern Seite, in einem andern Sinne bekannt als bisher, und zwar in einem solchen, der mir sehr zusagte. Die hebräische Dichtkunst, welche er geistreich behandelte, die
5 Volkspoesie, deren Überlieferungen im Elsaß aufzusuchen er uns antrieb, gaben das Zeugnis, daß die Dichtkunst überhaupt eine Welt- und Völkergabe sei, nicht ein Privat-Erbteil einiger feinen, gebildeten Männer. Ich verschlang das alles, und je
10 heftiger ich im Empfangen, desto freigebiger war er im Geben, und wir brachten die interessantesten Stunden zusammen zu. Was die Fülle dieser wenigen Wochen betrifft, welche wir zusammen lebten, kann ich wohl sagen, daß alles, was Herder nachher all-
15 mählich ausgeführt hat, im Keim angedeutet ward, und daß ich dadurch in die glückliche Lage geriet alles, was ich bisher gedacht, gelernt, mir zugeeignet hatte, zu kompletieren, an ein Höheres anzuknüpfen, zu erweitern.

20 Am sorgfältigsten verbarg ich ihm das Interesse an gewissen Gegenständen, die sich bei mir eingewurzelt hatten und sich nach und nach zu poetischen Gestalten ausbilden wollten. Es war *Götz von Berlichingen* und *Faust*. Die Lebensbeschreibung des
25 erstern hatte mich im Innersten ergriffen. Die Gestalt eines rohen, wohlmeinenden Selbsthelfers in wilder, anarchischer Zeit erregte meinen tiefsten Anteil. Die bedeutende Puppenspielfabel des andern klang und summte gar vieltönig in mir wider. Auch
30 ich hatte mich in allem Wissen umhergetrieben und war früh genug auf die Eitelkeit desselben hingewiesen worden. Ich hatte es auch im Leben auf allerlei Weise versucht und war immer unbefriedigter

und gequälter zurückgekommen. Nun trug ich
diese Dinge mit mir herum und ergötzte mich
daran in einsamen Stunden, ohne jedoch etwas
davon aufzuschreiben.

Dichtung und Wahrheit, x (1812)

77   *Besuch in Sesenheim: Friedrike*

WIR ritten einen anmutigen Fußpfad über 5
Wiesen, gelangten bald nach Sesenheim,
ließen unsere Pferde im Wirtshause und gingen
gelassen nach dem Pfarrhofe. Alles war still und
menschenleer, wie im Dorfe so im Hofe. Wir
fanden den Vater, einen kleinen, in sich gekehrten 10
aber doch freundlichen Mann, ganz allein: denn die
Familie war auf dem Felde. Er hieß uns willkommen, bot uns eine Erfrischung an, die wir
ablehnten. Mein Freund eilte die Frauenzimmer
aufzusuchen, und ich blieb mit unserem Wirt allein. 15
Er sprach zu mir, als wenn er mich zehn Jahre gekannt hätte, ohne daß irgend etwas in seinem Blick
gewesen wäre, woraus ich einige Aufmerksamkeit auf
mich hätte mutmaßen können. Endlich trat mein
Freund mit der Mutter herein. Diese schien mich 20
mit ganz andern Augen anzusehn. Ihr Gesicht war
regelmäßig und der Ausdruck desselben verständig;
sie mußte in ihrer Jugend schön gewesen sein. Die
älteste Tochter kam darauf lebhaft hereingestürmt;
sie fragte nach Friedriken, so wie die andern beiden 25
auch nach ihr gefragt hatten. Der Vater versicherte
sie nicht gesehen zu haben, seitdem alle drei fort-
gegangen. Die Tochter fuhr wieder zur Türe hin-

aus, um die Schwester zu suchen; die Mutter brachte
uns einige Erfrischungen, und Weyland setzte mit
den beiden Gatten das Gespräch fort. Die älteste
Tochter kam wieder hastig in die Stube, unruhig
5 ihre Schwester nicht gefunden zu haben. Man war
besorgt um sie und schalt auf diese oder jene böse
Gewohnheit; nur der Vater sagte ganz ruhig:
„Laßt sie immer gehen, sie kommt schon wieder!"
In diesem Augenblick trat sie wirklich in die Türe;
10 und da ging fürwahr an diesem ländlichen Himmel
ein allerliebster Stern auf. Beide Töchter trugen
sich noch deutsch, wie man es zu nennen pflegte,
und diese fast verdrängte Nationaltracht kleidete
Friedriken besonders gut. Ein kurzes weißes
15 Röckchen mit einer Falbel, nicht länger, als daß die
nettsten Füßchen bis an die Knöchel sichtbar
blieben; ein knappes weißes Mieder und eine
schwarze Taffetschürze — so stand sie auf der
Grenze zwischen Bäuerin und Städterin. Schlank
20 und leicht, als wenn sie nichts an sich zu tragen
hätte, schritt sie, und beinahe schien für die gewaltigen blonden Zöpfe des niedlichen Köpfchens
der Hals zu zart. Aus heiteren blauen Augen blickte
sie sehr deutlich umher, und das artige Stumpf-
25 näschen forschte so frei in die Luft, als wenn es in
der Welt keine Sorge geben könnte; der Strohhut
hing ihr am Arm, und so hatte ich das Vergnügen
sie beim ersten Blick auf einmal in ihrer ganzen
Anmut und Lieblichkeit zu sehn und zu erkennen.
30 Alle Familienglieder hatten einige Worte mit mir
gesprochen; die Mutter betrachtete mich jedesmal,
so oft sie kam oder ging; aber Friedrike ließ sich
zuerst mit mir in ein Gespräch ein, und indem ich

umherliegende Noten aufnahm und durchsah,
fragte sie, ob ich auch spiele. Als ich es bejahte,
ersuchte sie mich etwas vorzutragen, aber der Vater
ließ mich nicht dazu kommen; denn er behauptete,
es sei schicklich dem Gaste zuerst mit irgend einem 5
Musikstück oder einem Liede zu dienen. Sie spielte
verschiedenes mit einiger Fertigkeit, in der Art,
wie man es auf dem Lande zu hören pflegt, und zwar
auf einem Klavier, das der Schulmeister schon
längst hätte stimmen sollen. Nun sollte sie auch ein 10
Lied singen, ein gewisses zärtlich-trauriges; das
gelang ihr nun gar nicht. Sie stand auf und sagte
lächelnd, oder vielmehr mit dem auf ihrem Gesicht
immerfort ruhenden Zuge von heiterer Freude:
„Wenn ich schlecht singe, so kann ich die Schuld 15
nicht auf das Klavier und den Schulmeister werfen;
lassen Sie uns aber nur hinauskommen, dann sollen
Sie meine Elsasser- und Schweizerliedchen hören,
die klingen schon besser."

Beim Abendessen beschäftigte mich eine Vor- 20
stellung, die mich schon früher überfallen hatte,
dergestalt daß ich nachdenklich und stumm wurde,
obgleich die Lebhaftigkeit der ältern Schwester und
die Anmut der jüngern mich oft genug aus meinen
Betrachtungen schüttelten. Meine Verwunderung 25
war über allen Ausdruck mich so ganz leibhaftig in
der Wakefieldschen Familie zu finden. Der Vater
konnte freilich nicht mit jenem trefflichen Manne
verglichen werden; allein, wo gäbe es auch seinesgleichen! Dagegen stellte sich alle Würde, welche 30
jenem Ehegatten eigen ist, hier in der Gattin dar.
Hatte die ältere Tochter nicht die gerühmte Schönheit Oliviens, so war sie doch wohlgebaut, lebhaft

und eher heftig; sie zeigte sich überall tätig und
ging der Mutter in allem an Handen.   Friedriken
an die Stelle von Primrosens Sophie zu setzen, war
nicht schwer: denn von jener ist wenig gesagt, man
5 gibt nur zu, daß sie liebenswürdig sei; diese war es
wirklich. Wie nun dasselbe Geschäft, derselbe
Zustand überall, wo er vorkommen mag, ähnliche
wo nicht gleiche Wirkungen hervorbringt, so kam
auch hier manches zur Sprache, es geschah gar
10 manches, was in der Wakefieldschen Familie sich
auch schon ereignet hatte. Als nun aber gar zuletzt
ein längst angekündigter und von dem Vater mit
Ungeduld erwarteter jüngerer Sohn ins Zimmer
sprang und sich dreist zu uns setzte, indem er von
15 den Gästen wenig Notiz nahm, so enthielt ich mich
kaum auszurufen: „Moses, bist du auch da!"

Dichtung und Wahrheit, x (1812)

78   *Zum Shakespeare-Tage*

WIR ehren heute das Andenken des größten
Wandrers und tun uns dadurch selbst eine
Ehre an. Von Verdiensten, die wir zu schätzen
20 wissen, haben wir den Keim in uns. Erwarten Sie
nicht, daß ich viel und ordentlich schreibe. Ruhe der
Seele ist kein Festtagskleid, und noch zur Zeit habe
ich wenig über Schäkespearen gedacht; geahndet,
empfunden, wenn's hoch kam, ist das Höchste,
25 wohin ich's habe bringen können. Die erste Seite,
die ich in ihm las, machte mich auf Zeitlebens ihm
eigen, und wie ich mit dem ersten Stücke fertig
war, stund ich wie ein Blindgeborner, dem eine

Wunderhand das Gesicht in einem Augenblicke
schenkt. Ich erkannte, ich fühlte aufs lebhafteste
meine Existenz um eine Unendlichkeit erweitert;
alles war mir neu, unbekannt, und das ungewohnte
Licht machte mir Augenschmerzen. Nach und nach 5
lernt' ich sehen und, Dank sei meinem erkenntlichen
Genius, ich fühle noch immer lebhaft, was ich
gewonnen habe. Ich zweifelte keinen Augenblick
dem regelmäßigen Theater zu entsagen. Es schien
mir die Einheit des Orts so kerkermäßig ängstlich, 10
die Einheiten der Handlung und der Zeit lästige
Fesseln unsrer Einbildungskraft. Ich sprang in die
freie Luft und fühlte erst, daß ich Hände und Füße
hatte. Und jetzo, da ich sah, wie viel Unrecht mir
die Herrn der Regeln in ihrem Loch angetan haben, 15
wie viel freie Seelen noch drinne sich krümmen, so
wäre mir mein Herz geborsten, wenn ich ihnen
nicht Fehde angekündigt hätte und nicht täglich
suchte ihre Türme zusammen zu schlagen. Schäke-
speare, mein Freund, wenn du noch unter uns wärest, 20
ich könnte nirgend leben als mit dir, wie gern wollt'
ich die Nebenrolle eines Pylades spielen, wenn du
Orest wärst, lieber als die geehrwürdigte Person
eines Oberpriesters im Tempel zu Delphi.

Schäkespeares Theater ist ein schöner Raritäten- 25
kasten, in dem die Geschichte der Welt vor unsern
Augen an dem unsichtbaren Faden der Zeit vor-
beiwallt. Seine Pläne sind, nach dem gemeinen Stil
zu reden, keine Pläne, aber seine Stücke drehen sich
alle um den geheimen Punkt (den noch kein Philo- 30
soph gesehen und bestimmt hat), in dem das Eigen-
tümliche unsres Ichs, die prätendierte Freiheit
unsres Willens, mit dem notwendigen Gang des

Ganzen zusammenstößt. Unser verdorbner Geschmack aber umnebelt dergestalt unsere Augen, daß wir fast eine neue Schöpfung nötig haben uns aus dieser Finsternis zu entwickeln. Alle Franzosen
5 und angesteckte Deutsche haben sich bei dieser Gelegenheit wenig Ehre gemacht. Voltaire, der von jeher Profession machte alle Majestäten zu lästern, hat sich auch hier als ein echter Thersit bewiesen. Wäre ich Ulysses, er sollte seinen Rücken unter
10 meinem Scepter verzerren. Die meisten von diesen Herren stoßen auch besonders an seinen Charakteren an. Und ich rufe: „Natur! Natur! nichts so Natur als Schäkespeares Menschen." Da hab' ich sie alle überm Hals. Laßt mir Luft, daß ich reden kann!
15 Er wetteiferte mit dem Prometheus, bildete ihm Zug vor Zug seine Menschen nach, nur in kolossalischer Größe; darin liegt's, daß wir unsre Brüder verkennen; und dann belebte er sie alle mit dem Hauch seines Geistes, er redet aus allen, und man
20 erkennt ihre Verwandtschaft. Und was will sich unser Jahrhundert unterstehen von Natur zu urteilen? Wo sollten wir sie her kennen, die wir von Jugend auf alles geschnürt und geziert an uns fühlen und an andern sehen? Ich schäme mich oft vor
25 Schäkespearen, denn es kommt manchmal vor, daß ich beim ersten Blick denke: das hätt' ich anders gemacht! Hintendrein erkenn' ich, daß ich ein armer Sünder bin, daß aus Schäkespearen die Natur weissagt, und daß meine Menschen Seifenblasen
30 sind, von Romanengrillen aufgetrieben.

Rede „zum Schäkespears Tage" (1771)

JOHANN WOLFGANG VON GOETHE

Werther

i

Am 10. Mai (1771)

EINE wunderbare Heiterkeit hat meine ganze
Seele eingenommen, gleich den süßen Früh-
lingsmorgen, die ich mit ganzem Herzen genieße.
Ich bin allein und freue mich meines Lebens in
dieser Gegend, die für solche Seelen geschaffen ist 5
wie die meine. Ich bin so glücklich, mein Bester, so
ganz in dem Gefühle von ruhigem Dasein versunken,
daß meine Kunst darunter leidet. Ich könnte jetzt
nicht zeichnen, nicht einen Strich, und bin nie ein
größerer Maler gewesen als in diesen Augenblicken. 10
Wenn das liebe Tal um mich dampft, und die hohe
Sonne an der Oberfläche der undurchdringlichen
Finsternis meines Waldes ruht, und nur einzelne
Strahlen sich in das innere Heiligtum stehlen, ich
dann im hohen Grase am fallenden Bache liege, und 15
näher an der Erde tausend mannigfaltige Gräschen
mir merkwürdig werden; wenn ich das Wimmeln
der kleinen Welt zwischen Halmen, die unzähligen,
unergründlichen Gestalten der Würmchen, der
Mückchen näher an meinem Herzen fühle, und 20
fühle die Gegenwart des Allmächtigen, der uns nach
seinem Bilde schuf, das Wehen des Alliebenden, der
uns in ewiger Wonne schwebend trägt und erhält;
mein Freund! wenn's dann um meine Augen
dämmert, und die Welt um mich her und der 25
Himmel ganz in meiner Seele ruhn wie die Gestalt
einer Geliebten, dann sehne ich mich oft und denke:
ach könntest du das wieder ausdrücken, könntest du

dem Papiere das einhauchen, was so voll, so warm
in dir lebt, daß es würde der Spiegel deiner Seele, wie
deine Seele ist der Spiegel des unendlichen Gottes!
Mein Freund — aber ich gehe darüber zu Grunde,
5 ich erliege unter der Gewalt der Herrlichkeit dieser
Erscheinungen.

80   *ii*

Am 12. Mai (1771)

ICH weiß nicht, ob täuschende Geister um diese
Gegend schweben, oder ob die warme himmlische
Phantasie in meinem Herzen ist, die mir alles rings-
10 umher so paradiesisch macht. Da ist gleich vor dem
Orte ein Brunnen, an den ich gebannt bin wie
Melusine mit ihren Schwestern. Du gehst einen
kleinen Hügel hinunter und findest dich vor einem
Gewölbe, da wohl zwanzig Stufen hinabgehen, wo
15 unten das klarste Wasser aus Marmorfelsen quillt.
Die kleine Mauer, die oben umher die Einfassung
macht, die hohen Bäume, die den Platz ringsumher
bedecken, die Kühle des Orts: das hat alles so was
Anzügliches, was Schauerliches. Es vergeht kein
20 Tag, daß ich nicht eine Stunde da sitze. Da kommen
dann die Mädchen aus der Stadt und holen Wasser,
das harmloseste Geschäft und das nötigste, das
ehemals die Töchter der Könige selbst verrichteten.
Wenn ich da sitze, so lebt die patriarchalische Idee
25 so lebhaft um mich, wie sie, alle die Altväter, am
Brunnen Bekanntschaft machen und freien, und
wie um die Brunnen und Quellen wohltätige Geister
schweben. O, der muß nie nach einer schweren
Sommertagswanderung sich an des Brunnens Kühle
30 gelabt haben, der das nicht mitempfinden kann.

81   *iii*

Am 26. Mai (1771)

UNGEFÄHR eine Stunde von der Stadt liegt
ein Ort, den sie Wahlheim nennen. Die Lage
an einem Hügel ist sehr interessant, und wenn man
oben auf dem Fußpfade zum Dorf herausgeht,
übersieht man auf einmal das ganze Tal. Eine gute 5
Wirtin, die gefällig und munter in ihrem Alter ist,
schenkt Wein, Bier, Kaffee; und was über alles geht,
sind zwei Linden, die mit ihren ausgebreiteten
Ästen den kleinen Platz vor der Kirche bedecken,
der ringsum mit Bauerhäusern, Scheuern und Höfen 10
eingeschlossen ist. So vertraulich, so heimlich hab'
ich nicht leicht ein Plätzchen gefunden, und dahin
lass' ich mein Tischchen aus dem Wirtshause bringen
und meinen Stuhl, trinke meinen Kaffee da und
lese meinen Homer. Das erste Mal, als ich durch 15
einen Zufall an einem schönen Nachmittage unter
die Linden kam, fand ich das Plätzchen so einsam.
Es war alles im Felde, nur ein Knabe von ungefähr
vier Jahren saß an der Erde und hielt ein andres,
etwa halbjähriges, vor ihm zwischen seinen Füßen 20
sitzendes Kind mit beiden Armen wider seine Brust,
so daß er ihm zu einer Art von Sessel diente und
ungeachtet der Munterkeit, womit er aus seinen
schwarzen Augen herumschaute, ganz ruhig saß.
Mich vergnügte der Anblick: ich setzte mich auf 25
einen Pflug, der gegenüber stand, und zeichnete die
brüderliche Stellung mit vielem Ergötzen. Ich
fügte den nächsten Zaun, ein Scheunentor und
einige gebrochene Wagenräder bei, alles wie es
hintereinander stand, und fand nach Verlauf einer 30

Stunde, daß ich eine wohl geordnete Zeichnung
verfertiget hatte, ohne das mindeste von dem
Meinen hinzu zu tun. Das bestärkte mich in meinem
Vorsatze mich künftig allein an die Natur zu halten.
5 Sie allein ist unendlich reich, und sie allein bildet
den großen Künstler. Man kann zum Vorteile der
Regeln viel sagen, ungefähr was man zum Lobe der
bürgerlichen Gesellschaft sagen kann. Ein Mensch,
der sich nach ihnen bildet, wird nie etwas Abge
10 schmacktes und Schlechtes hervorbringen; wie einer,
der sich durch Gesetze und Wohlstand modeln läßt,
nie ein unerträglicher Nachbar, nie ein merkwürdiger Bösewicht werden kann; dagegen wird aber
auch alle Regel, man rede was man wolle, das wahre
15 Gefühl von Natur und den wahren Ausdruck derselben zerstören!

Die Leiden des jungen Werthers (1774)

Lotte

82   *i*

Am 16. Junius (1771)

DIE Sonne war noch eine Viertelstunde vom
Gebirge, als wir vor dem Hoftore anfuhren.
Es war sehr schwül, und die Frauenzimmer äußerten
20 ihre Besorgnis wegen eines Gewitters, das sich in
weißgrauen dumpfichten Wölkchen rings am Horizonte zusammenzuziehen schien. Ich täuschte ihre
Furcht mit anmaßlicher Wetterkunde, ob mir gleich
selbst zu ahnen anfing, unsere Lustbarkeit werde
25 einen Stoß leiden. Ich war ausgestiegen, und eine
Magd, die ans Tor kam, bat uns einen Augenblick zu
verziehen, Mamsell Lottchen würde gleich kommen.

Ich ging durch den Hof nach dem wohlgebauten
Hause, und da ich die vorliegenden Treppen hinauf-
gestiegen war und in die Tür trat, fiel mir das
reizendste Schauspiel in die Augen, das ich je
gesehen habe. In dem Vorsaale wimmelten sechs 5
Kinder von elf zu zwei Jahren um ein Mädchen von
schöner Gestalt, mittlerer Größe, die ein simples
weißes Kleid mit blaßroten Schleifen an Arm und
Brust anhatte. Sie hielt ein schwarzes Brot und
schnitt ihren Kleinen ringsherum jedem sein Stück 10
nach Proportion ihres Alters und Appetits ab, gab's
jedem mit solcher Freundlichkeit, und jedes rief so
ungekünstelt sein: Danke! indem es mit den kleinen
Händchen lange in die Höhe gereicht hatte, ehe es
noch abgeschnitten war, und nun mit seinem 15
Abendbrote vergnügt entweder wegsprang oder
nach seinem stilleren Charakter gelassen davonging
nach dem Hoftore zu, um die Fremden und die
Kutsche zu sehen, darin ihre Lotte wegfahren sollte.
Die zwei ältesten Knaben waren hinten auf die 20
Kutsche geklettert, und auf mein Vorbitten erlaubte sie ihnen bis vor den Wald mitzufahren, wenn
sie versprächen sich nicht zu necken und sich recht
fest zu halten.

Wir hatten uns kaum zurecht gesetzt, die Frauen- 25
zimmer sich bewillkommt, wechselweise über den
Anzug, vorzüglich über die Hüte ihre Anmerkungen gemacht und die Gesellschaft, die man
erwartete, gehörig durchgezogen, als Lotte den
Kutscher halten und ihre Brüder herabsteigen ließ, 30
die noch einmal ihre Hand zu küssen begehrten, das
denn der älteste mit aller Zärtlichkeit, die dem Alter
von fünfzehn Jahren eigen sein kann, der andere mit

viel Heftigkeit und Leichtsinn tat. Sie ließ die
Kleinen noch einmal grüßen, und wir fuhren weiter.
Das Gespräch fiel aufs Vergnügen beim Tanze.
„Wenn diese Leidenschaft ein Fehler ist", sagte
Lotte, „so gestehe ich Ihnen gern, ich weiß mir nichts
übers Tanzen. Und wenn ich was im Kopfe habe und
mir auf meinem verstimmten Klavier einen Konter-
tanz vortrommle, so ist alles wieder gut." Wie ich
mich unter dem Gespräche in den schwarzen Augen
weidete! wie die lebendigen Lippen und die frischen
munteren Wangen meine ganze Seele anzogen! wie
ich, in den herrlichen Sinn ihrer Rede ganz versunken, oft gar die Worte nicht hörte, mit denen
sie sich ausdrückte! — davon hast du eine Vorstellung,
weil du mich kennst. Kurz, ich stieg aus dem Wagen
wie ein Träumender, als wir vor dem Lusthause
hielten, und war so in Träumen rings in der däm-
mernden Welt verloren, daß ich auf die Musik kaum
achtete, die uns von dem erleuchteten Saal herunter
entgegenschallte.

Nun ging's an, und wir ergötzten uns eine Weile
an mannigfaltigen Schlingungen der Arme. Mit
welchem Reize, mit welcher Flüchtigkeit bewegte
sie sich! und da wir nun gar ans Walzen kamen und
wie die Sphären um einander herumrollten, ging's
freilich anfangs, weil's die wenigsten können, ein
bißchen bunt durcheinander. Wir waren klug und
ließen sie austoben, und als die Ungeschicktesten
den Plan geräumt hatten, fielen wir ein und hielten
mit noch einem Paare wacker aus. Nie ist mir's so
leicht vom Flecke gegangen.

16. Junius (1771)

DER Tanz war noch nicht zu Ende, als die Blitze,
die wir schon lange am Horizonte leuchten
gesehn und die ich immer für Wetterkühlen aus-
gegeben hatte, viel stärker zu werden anfingen und
der Donner die Musik überstimmte. Drei Frauen- 5
zimmer liefen aus der Reihe, denen ihre Herren
folgten; die Unordnung wurde allgemein, und die
Musik hörte auf. Es ist natürlich, wenn uns ein
Unglück oder etwas Schreckliches im Vergnügen
überrascht, daß es stärkere Eindrücke auf uns macht 10
als sonst, teils wegen des Gegensatzes, der sich so
lebhaft empfinden läßt, teils, und noch mehr, weil
unsere Sinnen einmal der Fühlbarkeit geöffnet sind
und also desto schneller einen Eindruck annehmen.
Diesen Ursachen muß ich die wunderbaren Gri- 15
massen zuschreiben, in die ich mehrere Frauenzimmer ausbrechen sah. Die klügste setzte sich in
eine Ecke, mit dem Rücken gegen das Fenster, und
hielt die Ohren zu. Eine andere kniete vor ihr
nieder und verbarg den Kopf in der ersten Schoß. 20
Eine dritte schob sich zwischen beide hinein und
umfaßte ihre Schwesterchen mit tausend Tränen.
Einige wollten nach Hause; andere, die noch weniger
wußten was sie taten, hatten nicht so viel Besinnungskraft den Keckheiten unserer jungen 25
Schlucker zu steuern, die sehr beschäftigt zu sein
schienen alle die ängstlichen Gebete, die dem
Himmel bestimmt waren, von den Lippen der
schönen Bedrängten wegzufangen. Einige unserer
Herren hatten sich hinab begeben, um ein Pfeifchen 30

in Ruhe zu rauchen; und die übrige Gesellschaft
schlug es nicht aus, als die Wirtin auf den klugen
Einfall kam uns ein Zimmer anzuweisen, das Läden
und Vorhänge hätte. Kaum waren wir da angelangt,
5 als Lotte beschäftigt war einen Kreis von Stühlen zu
stellen und, als sich die Gesellschaft auf ihre Bitte
gesetzt hatte, den Vortrag zu einem Spiele zu tun.
„Wir spielen Zählens," sagte sie. „Nun gebt acht!
Ich geh' im Kreise herum von der Rechten zur
10 Linken, und so zählt ihr auch rings herum, jeder die
Zahl, die an ihn kommt, und das muß gehen wie ein
Lauffeuer, und wer stockt oder sich irrt, kriegt eine
Ohrfeige, und so bis tausend." Nun war das lustig
anzusehen. Sie ging mit ausgestrecktem Arm im
15 Kreise herum. „Eins", fing der erste an, der Nachbar
„zwei", „drei" der folgende, und so fort. Dann fing
sie an geschwinder zu gehn, immer geschwinder; da
versah's einer, patsch! eine Ohrfeige, und über das
Gelächter der folgende auch, patsch! und immer
20 geschwinder. Ich selbst kriegte zwei Maulschellen
und glaubte mit innigem Vergnügen zu bemerken,
daß sie stärker seien, als sie sie den übrigen zu-
zumessen pflegte. Ein allgemeines Gelächter und
Geschwärm endigte das Spiel, ehe noch das Tausend
25 ausgezählt war. — Das Gewitter war vorüber, und
ich folgte Lotten in den Saal. Wir traten ans
Fenster. Es donnerte abseitwärts, und der herrliche
Regen säuselte auf das Land, und der erquickendste
Wohlgeruch stieg in aller Fülle einer warmen Luft
30 zu uns auf. Sie stand auf ihren Ellenbogen gestützt;
ihr Blick durchdrang die Gegend, sie sah gen Himmel
und auf mich; ich sah ihr Auge tränenvoll, sie legte
ihre Hand auf die meinige und sagte: „Klopstock!"

Ich erinnerte mich sogleich der herrlichen Ode, die
ihr in Gedanken lag, und versank in dem Strome
von Empfindungen, den sie in dieser Losung über
mich ausgoß. Ich ertrug's nicht, neigte mich auf
ihre Hand und küßte sie unter den wonnevollsten 5
Tränen.

Die Leiden des jungen Werthers (1774)

84 *Die Natur*

NATUR! Wir sind von ihr umgeben und
umschlungen — unvermögend aus ihr heraus-
zutreten, und unvermögend tiefer in sie hinein-
zukommen. Ungebeten und ungewarnt nimmt sie 10
uns in den Kreislauf ihres Tanzes auf und treibt sich
mit uns fort, bis wir ermüdet sind und ihrem Arme
entfallen. Sie schafft ewig neue Gestalten; was da
ist, war noch nie; was war, kommt nicht wieder —
alles ist neu und doch immer das Alte. Wir leben 15
mitten in ihr und sind ihr fremde. Sie spricht
unaufhörlich mit uns und verrät uns ihr Geheimnis
nicht. Wir wirken beständig auf sie und haben doch
keine Gewalt über sie. Sie scheint alles auf Indivi-
dualität angelegt zu haben und macht sich nichts 20
aus den Individuen. Sie baut immer und zerstört
immer, und ihre Werkstätte ist unzugänglich. Jedes
ihrer Werke hat ein eigenes Wesen, jede ihrer
Erscheinungen den isoliertesten Begriff, und doch
macht alles Eins aus. Sie spielt ein Schauspiel: ob 25
sie es selbst sieht, wissen wir nicht, und doch spielt
sie's für uns, die wir in der Ecke stehen. Es ist ein
ewiges Leben, Werden und Bewegen in ihr, und
doch rückt sie nicht weiter. Sie verwandelt sich

ewig, und ist kein Moment Stillestehen in ihr.
Fürs Bleiben hat sie keinen Begriff, und ihren
Fluch hat sie ans Stillestehen gehängt. Sie ist fest.
Ihr Tritt ist gemessen, ihre Ausnahmen selten, ihre
5 Gesetze unwandelbar. Ihre Kinder sind ohne Zahl.
Keinem ist sie überall karg, aber sie hat Lieblinge,
an die sie viel verschwendet und denen sie viel
aufopfert. Ans Große hat sie ihren Schutz geknüpft.
Sie spritzt ihre Geschöpfe aus dem Nichts hervor
10 und sagt ihnen nicht, woher sie kommen und wohin
sie gehen. Sie sollen nur laufen; die Bahn kennt sie.
Ihr Schauspiel ist immer neu, weil sie immer neue
Zuschauer schafft. Leben ist ihre schönste Erfindung, und der Tod ist ihr Kunstgriff viel Leben
15 zu haben.

Man gehorcht ihren Gesetzen, auch wenn man
ihnen widerstrebt; man wirkt mit ihr, auch wenn
man gegen sie wirken will. Sie hat keine Sprache
noch Rede; aber sie schafft Zungen und Herzen,
20 durch die sie fühlt und spricht. Ihre Krone ist die
Liebe. Nur durch sie kommt man ihr nahe. Sie
macht Klüfte zwischen allen Wesen, und alles will
sich verschlingen. Sie hat alles isoliert, um alles
zusammenzuziehen. Durch ein paar Züge aus dem
25 Becher der Liebe hält sie für ein Leben voll Mühe
schadlos. Sie ist alles. Sie belohnt sich selbst und
bestraft sich selbst, erfreut und quält sich selbst.
Sie ist rauh und gelinde, lieblich und schrecklich,
kraftlos und allgewaltig. Alles ist immer da in ihr.
30 Vergangenheit und Zukunft kennt sie nicht. Gegenwart ist ihr Ewigkeit. Sie ist gütig. Ich preise sie
mit allen ihren Werken. Sie ist weise und still.
Man reißt ihr keine Erklärung vom Leibe, trotzt

ihr kein Geschenk ab, das sie nicht freiwillig gibt.
Sie ist listig, aber zu gutem Ziele, und am besten
ist's ihre List nicht zu merken. Sie ist ganz, und
doch immer unvollendet. So wie sie's treibt, kann
sie's immer treiben. Jedem erscheint sie in einer 5
eigenen Gestalt. Sie verbirgt sich in tausend
Namen und ist immer dieselbe. Sie hat mich
hereingestellt, sie wird mich auch herausführen.
Ich vertraue mich ihr. Sie mag mit mir schalten.
Sie wird ihr Werk nicht hassen.   10

Tiefurter Journal (1782)

Mignon

85   *i*

DIE Seiltänzer hatten ihre Künste schon zu
produzieren angefangen. Auf dem Platze
hatten sich viele Zuschauer eingefunden, doch war
unsern Freunden ein Getümmel merkwürdig, das
eine große Anzahl Menschen nach dem Tore des 15
Gasthofes, in welchem Wilhelm eingekehrt war,
hingezogen hatte. Wilhelm sprang hinüber um
zu sehen, was es sei, und mit Entsetzen erblickte er,
als er sich durchs Volk drängte, den Herrn der
Seiltänzergesellschaft, der das interessante Kind 20
bei den Haaren aus dem Hause zu schleppen bemüht war und mit einem Peitschenstiel unbarmherzig
auf den kleinen Körper losschlug. Wilhelm fuhr wie
ein Blitz auf den Mann zu und faßte ihn bei der
Brust. „Laß das Kind los!" schrie er wie ein 25
Rasender, „oder einer von uns bleibt hier auf der
Stelle." Er faßte zugleich den Kerl mit einer
Gewalt, die nur der Zorn geben kann, bei der Kehle,

daß dieser zu ersticken glaubte, das Kind losließ und
sich gegen den Angreifenden zu verteidigen suchte.
Einige Leute, die mit dem Kinde Mitleiden fühlten
aber Streit anzufangen nicht gewagt hatten, fielen
5 dem Seiltänzer sogleich in die Arme, entwaffneten
ihn und drohten ihm mit vielen Schimpfreden.
Dieser, der sich jetzt nur auf die Waffen seines
Mundes reduziert sah, fing gräßlich zu drohen und
zu fluchen an: die faule, unnütze Kreatur wolle ihre
10 Schuldigkeit nicht tun; sie verweigere den Eiertanz
zu tanzen, den er dem Publiko versprochen habe; er
wolle sie totschlagen, und es solle ihn niemand daran
hindern. Er suchte sich loszumachen um das Kind,
das sich unter der Menge verkrochen hatte, auf-
15 zusuchen. Wilhelm hielt ihn zurück und rief: „Du
sollst nicht eher dieses Geschöpf weder sehen noch
berühren, bis du vor Gericht Rechenschaft gibst,
wo du es gestohlen hast; ich werde dich aufs
äußerste treiben; du sollst mir nicht entgehen.“
20 Diese Rede, welche Wilhelm in der Hitze, ohne
Gedanken und Absicht, aus einem dunkeln Gefühl
oder, wenn man will, aus Inspiration ausgesprochen
hatte, brachte den wütenden Menschen auf einmal
zur Ruhe. Er rief: „Was hab’ ich mit der unnützen
25 Kreatur zu schaffen! Zahlen Sie mir, was mich ihre
Kleider kosten, und Sie mögen sie behalten.“

86 *ii*

MIGNON hatte auf ihn gewartet und leuchtete
ihm die Treppe hinauf. Als sie das Licht
niedergesetzt hatte, bat sie ihn zu erlauben, daß sie
30 ihm heute abend mit einem Kunststücke aufwarten
dürfe. Er hätte es lieber verbeten, besonders da er

nicht wußte, was es werden sollte. Allein er konnte
diesem guten Geschöpfe nichts abschlagen. Nach
einer kurzen Zeit trat sie wieder herein. Sie trug
einen Teppich unter dem Arme, den sie auf der
Erde ausbreitete. Wilhelm ließ sie gewähren. Sie 5
brachte darauf vier Lichter, stellte eins auf jeden
Zipfel des Teppichs. Ein Körbchen mit Eiern, das
sie darauf holte, machte die Absicht deutlicher.
Künstlich abgemessen schritt sie nunmehr auf dem
Teppich hin und her und legte in gewissen Maßen 10
die Eier auseinander, dann rief sie einen Menschen
herein, der im Hause aufwartete und die Violine
spielte. Er trat mit seinem Instrumente in die Ecke;
sie verband sich die Augen, gab das Zeichen und
fing zugleich mit der Musik wie ein aufgezogenes 15
Räderwerk ihre Bewegungen an, indem sie Takt und
Melodie mit dem Schlage der Kastagnetten begleitete. Behende, leicht, rasch, genau führte sie
den Tanz. Sie trat so scharf und so sicher zwischen
die Eier hinein, bei den Eiern nieder, daß man jeden 20
Augenblick dachte, sie müsse eins zertreten oder bei
schnellen Wendungen das andere fortschleudern.
Mit nichten! Sie berührte keines, ob sie gleich mit
allen Arten von Schritten, engen und weiten, ja
sogar mit Sprüngen und zuletzt halb knieend sich 25
durch die Reihen durchwand. Unaufhaltsam wie
ein Uhrwerk lief sie ihren Weg, und die sonderbare
Musik gab dem immer wieder von vorne anfangen-
den und losrauschenden Tanze bei jeder Wiederholung einen neuen Stoß. Wilhelm war von dem 30
sonderbaren Schauspiel ganz hingerissen; er vergaß
seiner Sorgen, folgte jeder Bewegung der geliebten
Kreatur und war verwundert, wie in diesem Tanze

sich ihr Charakter vorzüglich entwickelte. Streng,
scharf, trocken, heftig und in sanften Stellungen mehr
feierlich als angenehm, zeigte sie sich. Er empfand,
was er schon für Mignon gefühlt, in diesem Augen-
5 blicke auf einmal. Er sehnte sich dieses verlassene
Wesen an Kindesstatt seinem Herzen einzuverleiben,
es in seine Arme zu nehmen und mit der Liebe eines
Vaters Freude des Lebens in ihm zu erwecken.

Der Tanz ging zu Ende; sie rollte die Eier mit
10 den Füßen sachte zusammen auf ein Häufchen, ließ
keines zurück, beschädigte keines und stellte sich
dazu, indem sie die Binde von den Augen nahm und
ihr Kunststück mit einem Bückling endigte. Wilhelm
dankte ihr, daß sie ihm den Tanz, den er zu sehen
15 gewünscht, so artig und unvermutet vorgetragen
habe. Er streichelte sie und bedauerte, daß sie
sich's habe so sauer werden lassen. Er versprach
ihr ein neues Kleid, worauf sie heftig antwortete:
„Deine Farbe!" Auch das versprach er ihr, ob er
20 gleich nicht deutlich wußte, was sie darunter meinte.
Sie nahm die Eier zusammen, den Teppich unter
den Arm, fragte, ob er noch etwas zu befehlen habe,
und schwang sich zur Türe hinaus. Von dem
Musikus erfuhr er, daß sie sich seit einiger Zeit
25 viele Mühe gegeben ihm den Tanz, welcher der
bekannte Fandango war, so lange vorzusingen, bis
er ihn habe spielen können.

Wilhelm Meisters Lehrjahre, ii (1794)

87 *Hamlet*

DENKEN Sie sich einen Prinzen, dessen Vater
unvermutet stirbt. Ehrgeiz und Herrschsucht

sind nicht die Leidenschaften, die ihn beleben; er
hatte sich's gefallen lassen Sohn eines Königs zu
sein; aber nun ist er erst genötigt auf den Abstand
aufmerksamer zu werden, der den König vom
Untertan scheidet. Das Recht zur Krone war nicht 5
erblich, und doch hätte ein längeres Leben seines
Vaters die Ansprüche seines einzigen Sohnes mehr
befestigt und die Hoffnung zur Krone gesichert.
Dagegen sieht er sich nun durch seinen Oheim,
ungeachtet scheinbarer Versprechungen, vielleicht 10
auf immer ausgeschlossen; er fühlt sich nun so arm
an Gnade, an Gütern und fremd in dem, was er von
Jugend auf als sein Eigentum betrachten konnte.
Hier nimmt sein Gemüt die erste traurige Richtung.
Er fühlt, daß er nicht mehr, ja nicht so viel ist als 15
jeder Edelmann; er gibt sich für einen Diener eines
jeden, er ist nicht höflich, nicht herablassend, nein,
herabgesunken und bedürftig. Nach seinem vorigen
Zustande blickte er nur wie nach einem verschwun-
denen Traume. Vergebens, daß sein Oheim ihn 20
aufmuntern, ihm seine Lage aus einem andern
Gesichtspunkte zeigen will; die Empfindung seines
Nichts verläßt ihn nie. Der zweite Schlag, der ihn
traf, verletzte tiefer, beugte noch mehr. Es ist die
Heirat seiner Mutter. Ihm, einem treuen und 25
zärtlichen Sohne, blieb, da sein Vater starb, eine
Mutter noch übrig; er hoffte in Gesellschaft seiner
hinterlaßnen edlen Mutter die Heldengestalt jenes
großen Abgeschiedenen zu verehren; aber auch
seine Mutter verliert er, und es ist schlimmer, als 30
wenn sie ihm der Tod geraubt hätte. Das zuver-
lässige Bild, das sich ein wohlgeratnes Kind so gern
von seinen Eltern macht, verschwindet; bei dem

Toten ist keine Hilfe und an der Lebendigen kein
Halt. Sie ist auch ein Weib, und unter dem allgemeinen Geschlechtsnamen Gebrechlichkeit ist
auch sie begriffen. Nun erst fühlt er sich recht
5 gebeugt, nun erst verwaist, und kein Glück der Welt
kann ihm wieder ersetzen, was er verloren hat.
Nicht traurig, nicht nachdenklich von Natur, wird
ihm Trauer und Nachdenken zur schweren Bürde.
So sehen wir ihn auftreten.

10 Denken Sie sich diesen Jüngling, diesen Fürsten-
sohn recht lebhaft, vergegenwärtigen Sie sich seine
Lage, und dann beobachten Sie ihn, wenn er erfährt,
die Gestalt seines Vaters erscheine; stehen Sie ihm
bei in der schrecklichen Nacht, wenn der ehr-
15 würdige Geist selbst vor ihm auftritt. Ein ungeheures Entsetzen ergreift ihn; er redet die Wunder-
gestalt an, sieht sie winken, folgt und hört — die
schrecklichste Anklage wider seinen Oheim ertönt
in seinen Ohren, Aufforderung zur Rache und die
20 dringende wiederholte Bitte: Erinnere dich meiner!
Und da der Geist verschwunden ist, wen sehen wir
vor uns stehen? Einen jungen Helden, der nach
Rache schnaubt? Einen gebornen Fürsten, der sich
glücklich fühlt gegen den Usurpator seiner Krone
25 aufgefordert zu werden? Nein! Staunen und
Trübsinn überfällt den Einsamen; er wird bitter
gegen die lächelnden Bösewichter, schwört den
Abgeschiedenen nicht zu vergessen, und schließt
mit dem bedeutenden Seufzer: „Die Zeit ist aus dem
30 Gelenke; wehe mir, daß ich geboren ward sie wieder
einzurichten." In diesen Worten, dünkt mich, liegt
der Schlüssel zu Hamlets ganzem Betragen, und mir
ist deutlich, daß Shakespeare habe schildern wollen;

eine große Tat auf eine Seele gelegt, die der Tat
nicht gewachsen ist. Und in diesem Sinne find' ich
das Stück durchgängig gearbeitet. Hier wird ein
Eichbaum in ein köstliches Gefäß gepflanzt, das
nur liebliche Blumen in seinen Schoß hätte auf- 5
nehmen sollen; die Wurzeln dehnen sich aus, das
Gefäß wird zernichtet. Ein schönes, reines, edles,
höchst moralisches Wesen ohne die sinnliche Stärke,
die den Helden macht, geht unter einer Last zu
Grunde, die es weder tragen noch abwerfen kann; 10
jede Pflicht ist ihm heilig, diese zu schwer. Das
Unmögliche wird von ihm gefordert, nicht das
Unmögliche an sich sondern das, was ihm unmöglich
ist. Wie er sich windet, dreht, ängstigt, vor- und
zurücktritt, immer erinnert wird, sich immer 15
erinnert und zuletzt fast seinen Zweck aus dem
Sinne verliert, ohne doch jemals wieder froh zu
werden!

Wilhelm Meisters Lehrjahre, iv (1795)

88   *Lessings „Minna von Barnhelm"*

DIE literarische Epoche, in der ich geboren bin,
entwickelte sich aus der vorhergehenden durch 20
Widerspruch. Deutschland, so lange von auswärtigen Völkern überschwemmt, von andern
Nationen durchdrungen, in gelehrten und diplo-
matischen Verhandlungen an fremde Sprache ge-
wiesen, konnte seine eigene unmöglich ausbilden. 25
Es drangen sich ihr zu so manchen neuen Begriffen
auch unzählige fremde Worte nötiger und unnötiger Weise mit auf, und auch für schon bekannte
Gegenstände ward man veranlaßt sich ausländischer

Ausdrücke und Wendungen zu bedienen. Der Deutsche, seit beinahe zwei Jahrhunderten in einem unglücklichen tumultuarischen Zustande verwildert, begab sich bei den Franzosen in die Schule um 5 lebensartig zu werden, und bei den Römern um sich würdig auszudrücken. Betrachtet man genau, was der deutschen Poesie fehlte, so war es ein Gehalt, und zwar ein nationeller; an Talenten war niemals Mangel. Der erste wahre und höhere eigentliche 10 Lebensgehalt kam durch Friedrich den Großen und die Taten des Siebenjährigen Krieges in die deutsche Poesie.

Eines Werks, der wahrsten Ausgeburt des Siebenjährigen Krieges, von vollkommenem norddeutschen 15 Nationalgehalt, muß ich hier vor allen ehrenvoll erwähnen; es ist die erste aus dem bedeutenden Leben gegriffene Theaterproduktion von spezifisch temporärem Gehalt, die deswegen auch eine nie zu berechnende Wirkung tat: *Minna von Barnhelm.* 20 Lessing, der im Gegensatze von Klopstock und Gleim die persönliche Würde gern wegwarf, weil er sich zutraute sie jeden Augenblick wieder ergreifen und aufnehmen zu können, gefiel sich in einem zerstreuten Wirtshaus- und Weltleben, da er gegen 25 sein mächtig arbeitendes Innere stets ein gewaltiges Gegengewicht brauchte, und so hatte er sich auch in das Gefolge des Generals Tauentzien begeben. Man erkennt leicht, wie genanntes Stück zwischen Krieg und Frieden, Haß und Neigung erzeugt ist. 30 Diese Produktion war es, die den Blick in eine höhere, bedeutendere Welt aus der literarischen und bürgerlichen, in welcher sich die Dichtkunst bisher bewegt hatte, glücklich eröffnete. Die gehässige

Spannung, in welcher Preußen und Sachsen sich
während dieses Kriegs gegen einander befanden,
konnte durch die Beendigung desselben nicht aufgehoben werden. Der Sachse fühlte nun erst recht
schmerzlich die Wunden, die ihm der überstolz 5
gewordene Preuße geschlagen hatte. Durch den
politischen Frieden konnte der Friede zwischen den
Gemütern nicht sogleich hergestellt werden.
Dieses aber sollte gedachtes Schauspiel im Bilde
bewirken. Die Anmut und Liebenswürdigkeit der 10
Sächsinnen überwindet den Wert, die Würde, den
Starrsinn der Preußen, und sowohl an den Hauptpersonen als den Subalternen wird eine glückliche
Vereinigung bizarrer und widerstrebender Elemente
kunstgemäß dargestellt.   15

Dichtung und Wahrheit, vii (1812)

89   *Sanct Rochus-Fest zu Bingen*

SO gelangten wir nach Rüdesheim, wo uns der
Gasthof „Zur Krone", unfern des Tores anmutig
gelegen, sogleich anlockte. Er ist an einen alten
Turm angebaut und läßt aus den vordern Fenstern
rheinabwärts, aus der Rückseite rheinaufwärts 20
blicken. Ein frischer Wind blies uns ins Angesicht,
günstig den Herüber- wie Hinüberfahrenden. Schon
sind die Schiffer rege und beschäftigt; die Segel
werden bereitet, und ein überdrängtes Schiff nach
dem andern stößt ab. Nun ist es Zeit! auch wir sind 25
mitten auf dem Flusse, Segel und Ruder wetteifern
mit Hunderten. Ausgestiegen bemerken wir sogleich
am Fuße des Hügels wundersame Felsen. Den
steilsten, zickzack über Felsen springenden Steg

erklommen wir mit Hundert und aber Hunderten,
langsam, öfters rastend und scherzend. Oben um
die Kapelle finden wir Drang und Bewegung, und
nun ergreift uns das Gewühl. Eine Reihe von
5 Buden, wie ein Kirchweihfest sie fordert, stehen unfern der Kapelle. Voran geordnet sieht man Kerzen,
gelbe, weiße, gemalte, dem verschiedenen Vermögen
der Weihenden angemessen; Rosenkränze aller Art
fanden sich häufig. Eine große Bewegung ver-
10 kündet: nun komme die Hauptprozession von
Bingen herauf. Man eilt ihr entgegen. Die Prozession kommt bergauf. Vorweg die kleinsten Knaben,
Jünglinge und Männer hinterdrein. Getragen der
heilige Rochus in schwarzsamtenem Pilgerkleide,
15 dazu einen langen goldverbrämten Königsmantel,
unter welchem ein kleiner Hund, das Brot zwischen
den Zähnen haltend, hervorschaut. Ein rotseidner
Baldachin wankte herauf; unter ihm verehrte man
das Hochwürdigste, vom Bischof getragen, von
20 Geistlichwürdigen umgeben, von Kriegern begleitet,
gefolgt von zeitigen Autoritäten. Alles drängte sich
nun gegen die Kapelle und strebte zu derselben
hinein. Wir, durch die Woge seitwärts geschoben,
verweilten im Freien um der weiten Aussicht zu
25 genießen, die sich in das Tal eröffnet. Nun wurden
wir aber sogleich gewahr, daß wir uns dem Lebensgenusse näherten. Gezelte, Buden, Bänke, Schirme
aller Art standen hier aufgereiht. Ein willkommener
Geruch gebratenen Fettes drang uns entgegen.
30 Beschäftigt fanden wir eine junge tätige Wirtin,
umgehend einen glühenden Aschenhaufen, frische
Würste zu braten. Durch eigenes Handreichen und
vieler flinker Diener unablässige Bemühung wußte

sie einer solchen Masse von zuströmenden Gästen
genug zu tun. Auch wir, mit dampfender Speise
nebst frischem Brot reichlich versehen, bemühten
uns Platz an einem geschirmten, langen, schon
besetzten Tische zu nehmen. Freundliche Leute 5
rückten zusammen, und wir erfreuten uns ange-
nehmer Nachbarschaft, ja liebenswürdiger Gesellschaft. Muntere Kinder tranken Wein wie die
Alten. Braune Krüglein mit weißem Namenszug
des Heiligen rundeten im Familienkreise. Auch wir 10
hatten dergleichen angeschafft und setzten sie
wohlgefüllt vor uns nieder.

Eine neue Bewegung deutet auf neues Ereignis:
man eilt zur Predigt. Eine steinerne Kanzel, außen
an der Kirchmauer, ist nur von innen zugänglich. 15
Der Prediger tritt hervor, ein Geistlicher in den
besten Jahren. Die Sonne steht hoch, daher ihm
ein Knabe den Schirm überhält. Er spricht mit
klarer verständlicher Stimme einen rein verständigen
Vortrag. Wir Zuhörenden schauten indes zu dem 20
reinen Gewölbe des Himmels hinauf: das klarste
Blau war von hinschwebenden Wolken belebt. Die
Aufmerksamkeit auf jedes Wort war groß, die
Zuhörer unübersehbar. Alle einzeln herange-
kommenen Wallfahrer und alle vereinigten Prozes- 25
sionen standen hier versammelt, nachdem sie
vorher ihre Fahnen an die Kirche zur linken Hand
des Predigers angelehnt hatten. Drei Muttergottes-
bilder von verschiedener Größe standen neu und
frisch im Sonnenscheine, die langen rosenfarbenen 30
Schleifenbänder flatterten munter und lustig im
Zugwinde. Die Predigt endigte gewiß für alle
heilsam: denn jeder hatte die deutlichen Worte

vernommen und jeder die verständigen praktischen
Lehren beherzigt. Nun kehrt der Bischof zur
Kirche zurück; was drinnen vorgegangen, blieb uns
verborgen. Den Widerhall des Tedeum vernahmen
5 wir von außen. Das Ein- und Ausströmen der
Menge war höchst bewegt, das Fest neigte sich zu
seiner Auflösung. Die Prozessionen reihten sich,
um abzuziehen; die Rüdesheimer, als zuletzt angekommen, entfernten sich zuerst. Wir sehnten uns
10 aus dem Wirrwarr und zogen deshalb mit der
ruhigen und ernsten Binger Prozession hinab. So
wie den ganzen Morgen also auch auf diesem Rückwege begleitete uns die hohe Sonne, obgleich
aufsteigende vorüberziehende Wolken zu einem
15 ersehnten Regen Hoffnung gaben; und wirklich
strömte er endlich alles erquickend nieder und hielt
lange genug an, daß wir die ganze Landesstrecke
erfrischt fanden. Und so hatte der heilige Rochus,
wahrscheinlich auf andere Nothelfer wirkend,
20 seinen Segen auch außer seiner eigentlichen Ob-
liegenheit reichlichst erwiesen.

Sanct Rochus-Fest zu Bingen (1816)

90   *An Thomas Carlyle*

Weimar, den 20. Juli 1827

IN einem Schreiben vom 15. Mai, welches ich mit
der Post absendete und Sie hoffentlich zu rechter
Zeit werden erhalten haben, vermeldete ich, wie
25 viel Vergnügen mir Ihre Sendung gebracht. Sie
fand mich auf dem Lande, wo ich sie mit mehrerer
Ruhe betrachten und genießen konnte. Gegenwärtig sehe ich mich in dem Stande auch ein Paket

an Sie abzuschicken mit dem Wunsche freundlicher Aufnahme.

Lassen Sie mich vorerst, mein Teuerster, von Ihrer Biographie Schillers das Beste sagen: sie ist merkwürdig, indem sie ein genaues Studium der 5 Vorfälle seines Lebens beweist, so wie denn auch das Studium seiner Werke und eine innige Teilnahme an denselben daraus hervorgeht. Bewundernswürdig ist es, wie Sie sich auf diese Weise eine genügende Einsicht in den Charakter und das hohe 10 Verdienstliche dieses Mannes verschafft, so klar und so gehörig als es kaum aus der Ferne zu erwarten gewesen. Hier bewahrheitet sich jedoch ein altes Wort: „der gute Wille hilft zu vollkommener Kenntnis." Denn gerade daß der Schottländer den 15 deutschen Mann mit Wohlwollen anerkennt, ihn verehrt und liebt, dadurch wird er dessen treffliche Eigenschaften am sichersten gewahr, dadurch erhebt er sich zu einer Klarheit zu der sogar Landsleute des Trefflichen in früheren Tagen nicht gelangen 20 konnten; denn die Mitlebenden werden an vorzüglichen Menschen gar leicht irre; das Besondere der Person stört sie, das laufende bewegliche Leben verrückt ihre Standpunkte und hindert das Kennen und Anerkennen eines solchen Mannes. 25

Offenbar ist das Bestreben der besten Dichter und ästhetischen Schriftsteller aller Nationen schon seit geraumer Zeit auf das allgemein Menschliche gerichtet. In jedem Besondern, es sei nun historisch, mythologisch, fabelhaft, mehr oder weniger will- 30 kürlich ersonnen, wird man durch Nationalität und Persönlichkeit hindurch jenes Allgemeine immer mehr durchleuchten und durchschimmern sehn.

Da nun auch im praktischen Lebensgange ein
Gleiches obwaltet und durch alles Irdisch-Rohe,
Wilde, Grausame, Falsche, Eigennützige, Lügen-
hafte sich durchschlingt und überall einige Milde zu
5 verbreiten trachtet, so ist zwar nicht zu hoffen, daß
ein allgemeiner Friede dadurch sich einleite, aber
doch daß der unvermeidliche Streit nach und nach
läßlicher werde, der Krieg weniger grausam, der
Sieg weniger übermütig. Was nun in den Dich-
10 tungen aller Nationen hierauf hindeutet und hin-
wirkt, dies ist es, was die übrigen sich anzueignen
haben. Die Besonderheiten einer jeden muß man
kennen lernen, um sie ihr zu lassen, um gerade
dadurch mit ihr zu verkehren; denn die Eigen-
15 heiten einer Nation sind wie ihre Sprache und ihre
Münzsorten, sie erleichtern den Verkehr, ja sie
machen ihn erst vollkommen möglich. Eine wahrhaft allgemeine Duldung wird am sichersten erreicht,
wenn man das Besondere der einzelnen Menschen
20 und Völkerschaften auf sich beruhen läßt, bei der
Überzeugung jedoch festhält, daß das wahrhaft
Verdienstliche sich dadurch auszeichnet, daß es der
ganzen Menschheit angehört. Zu einer solchen
Vermittlung und wechselseitigen Anerkennung
25 tragen die Deutschen seit langer Zeit schon bei.
Wer die deutsche Sprache versteht und studiert,
befindet sich auf dem Markte, wo alle Nationen
ihre Waren anbieten; er spielt den Dolmetscher,
indem er sich selbst bereichert. Und so ist jeder
30 Übersetzer anzusehen, daß er sich als Vermittler
dieses allgemein geistigen Handels bemüht und den
Wechseltausch zu befördern sich zum Geschäft
macht. Denn was man auch von der Unzulänglich-

keit des Übersetzens sagen mag, so ist und bleibt es doch eins der wichtigsten und würdigsten Geschäfte in dem allgemeinen Weltwesen.

Nach allem diesem finde ich mich doch noch angeregt einiges hinzuzufügen: möge Herr Carlyle alles Obige freundlich aufnehmen und durch anhaltende Betrachtung in ein Gespräch verwandeln, damit es ihm zu Mute werde, als wenn wir persönlich einander gegenüber ständen. Hab' ich ihm ja sogar noch für die Bemühung zu danken, die er an meine Arbeiten gewendet hat, für den guten und wohlwollenden Sinn, mit dem er von meiner Persönlichkeit und meinen Lebensereignissen zu sprechen geneigt war. In dieser Überzeugung darf ich mich denn auch zum voraus freuen, daß künftighin, wenn noch mehrere meiner Arbeiten ihm bekannt werden, besonders auch wenn meine Korrespondenz mit Schiller erscheinen wird, er weder von diesem Freunde noch von mir seine Meinung ändern sondern sie vielmehr durch manches Besondere noch mehr bestätigt finden wird.

Das Beste herzlich wünschend, treu teilnehmend

J. W. v. GOETHE

91 *Sprüche*

i

ES ist mit den Jahren wie mit den Sibyllinischen Büchern: je mehr man ihrer verbrennt, desto teurer werden sie.

ii

Die Frage: „Woher hat's der Dichter?" geht nur auf's Was; vom Wie erfährt dabei niemand etwas.

iii

Alles Gescheite ist schon gedacht worden; man muß nur versuchen es noch einmal zu denken.

iv

5 Es gibt keine patriotische Kunst und keine patriotische Wissenschaft. Beide gehören, wie alles hohe Gute, der ganzen Welt und können nur durch allgemeine freie Wechselwirkung aller zugleich Lebenden gefördert werden.

v

10 Wie kann man sich selbst kennen lernen? Durch Betrachten niemals, wohl aber durch Handeln. Versuche deine Pflicht zu tun, and du weißt gleich, was an dir ist. Was aber ist deine Pflicht? Die Forderung des Tages.

vi

15 Wer fremde Sprachen nicht kennt, weiß nichts von seiner eigenen.

vii

Die Geschichte der Wissenschaften ist eine große Fuge, in der die Stimmen der Völker nach und nach zum Vorschein kommen.

JOHANN WOLFGANG VON GOETHE

viii

Das schönste Glück des denkenden Menschen ist das Erforschliche erforscht zu haben und das Unerforschliche ruhig zu verehren.

ix

Die Welt ist so leer, wenn man nur Berge, Flüsse und Städte darin denkt; aber hie und da jemand zu 5 wissen, der mit uns übereinstimmt, mit dem wir auch stillschweigend fortleben, das macht dieses Erdenrund erst zu einem bewohnten Garten.

x

Aller Anfang ist leicht, und die letzten Stufen werden am schwersten erstiegen. 10

xi

Wie von unsichtbaren Geistern gepeitscht, gehen die Sonnenpferde der Zeit mit unsers Schicksals leichtem Wagen durch; und uns bleibt nichts als mutig gefaßt die Zügel festzuhalten und bald rechts bald links, vom Steine hier vom Sturze da, die Räder 15 wegzulenken. Wohin es geht, wer weiß es? Erinnert er sich doch kaum, woher er kam.

xii

Es ist dafür gesorgt, daß die Bäume nicht in den Himmel wachsen.

Über sich selbst

i

DIE weitschweifige Periode, in welche meine
Jugend gefallen war, hatte ich treufleißig, in
Gesellschaft so vieler würdigen Männer, durch-
gearbeitet. Die mehreren Quartbände Manuskript,
5 die ich meinem Vater zurückließ, konnten zum
genugsamen Zeugnisse dienen, und welche Masse
von Versuchen, Entwürfen, bis zur Hälfte ausgeführten Vorsätzen war mehr aus Mißmut als aus
Überzeugung in Rauch aufgegangen! Nun lernte
10 ich durch Unterredung überhaupt, durch Lehre,
durch so manche widerstreitende Meinung, das
Bedeutende des Stoffs und das Konzise der Behandlung mehr und mehr schätzen, ohne mir jedoch klar
machen zu können, wo jenes zu suchen und wo
15 dieses zu erreichen sei. Denn bei der großen Beschränktheit meines Zustandes, bei der Gleich-
gültigkeit der Gesellen, dem Zurückhalten der
Lehrer, der Abgesondertheit gebildeter Einwohner,
bei ganz unbedeutenden Naturgegenständen war
20 ich genötigt alles in mir selbst zu suchen. Verlangte
ich nun zu meinen Gedichten eine wahre Unterlage,
Empfindung oder Reflexion, so mußte ich in meinen
Busen greifen; forderte ich zu poetischer Darstellung eine unmittelbare Anschauung des Gegenstan-
25 des, der Begebenheit, so durfte ich nicht aus dem
Kreise heraustreten, der mich zu berühren, mir ein
Interesse einzuflößen geeignet war. In diesem Sinne
schrieb ich zuerst gewisse kleine Gedichte in Lieder-
form oder freierem Silbenmaß; sie entspringen

aus Reflexion, handeln vom Vergangenen und nehmen
meist eine epigrammatische Wendung.

Und so begann diejenige Richtung, von der ich
mein ganzes Leben über nicht abweichen konnte,
nämlich dasjenige was mich erfreute oder quälte 5
oder sonst beschäftigte, in ein Bild, ein Gedicht
zu verwandeln und darüber mit mir selbst abzu-
schließen, um sowohl meine Begriffe von den
äußern Dingen zu berichtigen als mich im Innern
deshalb zu beruhigen. Die Gabe hierzu war wohl 10
niemand nötiger als mir, den seine Natur immerfort
aus einem Extreme in das andere warf. Alles was
daher von mir bekannt geworden, sind nur Bruchstücke einer großen Konfession.

Dichtung und Wahrheit, vii (1811)

93 *ii*

MAN hat mich immer als einen vom Glück 15
besonders Begünstigten gepriesen; auch will
ich mich nicht beklagen und den Gang meines
Lebens nicht schelten. Allein im Grunde ist es
nichts als Mühe und Arbeit gewesen, und ich kann
wohl sagen, daß ich in meinen fünfundsiebzig Jahren 20
keine vier Wochen eigentliches Behagen gehabt.
Es war das ewige Wälzen eines Steins, der immer von
neuem gehoben sein wollte. Der Ansprüche an
meine Tätigkeit, sowohl von außen als innen, waren
zu viele. Mein eigentliches Glück war mein 25
poetisches Sinnen und Schaffen. Allein wie sehr
war dieses durch meine äußere Stellung gestört,
beschränkt und gehindert. Hätte ich mich mehr
vom öffentlichen und geschäftlichen Wirken und

Treiben zurückhalten und mehr in der Einsamkeit
leben können, ich wäre glücklicher gewesen und
würde als Dichter weit mehr gemacht haben.

Zu Eckermann, 27. Jan. 1824

94   *iii*

KRIEGSLIEDER schreiben und im Zimmer
sitzen — das wäre meine Art gewesen! Aus
dem Biwak heraus, wo man nachts die Pferde der
feindlichen Vorposten wiehern hört: da hätte ich
es mir gefallen lassen! Aber das war nicht mein
Leben und nicht meine Sache, sondern die von
Theodor Körner. Ihm kleiden seine Kriegslieder
auch ganz vollkommen. Bei mir aber, der ich keine
kriegerische Natur bin und keinen kriegerischen
Sinn habe, würden Kriegslieder eine Maske gewesen
sein, die mir sehr schlecht zu Gesicht gestanden
hätte.

Ich habe in meiner Poesie nie affektiert. Was ich
nicht lebte und was mir nicht auf die Nägel brannte
und zu schaffen machte, habe ich auch nicht gedichtet
und ausgesprochen. Liebesgedichte habe ich nur
gemacht, wenn ich liebte. Wie hätte ich nun Lieder
des Hasses schreiben können ohne Haß? Und ich
haßte die Franzosen nicht, wiewohl ich Gott dankte,
als wir sie los waren. Wie hätte auch ich, dem nur
Kultur und Barbarei Dinge von Bedeutung sind,
eine Nation hassen können, die zu den kultiviertesten
der Erde gehört und der ich einen so großen Teil
meiner eigenen Bildung verdanke! Überhaupt ist es
mit dem Nationalhaß ein eigenes Ding. Auf den
untersten Stufen der Kultur werden Sie ihn immer

am stärksten und heftigsten finden. Es gibt aber
eine Stufe, wo er ganz verschwindet, und wo man
gewissermaßen über den Nationen steht und man
ein Glück oder ein Wehe seines Nachbarvolkes
empfindet als wäre es dem eigenen begegnet. Diese 5
Kulturstufe war meiner Natur gemäß, und ich hatte
mich darin lange befestigt, ehe ich mein sechzigstes
Jahr erreicht hatte.

Zu Eckermann, 14. März 1830

JOHANNES VON MÜLLER

1752–1809

95   *Wilhelm Tell*

INDES trug sich zu, daß der Vogt Hermann
Geßler totgeschossen wurde durch Wilhelm Tell, 10
einen Urner, der einer der Verschwornen war. Der
Vogt, aus tyrannischem Argwohn oder auf erhaltene
Warnung bevorstehender Unruhen, unternahm zu
prüfen, wer seine Herrschaft am ungeduldigsten
ertrug, und ein Hut sollte die Ehre des Herzogs 15
vorstellen. Die Freunde der Freiheit wollte er dazu
bringen die Hauptzier des Fürsten zu ehren, dem
sie nicht gehorchen wollten. Ein Jüngling, Tell,
der Freiheit Freund, verschmähte den Hut in
solchem Sinne zu ehren; durch voreilige Äußerung 20
seiner Denkungsart bewog er den Vogt sich seiner
zu versichern. Dieser übte den Mutwillen der
Tyrannei so, daß Wilhelm Tell seinem Sohn einen
Apfel von dem Haupt schießen mußte. Nach der
Tat übernahm den Mann das Gefühl, daß Gott mit 25
ihm sei, so daß er bekannte, er würde bei schlim-
merem Glück den Sohn gerochen haben. Der Vogt

getraute sich nicht Wilhelm Tell im Lande Uri
hiefür gefangen zu halten sondern führte ihn über
den Waldstettensee. Da sie nicht weit jenseit des
Rütlis gekommen, brach aus den Schlünden des
5 Gotthards plötzlich der Föhn mit seiner eigentümlichen Gewalt los: es warf der enge See die Wellen
wütend hoch und tief; mächtig rauschte der
Abgrund, schaudervoll tönte durch die Felsen sein
Hall. In dieser großen Todesnot befahl Geßler voll
10 billiger Furcht, Wilhelm Tellen, einem starken,
mächtigen Mann, den er als vortrefflichen Schiffer
kannte, die Fesseln abzunehmen. Sie ruderten in
Angst vorbei die grausen Felsenufer; sie kamen bis
an den Axenberg, rechts wenn man aus Uri fährt.
15 An diesem Ort ergriff Tell sein Schießzeug und
nahm den Sprung auf einen platten Fels. Er
kletterte den Berg hinauf, der Kahn prellte an und
von dem Ufer. Tell floh durch das Land Schwyz;
auch der Vogt entkam dem Sturm. Als er aber bei
20 Küßnacht gelandet, fiel er durch Tells Pfeil in einer
hohlen Gasse hinter einem Gebüsch hervor, durch
den gerechten Zorn eines freien Mannes.

Diesen wird niemand mißbilligen als wer nicht
bedenkt, wie unerträglich dem feurigen Gemüt
25 eines tapfern Jünglings Hohn und Unterdrückung
der uralten Freiheit des Vaterlandes war. Seine
Tat war nicht nach den eingeführten Gesetzen
sondern wie die, welche in den alten Geschichten
und in den heiligen Büchern an den Befreiern
30 Athens und Roms und an vielen Helden der alten
Hebräer darum gerühmt werden, auf daß für
Zeiten, wo die uralte Freiheit eines friedsamen
Volks überlegener Macht nicht widerstehen könnte,

zum Lohn der Unterdrücker solche Männer auf-
genährt werden. Gesetzmäßige Regenten sind
heilig; daß Unterdrücker nichts zu fürchten haben
ist weder nötig noch gut.

Die Geschichte der Schweizer (1780)

ADOLF VON KNIGGE

1752–96

96 *Ratschläge fürs Leben*

STREBE nach Vollkommenheit in der Durch- 5
bildung des Charakters, aber nicht nach dem
Scheine derselben. Sei nicht gar zu sehr ein Sklave
der Meinungen, welche andere von dir hegen. Sei
selbständig. Was kümmert dich am Ende das Urteil
der ganzen Welt, wenn du tust, was du nach Pflicht 10
und Gewissen und nach deiner redlichen Überzeugung tun sollst? Und was ist der ganze Prunk
von äußeren Tugenden wert, wenn dieser Flitter-
putz nur über ein schwaches, niederes Herz gebreitet ist, um vor der Welt damit zu prahlen? 15
Vor allen Dingen wache über dich, daß du nie die
innere Zuversicht zu dir selber, das Vertrauen auf
Gott, auf gute Menschen und auf das Schicksal
verlierst. Wenn der, welcher sich für dich verwenden
oder mit dir zu einem bestimmten Zwecke ver- 20
binden soll, auf deiner Stirne Mißmut, Verzagtheit
oder Unentschlossenheit lesen muß, so zieht er
sich wahrscheinlich zurück. Sind es Unglückliche,
welchen du dich nähern mußt, so nimm nicht jede
ihrer Äußerungen im wörtlichen Verstande, sondern 25
übersetze sie aus der übertreibenden Sprache des

Leidens in die des gesunden und ruhigen Lebens.
Denn man ist im Unglück sehr oft ungerecht; jede
kleine böse Laune, jede kleine Miene von Kälte
deutet man auf sich; man meint, jeder sehe es uns
5 an, daß wir leiden, und er weiche vor der Bitte
zurück, die wir an ihn tun könnten. Schreibe aber
auch nicht anderer Verdienst auf deine Rechnung.
Wenn man dir, aus Achtung gegen einen deiner
geachteten Angehörigen, Höflichkeit oder Aus-
10 zeichnung beweist, so brüste dich damit nicht,
sondern sei verständig genug zu bedenken, daß dies
alles vielleicht wegfallen würde, wenn du einzeln
aufträtest. Wohl aber suche zu verdienen, daß man
dich um deiner selbst willen ehre. Denn wie das
15 selbsterworbene Gut viel köstlicher, ehrenvoller und
herzerhebender ist als das mühelos dir zugefallene,
so verhält es sich auch mit Auszeichnungen.

Über den Umgang mit Menschen (1788)

97   *Jugendfreunde*

KEINE freundschaftliche Verbindung pflegt
dauerhafter zu sein als die, welche in der
20 frühen Jugend geschlossen wird. Man ist da noch
weniger mißtrauisch, weniger schwierig in Kleinigkeiten; das Herz ist offener, geneigter sich mitzuteilen, sich anzuschließen; die Charaktere fügen
sich leichter zusammen; man gibt von allen Seiten
25 nach und setzt sich in gleiche Stimmung; man macht
gemeinschaftliche Erfahrungen, hat gemeinschaftliche Freuden und Genüsse, gibt sich mit un-
beschränktem Vertrauen hin und wird späterhin
durch die süße Erneuerung der Jugendzeit immer

wieder zu einander hingezogen. Dazu kommen dann
Gewohnheit und Bedürfnis: wird einer aus dem
vertrauten Kreise durch den Tod hinweggerissen,
so kettet das die übrigbleibenden Gefährten desto
fester aneinander.—Ganz anders ist die Gemüts- 5
stimmung in spätern Jahren. Von Menschen und
Schicksalen vielfältig getäuscht, werden wir verschloßner, trauen nicht so leicht: das Herz steht
unter der Vormundschaft der Vernunft, die genauer abwägt und sich selbst Rat zu schaffen sucht, 10
bevor sie sich andern anvertraut. Man fordert mehr,
ist schwieriger in der Wahl, nicht mehr so lüstern
nach neuen Bekanntschaften, wird nicht so lebhaft
betroffen von glänzenden Außenseiten; man hat
echtere Begriffe von sittlicher Vollkommenheit, von 15
dauerhaften Bündnissen, von den Bedingungen
einer gänzlichen Hingebung; der Charakter ist
fester; die Grundsätze sind geläutert und befestigt:
die Ansicht des Lebens ist eine höhere geworden.
Darum wird es schwerer eine dauerhafte Harmonie 20
zustande zu bringen; und endlich sind wir in so
manche Verbindungen verflochten, daß wir kaum
Muße und wenigstens selten Drang haben neue zu
schließen. Darum sollten Jugendfreunde nicht vernachlässigt und Jugendfreundschaften immer wieder 25
erneuert und belebt werden; es geht Unersetzliches
verloren, wenn man einen Jugendfreund verliert;
sein Umgang ist die Würze des Lebens.

Über den Umgang mit Menschen (1788)

GEORG FORSTER

1754–94

98   *Der Kölner Dom*

WIR gingen in den Dom und blieben darin, bis
wir im tiefen Dunkel nichts mehr unterscheiden konnten. So oft ich Köln besuche, geh' ich
immer wieder in diesen herrlichen Tempel, um die
5 Schauer des Erhabenen zu fühlen. Vor der Kühnheit der Meisterwerke stürzt der Geist voll Erstaunen
und Bewunderung zur Erde; dann hebt er sich
wieder mit stolzem Flug über das Vollbringen hinweg, das nur eine Idee eines verwandten Geistes war.
10 Wir fühlen Jahrhunderte später dem Künstler nach
und ahnen die Bilder seiner Phantasie, indem wir
diesen Bau durchwandern. Die Pracht des himmelan
sich wölbenden Chors hat eine majestätische Einfalt,
die alle Vorstellung übertrifft. In ungeheurer Länge
15 stehen die Gruppen schlanker Säulen da wie die
Bäume eines uralten Forstes: nur am höchsten
Gipfel sind sie in eine Krone von Ästen gespalten,
die sich mit ihren Nachbaren in spitzen Bogen
wölbt und dem Auge, das ihnen folgen will, fast
20 unerreichbar ist. Läßt sich auch schon das Unermeßliche des Weltalls nicht im beschränkten Raume
versinnlichen, so liegt gleichwohl in diesem kühnen
Emporstreben der Pfeiler und Mauern das Unauf-
haltsame, welches die Einbildungskraft so leicht in
25 das Grenzenlose verlängert. Die griechische Baukunst ist unstreitig der Inbegriff des Vollendeten,
Übereinstimmenden, Beziehungsvollen, Erlesenen,
mit einem Worte: des Schönen. Hier indessen an
den gotischen Säulen, die einzeln genommen wie

Rohrhalme schwanken würden und nur in großer
Anzahl zu einem Schafte vereinigt Masse machen
und ihren geraden Wuchs behalten können, unter
ihren Bogen, die gleichsam auf nichts ruhen, luftig
schweben wie die schattenreichen Wipfelgewölbe des 5
Waldes — hier schwelgt der Sinn im Übermut des
künstlerischen Beginnens. Jene griechischen Gestalten scheinen sich an alles anzuschließen, was da
ist, an alles was menschlich ist; diese stehen wie
Erscheinungen aus einer andern Welt, wie Feen- 10
paläste da, um Zeugnis zu geben von der schöpferischen Kraft im Menschen, die einen isolierten
Gedanken bis auf das äußerste verfolgen und das
Erhabene selbst auf einem exzentrischen Wege zu
erreichen weiß.   *Ansichten vom Niederrhein* (1791) 15

99   *Abend am Strande von Dover*

Den 28. Juni, 1790, abends neun Uhr

DIESEN Spaziergang am Strande gäb' ich nicht
um vieles! Es war etwa eine Stunde nach
Sonnenuntergang; der Himmel blau und heiter und
wolkenleer über uns. Das Meer rauschte auf den
Kieseln des abschüssigen Strandes fast ohne Wellen; 20
denn ein sanfter Wind hauchte nur längs seiner
Oberfläche hin, und die Ebbe milderte die Gewalt
der majestätisch anprellenden großen Kreise, die der
Krümmung des Ufers parallel in schäumenden
Linien verrauschten. Hinter uns hing Shakespeares 25
Felsen hoch und schauervoll in der Luft: eine
turmähnliche, senkrecht abgestürzte Masse, fünf-
hundert Fuß über der Meeresfläche erhaben, weiß

und nur mit etwas daranhängendem Grün verziert.
Links auf einer ähnlichen, doch etwas mindern Höhe
über dem Kieselstrande sträubten sich im magischen
Lichte der Dämmerung die malerischen Türme des
5 Schlosses von Dover gleichsam vor dem Sturz, an
dessen Rande sie standen. Und jenseits des blauen
Meeres, das links und rechts im unabsehlichen
Horizont sich verlor, lag Frankreichs weiße und
blaue Küste in manchen hervorspringenden Hügeln
10 vor uns hingestreckt. Sowie wir dieses Schauspiel
betrachteten und von einem Gegenstande zum
andern unsre Blicke wandern ließen, wachten neue
Empfindungen in uns auf.

Plötzlich, indem ich die felsenähnlichen Spitzen
15 des Schlosses betrachtete, tat mein Reisegefährte
einen Schrei des Erstaunens und Entzückens. Ich
wandte mich um und sah über dem Ufer von Calais
ein aufloderndes Feuer. Es war der Vollmond,
welcher göttlich aus dem Meere stieg und allmählich
20 sich über die Region der dichtern Dünste erhob.
Welch ein Anblick von unbeschreiblicher Einfalt und
Pracht! Bald höher und höher emporschwebend,
schickte er von Frankreichs Ufer bis nach Albion
herüber einen hellen Lichtstreif, der wie ein ge-
25 wässertes Band zwischen beiden Ländern eine
täuschende Vereinigung zu knüpfen schien. Im
Dunkel, das längs der Felsenwand unter dem Schlosse
herrschte, flimmerte ein Licht romantisch hervor;
über *Shakespeare's Cliff* hing ein schöner Stern im
30 weißesten Glanze nieder. O Natur! die Größe,
womit du die Seele erfüllst, ist heilig und erhaben
über allen Ausdruck.

Tagebuch, Reise nach England (1790)

WOLFGANG AMADEUS MOZART

1756–91

An den Baron **

100   *i*

Prag (Herbst) 1790

IHREN Brief hab ich vor Freude vielmal geküßt.
Nur hätten Sie mich nicht so sehr loben sollen;
hören kann ich so etwas allenfalls, aber nicht gut
lesen. Ihr habt mich zu lieb, ihr guten Menschen;
ich bin das nicht wert, und meine Sachen auch nicht. 5
Und was soll ich denn sagen von Ihrem Präsent, mein
allerbester Herr Baron! Das kam wie ein Stern in
dunkler Nacht, oder wie eine Blume im Winter.
Gott weiß, wie ich mich manchmal placken und
schinden muß, um das arme Leben zu gewinnen, und 10
Stännerl will doch auch was haben. Wer Ihnen
gesagt hat, daß ich faul würde, dem (ich bitte Sie
herzlich, und ein Baron kann das schon tun) dem
versetzen Sie aus Liebe ein paar tüchtige Watschen.
Ich wollte ja immer immer fort arbeiten, dürfte ich 15
nur immer solche Musik machen wie ich will und
kann, und wo ich mir selbst was daraus mache. So
habe ich vor drei Wochen eine Symphonie gemacht,
und mit der morgenden Post schreibe ich schon wieder
an Hofmeister und biete ihm drei Klavier-Quatuor 20
an, wenn er Geld hat. O Gott, wär' ich ein großer
Herr, so spräch' ich: „Mozart, schreibe du mir, aber
was du willst und so gut du kannst; eher kriegst du
keinen Kreuzer von mir, bis du was fertig hast,
hernach aber kaufe ich dir jedes Manuskript ab". 25
O Gott, wie mich das alles zwischendurch traurig
macht und dann wieder wild und grimmig, wo dann
freilich manches geschieht, was nicht geschehen
sollte. Sehen Sie, lieber guter Freund, so ist es, und

nicht wie Ihnen dumme oder böse Lumpen mögen
gesagt haben.

Und nun komme ich auf den allerschwersten Punkt
in Ihrem Brief, und den ich lieber gar fallen ließe,
5 weil mir die Feder für so was nicht zu Willen ist.
Aber ich will es doch versuchen, und sollten Sie nur
etwas zu lachen drinnen finden. Wie nämlich meine
Art ist beim Schreiben und Ausarbeiten von großen
und derben Sachen? Nämlich, ich kann darüber
10 wahrlich nicht mehr sagen als das, denn ich weiß
selbst nicht mehr und kann auf weiter nichts kommen. Wenn ich recht für mich bin und guter Dinge,
etwa auf Reisen im Wagen oder nach guter Mahlzeit
beim Spazieren, und in der Nacht, wenn ich nicht
15 schlafen kann, da kommen mir die Gedanken strom-
weis und am besten. Woher und wie, das weiß ich
nicht, kann auch nichts dazu. Die mir nun gefallen,
die behalte ich im Kopf und sumse sie wohl auch
vor mich hin, wie mir andere wenigstens gesagt
20 haben. Halt' ich nun fest, so kommt mir bald eins
nach dem andern bei, wozu so ein Brocken zu
brauchen wär', um eine Pastete daraus zu machen,
nach Contrapunkt, nach Klang der verschiedenen
Instrumente etc. Das erhitzt mir nun die Seele,
25 wenn ich nämlich nicht gestört werde; da wird es
immer größer, und ich breite es immer weiter und
heller aus, und das Ding wird im Kopf wahrlich fast
fertig, wenn es auch lang ist, so daß ich's hernach
mit einem Blick, gleichsam wie ein schönes Bild im
30 Geiste übersehe, und es auch gar nicht nacheinander
wie es hernach kommen muß, in der Einbildung
höre sondern wie gleich alles zusammen. Das ist nun
ein Schmaus! Alles das Finden und Machen geht

in mir wie in einem schönen starken Traum vor.
Aber das Überhören, so alles zusammen, ist doch
das beste. Was nun so geworden ist, das vergesse ich
nicht so leicht wieder, und das ist vielleicht die beste
Gabe, die mir unser Herrgott geschenkt hat. Wenn 5
ich hernach einmal zum Schreiben komme, so nehme
ich aus dem Sack meines Gehirns was vorher hinein
gesammelt ist. Darum kommt es hernach auch
ziemlich schnell aufs Papier, denn es ist eigentlich
schon fertig und wird auch selten viel anders als es 10
vorher im Kopf gewesen ist. Darum kann ich mich
auch beim Schreiben stören lassen; und mag um
mich herum mancherlei vorgehen, ich schreibe doch,
kann auch dabei plaudern, nämlich von Hühnern
und Gänsen, oder von Gretel und Bärbel und der- 15
gleichen. Wie nun aber über dem Arbeiten meine
Sachen überhaupt eben die Gestalt oder Manier
annehmen, daß sie Mozartisch sind, und nicht in
der Manier eines andern, das wird halt eben so
zugehen wie daß meine Nase eben so groß und 20
herausgebogen, daß sie Mozartisch und nicht wie
bei andern Leuten geworden ist. Denn ich lege es
nicht auf die Besonderheit an, wüßte die meine auch
nicht einmal näher zu beschreiben; es ist ja aber
wohl bloß natürlich, daß die Leute, die wirklich ein 25
Aussehen haben, auch verschieden von einander
aussehen, wie von außen so von innen. Wenigstens
weiß ich, daß ich mir das eine so wenig als das andere
gegeben habe.

Damit lassen Sie mich aus für immer und ewig, 30
bester Freund, und glauben Sie ja nicht, daß ich
aus anderen Ursachen abbreche, als weil ich nichts
weiter weiß. MOZART

IN Dresden ist es mir nicht besonders gegangen.
Sie glauben da, sie hätten noch jetzt alles Gute,
weil sie vor Zeiten manches Gute gehabt haben.
Ein paar gute Leutchen abgerechnet, wußte man
5 von mir kaum was, außer daß ich zu Paris und
London in der Kinderkappe Konzert gespielt habe.
Ich habe den Herren viel vorgespielt, aber warm
konnte ich ihnen nicht machen und außer Wischi
Waschi haben sie mir kein Wort gesagt. Sie baten
10 mich auch Orgel zu spielen. Es sind über die Maßen
herrliche Instrumente da. Ich sagte, wie es wahr ist:
ich sei auf der Orgel wenig geübt, ging aber doch
mit ihnen zur Kirche. Da zeigte es sich, daß sie
einen andern fremden Künstler in petto hatten,
15 dessen Instrument aber die Orgel war und der mich
tot spielen sollte. Ich kannte ihn nicht gleich, und
er spielte sehr gut, aber ohne viel Originelles und
Phantasie. Da legte ich's auf diesen an und nahm
mich tüchtig zusammen. Hernach beschloß ich mit
20 einer Doppelfuge, ganz streng und langsam gespielt,
damit ich auskam und sie mir auch genau durch alle
Stimmen folgen konnten. Da war's aus. Niemand
wollte mehr daran. Der Häßler aber (das war der
Fremde, er hat gute Sachen in des Hamburger Bach
25 Manier geschrieben) der war der treuherzigste von
allen, obgleich ich's eigentlich ihm versetzt hatte.
Er sprang vor Freuden herum und wollte mich
immer küssen. Dann ließ er sich's bei mir im Gasthaus wohl sein.
30   Hier, bester Freund und Gönner, ist das Blatt bald
voll, die Flasche Ihres Weins, die heute reichen muß,

bald leer; ich habe aber seit dem Anhaltungsbrief
um meine Frau beim Schwiegerpapa kaum einen so
ungeheuer langen Brief geschrieben. Nichts für
ungut! Ich muß im Reden und Schreiben bleiben
wie ich bin oder das Maul halten und die Feder 5
wegwerfen. Mein letztes Wort soll sein: Mein
allerbester Freund, behalten Sie mich lieb. O Gott,
könnte ich Ihnen doch nur einmal eine Freude
machen wie Sie mir gemacht! Nun ich klinge mit
mir selbst an: Vivat mein guter, treuer——; Amen. 10

MOZART

KARL PHILIPP MORITZ

1757–93

102   *Ankunft in England*

London, den 2ten Juni (1782)

HEUTE Morgen ließen wir uns in einem Boote
ans Land setzen. Dies tut man gemeiniglich,
wenn man die Themse hinauf nach London fährt,
weil wegen der erstaunlichen Menge von Schiffen,
die immer gedrängter aneinander stehen, je näher 15
man der Stadt kommt, oft verschiedne Tage erfordert werden, ehe ein Schiff sich durcharbeiten
kann. Wer also keine Zeit unnütz verlieren will, der
macht die wenigen Meilen bis London lieber zu
Lande, etwa in einer Postchaise, die nicht sehr teuer 20
zu stehen kommt. Ein allgemeines Hurrah schallte
uns von den deutschen Matrosen unsers Schiffes
nach, die dieses von den Engländern angenommen
haben. Das Ufer, wo wir ausstiegen, war weiß und
kreidig. Bis Dartford mußten wir zu Fuße gehen. 25

Erstlich stiegen wir gerade vom Ufer einen ziemlich
steilen Hügel hinan, dann kamen wir sogleich an das
erste englische Dorf, wo mich die außerordentliche
Nettigkeit in der Bauart der Häuser, die aus roten
5 Backsteinen errichtet sind und flache Dächer haben,
in ein angenehmes Erstaunen setzte. Und nun zogen
wir wie eine Karawane mit unsern Stäben von einem
Dorfe zum andern: einige Leute, die uns begegneten,
schienen uns wegen unsers sonderbaren Aufzuges
10 mit einiger Verwunderung anzusehen. In Dartford
frühstückten wir. Hier sah ich zuerst einen englischen
Soldaten, in seiner roten Montur mit abgeschnittnem
und vorn heruntergekämmtem Haar, auch auf der
Straße ein Paar Jungen, die sich boxten. Wir
15 verteilten uns nun in zwei einsitzige Postchaisen, wo
in jeder drei Personen, freilich nicht allzubequem,
sitzen konnten. Eine solche Postchaise kostet jede
englische Meile einen Schilling. Ein solcher Wagen
ist sehr nett und leicht gebaut, so daß man es kaum
20 empfindet, wie er auf dem festen Erdreich fortrollt.
Er hat vorn und an beiden Seiten Fenster. Die
Pferde sind gut, und der Kutscher jagt immer in
vollem Trabe fort. Der unsrige trug abgeschnittnes
Haar, einen runden Hut, und ein braunes Kleid von
25 ziemlich feinem Tuch, vor der Brust einen Blumen-
strauß. Zuweilen, wenn er es recht rasch angehen
ließ, schien er sich lächelnd nach unserm Beifall
umzusehen. Und nun flogen die herrlichsten Landschaften, worauf mein Auge so gern verweilt hätte,
30 mit Pfeilschnelle vor uns vorbei; gemeiniglich ging
es abwechselnd bergauf, bergab, waldein, wald-
aus, in wenigen Minuten. Dann kam einmal zur
rechten Seite die Themse wieder zum Vorschein

mit allen ihren Masten; dann ging es wieder durch
reizende Städte und Dörfer. Besonders fielen mir
die erstaunlich großen Schilder auf, welche beim
Eingange in die Flecken und Dörfer quer über die
Straße an einem Balken hängen, der von einem 5
Hause zum andern übergelegt ist. Dies gibt einige
Ähnlichkeit mit einem Tore, wofür ich es auch
anfänglich hielt; allein so ist es weiter nichts als ein
Zeichen, daß hier sogleich beim Eintritt in den Ort
ein Gasthof sei. So kamen wir bis nahe vor Green- 10
wich, und nun die Aussicht von London! Es zeigte
sich im dicken Nebel. Die Paulskirche hob sich aus
der ungeheuren Masse kleinerer Gebäude wie ein
Berg empor. Das Monument, eine turmhohe runde
Säule, die zum Gedächtnis der großen Feuersbrunst 15
errichtet ward, machte wegen seiner Höhe und
anscheinenden Dünnigkeit einen ganz ungewohnten
und sonderbaren Anblick. Wir näherten uns mit
großer Schnelligkeit, und die Gegenstände ver-
deutlichten sich alle Augenblicke. Die Westminster- 20
abtei, der Tower, eine Kirche nach der andern,
ragten hervor; schon konnte man die hohen runden
Schornsteine auf den Häusern unterscheiden, die
eine unzählige Menge kleiner Türmchen auszu-
machen schienen.   25

Von Greenwich bis London war die Landstraße
schon weit lebhafter als die volkreichste Straße in
Berlin, so viel reitende und fahrende Personen und
Fußgänger begegneten uns. Auch erblickte man
schon allenthalben Häuser, und an den Seiten waren 30
in verhältnismäßiger Entfernung Laternenpfähle angebracht. Was mir sehr auffiel, waren die vielen
Leute, die ich mit Brillen sah, unter denen sich

einige von sehr jugendlichem Ansehen befanden.
Wohl dreimal wurden wir bei sogenannten *Turnpikes*
oder Schlagbäumen angehalten, um einen Zoll
abzutragen, der sich doch am Ende auf einige
5 Schillinge belief, ob wir ihn gleich nur in Kupfer-
münze bezahlten. Endlich kamen wir an die prächtige Westminsterbrücke. Es ist, als ob man über
diese Brücke eine kleine Reise tut, so mancherlei
Gegenstände erblickt man von derselben. Im Kon-
10 trast gegen die runde, moderne, majestätische
Paulskirche zur Rechten, erhebt sich zur Linken die
altfränkische, längliche Westminsterabtei mit ihrem
ungeheuren spitzen Dache. Zur rechten Seite die
Themse hinunter sieht man die Blackfriarsbrücke,
15 die dieser an Schönheit nicht viel nachgibt. Am
linken Ufer der Themse schön mit Bäumen besetzte
Terrassen und die neuen Gebäude, welche den
Namen *Adelphi Buildings* führen. Auf der Themse
selbst eine große Anzahl kleiner hin und her fahren-
20 der Böte mit einem Mast und Segel, in welchen sich
Personen von allerlei Stande übersetzen lassen,
wodurch dieser Fluß beinahe so lebhaft wird wie
eine Londoner Straße. Große Schiffe sieht man hier
nicht mehr, denn die gehn nicht weiter als bis an
25 die Londoner Brücke.

Wir fuhren nun in die Stadt über *Charing Cross*
und den *Strand* nach eben den *Adelphi Buildings*,
die von der Westminsterbrücke einen vortrefflichen
Prospekt gaben, weil meine beiden Reisegefährten
30 auf dem Schiffe und in der Postchaise, ein Paar
junger Engländer, in dieser Gegend wohnten und
sich erboten hatten mir noch heute in ihrer Nachbarschaft ein Logis zu verschaffen. In den Straßen,

wodurch wir fuhren, behielt alles ein dunkles und
schwärzliches, aber doch dabei großes und majestä-
tisches Ansehen. Ich konnte London, seinem äußern
Anblick nach, in meinen Gedanken mit keiner Stadt
vergleichen, die ich sonst gesehen hatte. Allent- 5
halben gehen vom Strande nach der Themse zu sehr
schön gebaute Nebenstraßen, worunter die *Adelphi
Buildings* bei weitem die schönsten sind. Unter
diesen führt wieder eine angrenzende Gegend den
Namen *York Buildings*, in welchen *George Street* 10
befindlich ist, wo meine beiden Reisegefährten
wohnten. Es herrscht in diesen kleinen Straßen nach
der Themse zu, gegen das Gewühl von Menschen,
Wagen und Pferden, welches den Strand beständig
auf und nieder geht, auf einmal eine so angenehme 15
Stille, daß man ganz aus dem Geräusch der Stadt
entfernt zu sein glaubt, welches man doch wieder so
nahe hat. Es mochte ohngefähr zehn oder elf Uhr
sein, da wir hier ankamen. Nachdem mich die
beiden Engländer noch in ihrem Logis mit einem 20
Frühstück, das aus Tee und Butterbrot bestand,
bewirtet hatten, gingen sie selbst mit mir in ihrer
Nachbarschaft herum, um ein Logis für mich zu
suchen, das sie mir endlich bei einer Schneider-
witwe für sechzehn Schilling wöchentlich ver- 25
schafften. Es war mir ein sonderbares aber sehr
angenehmes Gefühl, daß ich mich nun zum erstenmal unter lauter Engländern befand, unter Leuten,
die eine fremde Sprache, fremde Sitten und ein
fremdes Klima haben, und mit denen ich doch nun 30
umgehen und reden konnte, als ob ich von Jugend
auf mit ihnen erzogen wäre. Es ist gewiß ein
unschätzbarer Vorteil die Sprache des Landes zu

wissen, worin man reist. Ich ließ es mir nicht
sogleich merken, daß ich der englischen Sprache
mächtig sei; je mehr ich aber redete, desto mehr
fand ich Liebe und Zutrauen.

Reisen eines Deutschen in England im Jahre 1782 (1783)

103 *Zu Fuß nach Oxford und eine Nacht im „Mitre"*

Oxford, den 25. Juni (1782)

5 WÄHREND diesem Gespräche waren wir fast
bis nahe vor Oxford gekommen. Nun, sagte
mein Reisegefährte, würde ich bald eine von den
schönsten Städten, nicht nur in England sondern in
ganz Europa, sehen; nur sei es schade, daß ich wegen
10 der Dunkelheit der Nacht den herrlichsten Prospekt
davon verlieren würde. Diesen verlor ich denn auch
wirklich und sah nicht eher etwas von Oxford, bis
wir dicht daran waren. Und nun sagte er, als wir
hineingingen, würde ich eine der längsten und
15 schönsten Straßen, nicht nur in dieser Stadt sondern
in England und überhaupt in ganz Europa, sehen.
Sehen konnte ich die Pracht und Schönheit dieser
Straße nicht, aber ihre Länge fühlte ich an meiner
Müdigkeit, denn ich merkte, daß wir immer fort-
20 gingen, ohne daß die Straße ein Ende nahm, oder
daß ich gewußt hätte, wo ich nun auf dieser berühmten Straße die Nacht bleiben würde. Bis
endlich mein Reisegefährte stille stand um von mir
Abschied zu nehmen, und sagte, er wolle nun in
25 sein *Collegium* gehen, wo er wohnte. „Und ich will
mich die Nacht hier auf einen Stein setzen", gab
ich ihm zur Antwort, „und den Morgen abwarten,

weil ich hier wohl schwerlich eine Herberge finden
werde." „Ihr wollt Euch auf einen Stein setzen",
sagte er und schüttelte mit dem Kopfe: „Kommt
lieber mit mir in ein Bierhaus hier in der Nähe,
vielleicht treffen wir da noch mehr Gesellschaft an!" 5
Wir gingen also noch ein paar Häuser weiter und
klopften an die Türe. Es ging schon auf zwölf Uhr.
Man machte uns auf, und wie groß war meine Verwunderung, da wir gleich zur linken Seite in einen
Verschlag traten, wo eine ganze Anzahl Priester mit 10
ihren Mänteln und Kragen um einen großen Tisch,
jeder seinen Bierkrug vor sich, saßen, denen mich
mein Reisegefährte als einen „German clergyman"
vorstellte und mich nicht genug wegen meiner
richtigen Aussprache des Lateinischen, meiner Or- 15
thodoxie, und meines guten Schrittes wegen rühmen
konnte. Ich sah mich also plötzlich in eine Gesellschaft versetzt, wovon ich mir nie etwas hatte
träumen lassen; und es kam mir äußerst sonderbar
vor, daß ich nun so auf einmal, ohne zu wissen wie, 20
nach Oxford, und mitten in der Nacht in eine
Gesellschaft Oxfordischer Geistlichen gekommen
war. Indes suchte ich mich in dieser Situation so
gut wie möglich zu nehmen. Ich erzählte von
unsern deutschen Universitäten, und daß es auf 25
denselben oft sehr unruhig und geräuschvoll zu-
ginge, und dergleichen. „O, hier geht's manchmal
auch sehr geräuschvoll" zu, versicherte mich einer
von den Geistlichen, der einen kräftigen Zug aus
seinem Bierkruge tat und dabei mit der Hand auf 30
den Tisch schlug.

   Nun war unter diesen *clergymen* auch ein Welt-
licher, namens Clerk, der ein starker Geist sein

wollte und ihnen allerlei Einwürfe gegen die Bibel
machte. Er machte ein Wortspiel mit seinem
Namen, weil Clerk auch ein Küster heißt, indem er
sagte, er bleibe immer *Clerk*, und avanciere nie zum
5 *Clergyman*; überhaupt war er, nach seiner Art,
wirklich ein launiger Kerl. Dieser machte denn
unter andern meinem Reisegefährten, der, wie ich
hörte, Mr. Modd hieß, den Einwurf gegen die Bibel,
daß mit klaren Worten darin stünde, Gott sei ein
10 Weintrinker. Darüber ereiferte sich nun Mr. Modd
gewaltig, indem er behauptete, es sei schlechterdings
unmöglich, daß eine solche Stelle in der Bibel
gefunden werde. Ein anderer Geistlicher, der
Mr. Caern hieß, berief sich auf seinen abwesenden
15 Bruder, der schon vierzig Jahr im Amt sei und
gewiß etwas von dieser Stelle wissen müsse, wenn sie
in der Bibel stände; er wolle aber darauf schwören,
daß sein Bruder nichts davon wisse. *„Waiter! fetch
a Bible!* (Aufwärter, holt eine Bibel!)" rief Mr.
20 Clerk, und es wurde eine große Hausbibel gebracht
und mitten auf dem Tische unter allen den Ale-
krügen aufgeschlagen. Mr. Clerk blätterte ein wenig
und las im Buch der Richter 9, 13: „Soll ich meinen
Wein verlassen, der Götter und Menschen fröhlich
25 macht?" in der englischen Übersetzung: *„which
rejoices the heart of God and man"*. Mr. Modd und
Mr. Caern, die vorher am mutigsten gewesen waren,
saßen auf einmal wie betäubt, und es herrschte eine
Stille von einigen Minuten, als auf einmal der Geist
30 der Exegese über mich kam und ich sagte: *„Gentlemen! that is an allegorical expression!* (Meine Herrn,
das ist ein allegorischer Ausdruck), denn", fuhr ich
fort, „wie oft werden die Könige der Erden in der

Bibel Götter genannt!" „Freilich ist's ein allegorischer Ausdruck!" fielen sogleich Mr. Modd und
Mr. Caern ein, „und das ist ja so leicht einzusehen,
wie möglich!"— so triumphierten sie nun über den
armen Clerk, und tranken mir mit vollen Zügen 5
eine Gesundheit nach der andern zu. Mr. Clerk
aber hatte seine Pfeile noch nicht alle verschossen
sondern verlangte, sie sollten ihm eine Stelle im
Propheten Ezechiel erklären, wo mit ausdrücklichen
Worten stehe, Gott sei ein Bartscherer. Hierdurch 10
wurde Mr. Modd so sehr aufgebracht, daß er den
Clerk *an impudent fellow* (einen unverschämten Kerl)
nannte, und Mr. Caern berief sich auf seinen Bruder,
der schon vierzig Jahre im Amte sei, daß dieser den
Mr. Clerk ebenfalls für einen unverschämten Kerl 15
halten würde, weil er so etwas Abscheuliches behaupten könnte. Mr. Clerk aber blieb ganz ruhig
und schlug im Propheten Ezechiel eine Stelle auf,
wo es von den verstockten Juden hieß: *„God will
shave the beard of them* (Gott wird ihnen den Bart 20
abscheren)." Waren nun Mr. Modd und Mr. Caern
vorher wie auf den Kopf geschlagen, so waren sie es
jetzt noch viel mehr, und hier ließ selbst den
Mr. Caern sein Bruder, der schon vierzig Jahr im
Amt war, ganz im Stich. Ich brach das Still- 25
schweigen aufs neue, und sagte: „Gentlemen! dies
ist ja ebenfalls ein allegorischer Ausdruck!" „Freilich
ist es das!" fielen mir Mr. Modd und Mr. Caern ins
Wort und schlugen dazu auf den Tisch. „Denn den
Gefangenen", fuhr ich fort, „wurde der Bart ab- 30
geschoren, und es heißt also weiter nichts als Gott
wird sie in die Gefangenschaft fremder Völker geben,
die ihnen den Bart abscheren!" „Das versteht sich,

ein jeder sieht es ein, und es ist so klar wie der Tag!"
schallte mir vom ganzen Tische entgegen, und
Mr. Caern setzte hinzu, sein Bruder, der vierzig Jahr
im Amte wäre, erklärte es ebenso. Dies war der
5 zweite Triumph über Mr. Clerk, und dieser war nun
ruhig und machte keine Einwürfe weiter gegen die
Bibel. Von den übrigen aber wurde mir noch
manche Gesundheit in dem starken Ale zugetrunken,
welches mir höchst zuwider war, weil dieses Ale
10 beinahe stärker als Wein berauscht. Das Gespräch
lenkte sich nun auf andere Gegenstände. Endlich
als es beinahe gegen Morgen ging, fing Mr. Modd
an: *„Damn me! I must read Prayers in All Souls
College!* (ich muß in aller Seelen Collegio Betstunde
15 halten)." *Damn me!* ist eine Verkürzung aus *God
damn me!* Gott verdamme mich, welches aber in
England nicht viel mehr sagen will als bei uns
„Ei zum Henker!" oder „Potztausend!".

Ehe aber Mr. Modd wegging, lud er mich auf den
20 folgenden Morgen zu sich ein und erbot sich sehr
höflich mir die Merkwürdigkeiten von Oxford zu
zeigen. Die übrigen von der Gesellschaft verloren
sich nun auch. Und da ich einmal in eine so ansehnliche Gesellschaft eingeführt war, trug man auch im
25 Hause weiter kein Bedenken mich aufzunehmen und
wies mir ein gutes Schlafzimmer an. Allein am
folgenden Morgen, da ich erwachte, hatte ich von
dem gestrigen starken Zutrinken der ehrwürdigen
Herren ein solches Kopfweh bekommen, daß es mir
30 nicht möglich war aufzustehen, und noch weniger
den Herrn Modd in seinem Collegio zu besuchen.
Der Gasthof, worin ich war, hieß *The Mitre* (die
Bischofsmütze), und ich fand hier die vortrefflichste

Bedienung. Allein weil ich den Abend, ehe ich zu
Bette ging, etwas aufgeräumt war, so sagte ich dem
Aufwärter geradezu, er möchte nicht glauben, weil
ich zu Fuß ginge, daß ich ihm deswegen ein schlechtes Trinkgeld geben würde, sondern versicherte ihm 5
das Gegenteil, wodurch ich denn die beste Aufwartung der Welt erhielt.

Reisen eines Deutschen in England im Jahre 1782 (1783)

104 *Auf der Postkutsche*

Juli (1782)

DA ich jetzt eilen mußte, um wieder zurück nach
London zu kommen, weil die Zeit heranrückte,
wo der Hamburger Schiffer, mit dem ich zurück- 10
fahren will, seine Abreise bestimmt hat, so entschloß
ich mich bis Northampton einen Platz auswendig
auf der Kutsche zu nehmen. Aber an diese Fahrt
von Leicester bis Northampton will ich denken, so
lang ich lebe. Die Kutsche fuhr vom Hofe durch 15
das Haus. Die andern Passagiere stiegen schon auf
dem Hofe ein, wir an der Außenseite aber mußten
erst auf der Straße hinaufklettern, weil wir sonst mit
unsern Köpfen nicht unter dem Torwege durch-
gekommen wären. Meine Gefährten auf der Kutsche 20
waren ein Bauer und ein Mohrenjunge. Das Hinaufklettern allein war schon mit Lebensgefahr verknüpft, und als ich nun oben war, kam ich gerade
an einer Ecke auf der Kutsche zu sitzen, wo ich
mich bloß mit einer Hand an einem kleinen Griff 25
halten konnte, der an der Seite der Kutsche angebracht war. Ich saß dem Rade am nächsten, und
sobald ich herunter stürzte, sah ich einen gewissen

Tod vor Augen. Um desto fester hielt ich mich an den Griff, und um desto behutsamer suchte ich mich im Gleichgewicht zu erhalten. Nun rollte es mit der entsetzlichsten Geschwindigkeit in der Stadt auf den Steinen fort, und wir flogen alle Augenblicke in die Höhe, so daß es beinahe ein Wunder war, daß wir immer wieder auf die Kutsche zurück und nicht einmal nebenher fielen. Endlich ward mir dieser Zustand, in beständiger Lebensgefahr zu schweben, unerträglich, und als es einmal bergan und also etwas langsam ging, kroch ich oben von der Kutsche hinten in die Schoßkelle, welche hier *Basket* heißt. *„In the basket you will be shaken to death!* (in der Schoßkelle werdet Ihr zu Tode geschüttelt werden!)" sagte der Mohrenjunge, und ich nahm dies für eine Hyperbel an. Bergan ging es auch recht sanft und gut, und ich war zwischen den Koffern und Gepäcke beinahe eingeschlafen; aber wie erschrak ich, da es auf einmal wieder bergunter ging und die Koffer und alles schwere Gepäck um mich zu tanzen anfing, wobei ich alle Augenblicke solche entsetzliche Stöße erhielt, daß ich glaubte mein Lebensende sei gekommen; und nun fand ich, daß der Mohrenjunge keine Hyperbel gesagt hatte. Alles mein Schreien half nichts, ich mußte beinahe eine Stunde aushalten, bis es wieder bergan ging, wo ich denn ganz mürbe und zerschlagen wieder oben auf die Kutsche kroch und meinen vorigen Sitz einnahm. „Sagte ich es Euch nicht, daß ihr würdet zu Tode geschüttelt werden?" redete mich der Mohrenjunge an, als ich wieder heraufgekrochen kam, und ich schwieg ganz still. — Dies schreibe ich einem jeden zur Warnung, dem es etwa einmal

einfallen sollte, ohne es gewohnt zu sein, auf der
Outside einer englischen Postkutsche oder gar im
Basket zu fahren!

Reisen eines Deutschen in England im Jahre 1782 (1783)

105 Eine „Werther"-Aufführung

SEIN erster Gang war ins Theater, wo er sich
in einen Winkel setzte und *Die Leiden des*
jungen Werthers aufführen sah. Der Verfasser hatte
fast nichts getan als die Wertherschen Briefe in
Dialoge und Monologe verwandelt, die denn freilich sehr lang wurden, aber doch das Publikum
sowohl als die Schauspieler wegen des rührenden
Gegenstandes außerordentlich interessierten. Nun
ereignete sich aber gerade bei der tragischen Katastrophe ein sehr komischer Zufall. Man hatte sich
nämlich irgendwo ein Paar alte verrostete Pistolen
geliehen und war zu nachlässig gewesen sie vorher
zu probieren. Der Akteur, welcher den Werther
spielte, nahm sie vom Tische auf und sagte dann
alles, wie es im *Werther* steht: „Deine Hände haben
sie berührt, du hast selber den Staub davon ab-
geputzt." Dann hatte er sich auch, um alles genau
und vollständig darzustellen, einen Schoppen Wein
und Brot bringen lassen, wozu denn der Aufwärter
nicht ermangelte auch ein Brotmesser auf den Tisch
zu legen. Am Ende aber war das Stück so eingerichtet, daß Werthers Freund Wilhelm, indem er
den Schuß fallen hörte, hereinstürzen und ausrufen
mußte: „Gott! ich hörte einen Schuß fallen!" Dies
war alles recht schön; als aber Werther das unglückliche Pistol ergriff, es an die rechte Stirn hielt und

auf sich losdrückte, versagte es ihm in seiner Hand. Durch diesen widrigen Zufall noch nicht aus der Fassung gebracht, schleuderte der entschlossene Schauspieler das Pistol weit von sich weg und rief 5 pathetisch aus: „Auch diesen traurigen Dienst willst du mir versagen?" Dann ergriff er plötzlich die andere, drückte sie wie die erste los, und o Unglück! auch diese versagte ihm. Nun erstarb ihm das Wort im Munde; mit zitternden Händen ergriff er das 10 Brotmesser, das zufälligerweise auf dem Tische lag, und durchstach sich damit zum Schrecken aller Zuschauer Rock und Weste. — Indem er nun fiel, stürzte sein Freund Wilhelm herein, und rief: „Gott! ich hörte einen Schuß fallen!"

Anton Reiser (1785)

FRIEDRICH VON SCHILLER
1759–1805

106 *Vom sittlichen Einflusse der Bühne*

15 DIE Gerichtsbarkeit der Bühne fängt an, wo das Gebiet der weltlichen Gesetze sich endigt. Wenn die Gerechtigkeit für Gold verblindet, wenn die Frevel der Mächtigen ihrer Ohnmacht spotten und Menschenfurcht den Arm 20 der Obrigkeit bindet, übernimmt die Schaubühne Schwert und Wage und reißt die Laster vor einen schrecklichen Richterstuhl. Kühne Verbrecher, die längst schon im Staub vermodern, werden durch den Ruf der Dichtkunst jetzt vorgeladen und wieder-25 holen zum schauervollen Unterricht der Nachwelt ein schändliches Leben. Wenn keine Moral mehr gelehrt wird, keine Religion mehr Glauben findet,

wenn kein Gesetz mehr vorhanden ist, wird uns
Medea noch anschauern, wenn sie die Treppen des
Palastes herunterwankt und der Kindermord jetzt
geschehen ist. Heilsame Schauer werden die Menschheit ergreifen, wenn Lady Macbeth ihre Hände 5
wäscht und alle Wohlgerüche Arabiens herbeiruft
den häßlichen Mordgeruch zu vertilgen. So gewiß
sichtbare Darstellung mächtiger wirkt als toter
Buchstab' und kalte Erzählung, so gewiß wirkt die
Schaubühne tiefer und dauernder als Moral und 10
Gesetze. Aber hier unterstützt sie die weltliche
Gerechtigkeit nur — ihr ist noch ein weiteres Feld
geöffnet. Tausend Laster, die jene ungestraft duldet,
straft sie; tausend Tugenden, wovon jene schweigt,
werden von der Bühne empfohlen. Hier begleitet 15
sie die Weisheit und die Religion. Aus dieser reinen
Quelle schöpft sie ihre Lehren und Muster und
kleidet die strenge Pflicht in ein reizendes, lockendes
Gewand. Eben so häßlich, als liebenswürdig die
Tugend, malen sich die Laster in ihrem furchtbaren 20
Spiegel. Wenn der hilflose Lear in Nacht und
Ungewitter vergebens an das Haus seiner Töchter
pocht, wenn er sein weißes Haar in die Lüfte streut
und den tobenden Elementen erzählt, wie unnatürlich seine Regan gewesen, wenn sein wüten- 25
der Schmerz zuletzt in den schrecklichen Worten
von ihm strömt: „Ich gab euch alles!"— wie abscheulich zeigt sich uns da der Undank, wie feierlich
geloben wir Ehrfurcht und kindliche Liebe.

Aber der Wirkungskreis der Bühne dehnt sich 30
noch weiter aus. Auch da, wo Religion und Gesetze
es unter ihrer Würde achten Menschenempfindun-
gen zu begleiten, ist sie für unsere Bildung noch

geschäftig. Sie ist es, die der großen Klasse von
Toren den Spiegel vorhält und die tausendfachen
Formen derselben mit heilsamem Spott beschämt.
Was sie oben durch Rührung und Schrecken wirkte,
5 leistet sie hier (schneller vielleicht und unfehlbarer)
durch Scherz und Satire. Wenn wir es unternehmen
wollten Lustspiel und Trauerspiel nach dem Maß
der erreichten Wirkung zu schätzen, so würde
vielleicht die Erfahrung dem ersten den Vorrang
10 geben. Spott und Verachtung verwunden den Stolz
des Menschen empfindlicher als Verabscheuung sein
Gewissen foltert. Gesetz und Gewissen schützen
uns oft vor Verbrechen und Lastern; die Schaubühne
allein kann unsre Schwächen belachen, weil sie
15 unsrer Empfindlichkeit schont und den schuldigen
Toren nicht wissen will. Ohne rot zu werden, sehen
wir unsre Larve aus ihrem Spiegel fallen und danken
insgeheim für die sanfte Ermahnung. Die Schaubühne ist mehr als jede andere öffentliche Anstalt
20 des Staats eine Schule der praktischen Weisheit, ein
Wegweiser durch das bürgerliche Leben, ein unfehlbarer Schlüssel zu den geheimsten Zugängen der
menschlichen Seele. Ich gebe zu, daß vielleicht
Molières Harpagon noch keinen Wucherer besserte,
25 daß Karl Moors unglückliche Räubergeschichte die
Landstraßen nicht viel sicherer machen wird; aber
wenn wir auch die Wirkung der Schaubühne einschränken, wie unendlich viel bleibt noch von ihrem
Einfluß zurück. Wenn sie die Summe der Laster
30 weder tilgt noch vermindert, hat sie uns nicht mit
denselben bekannt gemacht? Mit diesen Laster-
haften müssen wir leben. Wir müssen ihnen aus-
weichen oder begegnen, wir müssen sie untergraben

oder ihnen unterliegen. Jetzt aber überraschen sie
uns nicht mehr. Wir sind auf ihre Anschläge vorbereitet. Die Schaubühne hat uns das Geheimnis
verraten sie ausfindig und unschädlich zu machen.

Nicht bloß auf Menschen und Menschencharakter, 5
auch auf Schicksale macht uns die Schaubühne aufmerksam. Im Gewebe unsers Lebens spielen Zufall
und Plan eine gleich große Rolle; den letztern
lenken wir, dem erstern müssen wir uns blind unter-
werfen. Gewinn genug, wenn unausbleibliche Ver- 10
hängnisse uns nicht ganz ohne Fassung finden, wenn
unser Mut, unsre Klugheit sich einst schon in
ähnlichen übten und unser Herz zu dem Schlag sich
gehärtet hat. Die Schaubühne führt uns eine mannigfaltige Szene menschlicher Leiden vor. Sie zieht 15
uns künstlich in fremde Bedrängnisse und belohnt
uns das augenblickliche Leiden mit einem herrlichen
Zuwachs an Mut und Erfahrung. Sie lehrt uns auch
gerechter gegen den Unglücklichen sein und nach-
sichtsvoller über ihn richten. Dann nur, wenn wir 20
die Tiefe seiner Bedrängnisse ausmessen, dürfen wir
das Urteil über ihn aussprechen. Menschlichkeit
und Duldung fangen an der herrschende Geist
unsrer Zeit zu werden; ihre Strahlen sind bis in die
Gerichtssäle und noch weiter — in das Herz unsrer 25
Fürsten gedrungen. Wie viel Anteil an diesem göttlichen Werk gehört unsern Bühnen! Sind sie es
nicht, die den Menschen mit dem Menschen bekannt machten und das geheime Räderwerk auf-
deckten, nach welchem er handelt? Hier nur hören 30
die Großen der Welt, was sie nie oder selten hören —
Wahrheit; was sie nie oder selten sehen sehen sie
hier — den Menschen.

Noch ein Verdienst hat die Bühne. Sie ist die Stiftung, wo sich Vergnügen mit Unterricht, Kurzweil mit Bildung gatten. Wenn Gram an dem Herzen nagt, wenn trübe Laune unsre einsamen Stunden vergiftet, wenn tausend Lasten unsre Seele drücken, so empfängt uns die Bühne — in dieser künstlichen Welt träumen wir die wirkliche hinweg.

Die Schaubühne als eine moralische
Anstalt betrachtet (1784)

107 *Über Goethes „Iphigenie"*

ALS der berühmte Verfasser mit seinem *Götz von Berlichingen* zum erstenmal in der literarischen Welt auftrat, widerfuhr ihm von dem großen Haufen seiner Kritiker, was jedem Schriftsteller, der sich auf eine außerordentliche Art ankündigt, von dem Haufen gewöhnlich widerfährt. Aus seinem ersten Produkte wies man ihm sein Fach an; man zog daraus den Schluß auf alle folgenden, man setzte seinem Genie Regel und Grenze. Seine damals noch mutwilligere Phantasie hatte die Schranken der Regel zu eng gefunden und übertreten; daraus wurde gefolgert, daß dieser Schriftsteller sich Shakespeare zum Muster gewählt und aller Kritik den tötlichsten Haß geschworen habe; und alle die engen Köpfe, die sich nicht anders als nach der Regel interessieren und vergnügen lassen, triumphierten im Stillen, daß sie dadurch überhoben würden gerecht gegen sein Genie zu sein. An dieser Klasse von Lesern hätte der Verfasser schwerlich eine ehrenvollere und schönere Rache nehmen können als durch gegenwärtiges Stück, das zum lebendigsten

Beweise dient, wie groß sein schöpferischer Geist auch im größten Zwange der Regel bleibt, ja wie er diesen Zwang selbst zu einer neuen Quelle des Schönen zu verarbeiten versteht. Hier sieht man ihn ebenso und noch weit glücklicher mit den 5 griechischen Tragikern ringen, als er in seinem *Götz von Berlichingen* mit dem britischen Dichter gerungen hat. In griechischer Form, deren er sich ganz zu bemächtigen gewußt hat, die er bis zur höchsten Verwechslung erreicht hat, entwickelt er 10 hier die ganze schöpferische Kraft seines Geistes und läßt seine Muster in ihrer eigenen Manier hinter sich zurück. Man kann dieses Stück nicht lesen, ohne sich von einem gewissen Geiste des Altertums angeweht zu fühlen, der für eine bloße, auch die 15 gelungenste Nachahmung viel zu wahr, viel zu lebendig ist. Man findet hier die imponierende große Ruhe, die jede Antike so unerreichbar macht, die Würde, den schönen Ernst auch in höchsten Ausbrüchen der Leidenschaft — dies allein rückt 20 dieses Produkt aus der gegenwärtigen Epoche hinaus.

Über die Iphigenie auf Tauris (1789)

108 *Entwicklung des Menschengeschlechts*

DIE Entdeckungen, welche unsre Seefahrer in fernen Meeren und auf entlegenen Küsten gemacht haben, geben uns ein ebenso lehrreiches als unterhaltendes Schauspiel. Sie zeigen uns Völker- 25 schaften, die auf den mannigfaltigsten Stufen der Bildung um uns herum gelagert sind, wie Kinder verschiedenen Alters um einen Erwachsenen herumstehen und durch ihr Beispiel ihm in Erinnerung

bringen, was er selbst vormals gewesen und wovon
er ausgegangen ist. Wie beschämend und traurig
aber ist das Bild, das uns diese Völker von unserer
Kindheit geben! Was erzählen uns die Reise-
5 beschreiber von diesen Wilden? Manche fanden sie
ohne Bekanntschaft mit den unentbehrlichsten
Künsten, ohne das Eisen, ohne den Pflug, einige
sogar ohne den Besitz des Feuers. Manche rangen
noch mit wilden Tieren um Speise und Wohnung,
10 bei vielen hatte sich die Sprache noch kaum von
tierischen Tönen zu verständlichen Zeichen erhoben. Hier war nicht einmal das so einfache Band
der Ehe; dort noch keine Kenntnis des Eigentums;
hier konnte die schlaffe Seele noch nicht einmal eine
15 Erfahrung festhalten, die sich doch täglich wiederholte; sorglos sah man den Wilden das Lager hin-
geben, worauf er heute schlief, weil ihm nicht
einfiel, daß er morgen wieder schlafen würde. Krieg
hingegen war bei allen, und das Fleisch des über-
20 wundenen Feindes nicht selten der Preis des Sieges.
Bei andern, die, mit mehrern Gemächlichkeiten des
Lebens vertraut, schon eine höhere Stufe der
Bildung erstiegen hatten, zeigten Knechtschaft und
Despotismus ein schauderhaftes Bild. Dort sah man
25 einen Despoten seine Untertanen für einen Schluck
Branntwein verhandeln; hier wurden sie auf seinem
Grab abgeschlachtet, ihm in der Unterwelt zu
dienen. Dort wirft sich die fromme Einfalt vor einem
lächerlichen Fetisch und hier vor einem grausen-
30 vollen Scheusal nieder. Immer zum Angriff und zur
Verteidigung gerüstet, von jedem Geräusch auf-
gescheucht, reckt der Wilde sein scheues Ohr in die
Wüste; Feind heißt ihm alles, was neu ist, und wehe

dem Fremdling, den das Ungewitter an seine Küste
schleudert! Kein wirtlicher Herd wird ihm rauchen,
kein süßes Gastrecht ihn erfreuen.

So waren wir. Nicht viel besser fanden uns
Cäsar und Tacitus. Was sind wir jetzt? Lassen 5
Sie mich einen Augenblick bei dem Zeitalter stille
stehen, worin wir leben, bei der gegenwärtigen
Gestalt der Welt, die wir bewohnen. Der menschliche Fleiß hat sie angebaut und den widerstrebenden
Boden durch sein Beharren und seine Geschicklich- 10
keit überwunden. Dort hat er dem Meere Land
abgewonnen, hier dem dürren Lande Ströme gegeben. Zonen und Jahreszeiten hat der Mensch
durcheinander gemengt und die weichlichen Gewächse des Orients zu seinem rauhen Himmel 15
abgehärtet. Ein heitrer Himmel lacht jetzt über
Germaniens Wäldern, welche die starke Menschenhand zerriß und dem Sonnenstrahl auftat, und in
den Wellen des Rheins spiegeln sich Asiens Reben.
An seinen Ufern erheben sich volkreiche Städte, die 20
Genuß und Arbeit in munterm Leben durch-
schwärmen. Hier finden wir den Menschen in
seines Erwerbes friedlichem Besitz sicher unter einer
Million, ihn, dem sonst ein einziger Nachbar den
Schlummer raubte. Die Gleichheit, die er durch 25
seinen Eintritt in die Gesellschaft verlor, hat er
wieder gewonnen durch weise Gesetze. Von dem
blinden Zwange des Zufalls und der Not hat er sich
unter die sanftere Herrschaft der Verträge geflüchtet
und die Freiheit des Raubtiers hingegeben, um die 30
edlere Freiheit des Menschen zu retten. Wohltätig
haben sich seine Sorgen getrennt, seine Tätigkeiten
verteilt. Jetzt nötigt ihn das gebieterische Bedürfnis

nicht mehr an die Pflugschar, jetzt fordert ihn kein
Feind mehr von dem Pflug auf das Schlachtfeld,
Vaterland und Herd zu verteidigen. Mit dem
Arme des Landmanns füllt er seine Scheunen, mit
5 den Waffen des Kriegers schützt er sein Gebiet.
Das Gesetz wacht über sein Eigentum, und ihm
bleibt das unschätzbare Recht sich selbst seine
Pflicht auszulesen. Wie viele Schöpfungen der
Kunst, wie viele Wunder des Fleißes, welches Licht
10 in allen Feldern des Wissens, seitdem der Mensch
in der traurigen Selbstverteidigung seine Kräfte
nicht mehr unnütz verzehrt; seitdem er das kostbare
Vorrecht errungen hat über seine Fähigkeit frei zu
gebieten und dem Ruf seines Genius zu folgen!
15 Welche rege Tätigkeit überall, seitdem die verviel-
fältigten Begierden dem Erfindungsgeist neue Flügel
gaben und dem Fleiß neue Räume auftaten! Die
Schranken sind durchbrochen, welche Staaten und
Nationen in feindseligem Egoismus absonderten.
20 Alle denkenden Köpfe verknüpft jetzt ein welt-
bürgerliches Band, und alles Licht seines Jahrhunderts kann nunmehr den Geist eines neuern
Galilei und Erasmus bescheinen.

Unser menschliches Jahrhundert herbeizuführen,
25 haben sich alle vorhergehenden Zeitalter angestrengt. Unser sind alle Schätze, welche Fleiß und
Schöpfergeist, Vernunft und Erfahrung im langen
Alter der Welt endlich heimgebracht haben. Aus
der Geschichte erst werden wir lernen einen Wert
30 auf die Güter zu legen, denen Gewohnheit und
unangefochtener Besitz so gern unsere Dankbarkeit
rauben: kostbare, teure Güter, an denen das Blut der
Besten und Edelsten klebt, die durch die schwere

Arbeit so vieler Geschlechter haben errungen werden
müssen! Und wer unter uns, bei dem sich ein heller
Geist mit einem empfindenden Herzen gattet,
könnte dieser hohen Verpflichtung eingedenk sein,
ohne daß sich ein stiller Wunsch in ihm regte, an 5
das kommende Geschlecht die Schuld zu entrichten,
die er dem vergangenen nicht mehr abtragen kann?
Ein edles Verlangen muß in uns entglühen zu dem
reichen Vermächtnis von Wahrheit, Sittlichkeit und
Freiheit, das wir von der Vorwelt überkamen, auch 10
aus unsern Mitteln einen Beitrag zu legen und an
dieser unvergänglichen Kette, die durch alle Menschengeschlechter sich windet, unser fliehendes
Dasein zu befestigen. Wie verschieden auch die
Bestimmung sei, die in der bürgerlichen Gesell- 15
schaft uns erwartet—etwas dazu steuern können alle!

*Was heißt und zu welchem Ende studiert
man Universalgeschichte?* (1789)

Wallenstein

109   *i. Wallensteins Absetzung*

WALLENSTEIN hatte über eine Armee von
beinahe hunderttausend Mann zu gebieten,
von denen er angebetet wurde, als das Urteil der
Absetzung ihm verkündigt werden sollte. Die 20
meisten Offiziere waren seine Geschöpfe, seine
Winke Aussprüche des Schicksals für den gemeinen
Soldaten. Grenzenlos war sein Ehrgeiz, unbeugsam
sein Stolz, sein gebieterischer Geist nicht fähig eine
Kränkung ungerochen zu erdulden. Ein Augenblick 25
sollte ihn jetzt von der Fülle der Gewalt in das
Nichts des Privatstandes herunterstürzen. Eine

solche Sentenz gegen einen solchen Verbrecher zu vollstrecken, schien nicht viel weniger Kunst zu kosten, als es gekostet hatte sie dem Richter zu entreißen. Auch hatte man deswegen die Vorsicht gebraucht zwei von Wallensteins genauesten Freunden zu Überbringern dieser schlimmen Botschaft zu wählen, welche durch die schmeichelhaftesten Zusicherungen der fortdauernden kaiserlichen Gnade so sehr als möglich gemildert werden sollte.

Wallenstein wußte längst den ganzen Inhalt ihrer Sendung, als die Abgesandten des Kaisers ihm vor die Augen traten. Er hatte Zeit gehabt sich zu sammeln, und sein Gesicht zeigte Heiterkeit, während Schmerz und Wut in seinem Busen stürmten. Aber er hatte beschlossen zu gehorchen. Dieser Urteilsspruch überraschte ihn, ehe zu einem kühnen Schritte die Umstände reif und die Anstalten fertig waren. Seine weitläufigen Güter waren in Böhmen und Mähren zerstreut; durch Einziehung derselben konnte der Kaiser ihm den Nerven seiner Macht zerschneiden. Von der Zukunft erwartete er Genugtuung, und in dieser Hoffnung bestärkten ihn die Prophezeiungen eines italienischen Astrologen, der diesen ungebändigten Geist gleich einem Knaben am Gängelbande führte. Seni, so hieß er, hatte es in den Sternen gelesen, daß die glänzende Laufbahn seines Herrn noch lange nicht geendigt sei, daß ihm die Zukunft noch ein schimmerndes Glück aufbewahre. Man brauchte die Sterne nicht zu bemühen, um mit Wahrscheinlichkeit vorherzusagen, daß ein Feind wie Gustav Adolph einen General wie Wallenstein nicht lange entbehrlich lassen würde.

110 *ii. Wallenstein im Ruhestande*

SEIN Plan war nichts weniger als Ruhe, da er in
die Stille des Privatstandes zurücktrat. Der
Pomp eines Königs umgab ihn in dieser Einsamkeit
und schien dem Urteilsspruch seiner Erniedrigung
Hohn zu sprechen. Sechs Pforten führten zu dem 5
Palaste, den er in Prag bewohnte, und hundert
Häuser mußten niedergerissen werden, um dem
Schloßhofe Raum zu machen. Ähnliche Paläste
wurden auf seinen übrigen zahlreichen Gütern erbaut.
Kavaliere aus den edelsten Häusern wetteiferten um 10
die Ehre ihn zu bedienen, und man sah kaiserliche
Kammerherren den goldenen Schlüssel zurückgeben, um bei Wallenstein eben dieses Amt zu
bekleiden. Er hielt sechzig Pagen, die von den
trefflichsten Meistern unterrichtet wurden; sein 15
Vorzimmer wurde stets durch fünfzig Trabanten
bewacht. Seine gewöhnliche Tafel war nie unter
hundert Gängen, sein Haushofmeister eine vornehme Standesperson. Reiste er über Land, so
wurden ihm Geräte und Gefolge auf hundert sechs- 20
und vierspännigen Wagen nachgefahren; in sechzig
Karossen folgte ihm sein Hof. Die Pracht der
Livereien und der Schmuck der Zimmer war dem
übrigen Aufwande gemäß. Sechs Barone und ebenso
viele Ritter mußten beständig seine Person um- 25
geben um jeden Wink zu vollziehen, zwölf Pa-
trouillen die Runde um seinen Palast machen um
jeden Lärm abzuhalten. Sein immer arbeitender
Kopf brauchte Stille; kein Gerassel der Wagen
durfte seiner Wohnung nahe kommen, und die 30
Straßen wurden nicht selten durch Ketten gesperrt.

Stumm, wie die Zugänge zu ihm, war auch sein
Umgang. Finster, verschlossen, unergründlich,
sparte er seine Worte mehr als seine Geschenke, und
das Wenige, was er sprach, wurde mit einem
5 widrigen Ton ausgestoßen. Er lachte niemals, und
den Verführungen der Sinne widerstand die Kälte
seines Bluts. Immer geschäftig und von großen
Entwürfen bewegt, entsagte er allen leeren Zer-
streuungen, wodurch andre das kostbare Leben
10 vergeuden. Einen durch ganz Europa ausgebreiteten
Briefwechsel besorgte er selbst; die meisten Aufsätze
schrieb er mit eigener Hand nieder, um der Ver-
schwiegenheit andrer so wenig als möglich anzu-
vertrauen. Er war von großer Statur und hager,
15 gelblicher Gesichtsfarbe, rötlichen kurzen Haaren,
kleinen aber funkelnden Augen. Ein furchtbarer,
zurückschreckender Ernst saß auf seiner Stirne, und
nur das Übermaß seiner Belohnungen konnte die
zitternde Schar seiner Diener festhalten.

III   *iii. Wallenstein wieder im Amte*

20 KAUM verbreitete sich das Gerücht von Wallensteins Rüstung, als von allen Enden Scharen
von Kriegern herbei eilten unter diesem erfahrnen
Feldherrn ihr Glück zu versuchen. Viele, welche
schon ehedem unter seinen Fahnen gefochten
25 hatten, seine Größe als Augenzeugen bewundert und
seine Großmut erfahren hatten, traten bei diesem
Rufe aus der Dunkelheit hervor, zum zweitenmal
Ruhm und Beute mit ihm zu teilen. Die Größe des
versprochnen Soldes lockte Tausende herbei, und
30 die reichliche Verpflegung, welche dem Soldaten

auf Kosten des Landmanns zuteil wurde, war für
den letztern eine unüberwindliche Reizung lieber
selbst diesen Stand zu ergreifen als unter dem Druck
desselben zu erliegen. Alle Provinzen strengte man
an zu dieser kostbaren Rüstung beizutragen; kein 5
Stand blieb von Taxen verschont; von der Kopf-
steuer befreite keine Würde, kein Privilegium.
Wallenstein selbst ließ es sich zweimalhundert-
tausend Taler von seinem eignen Vermögen kosten
die Ausrüstung zu beschleunigen. Die ärmern 10
Offiziere unterstützte er aus seiner eigenen Kasse;
und durch sein Beispiel, durch glänzende Beförde-
rungen und noch glänzendere Versprechungen reizte
er die Vermögenden auf eigene Kosten Truppen
anzuwerben. Wer mit eigenem Geld ein Korps 15
aufstellte, war Kommandeur desselben.

Noch ehe der dritte Monat verstrichen war,
belief sich die Armee auf nicht weniger als vierzig-
tausend Köpfe. Was jedem unausführbar ge-
schienen, hatte Wallenstein zum Erstaunen von 20
ganz Europa in dem kürzesten Zeitraume vollendet.
So viele Tausende, als man vor ihm nicht Hunderte
gehofft hatte zusammen zu bringen, hatte die
Zauberkraft seines Namens, seines Goldes und
seines Genies unter die Waffen gerufen. Mit allen 25
Erfordernissen bis zum Überfluß ausgerüstet, von
kriegsverständigen Offizieren befehligt, von einem
siegversprechenden Enthusiasmus entflammt, erwartete diese neugeschaffne Armee nur den Wink
ihres Anführers, um sich durch Taten der Kühnheit 30
seiner würdig zu zeigen.

112 *iv. Die unterdrückte Klausel*

DA Wallenstein sich anheischig machte ohne Wissen und Willen der Kommandeurs nicht aus dem Dienste zu treten, so forderte er von ihnen ein schriftliches Gegenversprechen treu und fest an ihm
5 zu halten, sich nimmer von ihm zu trennen oder trennen zu lassen und für ihn den letzten Blutstropfen aufzusetzen. Wer sich von dem Bunde absondern würde, sollte für einen treuvergessenen Verräter gelten und von den übrigen als ein gemein-
10 schaftlicher Feind behandelt werden. Die ausdrücklich angehängte Bedingung: „So lange Wallenstein die Armee zum Dienste des Kaisers gebrauchen würde" entfernte jede Mißdeutung, und keiner der versammelten Kommandeurs trug Bedenken einem
15 so unschuldig scheinenden und so billigen Begehren seinen vollen Beifall zu schenken.

Die Vorlesung dieser Schrift geschah unmittelbar vor einem Gastmahl, welches der Feldmarschall Illo ausdrücklich in dieser Absicht veranstaltet hatte;
20 nach aufgehobener Tafel sollte die Unterzeichnung vor sich gehen. Der Wirt tat das Seinige die Besinnungskraft seiner Gäste durch starke Getränke abzustumpfen, und nicht eher als bis er sie von Weindünsten taumeln sah, gab er ihnen die Schrift
25 zur Unterzeichnung. Die mehresten malten leichtsinnig ihre Namen hin ohne zu wissen, was sie unterschrieben; nur einige wenige, welche neugieriger oder mißtrauischer waren, durchliefen das Blatt noch einmal und entdeckten mit Erstaunen,
30 daß die Klausel: „So lange Wallenstein die Armee

zum Dienste des Kaisers gebrauchen würde" weggelassen sei. Illo nämlich hatte mit einem geschickten
Taschenspielerkniff das erste Exemplar mit einem
andern ausgetauscht, in dem jene Klausel fehlte.
Der Betrug wurde laut, und viele weigerten sich 5
nun ihre Unterschrift zu geben. Piccolomini, der
den ganzen Betrug durchschaute und bloß in der
Absicht dem Hofe davon Nachricht zu geben, an
diesem Auftritte teilnahm, vergaß sich in der
Trunkenheit so, daß er die Gesundheit des Kaisers 10
ausbrachte. Aber jetzt stand Graf Terzky auf und
erklärte alle für meineidige Schelme, die zurück-
treten würden. Seine Drohungen, die Vorstellung
der unvermeidlichen Gefahr, der man bei längerer
Weigerung ausgesetzt war, das Beispiel der Menge 15
und Illos Beredsamkeit überwanden endlich ihre
Bedenklichkeiten, und das Blatt wurde von jedem
ohne Ausnahme unterzeichnet.

113   *v. Wallensteins Tod*

WALLENSTEIN war zu Bette, als Hauptmann
Deveroux mit sechs Hellebardierern vor 20
seiner Wohnung erschien und von der Wache, der
es nichts Außerordentliches war ihn zu einer ungewöhnlichen Zeit bei dem General aus- und
eingehen zu sehen, ohne Schwierigkeit eingelassen
wurde. Ein Page, der ihm auf der Treppe begegnet 25
und Lärm machen will, wird mit einer Pike durch-
stochen. In dem Vorzimmer stoßen die Mörder
auf einen Kammerdiener, der aus dem Schlaf-
gemach seines Herrn tritt und den Schlüssel zu
demselben soeben abgezogen hat. Den Finger auf 30

den Mund legend, bedeutet sie der erschrockne
Sklav' keinen Lärm zu machen, weil der Herzog eben
eingeschlafen sei. „Freund", ruft Deveroux ihn an,
„jetzt ist es Zeit zu lärmen!" Unter diesen Worten
5 rennt er gegen die verschlossene Türe, die auch von
innen verriegelt ist, und sprengt sie mit einem
Fußtritte.

Wallenstein war durch den Knall, den eine los-
gehende Flinte erregte, aus dem ersten Schlaf auf-
10 gepocht worden und ans Fenster gesprungen, um
der Wache zu rufen. In diesem Augenblick hörte
er aus den Fenstern des anstoßenden Gebäudes das
Wehklagen der Gräfinnen Terzky und Kinsky, die
soeben von dem gewaltsamen Tod ihrer Männer
15 benachrichtigt worden. Ehe er Zeit hatte diesem
schrecklichen Vorfalle nachzudenken, stand Deveroux mit seinen Mordgehilfen im Zimmer. Er war
noch im bloßen Hemde, wie er aus dem Bette
gesprungen war, zunächst dem Fenster an einen
20 Tisch gelehnt. „Bist du der Schelm", schreit
Deveroux ihn an, „der des Kaisers Volk zu dem
Feind überführen und Seiner Majestät die Krone
vom Haupte herunterreißen will? Jetzt mußt du
sterben." Er hält einige Augenblicke inne, als ob er
25 eine Antwort erwartete; aber Überraschung und
Trotz verschließen Wallensteins Mund. Die Arme
weit auseinander breitend, empfängt er vorn in der
Brust den tödlichen Stoß der Partisane und fällt
dahin in seinem Blut, ohne einen Laut auszustoßen.

Geschichte des Dreißigjährigen Krieges (1791–93)

114   *An Goethe*

Jena, den 23. August 1794

LANGE schon habe ich, obgleich aus ziemlicher
Ferne, dem Gang Ihres Geistes zugesehen
und den Weg, den Sie sich vorgezeichnet haben,
mit immer erneuerter Bewunderung bemerkt. Sie
suchen das Notwendige der Natur, aber Sie suchen 5
es auf dem schwersten Wege, vor welchem jede
schwächere Kraft sich wohl hüten wird. Sie nehmen
die ganze Natur zusammen, um über das Einzelne
Licht zu bekommen; in der Allheit ihrer Erschei-
nungsarten suchen Sie den Erklärungsgrund für das 10
Individuum auf. Von der einfachen Organisation
steigen Sie Schritt vor Schritt zu den mehr verwickelten hinauf, um endlich die verwickeltste von
allen, den Menschen, genetisch aus den Materialien
des ganzen Naturgebäudes zu erbauen. Dadurch, 15
daß Sie ihn der Natur gleichsam nacherschaffen,
suchen Sie in seine verborgene Technik einzu-
dringen. Eine große und wahrhaft heldenmäßige
Idee, die zur Genüge zeigt, wie sehr Ihr Geist das
reiche Ganze seiner Vorstellungen in einer schönen 20
Einheit zusammenhält. Sie können niemals gehofft
haben, daß Ihr Leben zu einem solchen Ziele
zureichen werde, aber einen solchen Weg auch nur
einzuschlagen ist mehr wert als jeden andern zu
endigen — und Sie haben gewählt, wie Achill in der 25
Ilias zwischen Phthia und der Unsterblichkeit.
Wären Sie als ein Grieche, ja nur als ein Italiener
geboren worden, und hätte schon von der Wiege an
eine auserlesene Natur und eine idealisierende Kunst

Sie umgeben, so wäre Ihr Weg unendlich verkürzt, vielleicht ganz überflüssig gemacht worden. Schon in die erste Anschauung der Dinge hätten Sie dann die Form des Notwendigen aufgenommen, und mit
5 Ihren ersten Erfahrungen hätte sich der große Stil in Ihnen entwickelt. Nun, da Sie ein Deutscher geboren sind, da Ihr griechischer Geist in diese nordische Schöpfung geworfen wurde, so blieb Ihnen keine andere Wahl als entweder selbst zum
10 nordischen Künstler zu werden oder Ihrer Imagination das, was ihr die Wirklichkeit vorenthielt, durch Nachhilfe der Denkkraft zu ersetzen und so gleichsam von innen heraus und auf einem rationalen Wege ein Griechenland zu gebären. In derjenigen Lebens-
15 epoche, wo die Seele sich aus der äußern Welt ihre innere bildet, von mangelhaften Gestalten umringt, hatten Sie schon eine wilde und nordische Natur in sich aufgenommen, als Ihr siegendes, seinem Material überlegenes Genie diesen Mangel von
20 innen entdeckte und von außen her durch die Bekanntschaft mit der griechischen Natur davon vergewissert wurde. Jetzt mußten Sie die alte, Ihrer Einbildungskraft schon aufgedrungene schlechtere Natur nach dem besseren Muster, das Ihr bildender
25 Geist sich erschuf, korrigieren, und das kann nun freilich nicht anders als nach leitenden Begriffen von statten gehen. Aber diese logische Richtung, welche der Geist bei der Reflexion zu nehmen genötigt ist, verträgt sich nicht wohl mit der
30 ästhetischen, durch welche allein er bildet. Sie hatten also eine Arbeit mehr; denn so wie Sie von der Anschauung zur Abstraktion übergingen, so mußten Sie nun rückwärts Begriffe wieder in Intuitionen

umsetzen und Gedanken in Gefühle verwandeln,
weil nur durch diese das Genie hervorbringen kann.
So ungefähr beurteile ich den Gang Ihres Geistes,
und ob ich recht habe, werden Sie selbst am besten
wissen.   5

Meine Freunde sowie meine Frau empfehlen sich
Ihrem gütigen Andenken, und ich verharre hoch-
achtungsvoll Ihr gehorsamster Diener.

SCHILLER

115 *Wohlgefallen an der Natur*

ES gibt Augenblicke in unserm Leben, wo wir der
Natur in Pflanzen, Mineralen, Tieren, Land- 10
schaften sowie der menschlichen Natur in Kindern,
in den Sitten des Landvolks und der Urwelt, nicht
weil sie unsern Sinnen wohltut, auch nicht weil sie
unsern Verstand oder Geschmack befriedigt (von
beiden kann oft das Gegenteil stattfinden), sondern 15
bloß weil sie Natur ist, eine Art von Liebe und von
rührender Achtung widmen. Jeder feinere Mensch,
dem es nicht ganz und gar an Empfindung fehlt,
erfährt dieses, wenn er im Freien wandelt, wenn er
auf dem Lande lebt, kurz, wenn er in künstlichen 20
Verhältnissen und Situationen mit dem Anblick der
einfältigen Natur überrascht wird. Könnte man
einer gemachten Blume den Schein der Natur mit
der vollkommensten Täuschung geben, könnte man
die Nachahmung des Naiven in den Sitten bis zur 25
höchsten Illusion treiben, so würde die Entdeckung,
daß es Nachahmung sei, das Gefühl, von dem die
Rede ist, gänzlich vernichten. Daraus erhellt, daß
diese Art des Wohlgefallens an der Natur kein

ästhetisches sondern ein moralisches ist; denn es
wird durch eine Idee vermittelt, nicht unmittelbar
durch Betrachtung erzeugt; auch richtet es sich
ganz und gar nicht nach der Schönheit der Formen.
5 Was hätte auch eine unscheinbare Blume, eine
Quelle, ein bemooster Stein, das Gezwitscher der
Vögel, das Summen der Bienen für sich selbst so
Gefälliges für uns? Was könnte ihm gar einen
Anspruch auf unsere Liebe geben? Es sind nicht
10 diese Gegenstände, es ist eine durch sie dargestellte
Idee, was wir in ihnen lieben. Wir lieben in ihnen
das stille schaffende Leben, das ruhige Wirken aus
sich selbst, das Dasein nach eignen Gesetzen, die
innere Notwendigkeit, die ewige Einheit mit sich
15 selbst. Sie sind, was wir waren; sie sind, was wir
wieder werden sollen. Wir waren Natur wie sie,
und unsere Kultur soll uns zur Natur zurückführen.
Sie sind also zugleich Darstellung unserer verlorenen
Kindheit, die uns ewig das Teuerste bleibt; daher
20 sie uns mit einer gewissen Wehmut erfüllen. Zugleich sind sie Darstellungen unserer höchsten
Vollendung im Ideale; daher sie uns in eine erhabene
Rührung versetzen.

Über naive und sentimentalische Dichtung (1795)

116 *Naive Gesinnung*

25 WIR schreiben einem Menschen eine naive
Gesinnung zu, wenn er in seinen Urteilen
von den Dingen ihre gekünstelten und gesuchten
Verhältnisse übersieht und sich bloß an die einfache
Natur hält. Alles, was innerhalb der gesunden Natur
davon geurteilt werden kann, fordern wir von ihm

und erlassen ihm schlechterdings nur das, was eine
Entfernung von der Natur, es sei nun im Denken
oder im Empfinden, wenigstens Bekanntschaft derselben voraussetzt.

Wenn ein Vater seinem Kinde erzählt, daß dieser 5
oder jener Mann vor Armut verschmachte, und das
Kind hingeht und dem armen Mann seines Vaters
Geldbörse zuträgt, so ist die Handlung naiv; denn
die gesunde Natur handelte aus dem Kinde, und
in einer Welt, wo die gesunde Natur herrschte, 10
würde es vollkommen recht gehabt haben so zu
verfahren. Es sieht bloß auf das Bedürfnis und auf
das nächste Mittel es zu befriedigen; eine solche
Ausdehnung des Eigentumsrechtes, wobei ein Teil
der Menschen zugrunde gehen kann, ist in der 15
bloßen Natur nicht gegründet. Die Handlung des
Kindes ist also eine Beschämung der wirklichen
Welt, und das gesteht auch unser Herz durch das
Wohlgefallen, welches es über jene Handlung
empfindet. 20

Wenn ein Mensch ohne Weltkenntnis, sonst aber
von gutem Verstande, einem andern, der ihn betrügt, sich aber geschickt zu verstellen weiß, seine
Geheimnisse beichtet und ihm durch seine Aufrichtigkeit selbst die Mittel leiht ihm zu schaden, so 25
finden wir das naiv. Wir lachen ihn aus, aber
können uns doch nicht erwehren ihn deswegen hoch-
zuschätzen. Das Naive der Denkart kann daher
niemals eine Eigenschaft verdorbener Menschen
sein sondern nur Kindern und kindlich gesinnten 30
Menschen zukommen. Diese letztern handeln und
denken oft mitten unter den gekünstelten Verhältnissen der großen Welt naiv; sie vergessen aus

eigener schöner Menschlichkeit, daß sie es mit einer
verderbten Welt zu tun haben, und betragen sich
selbst an den Höfen der Könige mit einer Ingenuität
und Unschuld, wie man sie nur in einer Schäferwelt
5 findet.

Über naive und sentimentalische Dichtung (1795)

117 *Der naive und der sentimentalische Dichter*

DIE Dichter sind überall die Bewahrer der
Natur. Wo sie dieses nicht ganz mehr sein
können und schon in sich selbst den zerstörenden
Einfluß willkürlicher und künstlicher Formen er-
10 fahren oder doch mit demselben zu kämpfen gehabt
haben, da werden sie als die Zeugen und als die
Rächer der Natur auftreten. Sie werden entweder
Natur sein, oder sie werden die verlorene suchen.
Daraus entspringen zwei ganz verschiedene Dich-
15 tungsweisen, durch welche das ganze Gebiet der
Poesie erschöpft und ausgemessen wird. Alle Dichter,
die es wirklich sind, werden, je nachdem die Zeit
beschaffen ist, in der sie blühen, oder zufällige
Umstände auf ihre allgemeine Bildung und auf ihre
20 vorübergehende Gemütsstimmung Einfluß haben,
entweder zu den naiven oder zu den sentimentalischen gehören.

Der Dichter einer naiven und geistreichen Jugend-
welt, so wie derjenige, der in den Zeitaltern künst-
25 licher Kultur ihm am nächsten kommt, ist streng
und spröde wie die jungfräuliche Diana in ihren
Wäldern; ohne alle Vertraulichkeit entflieht er dem
Herzen, das ihn sucht, dem Verlangen, das ihn

umfassen will. Die trockene Wahrheit, womit er
den Gegenstand behandelt, erscheint nicht selten
als Unempfindlichkeit. Das Objekt besitzt ihn
gänzlich, sein Herz liegt nicht wie ein schlechtes
Metall gleich unter der Oberfläche, sondern will wie 5
das Gold in der Tiefe gesucht sein. Wie die Gottheit
hinter dem Weltgebäude, so steht er hinter seinem
Werk; er ist das Werk, und das Werk ist er; man muß
des erstern schon nicht wert oder nicht mächtig oder
schon satt sein, um nach ihm nur zu fragen. So 10
zeigt sich Homer unter den Alten und Shakespeare
unter den Neuern: zwei höchst verschiedene, durch
den unermeßlichen Abstand der Zeitalter getrennte
Naturen, aber gerade in diesem Charakterzuge völlig
eins. Als ich in einem sehr frühen Alter den letztern 15
Dichter zuerst kennen lernte, empörte mich seine
Kälte, seine Unempfindlichkeit, die ihm erlaubte
im höchsten Pathos zu scherzen, die herzzer-
schneidenden Auftritte im *Hamlet*, im *König Lear*,
im *Macbeth* durch einen Narren zu stören. Durch 20
die Bekanntschaft mit neuern Poeten verleitet in
dem Werke den Dichter zuerst aufzusuchen, seinem
Herzen zu begegnen, mit ihm gemeinschaftlich über
seinen Gegenstand zu reflektieren, kurz, das Objekt
in dem Subjekt anzuschauen, war es mir unerträglich, 25
daß der Poet sich hier gar nirgends fassen ließ und
mir nirgends Rede stehen wollte. Mehrere Jahre
hatte er schon meine ganze Verehrung und war
mein Studium, ehe ich sein Individuum lieb-
gewinnen lernte. Ich war noch nicht fähig die 30
Natur aus der ersten Hand zu verstehen. Nur ihr
durch den Verstand reflektiertes und durch die
Regel zurechtgelegtes Bild konnte ich ertragen, und

dazu waren die sentimentalischen Dichter der
Franzosen und auch der Deutschen von den Jahren
1750 bis etwa 1780 gerade die rechten Subjekte.

Über naive und sentimentalische Dichtung (1795)

118   *Realist und Idealist*

DIESER Gegensatz ist ohne Zweifel so alt als
der Anfang der Kultur und dürfte vor dem
Ende derselben schwerlich anders als in einzelnen
seltenen Subjekten, deren es hoffentlich immer gab
und immer geben wird, beigelegt werden. Man
gelangt am besten zu dem wahren Begriff dieses
Gegensatzes, wenn man sowohl von dem naiven als
von dem sentimentalischen Charakter absondert,
was beide Poetisches haben. Es bleibt alsdann von
dem erstern nichts übrig als, in Rücksicht auf das
Theoretische, ein nüchterner Beobachtungsgeist und
eine feste Anhänglichkeit an das gleichförmige
Zeugnis der Sinne, in Rücksicht auf das Praktische,
eine resignierte Unterwerfung unter die Notwendigkeit der Natur: eine Ergebung also in das, was ist
und was sein muß. Es bleibt von dem sentimentalischen Charakter nichts übrig als im Theore-
tischen ein unruhiger Spekulationsgeist, der auf das
Unbedingte in allen Erkenntnissen dringt; im
Praktischen ein moralischer Rigorismus, der auf dem
Unbedingten in Willenshandlungen besteht. Wer
sich zu der ersten Klasse zählt, kann ein Realist, und
wer zur andern, ein Idealist genannt werden.

Der Realist für sich allein würde den Kreis der
Menschheit nie über die Grenzen der Sinnenwelt
hinaus erweitert, nie den menschlichen Geist mit

seiner selbständigen Größe und Freiheit bekannt
gemacht haben; alles Absolute in der Menschheit
ist ihm nur eine schöne Schimäre und der Glaube
daran nicht viel besser als Schwärmerei, weil er den
Menschen niemals in seinem reinen Vermögen, 5
immer nur in einem bestimmten und eben darum
begrenzten Wirken erblickt. Aber der Idealist für
sich allein würde ebensowenig die sinnlichen Kräfte
kultiviert und den Menschen als Naturwesen aus-
gebildet haben, welches doch ein gleich wesentlicher 10
Teil seiner Bestimmung und die Bedingung aller
moralischen Veredlung ist. Das Streben des Idealisten geht viel zu sehr über das sinnliche Leben und
über die Gegenwart hinaus; für das Ganze nur, für
die Ewigkeit will er säen und pflanzen und vergißt 15
darüber, daß das Ganze nur der vollendete Kreis des
Individuellen, daß die Ewigkeit nur eine Summe
von Augenblicken ist. Die Welt, wie der Realist sie
um sich herum bilden möchte und wirklich bildet,
ist ein wohlangelegter Garten, worin alles nützt, 20
alles seine Stelle verdient, und was nicht Früchte
trägt verbannt ist; die Welt unter den Händen des
Idealisten ist eine weniger benutzte aber in einem
größeren Charakter ausgeführte Natur. Jenem fällt
es nicht ein, daß der Mensch noch zu etwas anderm 25
da sein könne als wohl und zufrieden zu leben, und
daß er nur deswegen Wurzeln schlagen soll, um
seinen Stamm in die Höhe zu treiben. Dieser denkt
nicht daran, daß er vor allen Dingen wohl leben
muß, um gleichförmig gut und edel zu denken, und 30
daß es auch um den Stamm getan ist, wenn die
Wurzeln fehlen.

Über naive und sentimentalische Dichtung (1795)

119　　*Wahrheit in der Kunst*

JEDER Mensch erwartet von den Künsten der
Einbildungskraft eine gewisse Befreiung von den
Schranken des Wirklichen; er will sich an dem
Möglichen ergötzen und seiner Phantasie Raum
5 geben. Der am wenigsten erwartet, will doch sein
Geschäft, sein gemeines Leben, sein Individuum
vergessen, er will sich in außerordentlichen Lagen
fühlen, sich an den seltsamen Kombinationen des
Zufalls weiden; er will, wenn er von ernsthafterer
10 Natur ist, die moralische Weltregierung, die er im
wirklichen Leben vermißt, auf der Schaubühne
finden. Aber er weiß selbst recht gut, daß er nur
ein leeres Spiel treibt, daß er im eigentlichen Sinn
sich nur an Träumen weidet, und wenn er von dem
15 Schauplatz wieder in die wirkliche Welt zurückkehrt,
so umgibt ihn diese wieder mit ihrer ganzen
drückenden Enge, er ist ihr Raub wie vorher; denn
sie selbst ist geblieben, was sie war, und an ihm ist
nichts verändert worden. Dadurch ist also nichts
20 gewonnen als ein gefälliger Wahn des Augenblicks,
der beim Erwachen verschwindet. Und eben
darum, weil es hier nur auf eine vorübergehende
Täuschung abgesehen ist, so ist auch nur ein Schein
der Wahrheit oder die beliebte Wahrscheinlichkeit
25 nötig, die man so gern an die Stelle der Wahrheit
setzt.

Die wahre Kunst aber hat es nicht bloß auf ein
vorübergehendes Spiel abgesehen; es ist ihr ernst
damit, den Menschen nicht bloß in einen augen-
30 blicklichen Traum von Freiheit zu versetzen sondern
ihn wirklich und in der Tat frei zu machen; und

dieses dadurch, daß sie eine Kraft in ihm erweckt, übt und ausbildet die sinnliche Welt, die sonst nur als ein roher Stoff auf uns lastet, als eine blinde Macht auf uns drückt, in eine objektive Ferne zu rücken, in ein freies Werk unseres Geistes zu ver- 5 wandeln und das Materielle durch Ideen zu beherrschen. Und eben darum, weil die wahre Kunst etwas Reelles und Objektives will, so kann sie sich nicht bloß mit dem Scheine der Wahrheit begnügen; auf der Wahrheit selbst, auf dem festen und tiefen 10 Grunde der Natur errichtet sie ihr ideales Gebäude. Wie aber nun die Kunst zugleich ganz ideell und doch im tiefsten Sinne reell sein, wie sie das Wirkliche ganz verlassen und doch aufs genaueste mit der Natur übereinstimmen soll und kann, das ist's, was 15 wenige fassen, was die Ansicht poetischer und plastischer Werke so schielend macht, weil beide Forderungen einander im gemeinen Urteil geradezu aufzuheben scheinen.

Auch begegnet es gewöhnlich, daß man das eine 20 mit Aufopferung des andern zu erreichen sucht und eben deswegen beides verfehlt. Wem die Natur zwar einen treuen Sinn und eine Innigkeit des Gefühls verliehen aber die schaffende Einbildungskraft versagte, der wird ein treuer Maler des Wirk- 25 lichen sein, er wird die zufälligen Erscheinungen aber nie den Geist der Natur ergreifen. Nur den Stoff der Welt wird er uns wiederbringen; aber es wird eben darum nicht unser Werk, nicht das freie Produkt unseres bildenden Geistes sein und kann 30 also auch die wohltätige Wirkung der Kunst, welche in der Freiheit besteht, nicht haben. Ernst zwar doch unerfreulich ist die Stimmung, mit der uns ein

solcher Künstler und Dichter entläßt, und wir sehen
uns durch die Kunst selbst, die uns befreien sollte,
in die gemeine enge Wirklichkeit peinlich zurück-
versetzt. Wem hingegen zwar eine rege Phantasie
5 aber ohne Gemüt und Charakter zu teil geworden,
der wird sich um keine Wahrheit bekümmern
sondern mit dem Weltstoff nur spielen, nur durch
phantastische und bizarre Kombinationen zu überraschen suchen; und wie sein ganzes Tun nur
10 Schaum und Schein ist, so wird er zwar für den
Augenblick unterhalten aber im Gemüt nichts
erbauen und begründen. Sein Spiel ist, so wie der
Ernst des anderen, kein poetisches. Phantastische
Gebilde willkürlich aneinander reihen heißt nicht
15 ins Ideale gehen, und das Wirkliche nachahmend
wiederbringen heißt nicht die Natur darstellen.
Beide Forderungen stehen so wenig im Widerspruch
mit einander, daß sie vielmehr eine und dieselbe
sind: daß die Kunst nur dadurch wahr ist, daß sie
20 das Wirkliche ganz verläßt und rein ideell wird.
Die Natur selbst ist nur eine Idee des Geistes, der
nie in die Sinne fällt. Unter der Decke der
Erscheinungen liegt sie, aber sie selbst kommt
niemals zur Erscheinung. Bloß der Kunst des
25 Ideals ist es verliehen, oder vielmehr, es ist ihr
aufgegeben diesen Geist des Alls zu ergreifen und
in einer körperlichen Form zu binden. Auch
sie selbst kann ihn zwar nie vor die Sinne aber
doch durch ihre schaffende Gewalt vor die Einbil-
30 dungskraft bringen und dadurch wahrer sein als
alle Wirklichkeit, und realer als alle Erfahrung.
Es ergibt sich daraus von selbst, daß der Künstler kein einziges Element aus der Wirklichkeit

brauchen kann wie er es findet, daß sein Werk in
allen seinen Teilen ideell sein muß, wenn es als
ein Ganzes Realität haben und mit der Natur
übereinstimmen soll.

Vorrede zu dem Trauerspiel *Die Braut von Messina*
(1803)

Über sich selbst

120   *i*

ICH bin willens meine eigne Ökonomie nicht mehr 5
zu führen und auch nicht mehr allein zu wohnen.
Das erste ist schlechterdings meine Sache nicht —
es kostet mich weniger Mühe eine ganze Verschwö-
rung und Staatsaktion durchzuführen als meine
Wirtschaft; Poesie ist nirgends gefährlicher als bei 10
ökonomischen Rechnungen. Meine Seele wird geteilt, beunruhigt, ich stürze aus meinen idealischen
Welten, sobald mich ein zerrissner Strumpf an die
wirkliche mahnt. Fürs andere brauch' ich zu meiner
geheimern Glückseligkeit einen rechten wahren 15
Herzensfreund, der mir stets an der Hand ist wie
mein Engel, dem ich meine aufkeimenden Ideen in
der Geburt mitteilen kann, nicht aber durch Briefe
oder lange Besuche erst zutragen muß. Schon der
nichtsbedeutende Umstand, daß ich, wenn dieser 20
Freund außer meinen vier Pfählen wohnt, die
Straße passieren muß ihn zu erreichen, daß ich mich
umkleiden muß und dergleichen, tötet den Genuß
des Augenblicks, und die Gedankenreihe kann
zerrissen sein, bis ich ihn habe. Das sind nur 25
Kleinigkeiten, aber Kleinigkeiten tragen oft die
schwersten Gewichte im Verlauf unsers Lebens.

Ich kenne mich besser als vielleicht tausend andrer
Mütter Söhne sich kennen; ich weiß, wie viel und
oft wie wenig ich brauche, um ganz glücklich zu
sein.

5 Es fragt sich also, kann ich diesen Herzenswunsch
in Erfüllung bringen? Wenn es möglich zu machen
ist, daß ich eine Wohnung mit Ihnen beziehen
kann, so sind alle meine Besorgnisse darüber
gehoben. Ich bin kein schlimmer Nachbar;
10 um mich in einen andern zu schicken habe
ich Biegsamkeit genug; und auch hie und da
etwas Geschick dies Fragment des Lebens, wie
Yorik sagt, ihm verbessern und aufheitern zu helfen.
Ich brauche nichts mehr als ein Schlafzimmer, das
15 zugleich mein Schreibzimmer sein kann, und dann
ein Besuchzimmer. Mein notwendiges Hausgeräte
wäre eine gute Kommode, ein Schreibtisch, ein
Bett und ein Sopha, dann ein Tisch und einige
Sessel. Hab' ich dieses, so brauche ich zu meiner
20 Bequemlichkeit nichts mehr. Parterre und unter
dem Dach kann ich nicht wohnen, und dann möcht'
ich auch durchaus nicht die Aussicht auf einen
Kirchhof haben. Ich liebe die Menschen und also
auch ihr Gedränge. Wenn ich's nicht so veran-
25 stalten kann, daß wir zusammen essen, so würde
ich mich an die Table d'hôte im Gasthofe engagie-
ren, denn ich fastete lieber als daß ich nicht in
Gesellschaft speiste.

Ich schreibe Ihnen dies alles, liebster Freund,
30 um Sie auf meinen närrischen Geschmack vorzu-
bereiten und Ihnen allenfalls Gelegenheit zu geben
hier und dort einen Schritt zu meiner Einrichtung
voraus zu tun. Meine Zumutungen sind freilich

verzweifelt naiv, aber Ihre Güte hat mich
verwöhnt.

An Ferdinand Huber (25. März 1785)

121   *ii*

VON der Wiege meines Geistes an habe ich mit
dem Schicksal gekämpft, und seitdem ich Freiheit des Geistes zu schätzen weiß, war ich dazu 5
verurteilt sie zu entbehren. Ein rascher Schritt vor
zehn Jahren schnitt mir auf immer die Mittel ab
durch etwas anderes als schriftstellerische Wirksamkeit zu existieren. Ich hatte mir diesen Beruf
gegeben, ehe ich seine Forderungen geprüft, seine 10
Schwierigkeiten übersehen hatte. Die Notwendigkeit ihn zu treiben überfiel mich, ehe ich ihm durch
Kenntnisse und Reife des Geistes gewachsen war.
Daß ich dieses fühlte, daß ich meinen Idealen von
schriftstellerischen Pflichten nicht diejenigen engen 15
Grenzen setzte, in welche ich selbst eingeschlossen
war, erkenne ich für eine Gunst des Himmels, der
mir dadurch die Möglichkeit des höhern Fortschritts
offen hielt; aber in meinen Umständen vermehrte sie
nur mein Unglück. Unreif und tief unter dem 20
Ideale, das in mir lebendig war, sah ich jetzt alles,
was ich zur Welt brachte; bei aller geahnten möglichen Vollkommenheit mußte ich mit der unzeitigen
Frucht vor die Augen des Publikums eilen, der Lehre
selbst so bedürftig, mich wider meinen Willen zum 25
Lehrer der Menschen aufwerfen.

Jedes unter so ungünstigen Umständen nur leid-
lich gelungene Produkt ließ mich nur desto empfindlicher fühlen, wie viele Keime das Schicksal in mir

unterdrückte. Traurig machten mich die Meisterstücke anderer Schriftsteller, weil ich die Hoffnung
aufgab ihrer glücklichen Muße teilhaftig zu werden,
in der allein die Werke des Genius reifen. Was hätte
5 ich nicht um zwei oder drei stille Jahre gegeben,
die ich frei von schriftstellerischer Arbeit bloß allein
dem Studieren, bloß der Ausbildung meiner Begriffe, der Zeitigung meiner Ideale hätte widmen
können! Zugleich die strengen Forderungen der
10 Kunst zu befriedigen und seinem schriftstellerischen
Fleiß auch nur die notwendigste Unterstützung zu
verschaffen ist in unserer deutschen literarischen
Welt, wie ich endlich weiß, unvereinbar. Zehn
Jahre habe ich mich angestrengt beides zu vereinigen,
15 aber es nur einigermaßen möglich zu machen kostete
mir meine Gesundheit. Das Interesse an meiner
Wirksamkeit, einige schöne Blüten des Lebens, die
das Schicksal mir in den Weg streute, verbargen mir
diesen Verlust, bis ich zu Anfang dieses Jahres aus
20 meinem Traume geweckt wurde. Zu einer Zeit, wo
das Leben anfing mir seinen ganzen Wert zu zeigen,
wo ich nahe dabei war zwischen Vernunft und
Phantasie in mir ein zartes und ewiges Band zu
knüpfen, wo ich mich zu einem neuen Unternehmen
25 im Gebiet der Kunst gürtete, nahte sich mir der
Tod. Diese Gefahr ging zwar vorüber, aber ich
erwachte nur zum andern Leben, um mit ge-
schwächten Kräften und verminderten Hoffnungen
den Kampf mit dem Schicksal zu erneuern.

An Jens Baggesen (16. Dez. 1791)

ERWARTEN Sie bei mir keinen großen mate-
rialen Reichtum von Ideen; dies ist es, was ich
bei Ihnen finden werde. Mein Bedürfnis und
Streben ist aus wenigem viel zu machen, und wenn
Sie meine Armut an allem, was man erworbene 5
Erkenntnis nennt, einmal näher kennen sollten, so
finden Sie vielleicht, daß es mir in manchen Stücken
damit mag gelungen sein. Weil mein Gedankenkreis
kleiner ist, so durchlaufe ich ihn eben darum
schneller und öfter und kann eben darum meine 10
kleine Barschaft besser nutzen und eine Mannigfaltigkeit, die dem Inhalte fehlt, durch die Form
erzeugen. Sie bestreben sich Ihre große Ideenwelt
zu simplifizieren, ich suche Varietät für meine
kleinen Besitzungen. Sie haben ein Königreich zu 15
regieren, ich nur eine etwas zahlreiche Familie von
Begriffen, die ich herzlich gern zu einer kleinen Welt
erweitern möchte.

An Goethe (31. Aug. 1794)

JOHANN PETER HEBEL
1760–1826

123   *Unverhofftes Wiedersehen*

IN Falun in Schweden küßte vor guten fünfzig
Jahren und mehr ein junger Bergmann seine 20
junge hübsche Braut und sagte zu ihr: „Auf Sanct
Luciä wird unsere Liebe von des Priesters Hand
gesegnet. Dann sind wir Mann und Weib und
bauen uns ein eigenes Nestlein.“— „Und Friede und

Liebe soll darin wohnen!" sagte die schöne Braut
mit holdem Lächeln, „denn du bist mein einziges
und alles, und ohne dich möchte ich lieber im Grab
sein als an einem anderen Ort." Als sie aber vor
5 St. Luciä der Pfarrer zum zweitenmal in der Kirche
aufgerufen hatte: „So nun jemand Hindernis wüßte
anzuzeigen, warum diese Personen nicht möchten
ehelich zusammen kommen", da meldete sich der
Tod. Denn als der Jüngling den andern Morgen in
10 seiner schwarzen Bergmannskleidung an ihrem Haus
vorbei ging — der Bergmann hat sein Totenkleid
immer an — da klopfte er zwar noch einmal an
ihrem Fenster und sagte ihr guten Morgen, aber
keinen guten Abend mehr. Er kam nimmer aus dem
15 Bergwerk zurück, und sie säumte vergeblich selbigen
Morgen ein schwarzes Halstuch mit rotem Rand
für ihn zum Hochzeittag, sondern als er nimmer kam,
legte sie es weg und weinte um ihn und vergaß ihn
nie. — Unterdessen wurde die Stadt Lissabon in
20 Portugal durch ein Erdbeben zerstört, der sieben-
jährige Krieg ging vorüber, Polen wurde geteilt, die
Kaiserin Maria Theresia starb, Amerika wurde frei,
und die vereinigte französische und spanische Macht
konnte Gibraltar nicht erobern. Die französische
25 Revolution und der lange Krieg fing an, Napoleon
eroberte Preußen, die Engländer bombardierten
Kopenhagen, und die Ackerleute säten und schnitten,
der Müller mahlte, die Schmiede hämmerten, und
die Bergleute gruben nach den Metalladern in ihrer
30 unterirdischen Werkstatt. Als aber die Bergleute in
Falun im Jahre 1809 etwas vor oder nach Johannis
zwischen zwei Schachten eine Öffnung durchgraben
wollten, gute dreihundert Ellen tief unter dem

Boden, gruben sie aus dem Schutt und Vitriolwasser
den Leichnam eines Jünglings heraus, der ganz mit
Eisenvitriol durchdrungen, sonst aber unverwest
und unverändert war; also daß man seine Gesichts-
züge und sein Alter noch völlig erkennen konnte, 5
als wenn er erst vor einer Stunde gestorben oder ein
wenig eingeschlafen wäre an der Arbeit.

Als man ihn aber zu Tag ausgefördert hatte,
waren Vater und Mutter, Gefreunde und Bekannte
schon lange tot; kein Mensch wollte den schlafenden 10
Jüngling kennen oder etwas von seinem Unglück
wissen, bis die ehemalige Verlobte des Bergmanns
kam, der eines Tages auf die Schicht gegangen war
und nimmer zurückkehrte. Grau und zusammen-
geschrumpft kam sie an einer Krücke an den Platz 15
und erkannte ihren Bräutigam; und mehr mit
freudigem Entzücken als mit Schmerz sank sie auf
die geliebte Leiche nieder, und erst als sie sich von
einer langen, heftigen Bewegung des Gemüts erholt
hatte, „es ist mein Verlobter", sagte sie endlich, 20
„um den ich fünfzig Jahre lang getrauert hatte, und
den mich Gott noch einmal sehen läßt vor meinem
Ende. Acht Tage vor der Hochzeit ist er auf die
Grube gegangen und nimmer zurückgekommen."
Da wurden die Gemüter aller Umstehenden von 25
Wehmut und Tränen ergriffen, als sie sahen die
ehemalige Braut jetzt in der Gestalt des hinge-
welkten kraftlosen Alters und den Bräutigam noch
in seiner jugendlichen Schöne, und wie in ihrer
Brust nach fünfzig Jahren die Flamme der jugend- 30
lichen Liebe noch einmal erwachte, und wie sie ihn
endlich von den Bergleuten in ihr Stüblein tragen
ließ, als die einzige, die ihm angehöre und ein Recht

an ihn habe, bis sein Grab gerüstet sei auf dem Kirchhof. Den andern Tag, als das Grab gerüstet war auf
dem Kirchhof und ihn die Bergleute holten, schloß
sie ein Kästlein auf, legte ihm das schwarzseidene
5 Halstuch mit roten Streifen um und begleitete ihn
alsdann in ihrem Sonntagsgewand, als wenn es ihr
Hochzeittag und nicht der Tag seiner Beerdigung
wäre.

Schatzkästlein des Rheinländischen Hausfreundes (1811)

JOHANN GOTTLIEB FICHTE

1762–1814

124 *An die deutsche Nation*

UNSRE ältesten Vorfahren setzten sich der
10 herandringenden Weltherrschaft der Römer
mutig entgegen. Sahen sie denn nicht vor Augen
den höhern Flor der römischen Provinzen, die
feinern Genüsse in denselben? Waren die Römer
nicht bereitwillig genug sie an allen diesen Segnun-
15 gen teilnehmen zu lassen? Erlebten sie nicht an
mehrern ihrer eigenen Fürsten Beweise der ge-
priesenen römischen Klemenz, indem sie die Nach-
giebigen mit Königstiteln, mit Anführerstellen in
ihren Heeren auszierte; ihnen, wenn sie etwa von
20 ihren Landsleuten ausgetrieben wurden, einen Zu-
fluchtsort und Unterhalt in ihren Pflanzstätten
gab? Hatten sie keinen Sinn für die Vorzüge
römischer Bildung, für die bessere Einrichtung ihrer
Heere? Keine von allen diesen Unwissenheiten oder
25 Nichtbeachtungen ist ihnen aufzurücken. Ihre
Nachkommen haben sogar, sobald sie es ohne
Verlust für ihre Freiheit konnten, die Bildung der-

selben sich angeeignet, inwieweit es ohne Verlust ihrer Eigentümlichkeit möglich war. Wofür haben sie denn also mehrere Menschenalter hindurch gekämpft im blutigen, immer mit derselben Kraft sich wieder erneuernden Kriege? Ein römischer Schriftsteller läßt es ihre Anführer also aussprechen: „ob ihnen denn etwas anderes übrig bleibe als entweder die Freiheit zu behaupten oder zu sterben, bevor sie Sklaven würden". Freiheit war ihnen, daß sie eben Deutsche blieben, daß sie fortführen ihre Angelegenheiten selbständig, ihrem eigenen Geiste gemäß, zu entscheiden, und daß sie diese Selbständigkeit auch auf ihre Nachkommenschaft fortpflanzten; Sklaverei hießen ihnen alle jene Segnungen, die ihnen die Römer antrugen, weil sie dabei etwas anderes denn Deutsche, weil sie halbe Römer werden müßten. Es verstehe sich von selbst, setzten sie voraus, daß jeder, ehe er dies werde, lieber sterbe, und daß ein wahrhafter Deutscher nur könne leben wollen, um eben Deutscher zu sein und zu bleiben und die Seinigen zu eben solchen zu bilden.

Sie haben die Sklaverei nicht gesehen, sie haben die Freiheit hinterlassen ihren Kindern. Ihrem beharrlichen Widerstande verdankt es die ganze neue Welt, daß sie da ist, so wie sie da ist. Wäre es den Römern gelungen auch sie zu unterjochen und, wie dies der Römer allenthalben tat, sie als Nation auszurotten, so hätte die ganze Fortentwickelung der Menschheit eine andere und man kann nicht glauben erfreulichere Richtung genommen. Ihnen verdanken wir, daß wir noch Deutsche sind, daß der Strom ursprünglichen und selbständigen Lebens uns noch trägt; ihnen verdanken wir alles, was wir

seitdem als Nation gewesen sind, ihnen werden wir
verdanken alles, was wir noch ferner sein werden.
Ihnen verdanken selbst die übrigen uns jetzt zum
Auslande gewordenen Stämme ihr Dasein; als jene
5 die ewige Roma besiegten, war noch keins aller
dieser Völker vorhanden; damals wurde zugleich
auch ihnen die Möglichkeit ihrer künftigen Entstehung mit erkämpft.

Reden an die deutsche Nation (1808)

125 *Zukunftsglaube*

ICH kann mir die gegenwärtige Lage der Mensch-
10 heit nicht denken als diejenige, bei der es nun
bleiben könne; nicht denken als ihre ganze und
letzte Bestimmung. Dann wäre es nicht der Mühe
wert gelebt und dieses stets wiederkehrende auf
nichts ausgehende und nichts bedeutende Spiel mit-
15 getrieben zu haben. Nur inwiefern ich diesen
Zustand betrachten darf als Mittel eines besseren,
als Durchgangspunkt zu einem höheren und voll-
kommneren, erhält er Wert für mich; nicht um
sein selbst sondern um des Besseren willen, das er
20 vorbereitet, kann ich ihn tragen, ihn achten und in
ihm freudig das Meinige vollbringen. Alle jene
Ausbrüche der rohen Gewalt, jene verwüstenden
Orkane, jene Erdbeben können nichts anderes sein
als die letzten erschütternden Streiche der sich
25 vollendenden Ausbildung unseres Erdballes. Jene
Ausbildung muß endlich vollendet, und das uns
bestimmte Wohnhaus fertig werden. Das Menschen-
werk soll wiederum in die Natur eingreifen und
ein neues belebendes Prinzip in ihr darstellen.

Angebaute Länder sollen den feindseligen Dunst-
kreis der Wälder, Wüsteneien und Sümpfe mildern,
mannigfaltiger Anbau neuen Lebenstrieb verbreiten.

Noch ist die größere Hälfte der Menschen ihr
Leben hindurch unter harter Arbeit gebeugt um 5
sich Nahrung zu verschaffen. Noch ereignet es sich
oft, daß, wenn der Arbeiter vollendet hat, eine
feindselige Witterung in einem Augenblicke zerstört,
was er jahrelang vorbereitete; noch immer oft genug,
daß Wasserfluten, Sturmwinde, Vulkane ganze 10
Länder verheeren. So kann es nicht immer bleiben
sollen. Die Wissenschaft soll eindringen in die
Gesetze der Natur, die Gewalt dieser Natur übersehen und ihre möglichen Entwicklungen berechnen
lernen. So soll uns die Natur immer durchschau- 15
barer werden bis in ihr geheimstes Innere, und die
durch ihre Erfindungen bewaffnete menschliche
Kraft soll ohne Mühe dieselbe beherrschen. Noch
durchirren gesetzlose Horden von Wilden ungeheure
Wüsteneien, sie begegnen sich und werden einander 20
zur festlichen Speise; oder, wo die Kultur die wilden
Haufen endlich unter das Gesetz zu Völkern
vereinigte, greifen die Völker einander an mit der
Macht, die ihnen die Vereinigung gab. Ausgerüstet
mit dem Höchsten, was der menschliche Verstand 25
ersonnen, durchschneiden die Kriegsflotten den
Ozean; durch Sturm und Wellen hindurch drängen
sich Menschen, um auf der unwirtbaren Fläche
Menschen zu finden; sie finden sie und trotzen der
Wut der Elemente, um sie zu vertilgen. Im Innern 30
der Staaten selbst, wo die Menschen zur Gleichheit
unter dem Gesetze vereinigt zu sein scheinen, ist es
großenteils noch immer Gewalt und List, was unter

JOHANN GOTTLIEB FICHTE

dem Namen des Gesetzes herrscht. So scheinen
alle guten Vorsätze unter den Menschen in leere
Bestrebungen zu verschwinden, indessen alles so gut
oder so schlecht geht als es ohne diese Bestrebungen
5 durch den blinden Naturmechanismus gehen kann
und ewig fortgehen wird.

Ewig fortgehen wird? Nimmermehr! wenn nicht
das ganze menschliche Dasein ein zweckloses Spiel
ist. Es ist die Bestimmung unsres Geschlechts sich
10 zu einem in allen seinen Teilen ausgebildeten Körper
zu vereinigen. Die Natur und selbst die Leidenschaften und Laster der Menschen haben von
Anfang an gegen dieses Ziel hingetrieben, und es
läßt sich darauf rechnen, daß dasselbe erreicht werde.
15 Nachdem dieses erste Ziel erreicht sein wird, nachdem alles Nützliche was an einem Ende der Erde
gefunden worden, sogleich allen bekannt und mitgeteilt werden wird, dann wird mit gemeinschaft-
licher Kraft die Menschheit zu einer Bildung sich
20 erheben, für welche es uns an Begriffen mangelt.

Die Bestimmung des Menschen (1800)

JEAN PAUL
(JOHANN PAUL FRIEDRICH RICHTER)

1763–1825

126 *Schulmeisterlein Wuz*

DEN ganzen Tag freute er sich auf oder über
etwas. „Vor dem Aufstehen", sagte er, „freu'
ich mich auf das Frühstück, den ganzen Vormittag
aufs Mittagessen, zur Vesperzeit aufs Vesperbrot
25 und abends aufs Nachtbrot — und so hat der Wuz

sich stets auf etwas zu spitzen." Trank er tief, so
sagte er: „Das hat meinem Wuz geschmeckt" und
strich sich den Magen. Nieste er, so sagte er: „Helf'
dir Gott, Wuz!" Im fieberfrostigen November-
wetter setzte er sich auf der Gasse mit der Vor- 5
malung des warmen Ofens und mit der närrischen
Freude, daß er eine Hand um die andre unter
seinem Mantel wie zu Hause stecken hatte. War
der Tag gar zu toll und windig, so war das Meister-
lein so pfiffig, daß es sich unter das Wetter hinsetzte 10
und sich nichts darum schor. Es war nicht Ergebung,
die das unvermeidliche Übel aufnimmt, nicht Ab-
härtung, die das ungefühlte trägt, nicht Philosophie,
die das verdünnte verdaut, oder Religion, die das
belohnte verwindet, sondern der Gedanke ans 15
warme Bett war's. „Abends", dacht' er, „lieg' ich
auf alle Fälle, sie mögen mich den ganzen Tag
zwicken und hetzen wie sie wollen, unter meiner
warmen Zudeck' und drücke die Nase ruhig ans
Kopfkissen, acht Stunden lang." Und kroch er 20
endlich in der letzten Stunde eines solchen Leiden-
tages unter sein Oberbett, so schüttelte er sich darin,
krempte sich mit den Knien bis an den Nabel
zusammen und sagte zu sich: „Siehst du, Wuz, es
ist doch vorbei." 25

Leben des vergnügten Schulmeisterleins Wuz (1793)

127 *Unendlichkeit*

WIR knieen hier auf dieser kleinen Erde vor der
Unendlichkeit, vor der unermeßlichen über
uns schwebenden Welt, vor dem leuchtenden Umkreis des Raums. Erhebe deinen Geist und denke

was ich sehe. Du hörst den Sturmwind, der die
Wolken um die Erde treibt, aber du hörst den
Sturmwind nicht, der die Erden um die Sonne
treibt, und den größten nicht, der hinter den
5 Sonnen weht und sie um ein verhülltes All führt,
das mit Sonnenflammen im Abgrund liegt. — Tritt
von der Erde in den leeren Aether: hier schwebe
und siehe sie zu einem fliegenden Gebirge ein-
schwinden und mit sechs andern Sonnenstäubchen
10 um die Sonne spielen; Planeten mit Monden
stürzen vorüber vor dir und steigen hinauf und
hinab vor dem Sonnenschein. Dann schau' umher
im blitzenden Gewölbe, durch dessen Ritzen die
unermeßliche Nacht schaut, in der das funkelnde
15 Gewölbe hängt. — Du fliegst Jahrtausende, aber du
trittst nicht auf die letzte Sonne und in die große
Nacht hinaus. Du schließt das Auge zu und wirfst
dich mit einem Gedanken über den Abgrund und
über die ganze Sichtbarkeit, und wenn du es wieder
20 öffnest, so umkreisen dich neue hinauf und hinab
stürmende Ströme aus lichten Wellen von Sonnen,
aus dunkeln Tropfen von Erden, und neue Sonnen-
reihen stehen einander wieder entgegen, und das
Feuerrad einer neuen Milchstraße wälzt sich um
25 im Strom der Zeit. — Du siehst zurück und heftest
dein Auge auf das erblassende Sonnenmeer, endlich
schwebt die entfernte Schöpfung nur noch als ein
bleiches stilles Wölkchen tief in der Nacht, du
dünkst dich allein und schaust dich um, und —
30 eben so viele Sonnen und Milchstraßen flammen
herunter und hinauf.

Erhebe deinen Geist und fasse den größten
Gedanken des Menschen! Da wo die Ewigkeit ist,

da wo die Unermeßlichkeit ist, da breitet ein un-
endlicher Geist seine Arme aus und legt sie um das
große fallende Welten-All, und trägt es und wärmt
es. Ich und du und alle Menschen und alle Engel
und alle Würmchen ruhen an seiner Brust, und das 5
brausende Welten- und Sonnenmeer ist ein einziges
Kind in seinem Arm.

Hesperus (1795)

128　　　　　　　*Sommer*

GOTT, welche Jahreszeit! Wahrlich, ich weiß
oft nicht, bleib' ich in der Stadt oder geh' ich
aufs Feld, so sehr ist's einerlei und hübsch! Geht 10
man zum Tor hinaus, so erfreuen einen die Bettler,
die jetzt nicht frieren, und die Postreiter, die mit
vieler Lust die ganze Nacht zu Pferde sitzen können;
und die Schäfer schlafen im Freien. Man braucht
kein dumpfes Haus; jede Staude macht man zur 15
Stube, und hat dabei gar meine guten emsigen
Bienen vor sich und die prächtigsten Zweifalter.
Wegen des Jagdverbotes wird nichts geschossen, und
alles Leben in Büschen und Furchen und auf Ästen
kann sich so recht sicher ergötzen. Überall kommen 20
Reisende auf allen Wegen daher, haben die Wagen
meist zurückgeschlagen; den Pferden stecken Zweige
im Sattel und den Fuhrleuten Rosen im Munde.
Die Schatten der Wolken laufen, die Vögel fliegen
dazwischen auf und ab, Handwerksbursche wandern 25
leicht mit ihren Bündeln und brauchen keine Arbeit.
Sogar im Regenwetter steht man sehr gern draußen
und riecht die Erquickung. Und ist's Nacht, so
sitzt man nur in einem kühlern Schatten, von wo

aus man den Tag deutlich sieht am nördlichen
Horizont und an den süßen, warmen Himmels-
sternen. Wohin ich nur blicke, so find' ich mein
liebes Blau: am Flachs in der Blüte, an den Korn-
5 blumen und am göttlichen unendlichen Himmel, in
den ich gleich hineinspringen möchte wie in eine
Flut.

    Kommt man nun wieder nach Hause, so findet
sich in der Tat frische Wonne. Die Gasse ist eine
10 wahre Kinderstube; sogar abends nach dem Essen
werden die Kleinen, ob sie gleich sehr wenig an-
haben, wieder ins Freie gelassen und nicht wie im
Winter unter die Bettdecke gejagt. Man ißt am
Tage und weiß kaum, wo der Leuchter steht. Im
15 Schlafzimmer sind die Fenster Tag und Nacht offen,
auch die meisten Türen, ohne Schaden. Die ältesten
Weiber stehen ohne Frost am offenen Fenster und
nähen. Die Kinder lärmen sehr, und man hört das
Rollen der Kegelbahnen. Die halbe Nacht geht
20 man in den Gassen auf und ab und spricht laut und
sieht die Sterne am hohen Himmel schießen. Selber
die Fürstin geht noch abends vor dem Essen im
Park spazieren. Die fremden Virtuosen, die gegen
Mitternacht nach Hause gehen, geigen noch auf der
25 Gasse fort bis in ihr Quartier, und die Nachbarschaft
fährt an die Fenster. Die Extraposten kommen
später, und die Pferde wiehern. Man liegt im Lärm
am Fenster und schläft ein; man erwacht von Post-
hörnern, und der ganze gestirnte Himmel hat
30 sich aufgetan. O Gott, welches Freudenleben auf
dieser kleinen Erde!

Flegeljahre (1804)

129   *Das Testament*

SOLANGE Haslau eine Residenz ist, wußte man sich nicht zu erinnern, daß man darin auf etwas mit solcher Neugier gewartet hätte als auf die Eröffnung des Van der Kabelschen Testaments. Van der Kabel konnte der Haslauer Krösus und 5 sein Leben eine Münzbelustigung heißen. Sieben noch lebende weitläuftige Anverwandte von sieben verstorbenen weitläuftigen Anverwandten Kabels machten sich zwar einige Hoffnung auf Plätze im Vermächtnis, weil der Krösus ihnen geschworen 10 ihrer zu gedenken; aber die Hoffnungen blieben zu matt, weil man ihm nicht sonderlich trauen wollte, da er immer so spöttisch darein griff und mit einem solchen Herzen voll Streiche und Fallstricke, daß sich auf ihn nicht fußen ließ. — Endlich erschienen 15 die sieben Erben auf dem Rathaus: der Kirchenrat Glanz, der Polizei-Inspektor Harprecht, der Hofagent Neupeter, der Hoffiskal Knoll, der Buchhändler Pasvogel, der Frühprediger Flachs, und Flitte aus Elsaß. Sofort wurde das Testament aus 20 der Ratskammer vorgeholt in die Ratsstube, sämtlichen Rats- und Erbherren herumgezeigt, damit sie das darauf gedruckte Stadtsekret besähen; endlich wurden die sieben Siegel, die Kabel selber darauf gesetzt, ganz befunden. Jetzt konnte das Testament 25 in Gottes Namen aufgemacht und vom Bürgermeister so vorgelesen werden, wie folgt:

„Ich Van der Kabel testiere 179* den 7. Mai hier in meinem Hause in Haslau in der Hundsgasse ohne viele Millionen Worte, ob ich gleich ein deutscher 30 Notarius gewesen. Allgemein wird Erbsatzung und

Enterbung unter die wesentlichen Testamentsstücke
gezählt. Demzufolge vermach' ich dem Kirchenrat
Glanz, dem Hoffiskal Knoll, dem Hofagenten
Neupeter, dem Polizei-Inspektor Harprecht, dem
5 Frühprediger Flachs, dem Buchhändler Pasvogel
und Herrn Flitte vor der Hand nichts, weil ich aus
ihrem eigenen Munde weiß, daß sie meine geringe
Person lieber haben als mein großes Vermögen. —
Ausgenommen gegenwärtiges Haus in der Hunds-
10 gasse, welches ganz so, wie es steht und geht,
demjenigen von meinen sieben genannten Herrn
Anverwandten zugehören soll, welcher in einer halben Stunde (von der Vorlesung der Klausel an ge-
rechnet) früher als die übrigen sechs Nebenbuhler
15 eine Träne über mich, seinen dahingegangenen
Onkel, vergießen kann vor einem löblichen Magi-
strate, der es protokolliert."

Hier machte der Bürgermeister das Testament zu,
merkte an, die Bedingung sei wohl ungewöhnlich
20 aber doch nicht gesetzwidrig; legte seine Uhr auf
den Sessionstisch, welche auf $11\frac{1}{2}$ Uhr zeigte, und
setzte sich ruhig nieder, um als Testamentsvoll-
strecker aufzumerken, wer zuerst die begehrte
Träne über den Testator vergösse. Daß es, solange
25 die Erde geht und steht, je auf ihr einen betrübtern
Kongreß gegeben als diesen von sieben gleichsam
zum Weinen vereinigten trocknen Provinzen, kann
wohl ohne Parteilichkeit angenommen werden.
Anfangs wurde noch kostbare Minuten hindurch
30 bloß verwirrt gestaunt und gelächelt. An reine
Rührung konnte — das sah jeder — keiner denken;
doch konnte in 26 Minuten etwas geschehen. Der
Kaufmann Neupeter fragte, ob das nicht ein

verfluchter Handel und Narrenposse sei für einen
verständigen Mann, und verstand sich zu nichts;
doch verspürte er bei dem Gedanken, daß ihm ein
Haus auf einer Zähre in den Beutel schwimmen
könnte, sonderbaren Drüsenreiz und sah wie eine 5
kranke Lerche aus. Der Hoffiskal Knoll verzog sein
Gesicht wie ein armer Handwerksmann, den ein
Gesell Sonnabend abends bei einem Schusterlicht
rasiert; er war fürchterlich erbost und nahe genug
an Tränen des Grimms. Der listige Buchhändler 10
Pasvogel machte sich sogleich still an die Sache
selber und durchging flüchtig alles Rührende, was
er teils im Verlage hatte teils in Kommission und
hoffte etwas zu brauen. Flitte aus Elsaß tanzte
geradezu und schwur, er sei nicht der reichste unter 15
ihnen, aber für ganz Straßburg wär' er nicht imstande bei einem solchen Spaß zu weinen. Der
Kirchenrat, der seine Natur kannte aus Neujahrs-
und Leichenpredigten, und der gewiß wußte, daß
er sich selber zuerst erweiche, sobald er nur an 20
andere Erweichungsreden halte, stand auf und sagte
mit Würde: Jeder, der seine gedruckten Werke
gelesen, wisse gewiß, daß er ein Herz im Busen
trage, das so heilige Zeichen, wie Tränen sind, eher
zurückzudrängen, um keinem Nebenmenschen da- 25
mit etwas zu entziehen, als mühsam hervorzureizen
nötig habe. „Dies Herz hat sie schon vergossen,
aber heimlich; denn Kabel war ja mein Freund",
sagte er und sah umher. Mit Vergnügen bemerkte
er, daß alle noch so trocken dasaßen wie Korkhölzer. 30
Bloß Flachsen schlug's heimlich zu; dieser hielt sich
Kabels Wohltaten und die schlechten Röcke und
grauen Haare seiner Zuhörerinnen des Frühgottes-

dienstes, den Lazarus mit seinen Hunden und seinen
eigenen langen Sarg in der Eile vor, ferner das
Köpfen so mancher Menschen, Werthers Leiden
und sich selber, wie er sich da so erbärmlich um den
5 Testamentsartikel in seinen jungen Jahren abquäle
und abringe — noch drei Stöße hatt' er zu tun mit
dem Pumpenstiefel, so hatte er sein Wasser und
Haus. „O Kabel, mein Kabel," fuhr Glanz fort,
fast vor Freude über nahe Trauertränen weinend,
10 „einst, wenn neben deine mit Erde bedeckte Brust
voll Liebe auch die meinige zum Vermod —"
„Ich glaube, meine verehrtesten Herren," sagte
Flachs, betrübt aufstehend und überfließend umher-
sehend, „ich weine", setzte sich darauf nieder und
15 ließ es vergnügter laufen. Die Rührung Flachsens
wurde zu Protokoll gebracht und ihm das Haus in
der Hundsgasse auf immer zugeschlagen.

Flegeljahre (1804)

130 *Sprüche*

i

DIE Erinnerung ist ein Paradies, aus dem wir
nicht vertrieben werden können.

ii

20 Die Leiden sind wie Gewitterwolken: in der
Ferne sehen sie schwarz aus, über uns kaum grau.

iii

Wenn jemand bescheiden bleibt nicht beim Lobe
sondern beim Tadel, dann ist er's.

iv

Armut ist die einzige Last, die schwerer wird, je
mehr Geliebte daran tragen.

v

Die Probe eines Genusses ist seine Erinnerung.

vi

Der Furchtsame erschrickt vor der Gefahr, der
Feige in ihr, der Mutige nach ihr.   5

vii

Verzage nicht, wenn du einmal fehltest, und deine
ganze Reue sei eine schönere Tat.

viii

Der Siege göttlichster ist das Vergeben.

ix

Unser Lebensweg steht auf beiden Seiten so voll
Bäumchen und Ruhebänken, daß ich mich wundere, 10
wenn einer müde wird.

x

Das Alter ist nicht trübe, weil darin unsere
Freuden sondern weil unsre Hoffnungen aufhören.

1767–1835

131   *Feiertage*

TAUSEND Dank, liebe Charlotte, für Ihren mir
sehr erwünscht gewesenen Brief. Ich teile ganz
Ihre Meinung, daß die Einrichtung bestimmter
Ruhetage, selbst wenn sie gar nicht mit religiöser
5 Feier zusammenhinge, eine für jeden, der ein
menschenfreundliches, auf alle Klassen der Gesellschaft gerichtetes Gemüt hat, höchst erfreuliche
und wirklich erquickende Idee ist. Es gibt nichts so
Selbstisches und Herzloses, als wenn Vornehme und
10 Reiche mit Mißfallen oder wenigstens mit einem
gewissen verschmähenden Ekel auf Sonn- und Feiertage blicken. Selbst die Wahl des siebenten Tages
ist gewiß die weiseste, welche hätte gefunden
werden können. So willkürlich es scheint die Arbeit
15 um einen Tag zu verkürzen, so bin ich überzeugt,
daß die sechs Tage gerade das wahre, den Menschen
in ihren physischen Kräften und in ihrem Beharren
in einförmiger Beschäftigung angemessene Maß ist.
Es liegt noch etwas Humanes auch darin, daß die
20 zur Arbeit dem Menschen behilflichen Tiere diese
Ruhe mit genießen. Die Periode wiederkehrender
Ruhe über die Maße zu verlängern würde töricht
sein. Ich habe dies einmal an einem Beispiel in der
Erfahrung gesehen. Da ich in der Revolutionszeit
25 einige Jahre in Paris war, so habe ich dort es erlebt,
daß man auch diese Einrichtung, sich an die göttliche Einsetzung nicht kehrend, dem trockenen und
hölzernen Decimalsystem untergeordnet hatte. Der
zehnte Tag war es, was wir einen Sonntag nennen,

und alle gewöhnliche Betriebsamkeit ging neun Tage lang fort. Wenn dies sichtbar viel zu viel war, so wurde von mehreren, soviel es die Polizeigesetze erlaubten, der Sonntag zugleich mit gefeiert, und so entstand wieder zu vieler Müßiggang. So schwankt man immer zwischen zwei Äußersten, wie man sich von dem regelmäßigen und geordneten Mittelwege entfernt. Wenn dies nun aber bloß nach schon vernunftgemäßen und weltlichen Betrachtungen hiermit der Fall ist, wie anders stellt sich noch die Sache nach den religiösen Beziehungen dar; dadurch wird die Idee wie der Genuß der Feiertage zu einer Quelle geistiger Heiterkeit und wahren Trostes.

Mit innigster Teilnahme Ihr H.

Briefe an eine Freundin (aus dem Nachlaß 1847)

132   *Was ist Glück?*

Tegel, 12. Januar 1834

SIE bemerkten, daß man sehr oft fragen hört: was ist Glück? Wenn man unter dem Worte das Glück meint, durch das man im Leben in der letzten tiefsten Empfindung glücklich oder unglücklich ist, nicht bloß darunter einzelne Glücksfälle versteht, so ist es recht schwer das Glück zu definieren. Denn man kann sehr vielen und großen Kummer haben und sich doch dabei nicht unglücklich fühlen, vielmehr in diesem Kummer eine so erhebende Nahrung des Geistes und des Gemüts finden, daß man diese Empfindung mit keiner andern vertauschen möchte. Dagegen kann man im

Besitz recht vieler, Ruhe und Genuß gewährender
Dinge sein, gar keinen Kummer haben und doch
eine mit den Begriffen des Glücks ganz unverträgliche
Leere in sich empfinden. Notwendig wird also zum
5 Glück eine gehörige Beschäftigung des Geistes oder
des Gefühls erfordert, allerdings verschieden nach
jedes einzelnen Geistes- oder Empfindungsmaß, aber
doch so, daß eines jeden Bedürfnis dadurch erfüllt
werde. Die Natur dieser Beschäftigung oder viel-
10 mehr dieses innern Interesses richtet sich aber dann
nach der individuellen Bestimmung, die jeder seinem
Leben gibt, oder vielmehr die er schon in sich gelegt
findet, und so liegt Glück und Unglück in dem
Gelingen oder Mißlingen des Erreichens dieser
15 Bestimmung. Ich habe immer gefunden, daß weib-
liche Gemüter in dies Gefühl lieber und williger
eingehen als Männer und sich auf diese Weise ein
stilles Glück in einer freudenlosen, ja oft kummer-
vollen Lage bilden. Auch für das künftige Dasein
20 ist diese Ansicht folgenreich. Denn alles Erlangen
eines andern Zustandes kann sich doch nur auf einen
bereits erfüllten gründen. Man kann nur erlangen,
wozu man reif geworden ist, und es kann in der
geistigen und Charakterentwickelung keinen Sprung
25 geben. Mit dem innigsten Anteil der Ihrige H.

Briefe an eine Freundin (aus dem Nachlaß 1847)

AUGUST WILHELM SCHLEGEL
1767–1845

133   *Bürgers „Lenore"*

LENORE bleibt immer Bürgers Kleinod, der
kostbare Ring, wodurch er sich der Volkspoesie,
wie der Doge von Venedig dem Meere, für immer

antraute. Mit Recht entstand in Deutschland bei
ihrer Erscheinung ein Jubel, wie wenn der Vorhang
einer noch unbekannten, wunderbaren Welt aufgezogen würde. Die Begünstigungen der Jugend
und Neuheit kamen dem Dichter zustatten, allein 5
es war auch an sich selbst sein glücklichster und
gelungenster Wurf. Eine Geschichte, welche die
getäuschten Hoffnungen und die vergebliche Em-
pörung eines menschlichen Herzens, dann alle
Schauer eines verzweiflungsvollen Todes in wenigen, 10
leicht faßlichen Zügen und lebendig vorüber-
fliehenden Bildern entfaltet, ist ohne konventionelles
Beiwerk, ohne vom Ziel schweifende Ausschmückun-
gen in die regste Handlung und fast ganz in wech-
selnde Reden gesetzt, während welcher man die 15
Gestalten, ohne den Beistand störender Schilderungen, sich bewegen und gebärden sieht. In dem
Ganzen ist eine einfache und große Anordnung: es
gliedert sich außer der kurzen Einleitung und den
kurzen Übergängen in drei Teile, wovon der erste 20
das heitre Bild eines friedlich heimkehrenden Heeres
darbietet und mit den beiden andern, der wilden
Leidenschaft Lenorens und ihrer Entführung in das
Reich des Todes, den hebendsten Gegensatz macht.
Diese stehen einander wiederum gegenüber: was 25
dort die Warnungen der Mutter, sind hier Lenorens
Bangigkeiten; und mit eben der Steigerung, die in
den frevelnden Ausbrüchen ihres Schmerzes sich
zeigt, wird sie immer gewaltsamer und eilender, und
zuletzt mit einem Sturm des Grausens ihrem Unter- 30
gange entgegen gerissen.

Auch in dem schauerlichen Teile ist alles verständig ausgespart und für den Fortgang und

Schluß immer etwas zurückbehalten, was eben bei
solchen Eindrücken von der größten Wichtigkeit ist.
Denn es ist ja eine bekannte Erfahrung, daß man,
um ein Gespenst verschwinden zu machen, gerade
5 darauf zugehn muß: die so tief in der menschlichen
Natur gegründete Furcht vor nächtlichen Erscheinungen aus der Geisterwelt bezieht sich
eigentlich auf das Unbekannte, und wird viel mehr
durch das Unheimliche der Ahndung und zweifel-
10 haften Erwartung erregt als durch die Deutlichkeit
einer schreckenden Gegenwart; und mit dieser kann
der Dichter erst dann die großen Streiche führen,
wenn er sich schon durch jene allmählich der Gemüter bemächtigt hat. Ohne diese Vorsicht kann
15 ein ganzes Füllhorn von Schreckphantomen aus-
geschüttet werden, und es bleibt ohne die mindeste
Wirkung. In der *Lenore* ist nichts zu viel: die vor-
geführten Geistererscheinungen sind leicht und
luftig und fallen nicht ins Gräßliche und körperlich
20 Angreifende. Dabei ist von dem Rabenhaare an,
das sie zerrauft, jeder Zug bedeutend: der schöne
Leichtsinn, womit sie der Gestalt des Geliebten
folgt; die Schnelligkeit des nächtlichen Rittes; der
wilde, lustige Ton in den Reden des Reiters: alles
25 spricht mit der Entschiedenheit des frischen Lebens
zwischen die Ohnmacht der Schattenwelt hinein,
deren endlicher Sieg um so mächtiger erschüttert.

Charakteristiken und Kritiken (1800)

134   *Shakespeares Kenntnisse*

ÜBER die Unwissenheit oder Gelehrsamkeit
Shakespeares ist weitläufig hin und her gestritten worden, und doch ist die Sache so leicht zu
entscheiden. Shakespeare war arm an toter Gelehrsamkeit, aber er besaß eine Fülle lebendiger und 5
anwendbarer Kenntnisse. Er wußte Lateinisch und
sogar etwas Griechisch, jedoch vermutlich nicht
genug um die Schriftsteller in der Ursprache mit
Leichtigkeit zu lesen. Auch die neueren Sprachen,
das Französische und Italienische, hatte er nur ober- 10
flächlich erlernt. Überhaupt ging seine Neigung
nicht darauf Worte, sondern Tatsachen einzu-
sammeln. Mit englischen und ins Englische über-
setzten Büchern hatte er eine sehr ausgebreitete
Bekanntschaft: man darf wohl behaupten, daß er 15
alles damals in seiner Sprache Vorhandene, was ihm
irgend zu künstlerischen Zwecken dienen konnte,
gelesen hatte. Mit der Mythologie war er vertraut
genug, um sie, wie er es einzig wollte, als einen
symbolischen Zierat zu gebrauchen. Den Geist der 20
alten, besonders römischen Geschichte hatte er im
ganzen richtig gefaßt; bis ins einzelne geläufig war
ihm die Geschichte seines Vaterlandes. Er war ein
aufmerksamer Naturbeobachter; er kannte die
Kunstsprache der Handwerker und Gewerbe; im 25
Innern von England scheint er viel gereist zu sein
und sich bei Seefahrern fleißig nach dem Auslande
erkundigt zu haben; aufs genaueste bekannt war er
mit allen volksmäßigen Gebräuchen, Meinungen
und Überlieferungen, die poetisch nutzbar waren. 30

Seine Unwissenheit will man besonders durch einige geographische Schnitzer und Anachronismen beweisen. Man lacht darüber, daß er in einem märchenhaften Lustspiele Schiffe in Böhmen landen
5 läßt. Allein ich glaube, man hätte sehr unrecht daraus zu schließen, er habe nicht ebensogut wie wir die schätzbare und nicht schwer zu erwerbende Kenntnis besessen, daß Böhmen von keiner Seite an die See stößt. Dazu müßte er niemals eine Karte von
10 Deutschland angesehen haben, da er doch die Karten beider Indien mit den Entdeckungen der neuesten Weltumsegler beschreibt. In dergleichen ist Shakespeare nur bei einheimischen historischen Gegenständen genau. Bei den Novellen, die er
15 bearbeitet, hütet er sich wohl seine Zuhörer, denen sie bekannt waren, durch Berichtigung von Irrtümern in Nebendingen zu stören. Je wunderbarer die Geschichte, desto mehr spielt sie auf einem bloß poetischen Boden, den er nach Belieben
20 in einer unbestimmten Ferne hält. Diese Schauspiele, wie auch die Namen lauten mögen, gehen eigentlich im Romanenlande und in dem Jahrhundert der wunderbaren Liebesgeschichten vor sich. Er wußte gewiß, daß es im Ardennenwalde
25 keine Löwen noch Schlangen der heißen Zone gibt, ebensowenig als arkadische Schäferinnen; aber er versetzte beide dahin, weil der Entwurf und die Bedeutung seines Gemäldes es so erforderte. Hierin hielt er die größten Freiheiten für erlaubt. Er hatte
30 es nicht mit einer kleinlich krittelnden Zeit zu tun, wie die unsrige ist, wo man in der Poesie immer etwas anderes sucht als Poesie; seine Zuschauer gingen ins Theater, nicht um die wahre Chrono-

logie, Geographie und Naturgeschichte zu erlernen
sondern um eine heitre Darstellung anzusehn.

Ich unternehme darzutun, daß Shakespeares Anachronismen mehrenteils geflissentlich und mit
großem Bedacht angebracht sind. Es lag ihm oft 5
daran das Dargestellte aus dem Hintergrunde der
Zeiten ganz in die Nähe zu rücken. So herrscht im
Hamlet, wiewohl anerkannt einer alten nordischen
Geschichte, der Ton modiger Gesellikeit und in
allen Stücken das Kostüm der neuesten Zeit. Ohne 10
diese Umgebung wäre es gar nicht zulässig gewesen
den Hamlet zu einem philosophischen Grübler zu
machen, worauf doch der Sinn des Ganzen beruht.
Deswegen erwähnt er auch seiner Erziehung auf
einer Universität, wiewohl es zur Zeit des histo- 15
rischen Hamlet noch keine Universitäten gab. Er
läßt ihn in Wittenberg studieren, und keine Wahl
konnte schicklicher sein. Der Name war sehr
populär; durch die Sage vom Dr. Faust war Wittenberg auf eine wundervolle Art bekannt; vorzüglich 20
war es im protestantischen England berühmt, weil
Luther kurz zuvor dort gelehrt und geschrieben
hatte, und der Name mußte sogleich den Begriff
freier Geistesregung erwecken.

Über dramatische Kunst und Litteratur (1809)

ERNST MORITZ ARNDT

1769–1860

135 *Die deutsche Sprache und ihr Studium*

UNSERE Gelehrten sind mit einem löblichen 25
Eifer beschäftigt die lange im Moder der
Vergessenheit gelegenen Sprachdenkmale unseres

Mittelalters zu sammeln und herauszugeben. Viel
ist schon geschehen, und mehr ist noch zu hoffen.
In den letzten zwanzig Jahren ist freilich für solche
Dinge keine Zeit gewesen; aber diese Zeit muß nun
5 doch bald kommen, wenn wir unersetzliche Schätze
nicht ganz verlieren sollen. Und wie viele haben
wir wohl verloren von den Jahren 1792 bis 1804 bei
dem Hin- und Herflüchten, Verschleppen, Ent-
wenden, Stehlen und Vertrödeln von Urkunden und
10 Schriften und später bei der wilden Umkehrung der
Klöster, Stifter, Reichsstädte und bei der Auf-
räumung und Ausleerung ihrer Bücher-, Gerät-
und Kleinodienkammern! Das wäre jetzt auch die
Zeit und zwar die höchste und letzte Zeit, daß in
15 Deutschland im großen Stile entweder unter dem
Schutz einer Regierung, welche die Mittel dazu
hergäbe, oder durch die Vereinigung einzelner eine
Gesellschaft für die Sprache gebildet würde, nicht
eine solche, die sich bloß hinsetzte und an dem Vor-
20 handenen klaubte, feilte, besserte und regelte, sondern eine lebendige und frische Gesellschaft, die
sich über ganz Deutschland von den Alpen und der
Maas und Mosel bis an die Memel verbreitete und
Männer von Kenntnissen und gutem Sinn und
25 Fähigkeit das Lebendige aufzufassen, in die einzelnen
Landschaften und Gaue versendete, daß sie auf-
läsen und erkundeten, was vom Sprachvorrat noch
aufzulesen und zu erkunden ist. Diese Sammlungen,
fünfzehn und zwanzig Jahre so fortgesetzt, würden
30 dann mit dem, was im Druck und in der Handschrift schon vorhanden ist, zusammengelegt und
allmählich herausgegeben. So würden wir besondere
Wörterbüchlein der einzelnen Landschaften und

Gaue, oft eines einzelnen Tales oder eines Inselchens erhalten; und dann könnte später von geistvollen und gelehrten Männern endlich auch ein deutsches Wörterbuch gefertigt werden.

Eine neue Zeit ist da, eine gewaltige Zeit, welche wie eine Sündflut hereingebrochen ist und vieles schon weggeschwemmt hat, dem manche vor dreißig und vierzig Jahren noch wohl die Dauer einer kleinen Ewigkeit zutrauten. Diese neue Zeit bringt neue Triebe, neue Bedürfnisse. Manche Gegenstände, die sonst gewußt und geübt werden mußten, haben allen Reiz für das Leben verloren, und mit ihnen muß notwendig viel anderes in das Grab sinken, wenn es durch gemeinschaftliche Fürsorge der Weiseren und Besseren nicht gerettet wird. So vieles, was für deutsches Leben, deutschen Brauch und Gewohnheit wichtig war, ist es heute nicht mehr, und die Studien und Übungen, welche sich darauf bezogen, müssen natürlich auch schlafen gehen. Wenn man nun jene Sprachschätze sammelt, so sammelt man ja nicht bloße Wörter, nicht bloße äußerliche Hüllen und Schalen der Dinge, worin der Kern fehlt; nein, man sammelt, wenn man Geist zu dem Geschäfte mitbringt, das deutsche Leben und die deutsche Geschichte in ihren Keimen. Und wann sie einmal gesammelt sind, möchten sich wohl solche finden, die diese Keime zu lieblichen Blumen und stolzen, himmelragenden Eichen der Kunst und Wissenschaft entwickeln könnten. Man wird, wann man den ganzen Vorrat beisammen hat, erstaunen über den reichen Schatz, und wenn die rechten Geister darüberkommen, die das Wichtige von dem Unwichtigen und das Gold von den

Schlacken zu scheiden und aus den unendlich vielen und kleinen und feinen Bilderchen ein großes und helles Bild zusammenzusetzen verstehen, dann wird man sich der Ausbeute freuen.

5 Wenn die Sprache so in allen ihren Grenzen gesammelt wäre, würden wir manches finden, was uns des meisten Fremden entbehren ließe; wir würden in dem Alten für manches Neue die trefflichsten Zeichen und Namen finden. Aber unser
10 Sprachkreis ist nicht bloß auf Deutschland und auf seine Mundarten beschränkt. An den Niederlanden, Dänemark, Schweden und Norwegen sind wir Miterben, wie wir ihnen an uns die Miterbschaft zugestehen, ja wir sind es an England und
15 Schottland. Diese Sprachen, wie verschieden sie sich in mancher Hinsicht auch gebildet haben, sind doch bis auf den heutigen Tag die verwandtesten und enthalten die reichsten Entwickelungen, Bildungen, Deutungen und Erklärungen, ja selbst
20 Belebungen und Ergänzungen aus einander. Manche herrliche, einzig bezeichnende und malende Wörter Schwedens, Norwegens und Islands könnten wir so aufnehmen, ohne daß deutschen Menschen in ihnen etwas Fremdartiges zu begegnen scheinen
25 würde; ebenso sie von uns. Das südliche Britannien ist seit dem elften Jahrhundert mehr romanisiert, das nördliche aber und drei Viertel Schottlands sind immer fast ganz germanisch geblieben und haben viel später erst die romanisch-englische Sprache als
30 Schriftsprache angenommen. In den herrlichen Romanzen und Balladen Nordenglands und Südschottlands weht in Sinn, Ton, Farbe und Sprache durchaus ein rein germanischer Geist, von welchem

uns etwa ein Drittel, zwei Drittel aber den Skandinaviern zugute kommen.

Geist der Zeit (1818)

FRIEDRICH HÖLDERLIN

1770–1843

Hyperion und Diotima

136   *i*

ICH lebe jetzt auf der Insel des Ajax, der teuern Salamis. Auf dem Vorgebirge hab' ich mir eine Hütte gebaut von Mastixzweigen, und Moos und 5 Bäume herumgepflanzt und Thymian und allerlei Sträuche. Da hab' ich meine liebsten Stunden, da sitz' ich Abende lang und sehe nach Attika hinüber, bis endlich mein Herz zu hoch mir klopft; dann nehm' ich mein Werkzeug, gehe hinab an die Bucht 10 und fange mir Fische. Heut' ist's dreifach schön hier oben. Zwei freundliche Regentage haben die Luft und die lebensmüde Erde gekühlt. Der Boden ist grüner geworden, offner das Feld. Unendlich steht, mit der freudigen Kornblume gemischt, der 15 goldene Weizen da, und licht und heiter steigen tausend hoffnungsvolle Gipfel aus der Tiefe des Hains.

Mitten in meinen finstern Tagen lud ein Bekannter von Kalaurea herüber mich ein. Ich sollt' 20 in seine Gebirge kommen, schrieb er mir; man lebe hier freier als sonstwo, und auch da blüheten, mitten unter den Fichtenwäldern und reißenden Wassern, Limonenhaine und Palmen und liebliche Kräuter und Myrten und die heilige Rebe. Einen Garten 25

hab' er hoch am Gebirge gebaut und ein Haus; dem
beschatteten dichte Bäume den Rücken, und
kühlende Lüfte umspielten es leise in den brennenden Sommertagen; wie ein Vogel vom Gipfel der
5 Ceder blicke man in die Tiefen hinab, zu den
Dörfern und grünen Hügeln.

Das weckte mich denn doch ein wenig. Es war
ein heiterer blauer Apriltag, an dem ich hinüber-
schiffte. Das Meer war ungewöhnlich schön und
10 rein, und leicht die Luft, wie in höheren Regionen.
Dem Einflusse des Meers und der Luft widerstrebte
der finstere Sinn umsonst. Ich gab mich hin, fragte
nichts nach mir und andern, suchte nichts, sann auf
nichts, ließ vom Boote mich halb in Schlummer
15 wiegen und bildete mir ein, ich liege in Charons
Nachen. O, es ist süß, so aus der Schale der Vergessenheit zu trinken. Mein fröhlicher Schiffer
hätte gerne mit mir gesprochen, aber ich war sehr
einsilbig. Er deutete mit dem Finger und wies mir
20 rechts und links das blaue Eiland, aber ich sah nicht
lange hin und war im nächsten Augenblicke wieder
in meinen eigenen lieben Träumen. Endlich, da er
mir die stillen Gipfel in der Ferne wies und sagte,
daß wir bald in Kalaurea wären, merkt' ich mehr auf,
25 und mein ganzes Wesen öffnete sich der wunderbaren Gewalt, die auf einmal süß und still und
unerklärlich mit mir spielte. Mit großem Auge,
staunend und freudig, sah ich hinaus in die Geheimnisse der Ferne, leicht zitterte mein Herz, und die
30 Hand entwischte mir und faßte freundlichhastig
meinen Schiffer an — „So?“ rief ich, „das ist
Kalaurea?“ Und wie er mich drum ansah, wußt'
ich selbst nicht, was ich aus mir machen sollte.

Ich grüßte meinen Freund mit wunderbarer Zärtlichkeit. Voll süßer Unruhe war all mein Wesen.
Den Nachmittag wollt' ich gleich einen Teil der
Insel durchstreifen. Die Wälder und geheimen Tale
reizten mich unbeschreiblich, und der freundliche 5
Tag lockte alles hinaus. Ich war voll unbeschreib-
lichen Sehnens und Friedens. Eine fremde Macht
beherrschte mich. „Freundlicher Geist," sagt' ich
bei mir selber, „wohin rufst du mich? nach Elysium
oder wohin?" Ich ging in einem Walde am rieseln· 10
den Wasser hinauf, wo es über Felsen herunter-
tröpfelte, wo es harmlos über die Kieseln glitt; und
mählich verengte sich und ward zum Bogengange
das Tal, und einsam spielte das Mittagslicht im
schweigenden Dunkel — Hier — ich möchte sprechen 15
können, mein Bellarmin! möchte gerne mit Ruhe
dir schreiben! Sprechen? o ich bin ein Laie in der
Freude, ich will sprechen! Wohnt doch die Stille
im Lande der Seligen, und über den Sternen vergißt
das Herz seine Not und seine Sprache. Ich hab' es 20
heilig bewahrt! wie ein Palladium hab' ich es in mir
getragen, das Göttliche, das mir erschien! Und
wenn hinfort mich das Schicksal ergreift und von
einem Abgrund in den andern mich wirft und alle
Kräfte ertränkt in mir und alle Gedanken: so soll 25
dies Einzige doch mich selber überleben in mir, und
leuchten in mir und herrschen in ewiger, unzer-
störbarer Klarheit! — So lagst du hingegossen,
süßes Leben, so blicktest du auf, erhubst dich,
standst nun da, in schlanker Fülle, göttlich ruhig, 30
und das himmlische Gesicht noch voll des heitern
Entzückens, worin ich dich störte! O wer in
die Stille dieses Auges gesehn, wem diese süßen

Lippen sich aufgeschlossen, wovon mag der noch
sprechen?

137 *ii*

LASS uns vergessen, daß es eine Zeit gibt und
zähle die Lebenstage nicht! Was sind Jahr-
5 hunderte gegen den Augenblick, wo zwei Wesen so
sich ahnen und nahn? Noch seh' ich den Abend,
an dem Notara zum ersten Male zu ihr ins Haus
mich brachte. Sie wohnte nur einige hundert
Schritte von uns am Fuße des Bergs. Ihre Mutter
10 war ein denkend zärtlich Wesen, ein schlichter
fröhlicher Junge der Bruder, und beide gestanden
herzlich in allem Tun und Lassen, daß Diotima die
Königin des Hauses war. Ach! es war alles geheiliget
und verschönert durch ihre Gegenwart. Wohin ich
15 sah, was ich berührte, ihr Fußteppich, ihr Polster,
ihr Tischchen, alles war in geheimem Bunde mit ihr.
Und da sie zum ersten Male mit Namen mich rief,
da sie selbst so nahe mir kam, daß ihr unschuldiger
Odem mein lauschend Wesen berührte! — Wir
20 sprachen sehr wenig zusammen. Man schämt sich
seiner Sprache. Zum Tone möchte man werden
und sich vereinen in einen Himmelsgesang. Wovon
auch sollten wir sprechen? Wir sahn nur uns. Von
uns zu sprechen, scheuten wir uns. Vom Leben der
25 Erde sprachen wir endlich. So feurig und kindlich
ist ihr noch keine Hymne gesungen worden. Es tat
uns wohl den Überfluß unsers Herzens der guten
Mutter in den Schoß zu streuen. Wir fühlten uns
dadurch erleichtert wie die Bäume, wenn ihnen der
30 Sommerwind die fruchtbaren Äste schüttelt und
ihre süßen Äpfel in das Gras gießt.

138   *iii*

EIN paar Tage drauf kam sie herauf zu uns. Wir
gingen zusammen im Garten herum. Diotima
und ich gerieten voraus, vertieft; mir traten oft
Tränen der Wonne ins Auge über das Heilige, das
so anspruchslos zur Seite mir ging. Vorn am Rande 5
des Berggipfels standen wir nun und sahen hinaus
in den unendlichen Osten. Diotimas Auge öffnete
sich weit, und als begänne sie den Flug in die
Wolken stand sanft emporgestreckt die ganze Gestalt, in leichter Majestät, und berührte kaum mit 10
den Füßen die Erde. O unter den Armen hätt' ich
sie fassen mögen, wie der Adler seinen Ganymed,
und hinfliegen mit ihr über das Meer und seine
Inseln. Nun trat sie weiter vor und sah die schroffe
Felsenwand hinab. Sie hatte ihre Lust daran die 15
schreckende Tiefe zu messen und sich hinab zu verlieren in die Nacht der Wälder, die unten aus
Felsenstücken und schäumenden Wetterbächen herauf die lichten Gipfel streckten. Das Geländer,
worauf sie sich stützte, war etwas niedrig. So 20
durft' ich es ein wenig halten, das Reizende, indes
es so sich vorwärts beugte. Ach! heiße, zitternde
Wonne durchlief mein Wesen, Taumel und Toben
war in allen Sinnen, und die Hände brannten mir
wie Kohlen, da ich sie berührte.   25

139   *iv*

UNTER den Blumen war ihr Herz zu Hause,
als wäre es eine von ihnen. Sie nannte sie alle
mit Namen, schuf ihnen aus Liebe neue, schönere,
und wußte genau die fröhlichste Lebenszeit von

jeder. Wie eine Schwester, wenn aus jeder Ecke ein
Geliebtes ihr entgegenkommt, und jedes gerne
zuerst gegrüßt sein möchte, so war das stille Wesen
mit Aug' und Hand beschäftigt, selig zerstreut,
5 wenn auf der Wiese wir gingen oder im Walde.
Und das war so ganz nicht angenommen, angebildet,
das war so mit ihr aufgewachsen. Es ist doch ewig
gewiß und zeigt sich überall: je unschuldiger,
schöner eine Seele, desto vertrauter wird sie mit
10 den andern Glücklichen leben, die man seelenlos
nennt.

140   *v*

WOHIN ich auch entfliehe mit meinen Gedanken, in die Himmel hinauf und in den
Abgrund, zum Anfang und ans Ende der Zeiten,
15 selbst wenn ich ihm, der meine letzte Hoffnung war,
der sonst noch jede Sorge in mir verzehrte, der alle
Lust und allen Schmerz des Lebens sonst mit der
Feuerflamme, worin er sich offenbarte, in mir ver-
sengte, selbst wenn ich ihm mich in die Arme werfe,
20 dem herrlichen geheimen Geiste der Welt, in seine
Tiefe mich tauche, wie in den bodenlosen Ozean
hinab, auch da, auch da finden die süßen Schrecken
mich auf, die süßen verwirrenden tötenden Schrecken,
daß Diotimas Grab mir nah ist.
25 Hörst du? hörst du? Diotimas Grab! Mein
Herz war doch so stille geworden, und meine Liebe
war begraben mit der Toten, die ich liebte. Du
weißt, mein Bellarmin! ich schrieb dir lange nicht von
ihr, und da ich schrieb, so schrieb ich dir gelassen,
30 wie ich meine. Was ist's denn nun? Ich gehe ans
Ufer hinaus und sehe nach Kalaurea, wo sie ruhet,

hinüber, das ist's. O daß ja keiner den Kahn mir leihe,
daß ja sich keiner erbarme und mir sein Ruder biete
und mir hinüberhelfe zu ihr! Daß ja das gute Meer
nicht ruhig bleibe, damit ich nicht ein Holz mir
zimmre und hinüberschwimme zu ihr. Aber in die 5
tobende See will ich mich werfen und ihre Woge
bitten, daß sie an Diotimas Gestade mich wirft!

141 *vi*

WAR sie nicht mein, ihr Schwestern des
Schicksals, war sie nicht mein? Die reinen
Quellen fordr' ich auf zu Zeugen, und die un- 10
schuldigen Bäume, die uns belauschten, und das
Tagslicht und den Äther! war sie nicht mein?
vereint mit mir in allen Tönen des Lebens? Wo ist
das Wesen, das wie meines sie erkannte? in welchem
Spiegel sammelten sich so wie in mir die Strahlen 15
dieses Lichts? erschrak sie freudig nicht vor ihrer
eignen Herrlichkeit, da sie zuerst in meiner Freude
sich gewahr ward? Ach! wo ist das Herz, das so wie
meines überall ihr nah war, so wie meines sie erfüllte
und von ihr erfüllt war, das so einzig da war ihres 20
zu umfangen, wie die Wimper für das Auge da ist.
Wir waren eine Blume nur, und unsre Seelen lebten
ineinander wie die Blume, wenn sie liebt und ihre
zarten Freuden im verschloßnen Kelche verbirgt.
Und doch, doch wurde sie, wie eine angemaßte 25
Krone, von mir gerissen und in den Staub gelegt.

Hyperion oder Der Eremit in Griechenland (1797)

LUDWIG VAN BEETHOVEN

1770–1827

Heiligenstadt, am 6ten Oktober 1802

142   *An seine Brüder*

O IHR Menschen, die ihr mich für feindselig,
störrisch oder misanthropisch haltet oder erklärt,
wie unrecht tut ihr mir; ihr wißt nicht die geheime
Ursache von dem, was euch so scheint. Mein Herz
5 und mein Sinn waren von Kindheit an für das zarte
Gefühl des Wohlwollens. Selbst große Handlungen
zu verrichten, dazu war ich immer aufgelegt; aber
bedenkt nur, daß seit sechs Jahren ein heilloser
Zustand mich befallen, durch unvernünftige Ärzte
10 verschlimmert; von Jahr zu Jahr in der Hoffnung
gebessert zu werden betrogen, endlich zu dem
Überblick eines dauernden Übels (dessen Heilung
vielleicht Jahre dauern oder gar unmöglich ist)
gezwungen, mit einem feurigen, lebhaften Tempera-
15 mente geboren, selbst empfänglich für die Zer-
streuungen der Gesellschaft, mußte ich früh mich
absondern, einsam mein Leben zubringen. Wollte
ich auch zuweilen mich einmal über alles das hinaus-
setzen, o wie hart wurde ich durch die verdoppelte
20 traurige Erfahrung meines schlechten Gehörs dann
zurückgestoßen, und doch war's mir noch nicht
möglich den Menschen zu sagen: sprecht lauter,
schreit, denn ich bin taub. Ach wie wär' es möglich,
daß ich die Schwäche eines Sinnes angeben sollte,
25 der bei mir in einem vollkommenern Grade als bei
andern sein sollte, eines Sinnes, den ich einst in der
größten Vollkommenheit besaß, in einer Vollkommenheit, wie ihn wenige von meinem Fache

293

gewiß haben noch gehabt haben — o ich kann es
nicht. Drum verzeiht, wenn ihr mich da zurückweichen sehen werdet, wo ich mich gerne unter
euch mischte. Doppelt wehe tut mir mein Unglück,
indem ich dabei verkannt werden muß. Für mich 5
darf Erholung in menschlicher Gesellschaft, feinere
Unterredungen, wechselseitige Ergießungen nicht
statthaben; ganz allein, fast nur so viel als es die
höchste Notwendigkeit fordert, darf ich mich in
Gesellschaft einlassen. Wie ein Verbannter muß ich 10
leben; nahe ich mich einer Gesellschaft, so überfällt
mich eine heiße Ängstlichkeit, indem ich befürchte
in Gefahr gesetzt zu werden meinen Zustand merken
zu lassen.

So war es denn auch dieses halbe Jahr, das ich 15
auf dem Lande zubrachte. Von meinem vernünftigen Arzte aufgefordert so viel als möglich mein
Gehör zu schonen, kam er fast meiner jetzigen
natürlichen Disposition entgegen, obschon vom
Triebe zur Gesellschaft manchmal hingerissen ich 20
mich dazu verleiten ließ. Aber welche Demütigung,
wenn jemand neben mir stand und von weitem eine
Flöte hörte und ich nichts hörte, oder jemand den
Hirten singen hörte und ich auch nichts hörte!
Solche Ereignisse brachten mich nahe an Ver- 25
zweiflung; es fehlte wenig, und ich endigte selbst
mein Leben — nur sie, die Kunst, sie hielt mich
zurück. Ach es dünkte mir unmöglich die Welt eher
zu verlassen, bis ich das alles hervorgebracht, wozu
ich mich aufgelegt fühlte, und so fristete ich dieses 30
elende Leben. — Geduld, sie muß ich nun zur
Führerin wählen. Dauernd, hoffe ich, soll mein
Entschluß sein auszuharren, bis es den unerbitt-

lichen Parzen gefällt den Faden zu brechen. Vielleicht geht's besser, vielleicht nicht, ich bin gefaßt.
Schon in meinem achtundzwanzigsten Jahre gezwungen Philosoph zu werden: es ist nicht leicht,
5 für den Künstler schwerer als für irgend jemand.
Gottheit, du siehst herab auf mein Inneres, du
kennst es, du weißt, daß Menschenliebe und Neigung
zum Wohltun drin hausen. O Menschen, wenn ihr
einst dieses lest, so denkt, daß ihr mir unrecht getan,
10 und der Unglückliche, er tröste sich einen seinesgleichen zu finden, der trotz allen Hindernissen der
Natur doch noch alles getan, was in seinem Vermögen stand, um in die Reihe würdiger Künstler
und Menschen aufgenommen zu werden.
15   Ihr, meine Brüder Karl und Johann, sobald ich
tot bin, und Professor Schmidt lebt noch, so bittet
ihn in meinem Namen, daß er meine Krankheit
beschreibe, und dieses hier geschriebene Blatt fügt
Ihr dieser meiner Krankengeschichte bei, damit
20 wenigstens soviel als möglich die Welt nach meinem
Tode mit mir versöhnt werde. Zugleich erkläre ich
Euch beide hier für die Erben des kleinen Ver-
mögens (wenn man es so nennen kann) von mir.
Teilt es redlich und vertragt und helft Euch ein-
25 ander. Was Ihr mir zuwider getan, das, wißt Ihr,
war Euch schon längst verziehen. Dir, Bruder Karl,
danke ich noch insbesondere für Deine in dieser
letztern spätern Zeit mir bewiesene Anhänglichkeit. Mein Wunsch ist, daß Euch ein besseres, sor-
30 genloseres Leben als mir werde. Empfehlt Euern
Kindern Tugend: sie nur allein kann glücklich
machen, nicht Geld; ich spreche aus Erfahrung; sie
war es, die mich selbst im Elende gehoben; ihr

danke ich nebst meiner Kunst, daß ich durch
keinen Selbstmord mein Leben endigte. Lebt wohl
und liebt Euch!

LUDWIG VAN BEETHOVEN

143   *An Goethe*

Wien, am 8. Februar 1823

IMMER noch wie von meinen Jünglingsjahren an
lebend in Ihren unsterblichen nie veraltenden 5
Werken und die glücklichen in Ihrer Nähe verlebten
Stunden nie vergessend, tritt doch der Fall ein, daß
auch ich mich einmal in Ihr Gedächtnis zurück-
rufen muß. Ich hoffe, Sie werden die Zueignung von
„Meeres Stille" und „Glückliche Fahrt", in Töne 10
gebracht von mir, erhalten haben. Beide schienen
mir ihres Kontrastes wegen sehr geeignet auch
diesen durch Musik mitteilen zu können. Wie lieb
würde es mir sein zu wissen, ob ich passend meine
Harmonie mit der Ihrigen verbunden! Auch Be- 15
lehrung, welche gleichsam als Wahrheit zu betrachten, würde mir äußerst willkommen sein; denn
letztere liebe ich über alles, und es wird nie bei mir
heißen: *veritas odium parit.* Es dürften bald vielleicht mehrere Ihrer immer einzig bleibenden Ge- 20
dichte, in Töne gebracht von mir, erscheinen,
worunter auch „Rastlose Liebe" sich befindet. Wie
hoch würde ich eine allgemeine Anerkennung überhaupt über das Komponieren oder In-Musik-
setzen Ihrer Gedichte achten! 25

Nun eine Bitte an Eure Excellenz. Ich habe eine
große Messe geschrieben, welche ich aber noch
nicht herausgeben will sondern nur bestimmt ist an

die vorzüglichsten Höfe gelangen zu machen. Das
Honorar beträgt nur fünfzig Dukaten. Ich habe
mich in dieser Absicht an die Weimarer Gesandtschaft gewendet, welche das Gesuch an Seine Groß-
5 herzogliche Durchlaucht auch angenommen und
versprochen hat es an selbe gelangen zu lassen.
Meine Bitte besteht darin, daß Eure Excellenz
Seine Großherzogliche Durchlaucht hierauf aufmerksam machen möchten, damit Höchstdieselben
10 auch hierauf subskribierten. Die Weimarer Gesandtschaft eröffnete mir, daß es sehr zuträglich sein
würde, wenn der Großherzog vorher schon dafür
gestimmt würde. Ich habe so vieles geschrieben
aber erschrieben beinahe gar nichts. Nun bin ich
15 aber nicht mehr allein; schon über sechs Jahre bin
ich Vater eines Knaben meines verstorbenen Bruders, eines hoffnungsvollen Jünglings im sechzehnten Jahre, den Wissenschaften ganz angehörig
und in den reichen Schachten der Griechheit schon
20 ganz zu Hause. Allein in diesen Ländern kostet
dergleichen sehr viel, und bei studierenden Jüng-
lingen muß nicht allein an die Gegenwart sondern
selbst an die Zukunft gedacht werden, und so sehr
ich sonst bloß nur nach oben gedacht, so müssen
25 doch jetzt meine Blicke auch sich nach unten
erstrecken. Mein Gehalt ist ohne Gehalt. Meine
Kränklichkeit seit mehreren Jahren ließ es nicht zu
Kunstreisen zu machen und überhaupt alles das zu
ergreifen, was zum Erwerb führt. Sollte ich meine
30 gänzliche Gesundheit wiedererhalten, so dürfte sich
wohl noch manches andere Bessere erwarten dürfen.
Eure Excellenz dürfen aber nicht denken, daß ich
wegen der jetzt gebetenen Verwendung für mich

Ihnen „Meeresstille" und „Glückliche Fahrt" gewidmet hätte. Dies geschah schon im Mai 1822, und die Messe auf diese Weise bekannt zu machen, daran ward noch nicht gedacht bis jetzt vor einigen Wochen. Die Verehrung, Liebe und Hochachtung, 5 welche ich für den einzigen, unsterblichen Goethe von meinen Jünglingsjahren schon hatte, ist immer mir geblieben. So was läßt sich nicht wohl in Worte fassen, besonders von einem solchen Stümper wie ich, der nur immer gedacht hat die Töne sich eigen 10 zu machen. Allein ein eigenes Gefühl treibt mich immer Ihnen so viel zu sagen, indem ich in Ihren Schriften lebe. Ich weiß, Sie werden nicht ermangeln einem Künstler, der nur zu sehr gefühlt, wie weit der bloße Erwerb von ihm entfernt ist, einmal 15 sich für ihn zu verwenden, wo Not ihn zwingt auch wegen andern für andere zu walten, zu wirken. Das Gute ist uns allzeit deutlich, und so weiß ich, daß Eure Excellenz meine Bitte nicht abschlagen werden. — Einige Worte von Ihnen an mich 20 würden Glückseligkeit über mich verbreiten.

Eure Excellenz mit der innigsten, unbegrenztesten Hochachtung verehrender:

BEETHOVEN

HEINRICH ZSCHOKKE

1771–1848

144 *Stolprian*

ALS meine Base Sparhafen gestorben und ich als ihr einziger Erbe ziemlich vermögend geworden 25 war, wollte man mir in meinem dreißigsten Jahre ein Mädchen zur Frau geben, das schön, tugendhaft und

vermögend war. Jungfer Bärbeli gefiel mir; die
Sache sollte in Richtigkeit gebracht werden und
darum ward ich von ihrem Vetter zu Gaste geladen,
wo ich sie finden sollte. Ich ging nicht gern in
5 große Gesellschaft, weil ich durch vernachlässigte
Erziehung schüchtern war. Dennoch kleidete ich
mich sorgfältig an; weiße seidene Strümpfe, ein
apfelgrüner Rock mit Perlmutterknöpfen — genug,
ich war zierlich wie ein Bräutigam. Als ich vor das
10 Haus des Herrn Vetters kam, klopfte mir das Herz
in der Brust aus Angst vor zu großer Gesellschaft.
Zum Glück fand ich den Herrn Vetter allein, der
noch eine Rechnung in seiner Stube schrieb. Ich
machte zwanzig Kratzfüße und lachte vor Angst um
15 freundlich auszusehen. Als der Herr Vetter seine
Rechnung fertig hat und den Streusand sucht,
springe ich dienstfertig hinzu, ergreife das Tintenfaß
statt des Sandfasses und schütte ihm einen schwarzen
Strom über sein Conto. Vor Schrecken nahm ich in
20 der Eile mein schneeweißes Schnupftuch aus der
Rocktasche und wischte damit auf. „Ei behüte,
Herr Stolprian, was treibt Ihr?" rief der Vetter
lachend, drängte mich mit meinem befleckten
Schnupftuch zurück und führte mich in die Stube,
25 wo die Gesellschaft war. Ich folgte ihm nach, hatte
aber kein gut Gewissen, denn ich bemerkte einen
großen Tintenfleck auf meinem weißen Seiden-
strumpf am linken Bein. Die Türe des Zimmers
geht auf. Ich steifer, hölzerner Bursch will mich
30 gewandt und leichtfüßig stellen, hüpfe in den
großen Saal hinein, mache Bücklinge links und
rechts, sehe nicht, daß vor mir eine Person steht,
die im Begriff ist eine Pastete zum Tische hinzu-

tragen, fahre ihr mit dem Kopfe in den Rücken und
—die kostbare Pastete fährt auf den Boden. Der
Vetter machte aus der ganzen Sache einen Spaß; er
hatte gut spaßen. Ich sagte kein Wort zu meiner
Entschuldigung, sondern weil alles um mich her 5
lachte, lachte ich auch und sah nur verstohlen auf
die Trümmer der Pastete.

Endlich mußte man sich zu Tische begeben. Der
Vetter war so galant mich neben Bärbeli zu setzen;
lieber wäre ich neben einem feuerspeienden Berge 10
gesessen. Da ward die Suppe herumgereicht. Jungfer
Bärbeli bot mir einen Teller voll — ich konnte das
unmöglich annehmen. Darum bat ich sie die Suppe
zu behalten, sah dabei nicht auf den Teller und,
richtig, die heiße Suppe floß auf ihren Schoß und 15
ihre Kleider; und da ich nun schnell die Suppe
zurückzog, kam die andere Hälfte auf meinen
Schoß und über meine Serviette und Kleider.
Bärbeli verließ den Tisch, ich stammelte Ent-
schuldigungen. Man tröstete mich und gab mir 20
einen andern Teller. Inzwischen dampften meine
Kleider noch von der Überschwemmung; ich
knüpfte mir statt der Serviette einen Zipfel vom
Tischtuch in die Weste. Als Bärbeli, welche die
Kleider hatte wechseln müssen, wiederkam, ent- 25
schuldigte ich mich tausendmal bei ihr. Sobald ich
sah, daß sie freundlich lächelte, ward auch mir
wieder wohl zu Mute, und ich trocknete mir den
Angstschweiß vom Angesicht, versteht sich mit dem
Schnupftuch. Ach! das unglückselige Schnupftuch! 30
Ich hatte die Tintengeschichte rein vergessen über
allem, was mir bisher geschehen. Ich rieb mir das
Gesicht so mit Tinte ein, daß, als ich das Schnupftuch

wieder einstecken wollte, die große Gesellschaft mich
in einen Mohren verwandelt sah. Da erhob sich
abermals ein großes Gelächter. Aus Höflichkeit
lachte ich mit, bis ich sah, daß die Frauenzimmer
5 sich vor meinem schrecklichen Gesicht fürchteten.
Erschrocken sprang ich auf um nach der Küche zu
laufen und mich zu waschen. Da zog ich aber das
Tischtuch, dessen Zipfel ich an die Weste geknüpft
hatte, nach mir. Alle Teller, Braten, Gabeln,
10 Gläser, Flaschen, Löffel liefen mir wie närrisch in
der Stube nach mit großem Getöse. Die Gäste
saßen wie versteinert da und sahen mit Schrecken
die herrlichen Gerichte verschwinden. Anfangs
hielt ich alles für Hexerei, bis der Vetter mit beiden
15 Füßen aufs Tischtuch trat und es losriß. Ich aber
in vollem Galopp rannte die Treppe hinunter über
die Straße nach meinem Hause. Vier Wochen lang
ließ ich mich vor keinem Menschen sehen, und von
der Zeit an dachte ich nicht mehr ans Heiraten.

Erheiterungen (1811–27)

NOVALIS

(FRIEDRICH VON HARDENBERG)

1772–1801

145 *Die blaue Blume*

20 DIE Eltern lagen schon und schliefen, die
Wanduhr schlug ihren einförmigen Takt, vor
den klappernden Fenstern sauste der Wind; abwechselnd wurde die Stube hell von dem Schimmer
des Mondes. Der Jüngling lag unruhig auf sei-
25 nem Lager und gedachte des Fremden und seiner

Erzählungen. „Nicht die Schätze sind es, die ein so unaussprechliches Verlangen in mir geweckt haben," sagte er zu sich selbst, „fern ab liegt mir alle Habsucht, aber die blaue Blume sehn' ich mich zu erblicken. Sie liegt mir unaufhörlich im Sinn, und ich kann nichts anders dichten und denken. So ist mir noch nie zumute gewesen: es ist, als hätt' ich vorhin geträumt, oder ich wäre in eine andere Welt hinübergeschlummert; denn in der Welt, in der ich sonst lebte, wer hätte da sich um Blumen bekümmert, und gar von einer so seltsamen Leidenschaft für eine Blume hab' ich damals nie gehört. Wo eigentlich nur der Fremde herkam?" Der Jüngling verlor sich allmählich in süßen Phantasien und entschlummerte. Da träumte ihm von unabsehbaren Fernen und wilden unbekannten Gegenden. Er wanderte über Meere mit unbegreiflicher Leichtigkeit; er lebte mit mannigfaltigen Menschen, bald im Kriege, bald in stillen Hütten. Er geriet in Gefangenschaft und die schmählichste Not. Alle Empfindungen stiegen bis zu einer nie gekannten Höhe in ihm. Er durchlebte ein unendlich buntes Leben; liebte bis zur höchsten Leidenschaft, und war dann wieder von seiner Geliebten getrennt.

Endlich gegen Morgen, wie draußen die Dämmerung anbrach, wurde es stiller in seiner Seele, klarer und bleibender wurden die Bilder. Es kam ihm vor, als ginge er in einem dunkeln Walde allein. Nur selten schimmerte der Tag durch das grüne Netz. Bald kam er vor eine Felsenschlucht, die bergan stieg. Er mußte über bemooste Steine klettern, die ein ehemaliger Strom heruntergerissen hatte. Je höher er kam, desto lichter wurde der Wald.

Endlich gelangte er zu einer kleinen Wiese, die am
Hange des Berges lag. Hinter der Wiese erhob sich
eine hohe Klippe, an deren Fuß er eine Öffnung
erblickte, die der Anfang eines in den Felsen ge-
5 hauenen Ganges zu sein schien. Der Gang führte
ihn gemächlich eine Zeitlang fort bis zu einer
großen Weitung, aus der ihm schon von fern ein
helles Licht entgegenglänzte. Wie er hineintrat,
ward er einen mächtigen Strahl gewahr, der wie aus
10 einem Springquell bis an die Decke des Gewölbes
stieg und oben in unzählige Funken zerstäubte, die
sich, unten in einem großen Becken sammelten.
Der Strahl glänzte wie entzündetes Gold; nicht das
mindeste Geräusch war zu hören, eine heilige Stille
15 umgab das herrliche Schauspiel. Er näherte sich
dem Becken, das mit unendlichen Farben wogte und
zitterte. Er tauchte seine Hand in das Becken und
benetzte seine Lippen. Es war, als durchdränge ihn
ein geistiger Hauch, und er fühlte sich innigst
20 gestärkt und erfrischt. Ein unwiderstehliches Verlangen ergriff ihn sich zu baden; er entkleidete sich
und stieg in das Becken. Es dünkte ihn, als umflösse
ihn eine Wolke des Abendrots; eine himmlische
Empfindung überströmte sein Inneres; mit inniger
25 Wollust strebten unzählbare Gedanken in ihm sich
zu vermischen; neue, nie gesehene Bilder entstanden, die auch ineinander flossen und zu sichtbaren Wesen wurden, und jede Welle des lieblichen
Elements schmiegte sich wie ein zarter Busen an ihn.
30 Berauscht von Entzücken schwamm er dem
leuchtenden Strome nach, der aus dem Becken in
den Felsen hineinfloß. Er fand sich auf einem
weichen Rasen am Rande einer Quelle. Dunkel-

blaue Felsen erhoben sich in einiger Entfernung;
das Tageslicht, das ihn umgab, war heller und
milder als das gewöhnliche, der Himmel war schwarz-
blau und völlig rein. Was ihn aber mit voller Macht
anzog, war eine hohe lichtblaue Blume, die an der 5
Quelle stand und ihn mit ihren breiten glänzenden
Blättern berührte. Rund um sie her standen unzählige Blumen von allen Farben, und der köstlichste
Geruch erfüllte die Luft. Er sah nichts als die blaue
Blume und betrachtete sie lange mit unnennbarer 10
Zärtlichkeit. Endlich wollte er sich ihr nähern, als
sie auf einmal sich zu bewegen und zu verändern
anfing; die Blätter wurden glänzender und schmieg-
ten sich an den wachsenden Stengel, die Blume
neigte sich nach ihm zu, und die Blütenblätter zeig- 15
ten einen blauen ausgebreiteten Kragen, in welchem
ein zartes Gesicht schwebte. Sein süßes Staunen
wuchs mit der sonderbaren Verwandlung, als ihn
plötzlich die Stimme seiner Mutter weckte und er
sich in der elterlichen Stube fand, die schon die 20
Morgensonne vergoldete. Er war zu entzückt, um
unwillig über diese Störung zu sein; vielmehr bot er
seiner Mutter freundlich guten Morgen und erwiderte ihre herzliche Umarmung.

„Du Langschläfer," sagte der Vater, „wie lange 25
sitze ich schon hier und feile. Ich habe deinetwegen
nichts hämmern dürfen, die Mutter wollte den
lieben Sohn schlafen lassen. Aufs Frühstück habe
ich auch warten müssen."

Heinrich von Ofterdingen, Aus dem Nachlaß (1802)

WILHELM HEINRICH WACKENRODER

1773–98

146 *Nürnberg und Albrecht Dürer*

NÜRNBERG! du vormals weltberühmte Stadt!
Wie gerne durchwanderte ich deine krummen
Gassen; mit welcher kindlichen Liebe betrachtete
ich deine altväterischen Häuser und Kirchen, denen
5 die feste Spur von unsrer alten vaterländischen
Kunst eingedrückt ist! Wie innig lieb' ich die
Bildungen jener Zeit, die eine so derbe, kräftige und
wahre Sprache führen! Wie ziehen sie mich zurück
in jenes graue Jahrhundert, da du, Nürnberg, die
10 lebendig wimmelnde Schule der vaterländischen
Kunst warst und ein recht fruchtbarer über-
fließender Kunstgeist in deinen Mauern lebte und
webte: — da Meister Hans Sachs und Adam Kraft,
der Bildhauer, und vor allen Albrecht Dürer mit
15 seinem Freunde Wilibaldus Pirckheimer und so viel
andre hochgelobte Ehrenmänner noch lebten! Wie
oft hab' ich mich in jene Zeit zurückgewünscht!
Wie oft ist sie in meinen Gedanken wieder von
neuem vor mir hervorgegangen, wenn ich in deinen
20 ehrwürdigen Büchersälen, Nürnberg, in einem engen
Winkel beim Dämmerlicht der kleinen rundschei-
bigen Fenster saß und über den Folianten des
wackern Hans Sachs oder über anderem alten
wurmgefressenen Papier brütete; oder wenn ich
25 unter den kühnen Gewölben deiner düstern
Kirchen wandelte, wo der Tag durch bunt bemalte
Fenster all das Bildwerk und die Malereien der
alten Zeit wunderbar beleuchtet!

Aber jetzt wandelt mein trauernder Geist auf der

geweihten Stätte vor deinen Mauern, Nürnberg;
auf dem Gottesacker, wo die Gebeine Albrecht
Dürers ruhen, der einst die Zierde von Deutschland
ja von Europa war. Sie ruhen, von wenigen besucht,
unter zahllosen Grabsteinen, deren jeder mit einem 5
ehernen Bildwerk, als dem Gepräge der alten Kunst,
bezeichnet ist, und zwischen denen sich hohe Sonnen-
blumen in Menge erheben, welche den Gottesacker
zu einem lieblichen Garten machen. So ruhen die
vergessenen Gebeine unsers alten Albrecht Dürers, 10
um dessentwillen es mir lieb ist, daß ich ein Deutscher bin. Ist es nicht, als wenn die Figuren in
diesen deinen Bildern wirkliche Menschen wären,
welche zusammen redeten? Ein jeglicher ist so
eigentümlich gestempelt, daß man ihn aus einem 15
großen Haufen herauskennen würde, ein jeglicher
so aus der Mitte der Natur genommen, daß er ganz
und gar seinen Zweck erfüllt. Keiner ist mit halber
Seele da, wie man es öfters bei sehr zierlichen
Bildern neuerer Meister sagen möchte; jeder ist im 20
vollen Leben ergriffen und so auf die Tafel hingestellt. Wer klagen soll, klagt; wer zürnen soll,
zürnt; wer beten soll, betet. Alle Figuren reden,
und reden laut und vernehmlich. Kein Arm bewegt
sich unnütz oder bloß zum Augenspiel und zur 25
Füllung des Raums; alle Glieder, alles spricht uns
gleichsam mit Macht an, daß wir den Sinn und die
Seele des Ganzen recht fest im Gemüte fassen. Wir
glauben alles, was der kunstreiche Mann uns darstellt; und es verwischt sich nie aus unserm Ge- 30
dächtnis.

Herzensergießungen eines kunstliebenden Kloster-
bruders (1797)

LUDWIG TIECK

147 *Bei der Waldhexe*

ES war schon im Herbst, als Eckbert an einem
nebligen Abend mit seinem Freunde und
seinem Weibe Bertha um das Feuer eines Kamines
saß. Die Flamme warf einen hellen Schein durch
5 das Gemach und spielte oben an der Decke, die
Nacht sah finster zu den Fenstern herein. Walther
klagte über den weiten Rückweg, und Eckbert
schlug ihm vor bei ihm zu bleiben. Walther ging
den Vorschlag ein, und nun ward die Abendmahlzeit
10 hereingebracht, das Feuer durch Holz vermehrt,
und das Gespräch ward immer heiterer und ver-
traulicher. Als das Abendessen abgetragen war,
nahm Eckbert die Hand Walthers und sagte:
„Freund, Ihr solltet Euch von meiner Frau die
15 Geschichte ihrer Jugend erzählen lassen." „Gern",
sagte Walther, und man setzte sich wieder um den
Kamin. Es war jetzt gerade Mitternacht, der Mond
sah abwechselnd durch die vorüberflatternden
Wolken. „Ihr müßt mich nicht für zudringlich
20 halten," fing Bertha an, „mein Mann sagt, daß es
unrecht sei Euch etwas zu verhehlen. Nur haltet
meine Erzählung für kein Märchen, so sonderbar sie
auch klingen mag.

„Ich bin in einem Dorfe geboren, mein Vater war
25 ein armer Hirte. Die Haushaltung bei meinen
Eltern war nicht zum besten bestellt, sie wußten
oft nicht, wo sie das Brot hernehmen sollten. Oft
saß ich dann im Winkel und füllte meine Vorstellungen damit an, wie ich ihnen helfen wollte,

wenn ich plötzlich reich würde, wie ich sie mit Gold
und Silber überschütten und mich an ihrem Erstaunen laben möchte. Mein Vater war immer sehr
ergrimmt, daß ich eine so unnütze Last des Haus-
wesens sei, und behandelte mich oft ziemlich 5
grausam. Ich fühlte mich so verlassen, daß ich zu
sterben wünschte. — Als der Tag graute, stand ich
auf und öffnete, fast ohne daß ich es wußte, die Tür
unsrer Hütte. Ich stand auf dem freien Felde, bald
darauf war ich in einem Walde, bald mußte ich über 10
Hügel klettern und erriet nun, daß ich mich in dem
benachbarten Gebirge befinden müsse. Meine
Angst trieb mich vorwärts. Die Felsen wurden
immer furchtbarer, und endlich hörte sogar der
Weg auf. Nun brach die Nacht herein, und ich 15
suchte mir eine Moosstelle aus, um dort zu ruhen.
Ich hörte die seltsamsten Töne, bald hielt ich es für
wilde Tiere, bald für den Wind, der durch die
Felsen klage. Ich schlief nur spät gegen Morgen ein.
Ich erwachte, als mir der Tag ins Gesicht schien. 20
Vor mir war ein steiler Felsen; ich kletterte hinauf
in der Hoffnung von dort den Ausgang aus der
Wildnis zu entdecken. Als ich aber oben stand, war
alles, so weit mein Auge reichte, mit einem nebligen
Dufte überzogen; und keinen Baum, keine Wiese 25
konnte mein Auge erspähn. Zugleich fühlte ich
einen peinigenden Hunger, ich war müde und
erschöpft. Ich wünschte kaum noch zu leben, als
mir plötzlich war, als hörte ich ein leises Husten.
Ich ging näher und ward eine alte Frau gewahr. 30
Sie war schwarz gekleidet, und eine schwarze Kappe
bedeckte ihren Kopf; in der Hand hielt sie einen
Krückenstock. Ich näherte mich ihr und bat um

ihre Hilfe. Sie gab mir Brot und sagte, ich möchte ihr folgen. Wir stiegen einen Hügel hinan, von oben sah man in ein kleines Tal. Ein munteres Bellen kam uns entgegen, und bald sprang ein
5 kleiner Hund die Alte an und wedelte. Dann kam er zu mir, besah mich von allen Seiten und kehrte dann zur Alten zurück. Als wir vom Hügel hinuntergingen, hörte ich einen wunderbaren Gesang, der aus der Hütte zu kommen schien, wie von
10 einem Vogel; es sang also:

> Waldeinsamkeit,
> Die mich erfreut,
> So morgen wie heut'
> In ew'ger Zeit;
15   > O wie mich freut
> Waldeinsamkeit.

Ohne daß ich auf den Befehl der Alten wartete, trat ich mit in die Hütte. Die Dämmerung war schon eingebrochen; fremdartige Gefäße standen auf
20 einem Tische, in einem kleinen glänzenden Käfig hing ein Vogel, und er war es, der die Worte sang. Die Alte keuchte und hustete, bald streichelte sie den Hund, bald sprach sie mit dem Vogel. Indem ich sie so betrachtete, überlief mich mancher
25 Schauer, denn ihr Gesicht war in einer ewigen Bewegung, indem sie dazu mit dem Kopfe schüttelte, so daß ich gar nicht wissen konnte, wie ihr eigentliches Aussehen war. Nach dem Abendessen wies sie mir in einer engen Kammer ein Bett an. In der
30 Nacht hörte ich die Alte husten und mit dem Hunde sprechen und den Vogel dazwischen, der im Traume immer einzelne Worte von seinem Liede

sang. Am Morgen weckte mich die Alte und wies
mich bald nachher zur Arbeit an. Ich mußte
spinnen, und dabei hatte ich noch für den Hund
und den Vogel zu sorgen. Ich lernte mich schnell
in die Wirtschaft finden, und alle Gegenstände 5
umher wurden mir bekannt. Ich dachte gar nicht
mehr daran, daß die Alte etwas Seltsames an sich
habe, und daß an dem Vogel etwas Außerordentliches sei. Seine Schönheit fiel mir zwar immer auf,
denn seine Federn glänzten mit allen möglichen 10
Farben, das schönste Hellblau und das brennendste
Rot wechselten an seinem Halse und Leibe, und
wenn er sang, blähte er sich stolz auf, so daß sich
seine Federn noch prächtiger zeigten.

„Vier Jahre hatte ich so mit der Alten gelebt, und 15
ich mochte ungefähr zwölf Jahr alt sein, als sie mir
endlich ein Geheimnis entdeckte. Der Vogel legte
nämlich an jedem Tage ein Ei, in dem sich eine
Perle oder ein Edelstein befand. Ich hatte schon
immer bemerkt, daß sie heimlich in dem Käfige 20
wirtschaftete, mich aber nie genauer darum bekümmert. Sie trug mir jetzt das Geschäft auf in
ihrer Abwesenheit diese Eier zu nehmen und in den
fremdartigen Gefäßen zu verwahren. Sie blieb nun
länger aus, Wochen, Monate; mein Rädchen 25
schnurrte, der Hund bellte, der wunderbare Vogel
sang, und dabei war alles so still in der Gegend
umher. Kein Mensch verirrte sich dorthin, kein
Wild kam unserer Behausung nahe. Aus dem
Wenigen, was ich las, bildete ich mir wunderliche 30
Vorstellungen von der Welt und den Menschen.
Ich hatte auch von Liebe etwas gelesen und dachte
mir den schönsten Ritter von der Welt; ich schmückte

ihn mit allen Vortrefflichkeiten aus, aber konnte ein
rechtes Mitleid mit mir haben, wenn er mich nicht
wieder liebte. Ich begriff wohl, daß es nur auf mich
ankomme in der Abwesenheit der Alten den Vogel
5 und die Kleinodien zu nehmen und damit die Welt,
von der ich gelesen hatte, aufzusuchen. Zugleich
war es mir dann vielleicht möglich den schönen
Ritter anzutreffen, der mir im Gedächtnisse lag.

„Im Anfange war dieser Gedanke nichts weiter als
10 jeder andere Gedanke, aber wenn ich so an meinem
Rade saß, so kam er mir immer wider Willen zurück,
und ich verlor mich so darin, daß ich mich schon
geputzt sah und Ritter und Prinzen um mich her.
An einem Tage ging meine Wirtin wieder fort und
15 sagte mir, daß sie diesmal länger als gewöhnlich
ausbleiben würde, ich solle ja auf alles recht acht
geben. Die Alte war schon einige Tage abwesend,
als ich mit dem festen Vorsatze aufstand mit dem
Vogel die Hütte zu verlassen und die sogenannte
20 Welt aufzusuchen. Ich band also den kleinen Hund
in der Stube fest und nahm dann den Käfig mit
dem Vogel unter den Arm. Der Hund krümmte sich
und winselte, er sah mich mit bittenden Augen an,
aber ich fürchtete mich ihn mitzunehmen. Noch
25 nahm ich eins von den Gefäßen, das mit Edelsteinen
gefüllt war, und steckte es zu mir.

„Nach einer Wanderschaft von vielen Tagen kam
ich in einem Dorfe an. Beim Eintritt wurde mir
wundersam zu Mute, ich erschrak und wußte nicht
30 worüber, aber bald erkannte ich, es war dasselbe Dorf,
in welchem ich geboren war. Wie liefen mir vor
Freuden die Tränen von den Wangen! Vieles war
verändert, es waren neue Häuser entstanden, andre

waren verfallen. Unendlich freute ich mich darauf,
meine Eltern nun nach so manchen Jahren wieder-
zusehn. Ich fand das kleine Haus, der Griff der Tür
war noch ganz so wie damals; es war mir, als hätte
ich sie nur gestern angelehnt; ich öffnete sie hastig — 5
aber ganz fremde Gesichter saßen in der Stube
umher und stierten mich an. Ich fragte nach dem
Schäfer Martin, und man sagte mir, er sei schon
seit drei Jahren mit seiner Frau gestorben. — Ich
trat schnell zurück und ging laut weinend aus dem 10
Dorfe hinaus. Ich hatte es mir so schön gedacht,
sie mit meinem Reichtume zu überraschen; — und
jetzt war alles umsonst; sie konnten sich nicht mit
mir freuen, und das, worauf ich am meisten immer
im Leben gehofft hatte, war für mich auf ewig 15
verloren."

Der blonde Eckbert (1797)

FRIEDRICH WILHELM SCHELLING

1775–1854

148 *Kunst und Natur*

DIE Lage des Künstlers gegen die Natur sollte
oft durch den Ausspruch klar gemacht werden,
daß die Kunst sich erst von der Natur entfernen
müsse und nur in der letzten Vollendung zu ihr 20
zurückkehre. Wollte der Künstler sich dem Wirklichen ganz unterordnen und es mit knechtischer
Treue wiedergeben, so würde er wohl Larven hervorbringen aber keine Kunstwerke. Er muß sich
also vom Geschöpf entfernen, aber nur um sich zur 25
schaffenden Kunst zu erheben. Hierdurch verläßt
er das Geschöpf um es mit tausendfältigem Wucher

wiederzugeben und in diesem Sinne allerdings zur Natur zurückzukehren.

Kaum zweifelhaft kann es sein, was von dem so durchgängig geforderten sogenannten Idealisieren
5 der Natur in der Kunst zu halten sei. Diese Forderung scheint aus einer Denkart zu entspringen, nach welcher nicht die Wahrheit, Schönheit, Güte sondern das Gegenteil von diesen das Wirkliche ist. Wäre das Wirkliche in der Tat der Wahrheit und
10 Schönheit entgegengesetzt, so müßte der Künstler es nicht erheben oder idealisieren, er müßte es aufheben und vernichten um etwas Wahres und Schönes zu erschaffen. Wie sollte aber irgend etwas außer dem Wahren wirklich sein können, und was ist
15 Schönheit, wenn sie nicht das volle mangellose Sein ist? Welche höhere Absicht könnte demnach auch der Künstler haben als das in der Natur Seiende darzustellen, oder wie sich vornehmen die sogenannte Natur zu übertreffen, da er doch stets unter
20 dieser zurückbleiben müßte? Denn gibt er etwa in seinen Werken das wirkliche Leben? Die Bildsäule atmet nicht, wird von keinem Pulsschlag bewegt, von keinem Blute erwärmt. Beides aber, jenes angebliche Übertreffen und dieses scheinbare Zurück-
25 bleiben, zeigt sich als Folge eines und desselben Prinzips, sobald wir nur die Absicht der Kunst in die Darstellung des wahrhaft Seienden setzen. Nur auf der Oberfläche sind ihre Werke scheinbar belebt; in der Natur scheint das Leben tiefer zu
30 dringen und sich ganz mit dem Stoff zu vermählen. Belehrt uns aber nicht von der Unwesentlichkeit dieser Verbindung der beständige Wechsel der Materie und das allgemeine Los endlicher

FRIEDRICH WILHELM SCHELLING

Auflösung? Die Kunst stellt also in der bloß ober-
flächlichen Belebung ihrer Werke in der Tat nur
das Nichtseiende als nichtseiend dar. Wie kommt
es, daß jedem einigermaßen gebildeten Sinn die bis
zur Täuschung getriebenen Nachahmungen des 5
sogenannt Wirklichen als im höchsten Grade unwahr
erscheinen, ja den Eindruck von Gespenstern
machen, indes das Werk, in dem der Begriff herrschend ist, ihn mit der vollen Kraft der Wahrheit
ergreift? Woher kommt es, wenn nicht aus dem 10
dunklen Gefühl, welches ihm sagt, daß der Begriff
das allein Lebendige in den Dingen ist, alles andere
aber wesenlos und eitler Schatten?

*Über das Verhältnis der bildenden Künste
zu der Natur* (1807)

ERNST THEODOR AMADEUS HOFFMANN

1776–1822

149   *Der Kampf der Sänger*

DER Frühling war gekommen und mit ihm alle
Lust und Heiterkeit des neu erkräftigten 15
Lebens. Auf einem anmutigen, von schönen Bäumen
eingeschlossenen Platz im Garten des Schlosses
waren die Meister versammelt, um das junge Laub,
die hervorsprießenden Blüten und Blumen mit
freudigen Liedern zu begrüßen. Der Landgraf, 20
Gräfin Mathilde, die andern Damen hatten sich
rings umher auf Sitzen niedergelassen; eben wollte
Wolfram von Eschenbach ein Lied beginnen, als ein
junger Mann, die Laute in der Hand, hinter den
Bäumen hervortrat. Mit freudigem Erschrecken 25
erkannten alle in ihm den verloren geglaubten

Heinrich von Ofterdingen. Die Meister gingen auf
ihn zu mit freundlichen herzlichen Grüßen. Ohne
das aber sonderlich zu beachten, nahte er sich dem
Landgrafen, vor dem und dann vor der Gräfin
5 Mathilde er sich ehrfurchtsvoll neigte. Er sei,
sprach er dann, von der bösen Krankheit, die ihn
befallen, nun gänzlich genesen und bitte, wolle man
ihn vielleicht aus besonderen Gründen nicht in die
Zahl der Meister aufnehmen, ihm doch zu erlauben,
10 daß er so gut wie die andern seine Lieder absinge.
Der Landgraf meinte dagegen, sei er auch eine Zeit
lang abwesend gewesen, so sei er doch deshalb
keineswegs aus der Reihe der Meister geschieden,
und er wisse nicht, wodurch er sich dem schönen
15 Kreise, der hier versammelt, entfremdet glaube.
Damit umarmte ihn der Landgraf und wies ihm
selbst den Platz zwischen Walther von der Vogelweide und Wolfram von Eschenbach an, wie er ihn
sonst gehabt.
20 Man merkte bald, daß Ofterdingens Wesen sich
ganz und gar verändert. Während er sonst, den
Kopf gebeugt, den Blick zu Boden gesenkt, daher-
schlich, trat er jetzt, das Haupt emporgerichtet,
starken Schrittes einher. So blaß als zuvor war das
25 Antlitz, aber der Blick, sonst irr umherschweifend,
fest und durchbohrend. Statt der tiefen Schwermut
lag jetzt ein düstrer stolzer Ernst auf der Stirn, und
ein seltsames Muskelspiel um Mund und Wange
sprach bisweilen recht unheimlichen Hohn aus.
30 Er würdigte die Meister keines Wortes sondern
setzte sich schweigend auf seinen Platz. Während
die andern sangen, sah er in die Wolken, schob sich
auf dem Sitz hin und her, zählte an den Fingern,

gähnte, kurz, bezeigte auf alle nur mögliche Weise
Unmut und Langeweile. Wolfram von Eschenbach
sang ein Lied zum Lobe des Landgrafen und kam
dann auf die Rückkehr des verloren geglaubten
Freundes, die er so recht aus dem tiefsten Gemüt 5
schilderte, daß sich alle innig gerührt fühlten.
Heinrich von Ofterdingen runzelte aber die Stirn
und nahm, sich von Wolfram abwendend, die Laute,
auf ihr einige wunderbare Akkorde anschlagend.
Er stellte sich in die Mitte des Kreises und begann 10
ein Lied, dessen Weise so ganz anders als alles, was
die andern gesungen, so unerhört war, daß alle in
die größte Verwunderung, ja zuletzt in das höchste
Erstaunen gerieten. Es war, als schlüge er mit
seinen gewaltigen Tönen an die dunklen Pforten 15
eines fremden verhängnisvollen Reichs und be-
schwöre die Geheimnisse der unbekannten dort
hausenden Macht herauf. Dann rief er die Gestirne
an, und indem seine Lautentöne leiser lispelten,
glaubte man der Sphären klingenden Reigen zu 20
vernehmen. Nun rauschten die Akkorde stärker,
und glühende Düfte wehten daher, und Bilder
üppigen Liebesglücks flammten in dem aufgegan-
genen Eden aller Lust. Jeder fühlte sein Inneres
erbeben in seltsamen Schauern. Als Ofterdingen 25
geendet, war alles in tiefem Schweigen verstummt,
aber dann brach der jubelnde Beifall stürmisch
hervor. Die Dame Mathilde erhob sich schnell von
ihrem Sitz, trat auf Ofterdingen zu und drückte ihm
den Kranz auf die Stirne, den sie als Preis des 30
Gesanges in der Hand getragen.

Die Serapions-Brüder (1819)

150 *Ritter Gluck*

SCHWEIGEND gingen wir die Friedrichstraße
hinauf; rasch bog er in eine Querstraße ein,
und kaum vermochte ich ihm zu folgen, so schnell
lief er die Straße hinab, bis er endlich vor einem
5 unansehnlichen Hause stillstand. Ziemlich lange
hatte er gepocht, als man endlich öffnete. Im
Finstern tappend erreichten wir die Treppe und ein
Zimmer im oberen Stock, dessen Tür mein Führer
sorgfältig verschloß. Ich hörte noch eine Tür
10 öffnen; bald darauf trat er mit einem angezündeten
Lichte herein und der Anblick des sonderbar aus-
staffierten Zimmers überraschte mich nicht wenig.
Altmodisch reich verzierte Stühle, eine Wanduhr
mit vergoldetem Gehäuse und ein breiter schwer-
15 fälliger Spiegel gaben dem Ganzen das düstere
Ansehn verjährter Pracht. In der Mitte stand ein
kleines Klavier, auf demselben ein großes Tintenfaß
von Porzellan, und daneben lagen einige Bogen
rastriertes Papier. Ein schärferer Blick auf diese
20 Vorrichtung zum Komponieren überzeugte mich
jedoch, daß seit langer Zeit nichts geschrieben sein
mußte; denn ganz vergilbt war das Papier und
dickes Spinnengewebe überzog das Tintenfaß. Der
Mann trat vor einen Schrank in der Ecke des
25 Zimmers, und als er den Vorhang wegzog, wurde
ich eine Reihe schöngebundener Bücher gewahr
mit goldenen Aufschriften: *Orfeo*, *Armida*, *Alceste*,
Iphigenia, kurz, Glucks Meisterwerke sah ich bei-
sammenstehen. „Sie besitzen Glucks sämtliche
30 Werke?" rief ich. Er antwortete nicht, aber zum
krampfhaften Lächeln verzog sich der Mund, und

das Muskelspiel in den eingefallenen Backen ver-
zerrte im Augenblick das Gesicht zur schauerlichen
Maske. Starr den düsteren Blick auf mich gerichtet,
ergriff er eins der Bücher — es war *Armida* — und
schritt feierlich zum Klavier hin. Ich öffnete es 5
schnell und stellte das zusammengelegte Pult auf;
er schien das gern zu sehen. Er schlug das Buch auf,
und — wer schildert mein Erstaunen! ich erblickte
rastrierte Blätter, aber mit keiner Note beschrieben.

Er begann: „Jetzt werde ich die Ouvertüre 10
spielen! Wenden Sie die Blätter um, und zur
rechten Zeit!" Ich versprach das, und nun spielte
er herrlich und meisterhaft das majestätische Tempo
di Marcia, womit die Ouvertüre anhebt, fast ganz
dem Original getreu: aber das Allegro war nur mit 15
Glucks Hauptgedanken durchflochten. Er brachte
so viele neue geniale Wendungen hinein, daß mein
Erstaunen immer wuchs. Vorzüglich waren seine
Modulationen frappant, und er wußte den einfachen
Hauptgedanken so viele melodiöse Melismen anzu- 20
reihen, daß jene immer in neuer Gestalt wieder-
zukehren schienen. Sein Gesicht glühte; bald zogen
sich die Augenbrauen zusammen und ein lang-
verhaltener Zorn wollte gewaltsam losbrechen, bald
schwamm das Auge in Tränen tiefer Wehmut. 25
Zuweilen sang er das Thema mit einer angenehmen
Tenorstimme; dann wußte er auf ganz besondere
Weise mit der Stimme den dumpfen Ton der
anschlagenden Pauke nachzuahmen. Ich wandte die
Blätter fleißig um, indem ich seine Blicke verfolgte. 30
Die Ouvertüre war geendet, und er fiel erschöpft mit
geschlossenen Augen in den Lehnstuhl zurück. Bald
raffte er sich aber wieder auf, und indem er hastig

mehrere leere Blätter des Buches umschlug, sagte er
mit dumpfer Stimme: „Alles dieses, mein Herr, habe
ich geschrieben, als ich aus dem Reich der Träume
kam. Aber ich verriet Unheiligen das Heilige, und eine
5 eiskalte Hand faßte in dies glühende Herz! Es brach
nicht; da wurde ich verdammt zu wandeln unter
den Unheiligen, wie ein abgeschiedener Geist —
gestaltlos, damit mich niemand kenne, bis mich die
Sonnenblume wieder emporhebt zu dem Ewigen.
10 Ha — jetzt lassen Sie uns Armidens Szene singen!"
  Nun sang er die Schlußszene der *Armida* mit
einem Ausdruck, der mein Innerstes durchdrang.
Auch hier wich er merklich von dem Originale ab:
aber seine veränderte Musik war die Glucksche Szene
15 gleichsam in höherer Potenz. Alles, was Haß, Liebe,
Verzweiflung, Raserei in den stärksten Zügen ausdrücken kann, faßte er gewaltig in Töne zusammen.
Seine Stimme schien die eines Jünglings, denn von
tiefer Dumpfheit schwoll sie empor zur durchdrin-
20 genden Stärke. Alle meine Fibern zitterten — ich
war außer mir. Als er geendet hatte, warf ich mich
ihm in die Arme und rief mit gepreßter Stimme:
„Was ist das? Wer sind Sie?"
  Er stand auf und maß mich mit ernstem durch-
25 dringendem Blick; doch als ich weiter fragen wollte,
war er mit dem Lichte durch die Türe entwichen
und hatte mich im Finstern gelassen. Es hatte
beinahe eine Viertelstunde gedauert; ich verzweifelte ihn wieder zu sehen und suchte die Türe zu
30 öffnen, als er plötzlich in einem gestickten Gala-
kleide, reicher Weste, den Degen an der Seite, mit
dem Lichte in der Hand hereintrat. Ich erstarrte;
feierlich kam er auf mich zu, faßte mich sanft bei

der Hand und sagte sonderbar lächelnd: „Ich bin
der Ritter Gluck."

Fantasiestücke in Callot's Manier (1814)

151 *Kater Murr beginnt seine Memoiren*

ZUM Leben kommt man doch, man weiß selbst
nicht wie. Wenigstens ist es mir so gegangen,
und wie ich vernehme, weiß auch kein einziger 5
Mensch auf Erden das Wie und Wo seiner Geburt
aus eigener Erfahrung, sondern nur durch Tradition,
die noch dazu öfters sehr unsicher ist. Städte streiten
sich um die Geburt eines berühmten Mannes, und
so wird es, da ich selbst nichts Entscheidendes 10
darüber weiß, immerdar ungewiß bleiben, ob ich in
dem Keller, auf dem Boden oder in dem Holzstall
das Licht der Welt erblickte oder vielmehr nicht
erblickte, sondern nur in der Welt erblickt wurde
von der teuren Mama. Denn wie es unserm Ge- 15
schlecht eigen, waren meine Augen verschleiert.
Ganz dunkel erinnere ich mich gewisser knurrender,
prustender Töne, die um mich her erklangen, und
die ich beinahe wider meinen Willen hervorbringe,
wenn mich der Zorn überwältigt. Deutlicher und 20
beinahe mit vollem Bewußtsein finde ich mich in
einem sehr engen Behältnis mit weichen Wänden
eingeschlossen, kaum fähig Atem zu schöpfen und
in Not und Angst ein klägliches Jammergeschrei
erhebend. Ich fühlte, daß etwas in das Behältnis 25
hinabgriff und mich sehr unsanft beim Leibe packte,
und dies gab mir Gelegenheit die erste wunderbare
Kraft, womit mich die Natur begabt, zu fühlen und
zu üben. Aus meinen reich überpelzten Vorder-

pfoten schnellte ich spitze, gelenkige Krallen hervor
und grub sie in das Ding, das mich gepackt und
das, wie ich später gelernt, nichts anders sein konnte
als eine menschliche Hand. Diese Hand zog mich
5 aber heraus aus dem Behältnis und warf mich hin,
und gleich darauf fühlte ich zwei heftige Schläge
auf den beiden Seiten des Gesichts, über die jetzt
ein, wie ich wohl sagen mag, stattlicher Bart
herüberragt. Die Hand teilte mir, wie ich jetzt
10 beurteilen kann, von jenem Muskelspiel der Pfoten
verletzt, ein paar Ohrfeigen zu; ich machte die
erste Erfahrung von moralischer Ursache und
Wirkung, und eben ein moralischer Instinkt trieb
mich an die Krallen ebenso schnell wieder einzu-
15 ziehen, als ich sie hervorgeschleudert. Später hat
man dieses Einziehen der Krallen mit Recht als
einen Akt der höchsten Bonhomie und Liebenswürdigkeit anerkannt und mit dem Namen „Sam-
metpfötchen" bezeichnet.
20 Wie gesagt, die Hand warf mich wieder zur Erde.
Bald darauf erfaßte sie mich aber aufs neue beim
Kopf und drückte ihn nieder, so daß ich mit dem
Mäulchen in eine Flüssigkeit geriet, die ich —
selbst weiß ich nicht, wie ich darauf verfiel, es mußte
25 daher physischer Instinkt sein — aufzulecken begann,
welches mir eine seltsame innere Behaglichkeit
erregte. Es war, wie ich jetzt weiß, süße Milch, die
ich genoß; mich hatte gehungert, und ich wurde
satt, indem ich trank. So trat, nachdem ich die
30 moralische begonnen, die physische Ausbildung ein.
Aufs neue, aber sanfter als vorher, faßten mich zwei
Hände und legten mich auf ein warmes weiches
Lager. Immer besser und besser wurde mir zumute,

und ich begann mein inneres Wohlbehagen zu
äußern, indem ich jene seltsamen, meinem Geschlecht allein eigenen Töne von mir gab, die die
Menschen durch den nicht unebenen Ausdruck
„spinnen" bezeichnen. So ging ich mit Riesen- 5
schritten vorwärts in der Bildung für die Welt.
Welch ein Vorzug, welch ein köstliches Geschenk
des Himmels, inneres physisches Wohlbehagen ausdrücken zu können durch Ton und Gebärde! Erst
knurrte ich, dann kam mir jenes unnachahmliche 10
Talent den Schweif in den zierlichsten Kreisen zu
schlängeln, dann die wunderbare Gabe durch das
einzige Wörtlein „Miau" Freude, Schmerz, Wonne
und Entzücken, Angst und Verzweiflung, kurz, alle
Empfindungen und Leidenschaften in ihren mannig- 15
faltigsten Abstufungen auszudrücken. Was ist die
Sprache der Menschen gegen dieses einfachste aller
einfachen Mittel sich verständlich zu machen! —
Doch weiter in der denkwürdigen, lehrreichen
Geschichte meiner ereignisreichen Jugend! — Ich 20
erwachte aus tiefem Schlaf, ein blendender Glanz
umfloß mich, vor dem ich erschrak, fort waren die
Schleier von meinen Augen: ich sah!

Lebens-Ansichten des Katers Murr (1820)

FRIEDRICH DE LA MOTTE FOUQUÉ
1777-1843

Undine

152   *i. Was sie dem Ritter erzählte*

DU sollst wissen, mein süßer Liebling, daß es
„Wesen gibt, die fast aussehen wie ihr und sich 25
doch nur selten vor euch blicken lassen. In den

Flammen glitzern und spielen die wunderlichen
Salamander, in der Erde tief hausen die tückischen
Gnomen, durch die Wälder streifen die Waldleute,
die der Luft angehören, und in den Seen und
5 Strömen und Bächen lebt der Wassergeister aus-
gebreitetes Geschlecht. In klingenden Krystall-
gewölben, durch die der Himmel mit Sonn' und
Sternen hereinsieht, wohnt sich's schön; hohe
Korallenbäume mit blau und roten Früchten
10 leuchten in den Gärten; über reinlichen Sand
wandelt man und über schöne bunte Muscheln; und
was die alte Welt des also Schönen besaß, daß die
heutige nicht mehr daran sich zu freuen würdig ist,
das überzogen die Fluten mit ihren heimlichen
15 Silberschleiern; und unten prangen nun die edlen
Denkmale, hoch und ernst und anmutig betaut vom
liebenden Gewässer, das aus ihnen schöne Moos-
blumen und kränzende Schilfbüschel hervorlockt.
Die aber dort wohnen, sind gar hold und lieblich
20 anzuschauen, meist schöner als die Menschen sind.
Manch einem Fischer ward es schon so gut ein
zartes Wasserweib zu belauschen, wie es über die
Fluten hervorstieg und sang. Der erzählte dann von
ihrer Schöne weiter, und solche wundersame Frauen
25 werden von den Menschen Undinen genannt. Du
aber siehst jetzt wirklich eine Undine. Wir wären
weit besser daran als ihr Menschen, aber es ist ein
gar Übles dabei. Wir zerstieben und vergehen mit
Geist und Leib, daß keine Spur von uns zurück-
30 bleibt; und wenn ihr dermaleinst zu einem reinern
Leben erwacht, sind wir geblieben, wo Wind und
Welle blieb. Darum haben wir auch keine Seelen,
das Element bewegt uns, gehorcht uns oft, so lange

wir leben; zerstäubt uns, sobald wir sterben, und
wir sind lustig ohne uns irgend zu grämen, wie es
die Nachtigallen und Goldfischlein und andre
hübsche Kinder der Natur ja gleichfalls sind. Eine
Seele aber kann unsersgleichen nur durch den 5
innigsten Verein der Liebe mit einem eures Geschlechtes gewinnen. Nun bin ich beseelt, dir dank'
ich die Seele, o du unaussprechlich Geliebter."

153   *ii. Wie der Ritter Hochzeit hielt*

DER Ritter hatte seine Diener entlassen. Halb
ausgekleidet, in betrübtem Sinnen stand er vor 10
einem großen Spiegel; die Kerze brannte dunkel
neben ihm. Da klopfte es an die Türe mit leisem,
leisem Finger. Undine hatte sonst wohl so geklopft,
wenn sie ihn freundlich necken wollte. „Es ist alles
nur Phantasterei!" sagte er zu sich selbst, „ich muß 15
ins Hochzeitsbett." „Das mußt du, aber in ein
kaltes!" hörte er eine weinende Stimme draußen
vor dem Gemache sagen, und dann sah er im
Spiegel, wie die Türe aufging, langsam, langsam,
und wie die weiße Wandrerin hereintrat und sittig 20
das Schloß wieder hinter sich zudrückte. „Sie haben
den Brunnen aufgemacht", sagte sie leise, „und nun
bin ich hier, und nun mußt du sterben." Er fühlte
in seinem stockenden Herzen, daß es auch gar nicht
anders sein könne, deckte aber die Hände über die 25
Augen und sagte: „Mache mich nicht in meiner
Todesstunde durch Schrecken toll. Wenn du ein
entsetzliches Antlitz hinter dem Schleier trägst, so
lüfte ihn nicht und richte mich ohne daß ich dich
schaue."—„Ach", entgegnete die Wandrerin, „willst 30

du mich denn nicht noch ein einziges Mal sehn? Ich
bin schön wie damals, als du um mich warbst."—
„O wenn das wäre", seufzte Huldbrand, „und wenn
ich sterben dürfte an einem Kusse von dir!"—
5 „Recht gern, mein Liebling", sagte sie. Und ihren
Schleier schlug sie zurück, und himmlisch schön
lächelte ihr holdes Antlitz daraus hervor. Bebend
vor Liebe und Todesnähe neigte sich der Ritter ihr
entgegen, sie küßte ihn mit einem himmlischen
10 Kusse, aber sie ließ ihn nicht mehr los, sie drückte
ihn inniger an sich und weinte, als wolle sie ihre
Seele fortweinen. Die Tränen drangen in des
Ritters Augen und wogten im lieblichen Wehe
durch seine Brust, bis ihm endlich der Atem ent-
15 ging, und er aus den schönen Armen als ein Leichnam sanft auf die Kissen des Ruhebettes zurücksank.

154 *iii. Wie der Ritter begraben ward*

DER Ritter sollte in einem Dorfe begraben
werden, auf dessen Gottesacker alle Gräber
seiner Ahnherren standen. Schild und Helm lagen
20 bereits auf dem Sarge um mit in die Gruft versenkt
zu werden, denn Herr Huldbrand war als der letzte
seines Stammes verstorben. Die Trauerleute begannen ihren schmerzvollen Zug, Klagelieder in
das heiter-stille Himmelblau hinaufsingend. Da
25 nahm man plötzlich inmitten der schwarzen Klage-
frauen eine schneeweiße Gestalt wahr, tief verschleiert, die ihre Hände inbrünstig jammernd
emporwand. Die, neben welchen sie ging, kam ein
heimliches Grauen an, sie wichen zurück, durch ihre
30 Bewegung die andern, neben die nun die weiße

Fremde zu gehen kam, noch sorglicher erschreckend, so daß schier darob eine Unordnung unter dem Trauergefolge zu entstehen begann. Es waren einige Kriegsleute so dreist die Gestalt anreden und aus dem Zuge fortweisen zu wollen, aber denen 5 war sie wie unter den Händen fort und ward dennoch gleich wieder mit langsam-feierlichem Schritte unter dem Leichengefolge mitziehend gesehen.

Das währte, bis man auf den Kirchhof kam und der Leichenzug einen Kreis um die offene Grab- 10 stätte schloß. Da sah Bertalda die ungebetene Begleiterin, und halb in Zorn, halb in Schreck auffahrend, gebot sie ihr von der Ruhestätte des Ritters zu weichen. Die Verschleierte aber schüttelte sanft verneinend ihr Haupt und hob die Hände wie zu 15 einer demütigen Bitte gegen Bertalda auf. Zudem winkte der Pater und gebot Stille, da man über dem Leichnam, dessen Hügel sich eben zu häufen begann, in stiller Andacht beten wollte. Alles kniete und die Totengräber auch, als sie fertig geschaufelt 20 hatten. Da man sich aber wieder erhob, war die weiße Fremde verschwunden. An der Stelle, wo sie gekniet hatte, quoll ein silberhelles Brünnlein aus dem Rasen; das rieselte und rieselte fort, bis es den Grabhügel des Ritters fast ganz umzogen hatte; 25 dann rann es fürder und ergoß sich in einen stillen Weiher, der zur Seite des Gottesackers lag. Noch in späten Zeiten sollen die Bewohner des Dorfes die Quelle gezeigt und fest die Meinung gehegt haben, dies sei die arme verstoßene Undine, die auf diese 30 Art noch immer mit freundlichen Armen ihren Liebling umfasse.

Undine (1811)

HEINRICH VON KLEIST

1777–1811

155 *Michael Kohlhaas bei Luther*

ER kehrte unter einem fremden Namen in ein
Wirtshaus ein, wo er, sobald die Nacht ange-
brochen war, in seinem Mantel und mit einem Paar
Pistolen versehen, die er in der Tronkenburg er-
5 beutet hatte, zu Luthern ins Zimmer trat. Luther,
der unter Schriften und Büchern an seinem Pulte
saß und den fremden besonderen Mann die Tür
öffnen und hinter sich verriegeln sah, fragte ihn,
wer er sei, und was er wolle; und der Mann, der
10 seinen Hut ehrerbietig in der Hand hielt, hatte nicht
sobald mit dem schüchternen Vorgefühl des Schrek-
kens, den er verursachen würde, erwidert, daß er
Michael Kohlhaas, der Roßhändler, sei, als Luther
schon: „Weiche fern hinweg!" ausrief und, indem
15 er vom Pult erstehend nach einer Klingel eilte,
hinzusetzte: „Dein Odem ist Pest und deine Nähe
Verderben!" Kohlhaas, indem er, ohne sich vom
Platz zu regen, sein Pistol zog, sagte: „Hochwürdiger
Herr, dies Pistol, wenn Ihr die Klingel rührt, streckt
20 mich leblos zu Euren Füßen nieder! Setzt Euch
und hört mich an; unter den Engeln, deren Psalmen
Ihr aufschreibt, seid Ihr nicht sicherer als bei mir."
Luther, indem er sich niedersetzte, fragte: „Was
willst du?" Kohlhaas erwiderte: „Eure Meinung
25 von mir, daß ich ein ungerechter Mann sei, wider-
legen! Ihr habt mir in Eurem Plakat gesagt, daß
meine Obrigkeit von meiner Sache nichts weiß:
wohlan, verschafft mir freies Geleit, so gehe ich nach
Dresden und lege sie ihr vor." „Entsetzlicher

Mann!" rief Luther, durch diese Worte verwirrt zugleich und beruhigt, „wer gab dir das Recht den Junker von Tronka in Verfolg eigenmächtiger Rechtsschlüsse zu überfallen und, da du ihn auf seiner Burg nicht fandst, mit Feuer und Schwert die ganze Gemeinschaft heimzusuchen?" Kohlhaas erwiderte: „Hochwürdiger Herr, niemand! Eine Nachricht, die ich aus Dresden erhielt, hat mich getäuscht. Der Krieg, den ich mit der Gemeinheit der Menschen führe, ist eine Missetat, sobald ich aus ihr nicht, wie Ihr mir die Versicherung gegeben habt, verstoßen war!" „Verstoßen!" rief Luther. „Welch eine Raserei der Gedanken ergriff dich? Wer hätte dich aus der Gemeinschaft des Staats verstoßen?" „Verstoßen", antwortete Kohlhaas, indem er die Hand zusammendrückte, „nenne ich den, dem der Schutz der Gesetze versagt ist! Denn dieses Schutzes zum Gedeihen meines friedlichen Gewerbes bedarf ich; und wer mir ihn versagt, der stößt mich zu den Wilden der Einöde hinaus; er gibt mir, wie wollt Ihr das leugnen, die Keule, die mich selbst schützt, in die Hand." „Wer hat dir den Schutz der Gesetze versagt?" rief Luther. „Schrieb ich dir nicht, daß die Klage, die du eingereicht, dem Landesherrn fremd ist? Wenn Staatsdiener hinter seinem Rücken Prozesse unterschlagen, wer anders als Gott darf ihn wegen der Wahl solcher Diener zur Rechenschaft ziehen?" „Wohlan," versetzte Kohlhaas, „wenn mich der Landesherr nicht verstößt, so kehre ich auch wieder in die Gemeinschaft, die er beschirmt, zurück. Verschafft mir freies Geleit nach Dresden, so lasse ich den Haufen, den ich zu Lützen versammelt, auseinandergehen und bringe die Klage, mit der ich abgewiesen worden bin, noch einmal bei dem Tribunal des Landes vor."

Luther, mit einem verdrießlichen Gesicht, warf die Papiere, die auf seinem Tisch lagen, übereinander und schwieg. Die trotzige Stellung, die dieser seltsame Mensch einnahm, verdroß ihn; und den Rechtsschluß, den er an den Junker erlassen, erwägend, fragte er: was er denn von dem Tribunal zu Dresden verlange? Kohlhaas antwortete: „Bestrafung des Junkers, den Gesetzen gemäß; Wiederherstellung der Pferde in den vorigen Stand; und Ersatz des Schadens, den ich sowohl als mein Knecht durch die Gewalttat, die man an uns verübte, erlitten." Luther sagte: „Rasender, unbegreiflicher und entsetzlicher Mensch! Nachdem dein Schwert an dem Junker die grimmigste Rache genommen, die sich erdenken läßt: was treibt dich auf ein Erkenntnis gegen ihn zu bestehen, dessen Schärfe, wenn es zuletzt fällt, ihn mit einem Gewicht von so geringer Erheblichkeit nur trifft?" Kohlhaas erwiderte, indem ihm eine Träne über die Wangen rollte: „Hochwürdiger Herr, es hat mich meine Frau gekostet; Kohlhaas will der Welt zeigen, daß sie in keinem ungerechten Handel umgekommen ist. Fügt Euch in diesen Stücken meinem Willen und laßt den Gerichtshof sprechen: in allem andern, was sonst noch streitig sein mag, füge ich mich Euch." Luther sagte: „Schau' her: was du forderst ist gerecht; und hättest du den Streit, bevor du zur Selbstrache geschritten, zu des Landesherrn Entscheidung zu bringen gewußt, so wäre dir deine Forderung, zweifle ich nicht, Punkt vor Punkt bewilligt worden. Doch hättest du nicht besser

getan, du hättest um deines Erlösers willen dem
Junker vergeben, die Rappen, dürre und abgehärmt
wie sie waren, bei der Hand genommen, dich aufgesetzt und zur Dickfütterung in deinen Stall heim-
geritten?" Kohlhaas antwortete: „Kann sein!" 5
indem er ans Fenster trat: „kann sein auch nicht!
Hätte ich gewußt, daß ich sie mit Blut aus dem
Herzen meiner lieben Frau würde auf die Beine
bringen müssen: kann sein, ich hätte getan, wie Ihr
gesagt, hochwürdiger Herr. Doch, weil sie mir 10
einmal so teuer zu stehen gekommen sind, so habe
es denn, meine ich, seinen Lauf: laßt das Erkenntnis,
wie es mir zukommt, sprechen und den Junker mir
die Rappen auffüttern."

Luther sagte, indem er wieder zu seinen Papieren 15
griff, er wolle mit dem Kurfürsten seinethalben in
Unterhandlung treten. Inzwischen möchte er sich
still halten; wenn der Herr ihm freies Geleit be-
willige, so werde man es ihm auf dem Wege öffentlicher Anplackung bekannt machen. „Zwar," fuhr 20
er fort, da Kohlhaas sich herabbog um seine Hand
zu küssen: „ob der Kurfürst Gnade für Recht
ergehen lassen wird, weiß ich nicht; denn einen
Heerhaufen, vernehm' ich, zog er zusammen und
steht im Begriff dich im Schlosse zu Lützen auf- 25
zuheben; inzwischen, wie ich dir schon gesagt habe,
an meinem Bemühen soll es nicht liegen." Und
damit stand er auf und machte Anstalt ihn zu
entlassen. Kohlhaas meinte, daß seine Fürsprache
ihn über diesen Punkt völlig beruhige; worauf 30
Luther ihn mit der Hand grüßte, jener aber plötzlich ein Knie vor ihm senkte und sprach: er habe
noch eine Bitte auf seinem Herzen. Zu Pfingsten

nämlich, wo er an den Tisch des Herrn zu gehen
pflege, habe er die Kirche dieser seiner kriegerischen
Unternehmung wegen versäumt; ob er die Gewogen-
heit haben wolle ohne weitere Vorbereitung seine
5 Beichte zu empfangen und ihm die Wohltat des
heiligen Sakraments zu erteilen? Luther, nach
einer kurzen Besinnung, indem er ihn scharf ansah,
sagte: „Ja, Kohlhaas, das will ich tun! Der Herr
aber, dessen Leib du begehrst, vergab seinem Feind.
10 Willst du," setzte er, da jener ihn betreten ansah,
hinzu, „dem Junker, der dich beleidigt hat, gleichfalls vergeben?" „Hochwürdiger Herr," sagte Kohlhaas errötend, indem er seine Hand ergriff, „laßt
mich den Kurfürsten, meinen beiden Herren, dem
15 Schloßvogt und wer mich sonst gekränkt haben
mag, vergeben, den Junker aber nötigen, daß er mir
die Rappen wieder dick füttere." Bei diesen Worten
kehrte ihm Luther mit einem mißvergnügten Blick
den Rücken zu und zog die Klingel. Kohlhaas,
20 während ein Famulus sich mit dem Licht in dem
Vorsaal meldete, stand, indem er sich die Augen
trocknete, vom Boden auf, und da der Famulus
vergebens, weil der Riegel vorgeschoben war, an
der Türe wirkte, Luther aber sich wieder zu seinen
25 Papieren niedergesetzt hatte, so machte Kohlhaas
dem Mann die Türe auf. Luther, mit einem kurzen,
auf den fremden Mann gerichteten Seitenblick,
sagte dem Famulus: „Leuchte!" worauf dieser,
über den Besuch, den er erblickte, ein wenig be-
30 fremdet, den Hausschlüssel von der Wand nahm
und sich unter die halboffene Tür des Zimmers
zurückbegab. Kohlhaas sprach, indem er seinen Hut
bewegt zwischen beide Hände nahm: „Und so kann

ich, hochwürdigster Herr, der Wohltat versöhnt zu
werden, die ich mir von Euch erbat, nicht teilhaftig
werden?" Luther antwortete kurz: „Deinem Heiland, nein! dem Landesherrn, — das bleibt einem
Versuch, wie ich dir versprach, vorbehalten!" Und 5
damit winkte er dem Famulus das Geschäft, das er
ihm aufgetragen, ohne weiteren Aufschub abzu-
machen. Kohlhaas legte mit dem Ausdruck schmerz-
licher Empfindung seine beiden Hände auf die Brust,
folgte dem Mann, der ihm die Treppe hinunter 10
leuchtete, und verschwand.

Michael Kohlhaas (1810)

CLEMENS BRENTANO
1778–1842

156 *Lureley und Murmeltierchen*

FRAU Lureley, die gute schöne Wasserfrau, reiste
über Land, und als sie ins Gebirg und in den
wilden Wald kam, neigte sich die Sonne schon zu
ihrem Untergang, und immer hatte sie noch keinen 15
Brunnen gefunden, in dem sie übernachten konnte.
Sie war daher etwas besorgt und legte sich dann und
wann auf die Erde um zu lauschen, ob sie nicht einen
Brunnen murmeln höre. Als sie auch einmal so
lauschte, hörte sie das Getrappel von einer Herde 20
Schafe und eilte nun nach der Gegend zu, wo das
Geräusch erschallte, weil sie wohl wußte, daß die
Hirten sich in der Nähe der Brunnen gerne aufhalten.
Nicht lange ging sie noch durch den Wald, als eine
schöne Wiese vor ihr lag, worauf eine kleine Herde 25
weidete. Da sie aber hervortrat, stürzten die Schafe,
durch ihre Erscheinung erschreckt, dem Walde zu,

und zugleich sah sie ein junges Hirtenmädchen der
Herde nacheilen um sie zurückzuhalten. Die Hirtin
hatte ein schwarzes Röckchen an, ihr Mieder war rot,
ihre Haube auch schwarz, und ihre Haare hingen ihr
5 in zwei langen blonden Zöpfen die Schultern herab,
und während sie lief, spann sie ängstlich an einem
Rocken. Endlich hatte sie die Herde wieder gesammelt, und da sie nun die schöne Wasserfrau erblickte,
welche einen blauen mit Silber durchwirkten Rock
10 an hatte, stand sie erschrocken still und warf sich
dann demütig auf die Kniee. Frau Lureley aber
nahte sich ihr und hob sie auf und sprach ganz
freundlich zu ihr: „Mein Kind, fürchte dich nicht,
ich bin ein reisendes Wasserfräulein und suche einen
15 Brunnen, in dem ich heute übernachten kann; willst
du mir einen Brunnen zeigen, so will ich dich
belohnen." „Recht gern, mein schönes Fräulein",
sagte die Hirtin. „Ich muß noch meinen Rocken
abspinnen und mein Körbchen voll Erdbeeren lesen,
20 dann treibe ich die Herde an einen recht schönen
Brunnen, der nicht weit von hier ist, um sie zu
tränken, und wasche auch meine Erdbeeren dort."
„Komm, gib mir deinen Rocken," sagte das Wasserfräulein, „ich will ein Weilchen spinnen; so sammle
25 deine Erdbeeren geschwind, damit wir eher an den
Brunnen kommen." Die Hirtin gab ihr den Rocken
und suchte Erdbeeren, die sie plötzlich in solcher
Menge fand, daß ihr Körbchen schnell gehäuft voll
war. „Ich bin recht glücklich," sagte sie, „mein
30 Körbchen ist schon voll, jetzt will ich Euch zum
Brunnen führen." „Gut", sagte das Wasserfräulein.
Die Hirtin trieb nun ihre Herde voran und folgte an
der Seite des Wasserfräuleins durch den schönen

stillen Abend. „Wie heißt du, mein liebes Kind?"
sagte Lureley. Die Hirtin erwiderte: „Ich heiße
Murmeltier." „Murmeltier?" sagte Lureley erstaunt, „Murmeltier! Wer hat dir diesen häßlichen
Namen gegeben? Du bist ja so freundlich und 5
hast hübsche rote Wangen und ein Paar helle
blaue Augen; so sieht ja kein Murmeltier aus." Als
Lureley so gesprochen hatte, sah sie, daß die Hirtin
weinte, und bat sie nun sehr nicht zu weinen und ihr
zu erzählen, was für ein Kummer sie betrübe.   10

„Ach, liebes Wasserfräulein," sagte die Hirtin,
„ich weine oft, denn es geht mir recht übel. Nicht
weit von hier wohnt meine Mutter und meine
Schwester; sie lieben mich nicht; sie geben mir so
viel Arbeit, daß ich sie nie ganz verrichten kann; ich 15
soll alles tun, was zu Hause zu tun ist: waschen,
Feuer machen, Stube und Stall kehren und doch
auch wieder die Herde führen und pflegen und alle
Abend den abgesponnenen Rocken und einen ganzen
Korb voll Erdbeeren nach Hause bringen; und fehlt 20
nur das Mindeste an diesen Aufgaben, so geben sie
das Stückchen Brot nicht, wovon ich lebe, oder
nehmen mir das Stroh, worauf ich schlafe, daß ich
auf der harten Erde hungernd schlafen muß. Ich sage
zu allem dem auch kein Sterbenswörtchen und leide 25
alles mit Geduld; wenn meine Schwester aber mich
schlägt und ich weine, so nennen sie dies murren,
und so haben sie mir den Namen Murmeltier
gegeben. Wenn ich so den Tag über hier im Walde
bin, da habe ich doch Ruhe, da ist mir wohl; alle 30
Vögel kennen mich und grüßen mich und hüpfen
um mich herum, wenn ich die Erdbeeren lese, und
sitzen auf meinem Rocken, wenn ich spinne, und so

bring' ich den Tag mit einiger Ruhe zu; doch sehe
ich immer mit Angst nach der Sonne und zittere,
wenn ich sehe, daß sie sich nach den Bäumen senkt,
denn dann kommt der Abend und ich muß nach
5 Hause, wo mich Not und Elend erwarten."

Während dieser Erzählung hatten sie sich dem
Brunnen genähert. „Mein liebes Murmeltier," sagte
Lureley, „nun müssen wir scheiden; ich werde heute
Nacht hier bei der Brunnenfrau dieser Quelle
10 wohnen und morgen mit Tagesanbruch weiter reisen;
nun hätte ich doch gerne ein Andenken von dir und
möchte auch dir etwas geben, denn ich bin dir sehr
gut, mein liebes Kind!" „Ach!" sagte Murmeltier,
„was habe ich armes Mädchen, das ich Euch geben
15 könnte?" „Ich will dir sagen," erwiderte Lureley,
„wie wir's machen: gib du mir deine Kleider, ich
gebe dir meine; denn es ist mir der silberne lange
Rock doch hinderlich auf der Reise, und ich werde in
deinem kurzen Röckchen viel schneller gehen kön-
20 nen." Murmeltierchen mußte nun mit der Frau
Lureley die Kleider wechseln und ihr dann die Haare
kämmen und flechten, wie sie es selbst trug. Aber
wie wunderte sie sich, als ihr aus den Haaren der
Frau Lureley lauter Perlen und Edelsteine in den
25 Schoß fielen! „Die schenke ich dir alle," sagte Frau
Lureley, „jetzt will ich mich in dem Brunnen betrachten, wie mir dein Kleid steht;" und indem sie
in den Brunnen sah, sagte sie: „O, allerliebst!" und
sprang in den Brunnen hinab.

Märchen (Aus dem Nachlaß 1846)

ACHIM VON ARNIM

1781–1831

157 *Doppelgänger*

DIE Abendsonne schien glühendrot durch den
Staub, und der einzige Tau fiel von der Stirn
des durchgeglühten Wanderers auf den dürren Boden
der Landstraße. „Oh ihr verfluchten Kunststraßen!"
seufzte der müde Sänger, „wenn ich so die endlose 5
gerade Linie hinunterblicke, meine ich eher in die
Sonne als nach Karlsbad zu kommen, und nichts
erquickt mich als der Gedanke, daß jetzt mein un-
dankbares Publikum recht verdrießlich in den engen
Theatersitzen sich klemmt und in Langeweile dehnt, 10
wenn die Oper heute verhunzt wird; es soll die
Leutchen gereuen, wie sie mit mir verfahren sind;
meine Stimme kommt wieder, aber ich nicht zurück!"
Bei diesen Worten versuchte Halbgott die schwersten
Läufe, und diese Zerstreuung förderte den Lauf 15
seiner Beine. Ehe er es sich versah, hatte er den
Punkt erreicht, der die erste Einsicht in die Bergtiefe
von Karlsbad gestattet. Er sah das gelobte Land vor
sich ausgebreitet und rief: „Hier finde ich mein
wahres Publikum! Kaiser, Könige, Fürsten, ihr seid 20
mir ebenbürtige Richter, stammt wie ich von Gottes
Gnade her! Ihr werdet mein Recht auf die tiefen
Töne anerkennen, ihr werdet mich nicht zwingen
höher zu singen als ich es vermag, wenn mir der
Zapfen durch Erkältung gefallen." Und doch tat es 25
ihm leid, daß er seinen Überrock vergessen; eigentlich bemerkte er auch jetzt erst, daß er noch in der
knappen Jagduniform mit dem Sterne einhergehe,
die ihn in seiner Rolle bekleidet hatte. „Darum

begrüßten mich also die Leute so demütig," dachte
er lächelnd; „je nun, warum sollte ich verschmähen,
was der Zufall mir verliehen hat. Der Stern ist
ohnehin das letzte Silber, was ich an mir trage, und
5 es ist mir lieb, daß er nicht gestickt sondern von
massivem Silber gearbeitet ist." Unter solchen
Betrachtungen trat er in die Gassen, wo manche
Serenaden in lustigen Melodien schallten.

„Das beste Wirtshaus gibt den meisten Kredit!"
10 mit diesen Worten blieb er vor einem ansehnlichen
Hause stehen und fragte einen Vorübergehenden:
„Ist hier ein Wirtshaus?" Der Mann grüßte mit
Achtung und antwortete: „Dort ist Eurer Durchlaucht Hotel; aber es begegnet hier jedem Fremden,
15 sich abends nicht finden zu können." „Meine
Wohnung!" dachte Halbgott, „ich bin damit zufrieden und will die Gunst des Schicksals nicht von
mir weisen." Er trat ins Haus; gleich riefen ein paar
Stimmen: „Seine Durchlaucht!" Zwei Kellner
20 sprangen mit silbernen Armleuchtern herbei und
leuchteten voran auf der Treppe. Der Sänger ging
den Leuchtern nach und trat in ein wohl eingerich-
tetes Zimmer. Der Kellner fragte, ob die Suppe
gebracht werden solle? Der Sänger nickte. „Bring
25 Fasanen, Forellen, Champagner! Ich habe gottlob
heute meinen Appetit wieder bekommen!" „Die
Wirkung kommt immer nach einiger Zeit," sagte der
Kellner, „Ew. Durchlaucht sehen auch heute viel
wohler aus!" Er eilte fort, er kam zurück; große
30 Forellen, guter Wein, Rebhühner schmückten die
Tafel. Der Kellner bat demütig um Entschuldigung,
daß er keinen Fasanen auftreiben könne. Der Sänger
verzieh ihm; ja, er vergab sogar im seligen Genusse

allen, die ihn verfolgt hatten: „Seid umschlungen, Millionen!" rief er, „einen Kuß der besten Welt!" Das Bett sah er aus dem Nebenzimmer blinken: „Gerade ein Bett wie ich es liebe," sagte er, „Matratze, Daunendecke, ein Paar Pantoffeln davor von 5 zierlicher Tapisseriearbeit; welche Wappen sind das, die sie darstellen? die muß ich also auch zukünftig statt meines Apollokopfes führen!" Aber ehe noch diese Rede geendet, war schon seine Kleidung abgeworfen und sein Nachdenken unter der Decke be- 10 schwichtigt.

Kaum eine Stunde mochte er so geschlafen haben, als er durch heftiges Geschrei nach Licht und Leuten erweckt wurde. Er riß die Augen auf und sah bei dem Scheine des Nachtlichtes—sich selbst wie 15 einen Geist vor dem Bette stehen, und dieses Gegenbild zog einen Degen und legte sich mit flatterndem Hemde in die Stichparade. Es traten andre ins Zimmer, die nicht weniger verwundert nach dem Bette starrten. Der Sänger hatte zuerst seine Besinnung 20 wiedergewonnen, sprang auf, drückte seinem erschrockenen Ebenbilde die Hand und sprach: „Wir ähneln uns wie Brüder; es ist spät, wir beide sind müde, das Bett ist breit. Lieber Bruder, erkälte dich nicht; ich mag mich auch nicht erkälten, teile mit 25 mir dies Bett; ich bin frei von der Pest, ich hoffe, du bist es auch!" Der Fürst, der schon von der kühlen Nachtluft zitterte und ein eignes Wohlgefallen an dem seltsamen Wesen seines Ebenbildes empfand, errichtete den provisorischen Zustand, indem er in 30 das Bett sprang und von da aus seine Unterhandlungen fortsetzte. „Wer sind Sie?" fragte er gebietend, „wer gab Ihnen ein Recht auf mein Bett?"

„Lassen wir das bis morgen!" antwortete gähnend
der Bettgenoß, „gehen Ew. Durchlaucht in vierundzwanzig Stunden acht Meilen, so werden Sie ein
Recht an Schlaf und Bett nicht mehr bezweifeln,
5 besonders wenn es einem von dienstwilligen Kell-
nern gleichsam aufgedrungen wird. Gute Nacht!"
Der Fürst erwachte zuerst und setzte sich an
seine Toilette. Auch der Sänger war allmählich
aufgewacht und sah den unzähligen Bürsten, Zahn-
10 pulvern, Tinkturen, den vielen Leuten, die rechts
und links Beistand leisteten, mit lächelnder Verwunderung zu. Endlich konnte er sich nicht länger
halten und rief: „Bruder, du machst es gerade wie
meine alte Mutter, die war zu ihrer Zeit schön und
15 meint, es mit so ein paar Künsten noch immer
bleiben zu können!" Bei diesen Worten sprang er
aus dem Bette und stand in wenig Augenblicken
gewaschen, gekämmt und angezogen in den Kleidern
des Fürsten, die statt der seinen dalagen, vor den
20 staunenden Augen des umständlichen Herrn. Er
sang jetzt so herrlich, daß der Fürst ihn im ersten
Entzücken umarmte und darauf schwor, daß er
lebenslang bei ihm bleiben müsse. Dann versuchte
er sich selbst im Gesange, und Halbgott versicherte
25 ihm, es könne etwas Großes aus ihm werden.
„Immerhin, wir gehören zusammen wie zwei Saiten
eines Instrumentes. Ich nenne mich Halbgott, Ew.
Durchlaucht sind Ganzgott, und doch fehlt Ihnen
noch manches mehr zum Glücke als mir!" „Frei-
30 lich," seufzte der Fürst, „alles bleibt mir so fern.
Jedes Geschäft ist so vollständig abgetan, ehe es an
mich kommt, daß selbst meine Feder zum Unter-
zeichnen mir schon eingetaucht entgegengetragen

wird. Ich habe Lust an Musik, doch jedermann warnt mich; ich darf niemand etwas vorsingen, aus Furcht meine Würde zu kompromittieren. Wie glücklich wäre ich, könnte ich gleich Ihnen auch nur wenige Tage ganz meiner Neigung leben!" „Versuchen es Ew. Durchlaucht," rief der Sänger, „wie wollte ich ein Land in wenig Tagen beglücken! Aber meine Lage, alles Schreckliche, was mich verfolgt hat, müssen Ew. Durchlaucht voraus kennen. Am Morgen war mein Hals rauh und fort der Falsetton, der sich wie eine Schlange in alle Herzen zu schleichen wußte. Ich lief zum Direktor; ich schwor, daß ich nicht singen könne; dieser aber zeigte mir den Befehl des regierenden Herzogs, der für hohe Gäste die Oper verlangt hatte. Ich mußte mich also fügen und brauchte die kräftigsten Mittel meine Stimme herzustellen. Einer brachte mir frische Eier, der andere das Innere eines Herings, ein Arzt riet mir die Hungerkur, der andere ein magnetisches Bad. Das geehrte Publikum aber ärgerte sich, daß ich die Läufe in der Tiefe machte, die ich sonst ins Falsett getrieben hatte. Man schrie: ,Höher, höher!' Ich zuckte mit den Achseln und sang tiefer. Sie klopften und pfiffen, ich klopfte und pfiff wieder. Sie warfen mit Äpfeln. Zum Glück stand ich in einer häuslichen Szene, und ein Korb mit Kartoffeln war bei der Hand. So schleuderte ich flink unter die Menge, wo jeder Wurf traf. Es kamen Leute um mich zu fangen. Ein Freund, bei den Versenkungen angestellt, eröffnete mir eine Klappe, ich rettete mich in die Unterwelt des Theaters und von da durch einen gewölbten Graben. Ich stand im Freien und wußte kaum, wie es zu-

gegangen, aber ich dankte Gott und beschloß
hieher zu wandern." „Göttlich, göttlich!" rief der
Fürst, „oh, daß ich so etwas nicht erleben kann!
Könnten wir für einige Zeit tauschen! Aber, lieber
5 Halbgott, könnten Sie auch meine Verhältnisse
ordnen? Ich lebe sehr unbequem, von jeder Liebhaberei getrennt. Jede kleine Anordnung im täglichen Leben wird erst genau ausgemessen, ob es
auch dem Brauche größerer Höfe angemessen ist."
10 „Überlassen Sie mir das, Ew. Durchlaucht," rief der
Sänger begeistert, „nur einen Tag Herrschaft im
Schlosse, und ich bringe alles in Ordnung!"

Fürst Ganzgott und Sänger Halbgott (1826)

ADALBERT VON CHAMISSO
1781–1838

Der verkaufte Schatten

158   i

WIE erschrak ich, als ich den Mann im grauen
Rock hinter mir her und auf mich zu kommen
15 sah. Er nahm sogleich den Hut vor mir ab und
verneigte sich so tief, als noch niemand vor mir getan
hatte. Es war kein Zweifel, er wollte mich anreden,
und ich konnte ohne grob zu sein es nicht vermeiden.
Ich nahm den Hut auch ab, verneigte mich wieder
20 und stand da in der Sonne mit bloßem Haupt wie
angewurzelt. Ich sah ihn voller Furcht stier an und
war wie ein Vogel, den eine Schlange gebannt hat.
Er selber schien sehr verlegen zu sein; er hob den
Blick nicht auf, verbeugte sich zu verschiedenen
25 Malen, trat näher und redete mich an mit leiser

unsicherer Stimme, ungefähr im Tone eines Bet-
telnden.

„Möge der Herr meine Zudringlichkeit entschuldigen, wenn ich es wage ihn so unbekannter
Weise aufzusuchen; ich habe eine Bitte an ihn. 5
Während der kurzen Zeit, wo ich das Glück genoß
mich in Ihrer Nähe zu befinden, hab' ich einigemal
— erlauben Sie, daß ich es Ihnen sage — mit
unaussprechlicher Bewunderung den schönen Schatten betrachten können, den Sie in der Sonne, und 10
gleichsam mit einer gewissen edlen Verachtung ohne
selbst darauf zu merken, von sich werfen, den
herrlichen Schatten da zu Ihren Füßen. Verzeihen
Sie mir die freilich kühne Zumutung. Sollten Sie
sich wohl nicht abgeneigt finden mir diesen Ihren 15
Schatten zu überlassen?" Er schwieg, und mir ging's
wie ein Mühlrad im Kopfe herum. Was sollt' ich
aus dem seltsamen Antrag machen mir meinen
Schatten abzukaufen? Er muß verrückt sein, dacht'
ich; und mit verändertem Tone, der zu der 20
Demut des seinigen besser paßte, erwiderte ich
also: „Ei ei, guter Freund, habt Ihr denn nicht
an Eurem eignen Schatten genug? Ich verstehe
wohl Ihre Meinung nicht ganz gut; wie könnt'
ich nur meinen Schatten. ..." Er unterbrach mich: 25
„Ich erbitte mir nur Erlaubnis hier auf der
Stelle diesen edlen Schatten aufheben zu dürfen
und zu mir zu stecken; wie ich das mache, sei meine
Sorge. Dagegen als Beweis meiner Erkenntlich-
keit gegen den Herrn überlasse ich ihm die Wahl 30
unter allen Kleinodien, die ich in der Tasche bei
mir führe: die echte Springwurzel, Wechselpfennige,
Raubtaler, das Tellertuch von Rolands Knappen,

ein Galgenmännlein zu beliebigem Preis; doch, das
wird wohl nichts für Sie sein; besser Fortunati
Wünschhütlein, neu und haltbar restauriert; auch
ein Glückssäckel, wie der seine gewesen." „Fortunati
5 Glückssäckel", fiel ich ihm in die Rede, und wie groß
meine Angst auch war, hatte er mit dem einen Wort
meinen ganzen Sinn gefangen. Ich bekam einen
Schwindel, und es flimmerte mir wie doppelte
Dukaten vor den Augen.
10 „Belieben gnädigst der Herr diesen Säckel zu
besichtigen und zu erproben." Er steckte die Hand
in die Tasche und zog einen mäßig großen fest-
genähten Beutel von starkem Leder an zwei tüchtigen ledernen Schnüren heraus und händigte mir
15 selbigen ein. Ich griff hinein und zog zehn Goldstücke daraus, und wieder zehn, und wieder zehn,
und wieder zehn; ich hielt ihm schnell die Hand
hin: „Topp! der Handel gilt, für den Beutel haben
Sie meinen Schatten." Er schlug ein, kniete vor
20 mir nieder, und mit einer bewundernswürdigen
Geschicklichkeit sah ich ihn meinen Schatten, vom
Kopf bis zu meinen Füßen, leise von dem Grase
lösen, aufheben, zusammenrollen und falten und
zuletzt einstecken.

159 *ii*

25 ICH kam unbeachtet aus dem Park, erreichte die
Landstraße und nahm meinen Weg nach der
Stadt. Wie ich in Gedanken dem Tore zuging, hört'
ich hinter mir schreien: „Junger Herr! He, junger
Herr, hören Sie doch!" Ich sah mich um; ein altes
30 Weib rief mir nach: „Sehe sich der Herr doch vor!

Sie haben Ihren Schatten verloren." Ich warf ihr
ein Goldstück für wohlgemeinten Rat hin und trat
unter die Bäume. Am Tore mußt' ich gleich wieder
von der Schildwacht hören: „Wo hat der Herr
seinen Schatten gelassen?" Das fing an mich zu 5
verdrießen, und ich vermied sehr sorgfältig in die
Sonne zu treten. Das ging aber nicht überall an,
zum Beispiel nicht über die breite Straße, die ich
zunächst durchkreuzen mußte und zwar zu meinem
Unheil in eben der Stunde, wo die Knaben aus 10
der Schule gingen. Ein Schlingel hatte es gleich weg,
daß mir ein Schatten fehle. Er verriet mich mit
großem Geschrei der sämtlichen Straßenjugend,
welche sofort mich zu rezensieren und mit Kot zu
bewerfen anfing. Um sie von mir abzuwehren, warf 15
ich Gold zu vollen Händen unter sie und sprang in
einen Mietswagen. Ich war noch sehr verstört, als
der Wagen vor meinem Wirtshause hielt; ich
erschrak über die Vorstellung jenes schlechte Dach-
zimmer zu betreten. Ich ließ meine Sachen herab- 20
holen, warf einige Goldstücke hin und befahl vor
das vornehmste Hotel vorzufahren. Das Haus war
gegen Norden gelegen, ich hatte die Sonne nicht
zu fürchten. Ich schickte den Kutscher mit Gold
weg, ließ mir die besten Zimmer vorneheraus an- 25
weisen und verschloß mich darin sobald ich konnte.

Nichts unversucht zu lassen, schickt' ich zu dem
berühmtesten Maler der Stadt, den ich mich zu
besuchen einladen ließ. Er kam; ich verschloß die
Tür, setzte mich zu dem Mann, und nachdem ich 30
seine Kunst gepriesen, kam ich mit schwerem
Herzen zur Sache. Ich ließ ihn zuvor das strengste
Geheimnis geloben. „Herr Professor," fuhr ich fort,

„könnten Sie wohl einem Menschen, der um seinen
Schatten gekommen ist, einen falschen Schatten
malen?" „Aber", frug er mich, „durch welche
Ungeschicklichkeit konnte er denn seinen Schatten
5 verlieren?" „Wie es kam," erwiderte ich, „mag nun
sehr gleichgültig sein. Doch so viel," log ich ihm
unverschämt vor: „in Rußland, wo er im vorigen
Winter eine Reise tat, fror ihm einmal bei einer
außerordentlichen Kälte sein Schatten dergestalt
10 am Boden fest, daß er ihn nicht wieder los bekommen konnte." „Der falsche Schatten, den ich ihm
malen könnte," sagte der Professor, „wäre doch nur
ein solcher, den er bei der leisesten Bewegung wieder
verlieren müßte. Wer keinen Schatten hat, gehe
15 nicht in die Sonne; das ist das Vernünftigste und
Sicherste!" Er stand auf und entfernte sich, indem
er auf mich einen durchbohrenden Blick warf, den
der meine nicht ertragen konnte. Ich sank in
meinen Sessel zurück und verhüllte mein Gesicht in
20 meine Hände.

160   *iii*

ICH suchte ferner keines Menschen Gesellschaft.
Ich hielt mich im dunkelsten Walde und mußte
manchmal, um über einen Strich, wo die Sonne
schien, zu kommen, stundenlang darauf warten, daß
25 mir keines Menschen Auge den Durchgang verbot.
Ich ging nach einem Bergwerk im Gebirge, wo ich
Arbeit unter der Erde zu finden gedachte; denn ich
hatte wohl erkannt, daß mich allein angestrengte
Arbeit gegen meine zerstörenden Gedanken schützen
30 könnte. Ein paar regnichte Tage förderten mich

leicht auf den Weg, aber auf Kosten meiner Stiefel.
Ich ging schon auf den bloßen Füßen. Ich mußte
ein Paar neue Stiefel anschaffen. Am nächsten
Morgen besorgte ich dieses Geschäft mit vielem
Ernst in einem Flecken, wo Kirmes war, und wo in 5
einer Bude alte und neue Stiefel zu Kauf standen.
Ich wählte und handelte lange. Ich begnügte mich
mit alten, die noch gut und stark waren. Ich zog
sie gleich an und ging zum nördlich gelegenen Tor
aus dem Ort.   10

Ich war in meine Gedanken vertieft und sah
kaum, wo ich den Fuß hinsetzte. Ich war noch
keine zweihundert Schritte gegangen, als ich bemerkte, daß ich aus dem Wege gekommen war. Ich
sah mich um — ich befand mich in einem uralten 15
Tannenwalde. Ich drang noch einige Schritte vor —
ich sah mich mitten unter öden Felsen, zwischen
welchen Schnee- und Eisfelder lagen. Die Kälte war
unerträglich. Ich wußte nicht, wie mir geschehen
war; der erstarrende Frost zwang mich meine 20
Schritte zu beschleunigen; ich vernahm nur das
Gebrause ferner Gewässer; ein Schritt — und ich
war am Eisufer eines Ozeans. Unzählbare Herden
von Seehunden stürzten sich vor mir in die Flut.
Ich folgte diesem Ufer—ich sah wieder Land, Birken- 25
und Tannenwälder; ich lief noch ein paar Minuten
gerade vor mir hin — es war erstickend heiß; ich sah
mich um — ich stand zwischen schön gebauten
Reisfeldern unter Maulbeerbäumen. Ich schloß die
Augen zu um meine Gedanken zusammenzufassen. 30
Ich hörte vor mir seltsame Silben durch die Nase
zählen; ich blickte auf: zwei Chinesen redeten mich
mit landesüblichen Begrüßungen in ihrer Sprache

an; ich stand auf und trat zwei Schritte zurück —
ich sah sie nicht mehr, die Landschaft war ganz
verändert: Bäume, Wälder statt der Reisfelder.
Ich wollte auf einen Baum zugehen, ein Schritt —
5 und wiederum alles verändert. Ich schritt nun
langsam einher. Wunderbare veränderliche Länder,
Fluren, Auen, Gebirge, Steppen, Sandwüsten ent-
rollten sich vor meinem staunenden Blick. Es war
kein Zweifel: ich hatte Siebenmeilenstiefel an den
10 Füßen.

Peter Schlemihls wundersame Geschichte (1814)

JAKOB GRIMM

1785–1863

WILHELM GRIMM

1786–1859

161   *Über Volksmärchen*

WIR finden es wohl, wenn Sturm oder anderes
Unglück, das der Himmel schickt, eine ganze
Saat zu Boden geschlagen, daß noch bei niedrigen
Hecken oder Sträuchen, die am Wege stehen, ein
15 kleiner Platz sich gesichert hat, und einzelne Ähren
aufrecht geblieben sind. Scheint dann die Sonne
wieder günstig, so wachsen sie einsam und unbeachtet fort: keine frühe Sichel schneidet sie für
die großen Vorratskammern, aber im Spätsommer,
20 wenn sie reif und voll geworden, kommen arme
Hände, die sie suchen; und Ähre an Ähre gelegt,
sorgfältig gebunden und höher geachtet als sonst
ganze Garben, werden sie heim getragen, und
winterlang sind sie Nahrung, vielleicht auch der

einzige Samen für die Zukunft. So ist es uns vorgekommen, wenn wir gesehen haben, wie von so vielem, was in früherer Zeit geblüht hat, nichts mehr übrig geblieben, selbst die Erinnerung daran fast ganz verloren war, als unter dem Volke Lieder, ein paar Bücher, Sagen, und diese unschuldigen Hausmärchen. Die Plätze am Ofen, der Küchenherd, Feiertage noch gefeiert, Triften und Wälder in ihrer Stille, vor allem die ungetrübte Phantasie sind die Hecken gewesen, die sie gesichert und einer Zeit aus der andern überliefert haben.

Es war vielleicht gerade Zeit diese Märchen festzuhalten, da diejenigen, die sie bewahren sollen, immer seltner werden. Wo sie noch da sind, leben sie so, daß man nicht daran denkt, ob sie gut oder schlecht sind, poetisch oder für gescheite Leute abgeschmackt: man liebt sie, weil man sie eben so empfangen hat, und freut sich daran ohne einen Grund dafür. Was so mannigfach und immer wieder von neuem erfreut, bewegt und belehrt hat, das trägt seine Notwendigkeit in sich und ist gewiß aus jener ewigen Quelle gekommen, die alles Leben betaut, und wenn auch nur ein einziger Tropfen, den ein kleines zusammenhaltendes Blatt gefaßt hat, doch in dem ersten Morgenrot schimmernd.

Innerlich geht durch diese Dichtungen dieselbe Reinheit, um derentwillen uns Kinder so wunderbar und selig erscheinen. So einfach sind die meisten Situationen, daß viele sie wohl im Leben gefunden, aber wie alle wahrhaftigen doch immer wieder neu und ergreifend. Die Eltern haben kein Brot mehr und müssen ihre Kinder in dieser Not verstoßen, oder eine harte Stiefmutter läßt sie leiden und

möchte sie gar zugrunde gehen lassen. Dann sind
Geschwister in des Waldes Einsamkeit verlassen;
der Wind erschreckt sie, Furcht vor den wilden
Tieren, aber sie stehen sich in allen Treuen bei; das
5 Brüderchen weiß den Weg nach Haus wieder zu
finden; oder das Schwesterchen, wenn Zauberei
es verwandelt, leitet es als Rehkälbchen und sucht
ihm Kräuter und Moos zum Lager; oder es sitzt
schweigend und näht ein Hemd aus Sternblumen,
10 das den Zauber vernichtet. Der Umkreis dieser
Welt ist bestimmt abgeschlossen: Könige, Prinzen,
treue Diener und ehrliche Handwerker, vor allem
Fischer, Müller, Köhler und Hirten, die der Natur
am nächsten geblieben, erscheinen darin. Auch wie
15 in den Mythen, die von der goldenen Zeit reden,
ist die ganze Natur belebt, Sonne, Mond und Sterne
sind zugänglich, geben Geschenke oder lassen sich
wohl gar in Kleider weben; in den Bergen arbeiten
die Zwerge nach dem Metall, in dem Wasser
20 schlafen die Nixen; die Vögel, Pflanzen, Steine
reden und wissen ihr Mitgefühl auszudrücken.
Diese unschuldige Vertraulichkeit des Größten
und Kleinsten hat eine unbeschreibliche Lieblichkeit in sich, und wir möchten lieber dem Gespräch
25 der Sterne mit einem armen verlassenen Kind im
Wald als dem Klang der Sphären zuhören. Alles
Schöne ist golden und mit Perlen bestreut, das
Unglück aber ein ungeheurer menschenfressender
Riese, der doch wieder besiegt wird, da eine gute
30 Fee zur Seite steht, welche die Not glücklich abzu-
wenden weiß. Das Böse ist kein Kleines sondern
etwas Entsetzliches, Schwarzes, dem man sich nicht
nähern darf; ebenso furchtbar die Strafe desselben:

Schlangen und giftige Würmer verzehren ihr Opfer,
oder in glühenden Eisenschuhen muß es sich zu
Tode tanzen. Die weltliche Klugheit wird gede-
mütigt und der Dümmling, von allen verlacht aber
reinen Herzens gewinnt allein das Glück. In diesen 5
Eigenschaften aber ist es gegründet, wenn sich so
leicht aus diesen Märchen eine gute Lehre für die
Gegenwart ergibt; es war weder ihr Zweck, noch
sind sie darum erfunden, aber es erwächst daraus
wie eine gute Frucht aus einer gesunden Blüte ohne 10
Zutun der Menschen. Darin bewährt sich jede
echte Poesie, daß sie niemals ohne Beziehung auf
das Leben sein kann, denn sie ist aus ihm auf-
gestiegen und kehrt zu ihm zurück wie die Wolken
zu ihrer Geburtsstätte, nachdem sie die Erde 15
getränkt haben.

Kinder- und Hausmärchen. Vorwort (1812)

162 *Die weiße Taube*

VOR eines Königs Palast stand ein prächtiger Birnbaum, der trug jedes Jahr die schönsten Früchte;
aber wenn sie reif waren, wurden sie in einer Nacht
alle geholt, und kein Mensch wußte, wer es getan 20
hatte. Der König aber hatte drei Söhne, davon ward
der jüngste für einfältig gehalten und hieß der
Dümmling; da befahl er dem ältesten, er solle ein
Jahr lang alle Nacht unter dem Birnbaum wachen,
damit der Dieb einmal entdeckt werde. Der tat das 25
auch und wachte alle Nächte. Der Baum blühte und
war ganz voll von Früchten, und wie sie anfingen reif
zu werden, wachte er noch fleißiger, und endlich
waren sie ganz reif und sollten am andern Tage

abgebrochen werden. In der letzten Nacht aber
überfiel ihn ein Schlaf und er schlief ein; und wie er
aufwachte, waren alle Früchte fort und nur die
Blätter noch übrig. Da befahl der König dem
5 zweiten Sohn ein Jahr zu wachen, dem ging es nicht
besser als dem ersten. In der letzten Nacht konnte
er sich des Schlafes gar nicht erwehren, und am
Morgen waren die Birnen alle abgebrochen. Endlich befahl der König dem Dümmling ein Jahr zu
10 wachen; darüber lachten alle, die an des Königs Hofe
waren. Der Dümmling aber wachte, und in der
letzten Nacht wehrt' er sich den Schlaf ab; da sah er,
wie eine weiße Taube geflogen kam, eine Birne nach
der andern abpickte und forttrug. Und als sie mit
15 der letzten fortflog, stand der Dümmling auf und
ging ihr nach; die Taube flog aber auf einen hohen
Berg und verschwand auf einmal in einem Felsen-
ritz. Der Dümmling sah sich um, da stand ein
kleines graues Männchen neben ihm, zu dem sprach
20 er: „Gott gesegne dich!“ „Gott hat mich gesegnet
in diesem Augenblick durch diese deine Worte,“
antwortete das Männchen, „denn sie haben mich
erlöst; steig du in den Felsen hinab, da wirst du dein
Glück finden.“ Der Dümmling trat in den Felsen,
25 viele Stufen führten ihn hinunter; und wie er unten
hinkam, sah er die weiße Taube ganz von Spinn-
weben umstrickt und zugewebt. Wie sie ihn aber
erblickte, brach sie hindurch, und als sie den letzten
Faden zerrissen, stand eine schöne Prinzessin vor
30 ihm, die hatte er auch erlöst; und sie ward seine
Gemahlin und er ein reicher König und regierte sein
Land mit Weisheit.

Kinder- und Hausmärchen (1812)

163 *Strohhalm, Kohle und Bohne*

IN einem Dorfe wohnte eine arme alte Frau, die
hatte ein Gericht Bohnen zusammengebracht und
wollte sie kochen. Sie machte also auf ihrem Herd
ein Feuer zurecht, und damit es desto eher brennen
sollte, zündete sie es mit einer Handvoll Stroh an. 5
Als sie die Bohnen in den Topf schüttete, entfiel ihr
unbemerkt eine, die auf dem Boden neben einen
Strohhalm zu liegen kam; bald danach sprang auch
eine glühende Kohle vom Herd zu den beiden herab.
Da fing der Strohhalm an und sprach: „Liebe 10
Freunde, von wannen kommt ihr her?" Die Kohle
antwortete: „Ich bin zu gutem Glück dem Feuer
entsprungen, und hätte ich das nicht mit Gewalt
durchgesetzt, so war mir der Tod gewiß; ich wäre zu
Asche verbrannt." Die Bohne sagte: „Ich bin auch 15
noch mit heiler Haut davon gekommen, aber hätte
mich die Alte in den Topf gebracht, ich wäre ohne
Barmherzigkeit zu Brei gekocht worden wie meine
Kameraden." „Wäre mir denn ein besser Schicksal
zu teil geworden?" sprach das Stroh, „alle meine 20
Brüder hat die Alte in Feuer und Rauch aufgehen
lassen, sechzig hat sie auf einmal gepackt und ums
Leben gebracht. Glücklicherweise bin ich ihr zwischen den Fingern durchgeschlüpft." „Was sollen
wir aber nun anfangen?" sprach die Kohle. „Ich 25
meine," antwortete die Bohne, „weil wir so glücklich
dem Tode entronnen sind, so wollen wir uns als gute
Gesellen zusammen halten und, damit uns hier nicht
wieder ein neues Unglück ereilt, gemeinschaftlich
auswandern und in ein fremdes Land ziehen." 30
Der Vorschlag gefiel den beiden andern, und sie

machten sich miteinander auf den Weg. Bald aber
kamen sie an einen kleinen Bach, und da keine Brücke
oder Steg da war, so wußten sie nicht, wie sie hinüber
kommen sollten. Der Strohhalm fand guten Rat und
5 sprach: „Ich will mich quer über legen, so könnt ihr
auf mir wie auf einer Brücke hinüber gehen." Der
Strohhalm streckte sich also von einem Ufer zum
andern, und die Kohle, die von hitziger Natur war,
trippelte auch ganz keck auf die neugebaute Brücke.
10 Als sie aber in die Mitte gekommen war und unter
ihr das Wasser rauschen hörte, ward ihr doch angst.
Sie blieb stehen und getraute sich nicht weiter. Der
Strohhalm aber fing an zu brennen, zerbrach in zwei
Stücke und fiel in den Bach. Die Kohle rutschte
15 nach, zischte wie sie ins Wasser kam, und gab den
Geist auf. Die Bohne, die vorsichtigerweise noch auf
dem Ufer zurückgeblieben war, mußte über die
Geschichte lachen, konnte nicht aufhören und lachte
so gewaltig, daß sie zerplatzte. Nun war es ebenfalls
20 um sie geschehen, wenn nicht zu gutem Glück ein
Schneider, der auf der Wanderschaft war, sich an
dem Bache ausgeruht hätte. Weil er ein mitleidiges
Herz hatte, so holte er Nadel und Zwirn heraus und
nähte sie zusammen. Die Bohne bedankte sich bei
25 ihm aufs schönste, aber da er schwarzen Zwirn
gebraucht hatte, so haben seit der Zeit alle Bohnen
eine schwarze Naht.   *Kinder- und Hausmärchen* (1812)

164   *Spiritus familiaris*

ER wird gemeinlich in einem wohlverschlossenen
Gläslein aufbewahrt, sieht aus nicht recht wie
30 eine Spinne, nicht recht wie ein Skorpion, bewegt

sich aber ohne Unterlaß. Wer ihn kauft, in dessen
Tasche bleibt er, er mag das Fläschlein hinlegen,
wohin er will; immer kehrt es von selbst zu ihm
zurück. Er bringt großes Glück, läßt verborgene
Schätze sehen, macht bei Freunden geliebt, bei 5
Feinden gefürchtet, im Krieg fest wie Stahl und
Eisen, also daß sein Besitzer immer den Sieg hat;
auch behütet er vor Haft und Gefängnis. Wer ihn
aber behält, bis er stirbt, der muß mit ihm in die
Hölle, darum sucht ihn der Besitzer wieder zu ver- 10
kaufen. Er läßt sich aber nicht anders verkaufen als
immer wohlfeiler, damit einer bleibe, der ihn mit
der geringsten Münze eingekauft hat. Ein Soldat,
der ihn für eine Krone gekauft hatte, warf ihn
seinem vorigen Besitzer vor die Füße und eilte fort. 15
Als er zu Haus ankam, fand er ihn wieder in seiner
Tasche. Nicht besser ging es ihm, als er ihn in die
Donau warf.

Ein Roßtäuscher und Fuhrmann zog in eine
deutsche Stadt ein. Der Weg hatte seine Tiere sehr 20
mitgenommen, im Tor fiel ihm ein Pferd, im Gasthaus das zweite und binnen wenig Tagen die
übrigen sechs. Er wußte sich nicht zu helfen, ging
in der Stadt umher und klagte den Leuten mit
Tränen seine Not. Nun begab sich's, daß ein 25
anderer Fuhrmann ihm begegnete, dem er sein
Unglück erzählte. Dieser sprach: „Seid ohne Sorgen,
ich will Euch ein Mittel vorschlagen, dessen Ihr mir
danken sollt." Der Roßtäuscher meinte, das wären
leere Worte. „Nein, nein, Gesell, Euch soll ge- 30
holfen werden. Geht in jenes Haus und fragt nach
einer Gesellschaft, der erzählt Euren Unfall und
bittet um Hilfe." Der Roßtäuscher folgte dem Rat,

ging in das Haus und fragte einen Knaben, der da
war, nach der Gesellschaft. Er mußte auf Antwort
warten; endlich kam der Knabe wieder und öffnete
ihm ein Zimmer, in welchem etliche alte Männer
5 an einer runden Tafel saßen. Sie redeten ihn mit
Namen an und sagten: „Dir sind acht Pferde gefallen, darüber bist du niedergeschlagen und nun
kommst du, auf Anraten eines deiner Gesellen, zu
uns um Hilfe zu suchen: du sollst erlangen, was du
10 begehrst." Er mußte sich an einen Nebentisch
setzen, und nach Verlauf weniger Minuten überreichten sie ihm ein Schächtelein mit den Worten:
„Dies trage bei dir und du wirst von Stund an reich
werden, aber hüte dich, daß du die Schachtel, wo
15 du nicht wieder arm werden willst, niemals öffnest."
Der Roßtäuscher fragte, was er für dieses Schächtelein zu zahlen habe, aber die Männer wollten
nichts dafür; nur mußte er seinen Namen in ein
großes Buch schreiben, wobei ihm die Hand geführt
20 ward. Der Roßtäuscher ging heim, kaum aber war
er aus dem Haus getreten, so fand er einen ledernen
Sack mit dreihundert Dukaten, womit er sich neue
Pferde kaufte. Ehe er die Stadt verließ, fand er in
dem Stalle, wo die neuen Pferde standen, noch
25 einen großen Topf mit alten Talern. Kam er sonst
wohin und setzte das Schächtelein auf die Erde, so
zeigte sich da, wo Geld verloren oder vorzeiten
vergraben war, ein hervordringendes Licht, also daß
er es leicht heben konnte. Auf diese Weise erhielt
30 er große Schätze zusammen.

Als die Frau des Roßtäuschers von ihm vernahm,
wie es zuging, erschrak sie und sprach: „Du hast
etwas Böses empfangen; Gott will nicht, daß der

Mensch durch solch verbotene Dinge reich werde, sondern hat gesagt: im Schweiße deines Angesichts sollst du dein Brot essen. Ich bitte dich um deiner Seligkeit willen, daß du wieder nach der Stadt zurückreisest und der Gesellschaft deine Schachtel 5 zustellst." Der Mann, von diesen Worten bewogen, entschloß sich und sendete einen Knecht mit dem Schächtelein hin um es zurückzuliefern; aber der Knecht brachte es mit der Nachricht zurück, daß diese Gesellschaft nicht mehr zu finden sei, auch 10 niemand wisse, wo sie sich gegenwärtig aufhalte. Hierauf gab die Frau genau acht, wo ihr Mann das Schächtelein hinsetzte, und bemerkte, daß er es in einem Täschchen seiner Beinkleider verwahre. In einer Nacht stand sie auf, zog es hervor und öffnete 15 es: da flog eine schwarze sumsende Fliege heraus und nahm ihren Weg durch das Fenster hin. Sie machte den Deckel wieder drauf und steckte es an seinen Ort, unbesorgt wie es ablaufen würde. Allein von Stund an verwandelte sich all das vorige Glück 20 in das empfindlichste Unglück. Die Pferde fielen um oder wurden gestohlen; das Korn auf dem Boden verdarb; das Haus brannte zu dreien Malen ab, und der gesammelte Reichtum verschwand zusehends. Der Mann geriet in Schulden und war 25 ganz arm, so daß er in Verzweiflung erst seine Frau mit einem Messer tötete, dann sich selbst eine Kugel durch den Kopf schoß.

Deutsche Sagen (1816–18)

165 *Der Tannhäuser*

DER edle Tannhäuser, ein deutscher Ritter,
hatte viele Länder durchfahren und war auch
in Frau Holles Berg zu den schönen Frauen geraten
das große Wunder zu schauen. Und als er eine
5 Weile darin gehaust hatte, fröhlich und guter Dinge,
trieb ihn endlich sein Gewissen wieder heraus-
zugehen in die Welt und begehrte Urlaub. Frau
Holle aber bot alles auf um ihn wanken zu machen:
sie wollte ihm sogar eine ihrer Gespielen geben
10 zum ehelichen Weibe. Tannhäuser antwortete: kein
ander Weib begehre er als die er sich in den Sinn
genommen und könne nicht länger bleiben, denn
sein Leben wäre krank geworden. Und da ihn Frau
Holle nicht lassen wollte, schalt sie der edle Ritter
15 laut und rief die himmlische Jungfrau an, so daß sie
ihn scheiden lassen mußte. Reuevoll zog er die
Straße nach Rom zu Papst Urban, dem wollte er
alle seine Sünden beichten, damit ihm Buße auf-
erlegt würde und seine Seele gerettet wäre. Wie er
20 aber beichtete, daß er auch ein ganzes Jahr bei Frau
Holle im Berg gewesen, da sprach der Papst: „Wann
dieser dürre Stecken grünen wird, den ich in der
Hand halte, sollen dir deine Sünden verziehen sein,
und nicht anders." Der Tannhäuser sagte: „Und
25 hätte ich nur noch ein Jahr leben sollen auf Erden,
so wollte ich solche Reu' und Buße getan haben, daß
sich Gott erbarmt hätte"; und vor Jammer und
Leid, daß ihn der Papst verdammte, zog er wieder
fort aus der Stadt und von neuem in den teuflischen
30 Berg, ewig und immerdar drinnen zu wohnen. Frau

357

Holle aber hieß ihn willkommen, wie man einen lang abwesenden Freund empfängt.

Danach, wohl auf den dritten Tag, hub der Stecken an zu grünen, und der Papst sandte Botschaft in alle Lande sich zu erkundigen, wohin 5 der edle Tannhäuser gekommen wäre. Es war aber nun zu spät: er saß im Berg und hatte sich sein Weib erkoren; daselbst muß er nun sitzen bis zum jüngsten Tag, wo ihn Gott vielleicht anderswohin weisen wird. Und kein Priester soll einem sündigen 10 Menschen Mißtrost geben sondern verzeihen, wenn er sich anbietet zu Buß' und Reue.

Deutsche Sagen (1816–18)

166 *Jakob Grimm über sich und seinen Bruder*

VON acht unsrer Eltern Söhnen war ich der zweite, Wilhelm der dritte, beide nur ein Jahr im Alter unterschieden. So nahm uns denn in den 15 langsam schleichenden Schuljahren ein Bett auf und ein Stübchen, da saßen wir an einem und demselben Tisch arbeitend; hernach in der Studentenzeit standen zwei Betten und zwei Tische in derselben Stube, im späteren Leben noch immer zwei Arbeits- 20 tische in dem nämlichen Zimmer, endlich bis zuletzt in zwei Zimmern nebeneinander, immer unter einem Dach in gänzlicher Gemeinschaft unsrer Habe und Bücher, mit Ausnahme weniger, die jedem gleich zur Hand liegen mußten und darum doppelt gekauft 25 wurden. Auf der Universität hatten wir dasselbe Studium ergriffen: das der Rechtswissenschaft, durch nichts zu ihr hingezogen, als weil der Vater schon, der selbst Jurist war, es so gemeint oder angeordnet hatte, oder weil für die früh verwitwete Mutter auf dieser Laufbahn ihrer ältesten Söhne am schnellsten eine Stütze hervorgehn sollte. Wir hatten, eine lange schon genährte Neigung ausbildend, unser Ziel auf Erforschung der einheimischen Sprache und Dichtkunst gestellt. Was in den letztverflossenen hundert Jahren dafür unternommen worden war erwies sich als ohnmächtig. Lessings Geist ahnte den Wert unsrer alten Dichtung, war aber nicht auf das Beste und Vorzüglichste sondern auf Stücke erst des zweiten oder dritten Rangs gefallen. Klopstocks verschrobene Kunde von unserm Altertum konnte keine Wirkung erzeugen. Goethe und Schiller zeigten der altdeutschen Poesie sich eher abgeneigt als förderlich, und erst die neueren romantischen Dichter begannen sie nachdrücklich zu empfehlen.

Es war uns nach schweren Versuchen zuletzt gelungen wieder zusammen an der nämlichen Bibliothek eine Stellung zu finden, die unsere Pläne und Vorsätze begünstigte. Nun galt es Arbeit und Sammlung, die sich Jahre lang nur selbst genügen konnten und unser Wissen langsam, doch unablässig gedeihen ließen. Es waren die glücklichsten Jahre unseres Lebens; in solcher Ruhe, wenn ich hier die Worte eines alten Dichters gebrauchen darf, „ergrünte unser Herz wie auf einer Aue". Von allen Seiten her, nach allen Seiten hin war gesammelt und geforscht worden, endlich erwachte auch das Verlangen einiges von unsern Ergebnissen vorzulegen und mitzuteilen. In einem und demselben Jahre traten wir zuerst, jedweder besonders, mit sehr verschiedenen Büchern auf. Ich suchte darzutun, daß

was man als Minnesang und Meistersang zu unterscheiden pflegte, gerade in einer ihnen gemeinsamen
wesentlichen Form dasselbe sein müsse, ihre Abwei-
chung nur als Herabsinken einer Kraft in Unkraft
anzusehn sei, wie alte Gebräuche überall absterben 5
und verkümmern, so daß doch immer noch bedeutende Ähnlichkeiten davon zurückbleiben.
Bedeutenderen Eindruck machte aber Wilhelms
Übersetzung der dänischen Kämpeviser, wobei es
auch schon an einleuchtenden Untersuchungen über 10
die deutsche Heldensage nicht gebrach. Nichts natürlicher als daß nach diesen Erstlingen wir nun auch
eine Zeitlang uns zu neuen Hervorbringungen ei-
nigten. Sogar hatten wir die Kühnheit für das damals
noch in den ersten Stoppeln liegende Feld und ein 15
der allgemeinen Teilnahme fernabstehendes Fach
eine Zeitschrift zu beginnen, die es nur zu drei
schwachen Bänden brachte. Klar vor Augen liegen
in dieser Zeitschrift die Grundrisse einer ihm später
überaus gelungenen Arbeit meines Bruders, ich 20
meine sein Buch über die deutsche Heldensage und
stehe gar nicht an es als das Hauptwerk seines Lebens
zu bezeichnen. Es ist darin so vieles genau und fein
angesponnen und gewoben, daß wenn auch manche
Fäden anders aufgezogen und eingeschlagen sein 25
könnten, doch fast überall Wohlgefallen und Befriedigung aus dieser Arbeit entspringen. Nach
diesen gemeinschaftlichen Arbeiten trat aber eine
Wendung ein, die nun getrennte Schritte forderte.
Als ich zu rechter Zeit den guten Griff einer 30
deutschen Grammatik getan hatte, die damals gleich
einer Notwendigkeit in dem ganzen Fach erschien,
war ich auf einmal gegen ihn in Vorteil gestellt, und

ein Abstand unserer Naturen fing an sich geltend zu
machen. Von Kindesbeinen an hatte ich etwas von
eisernem Fleiße in mir, den ihm schon seine ge-
schwächte Gesundheit verbot, seine Arbeiten waren
5 durchschlungen von Silberblicken, die mir nicht
zustanden, seine ganze Art war weniger gestellt auf
Erfinden als auf ruhiges in sich Ausbilden. An der
grammatischen Regel lag ihm jedesmal nur so weit, als
sie in seine vorhabende Untersuchung zu gehören
10 schien, und dann suchte er sie festzuhalten. Ihm
gewährte Freude und Beruhigung sich in der Arbeit
gehen, umschauend von ihr erheitern zu lassen;
meine Freude und Heiterkeit bestand eben in der
Arbeit selbst. Wie manchen Abend bis in die späte
15 Nacht habe ich in seliger Einsamkeit über den
Büchern zugebracht, die ihm in froher Gesellschaft,
wo ihn jedermann gern sah und seiner anmutigen
Erzählungsgabe lauschte, vergingen; auch Musik zu
hören machte ihm große, mir nur eingeschränkte
20 Lust.

Ich sprach von den Unterschieden zwischen uns
Brüdern, was ich hinzuzufügen habe sind lauter
Einklänge. Wir haben noch zuletzt gegen unseres
Lebens Neige ein Werk von unermeßlichem Umfang
25 auf die Schultern genommen; besser, daß es früher
geschehen wäre, doch waren lange Vorbereitungen
und Zurüstungen unvermeidlich; nun hängt dieses
deutsche Wörterbuch über mir allein. Mag seit des
treuen Mitarbeiters Abgang die Aussicht auf Vollen-
30 dung des Werks noch zweifelhafter geworden sein
als sie menschlichen Voraussetzungen nach gleich
anfangs war, so tröstet mich die Hoffnung, daß
die ganze Einrichtung, Art und Weise des Unter-

nehmens fest ermittelt sein und auch bewährten Nachfolgern erreichbar bleiben werde.

Tragen wir einen Dank davon für alle Mühe und Sorge, der uns selbst zu überdauern vermag, so ist es der für die Sammlung der Märchen, die nicht nur eine unverwüstliche Nahrung für die Jugend und jeden unbefangenen Leser darbieten sondern auch einen großen und der Forschung unentbehrlichen Schatz des Altertums in sich bewahren. Sie sind nichts Erdachtes, Erfundenes sondern des ältesten Volksglaubens ein Niederschlag und eine unversiegende Quelle der lautersten Mythen. Von allen unsern Büchern lag ihm die Märchensammlung zunächst am Herzen. Nachdem wir die beiden ersten Auflagen mit gleichem Eifer gehegt und besorgt hatten, mußte ich, seit mich die Grammatik immer dichter umstrickte, die Ausstattung der Märchen großenteils ihm überlassen. So oft aber ich nunmehr das Märchenbuch zur Hand nehme, rührt und bewegt es mich, denn auf allen Blättern steht vor mir sein Bild, und ich erkenne seine waltende Spur.

Rede gehalten in der Preußischen Akademie
am 5. Juli 1860

BETTINA VON ARNIM

1785–1859

167   *An Goethes Mutter*

Am 16. Mai 1807

ICH lieg' schon eine Weile im Bett, und da treibt mich's heraus, daß ich Ihr alles schreib' von unserer Reise. Ich hab' Ihr ja geschrieben, daß wir in männlicher Kleidung durch die Armeen pas-

sierten. Gleich vorm Tor ließ uns mein Schwager
aussteigen, er wollte sehen, wie die Kleidung uns
stehe. Die Lulu sah sehr gut aus, denn sie ist
prächtig gewachsen; mir war aber alles zu weit und
5 zu lang, als ob ich's auf dem Grempelmarkt erkauft
hätte. Der Schwager lachte über mich und sagte,
ich sähe aus wie ein Savoyardenbube. Der Kutscher
hatte uns vom Wege abgefahren durch einen Wald,
und wie ein Kreuzweg kam, da wußt' er nicht
10 wohinaus. So hatt' ich doch Angst, wir könnten
uns verirren und kämen dann zu spät nach Weimar.
Ich klettert' auf die höchste Tanne, und da sah ich
bald, wo die Chaussee lag. Die ganze Reise hab' ich
auf dem Bock gemacht; ich hatte eine Mütze auf
15 von Fuchspelz, der Fuchsschwanz hing hinten
herunter. Wenn wir auf die Station kamen, schirrte
ich die Pferde ab und half auch wieder anspannen.
Mit den Postillions sprach ich gebrochen deutsch,
als wenn ich ein Franzose wär'. Im Anfang war
20 schön Wetter, als wollt' es Frühling werden, bald
wurd' es ganz kalter Winter; wir kamen durch einen
Wald von ungeheuren Fichten und Tannen, alles
bereift, untadelhaft; nicht eine Menschenseele war
des Wegs gefahren, der ganz weiß war; noch obendrein
25 schien der Mond in dieses verödete Silberparadies,
eine Totenstille — nur die Räder pfiffen von der
Kälte. Ich saß auf dem Kutschersitz und hatte gar
nicht kalt; die Winterkält' schlägt Funken aus mir.
Wie's nah an die Mitternacht rückte, da hörten wir
30 pfeifen im Walde; mein Schwager reichte mir ein
Pistol aus dem Wagen und fragte, ob ich Mut habe
loszuschießen, wenn die Spitzbuben kommen; ich
sagte: „ja", er sagte: „schießen Sie nur nicht zu früh."

Die Lulu hatte große Angst im Wagen, ich aber unter freiem Himmel mit der gespannten Pistole, den Säbel umgeschnallt, unzählige funkelnde Sterne über mir, die blitzenden Bäume, die ihre Riesenschatten auf den breiten, mondbeschienenen Weg 5 warfen, das alles machte mich kühn auf meinem erhabenen Sitz. Da dacht' ich an ihn, wenn der mir in seinen Jugendjahren so begegnet wäre, ob das nicht einen poetischen Eindruck auf ihn gemacht haben würde, daß er Lieder auf mich gemacht 10 hätte und mich nimmermehr vergessen. Jetzt mag er anders denken — er wird erhaben sein über einen magischen Eindruck; höhere Eigenschaften (wie soll ich die erwerben?) werden ein Recht über ihn behaupten. So war ich in jener kalten hellen 15 Winternacht gestimmt, in der ich keine Gelegenheit fand mein Gewehr loszuschießen. Erst wie der Tag anbrach, erhielt ich Erlaubnis loszudrücken; der Wagen hielt, und ich lief in den Wald und schoß in die Einsamkeit Ihrem Sohn zu Ehren mutig los. 20 Indessen war die Achse gebrochen; wir fällten einen Baum mit dem Beil, das wir bei uns hatten, und knebelten ihn mit Stricken fest; da fand denn mein Schwager, daß ich sehr anstellig war, und lobte mich. So ging's fort bis Magdeburg; präzis sieben 25 Uhr abends wird die Festung gesperrt, wir kamen eine Minute nachher und mußten bis den andern Morgen um sieben halten; es war nicht sehr kalt, die beiden im Wagen schliefen. In der Nacht fing's an zu schneien, ich hatte den Mantel über den Kopf 30 genommen und blieb ruhig sitzen auf meinem freien Sitz; am Morgen guckten sie aus dem Wagen, da hatte ich mich in einen Schneemann verwandelt,

aber noch eh' sie recht erschrecken konnten, warf
ich den Mantel ab, unter dem ich recht warm
gesessen hatte.

In Weimar kamen wir um zwölf Uhr an; wir aßen
zu Mittag, ich aber nicht. Die beiden legten sich
aufs Sofa und schliefen; drei Nächte hatten wir
durchwacht. „Ich rate Ihnen", sagte mein Schwager,
„auch auszuruhen; der Goethe wird sich nicht viel
draus machen, ob Sie zu ihm kommen oder nicht,
und was Besondres wird auch nicht an ihm zu sehen
sein." Kann Sie denken, daß mir diese Rede allen
Mut benahm? Ach, ich wußte nicht, was ich tun
sollte, ich war ganz allein in der fremden Stadt.
Ich hatte mich anders angekleidet, ich stand am
Fenster und sah nach der Turmuhr, eben schlug es
halb drei. Es war mir auch so, als ob sich Goethe
nichts draus machen werde mich zu sehen. Es fiel
mir ein, daß die Leute ihn stolz nennen; ich
drückte mein Herz fest zusammen, daß es nicht
begehren solle. Auf einmal schlug es drei Uhr, und
da war's doch auch grad', als hätte er mich gerufen.
Ich lief hinunter nach dem Lohnbedienten. Kein
Wagen war da. „Eine Portechaise?" „Nein," sagte
ich, „das ist eine Equipage fürs Lazarett!" Wir
gingen zu Fuß, es war ein wahrer Chokoladenbrei
auf der Straße, über den dicksten Morast mußte
ich mich tragen lassen; und so kam ich zu Wieland,
nicht zu Ihrem Sohn. Den Wieland hatte ich nie
gesehen; ich tat, als sei ich eine alte Bekanntschaft
von ihm, er besann sich hin und her und sagte:
„Ja, ein lieber bekannter Engel sind Sie gewiß,
aber ich kann mich nur nicht besinnen, wann und
wo ich Sie gesehen habe." Ich scherzte mit ihm

und sagte: „Jetzt hab' ich's herausgekriegt, daß Sie
von mir träumen, denn anderswo können Sie mich
unmöglich gesehen haben." Von ihm ließ ich mir
ein Billet an Ihren Sohn geben, ich hab' es mir
nachher mitgenommen und zum Andenken auf- 5
bewahrt.

Mit diesem Billet ging ich hin, das Haus liegt dem
Brunnen gegenüber; wie rauschte mir das Wasser
so betäubend — ich kam die einfache Treppe hinauf, in der Mauer stehen Statuen von Gips, sie 10
gebieten Stille. Zum wenigsten ich könnte nicht
laut werden auf diesem heiligen Hausflur. Alles ist
freundlich und doch feierlich. In den Zimmern ist
die höchste Einfachheit zu Hause, ach so einladend!
„Fürchte dich nicht," sagten mir die einfachen 15
Wände, „er wird kommen und nicht mehr sein
wollen wie du"— und da ging die Tür auf, und da
stand er feierlich ernst und sah mich unverwandten
Blickes an; ich streckte die Hände nach ihm, glaub'
ich. . . . 20

Und mehr will ich Ihr diesmal nicht schreiben.

Bettina

Goethes Briefwechsel mit einem Kinde (1835)

JUSTINUS KERNER

1786–1862

168 *Traum und Orakel*

MIT Büchern und Zeug war mein Ränzlein
schwer bepackt. Um jetzt schon das Sparen
anzufangen und einzulernen, war ich unterwegs
nirgends eingekehrt und hatte mich nur an ein paar 25
Brunnen mit einem frischen Trunke zum Weiter-

gehen gelabt. So kam ich im Mondschein, allerdings endlich sehr ermüdet, vor Tübingen an, in der Gegend, wo an der Chaussee vor dem sogenannten Gutleuthause (einem Armenspital) eine Bank stand.

5 Auf diese ließ ich mich ermattet nieder und schlief unter dem Gesäusel der nahen Pappeln ein. In diesem Schlummer hatte ich zum erstenmal den Traum, der mich nachher während meines Studiums auf der Universität noch sehr oft verfolgte.

10   Es träumte mir, ich sitze zwischen einem Berge von Kompendien und Manuskripten in einem einsamen Stübchen, dessen einziges Fensterlein gegen eine Waldwiese sah. Ermüdet von vielem Lesen heftete ich endlich meine Augen von den Büchern

15 nach dem Grünen der Waldwiese, und da sah ich, daß aus dem Walde über die Wiese her ein Hirsch mit Storchfüßen schritt; der kam wie durch die Luft meinem Fensterlein immer näher, und endlich stand er zu meinem Schrecken vor mir im Stübchen und

20 befahl mir in den unverschämtesten Ausdrücken: weil ich ein so emsiger Studiosus sei, ihn, der bisher vergessen worden, nach Linné in eine Klasse zu stellen. Den beängstigenden Presser an der Seite, durchblätterte ich alle meine Kompendien und

25 Manuskripte; aber ich konnte von diesem Ungetüme nichts geschrieben finden, ihm keinen Namen anweisen, und ich erwachte im Schweiße meines Angesichtes. Dieser damalige Traum, ein wahrhaft voraussehender, welcher keine Dichtung sondern

30 völlige Wahrheit ist, wiederholte sich mir sehr oft während meines Studiums in Tübingen; der Hirsch gab mir ganz das Gefühl eines Examinators, wobei er das Gesicht bald eines Professors, bald eines

fleißigen Studiosi annahm. Es war mir dieser Traum immer sehr widrig aber bezeichnend für das ängstliche Studium der Meinungen und Systeme, in das ich nun eingeführt wurde und mir ganz außer dem Bereiche der Natur zu liegen schien. 5

Als ich aus jenem Traume erwachte, wogten die Pappeln am Wege im heftigen Sturm hin und her, und Wolken flogen am Monde vorüber. Als ich mich erhob, wehte der Luftzug mir ein beschriebenes Papier entgegen; ich haschte es mit der Hand, es war 10 ein ärztliches Rezept, das der Wind aus einem der offenstehenden Fenster des Armenspitals getrieben hatte. Wohl hatte ich mich fürs Studium der Natur-wissenschaften entschlossen, aber noch nicht für das der Medizin. „Nun ja," sagte ich vor mich hin, 15 „dieses Blatt ist dir zum Zeichen deines künftigen Berufes gesandt; du sollst ein Arzt werden!" In diesen Gedanken und mit diesem Vorsatze zog ich in die Stadt der Musen ein.

Das Bilderbuch aus meiner Knabenzeit (1849)

169 *Der hölzerne Gelehrte*

DURCH die engen Gäßchen ging ich nun den 20 Weg nach der eigentlichen Universitätsstadt hin. Bald kam mir da zu Sinne, wie ich vor mehreren Jahren bei meiner Durchreise durch dieses Städtchen meinen Stock im Wirtshause hatte stehen lassen, und als ich dem so nachdachte, kam ein langer dürrer 25 Kerl die Straße hergeschossen; ein großes Manu-skript ragte ihm aus der Rocktasche. „Gottwill-komm!" schrie er mir entgegen, „erkennen Sie mich nicht mehr? Betrachten Sie mich recht!" Ich war

wie vom Himmel gefallen, als ich in ihm meinen
Stock erkannte. „Aber um Himmels willen!" sprach
ich—ich wußte nicht, sollte ich ihn mit du, Sie oder
Ihr anreden. Zum Glück fiel er mir in die Rede und
5 erzählte mir, wie ihn ein Professor in der Ecke des
Wirtshauses gefunden, wie unter den Händen dieses
Mannes sein schlummernd Genie erwacht, wie derselbe Professor ihn in all seine Vorlesungen jahrelang
mitgenommen; wie er gänzlich das Wissen seines
10 Herren, der ihn während des Lesens auch immer an
den Mund zu legen pflegte, in sich gesogen; wie er
nie ein Wort von den Vorlesungen, die alle über sein
Haupt hingesprochen worden seien, verloren; wie er
dann endlich, als er Kraft genug in sich gefühlt, aus
15 der Ecke der Stube des Professors sich geschlichen und
hinter das Studium der Alten sich heimlich gemacht,
es auch durch angestrengten hölzernen Fleiß so weit
gebracht, daß er in dem Examen auf das allervor-
trefflichste bestanden. „Denken Sie nur," sprach er
20 weiter, „gestern begegnete mir der Italiener, der
mich an Sie verkaufte. Sie hatten mich doch immer
sehr gerne, das freut mich! — das waren Tage! Ich
sag' Ihnen, es waren selige Tage! o ihr Tage meiner
Jugend! In Ihren Geigenkasten legten Sie mich
25 immer nieder. Ja wahrhaftig: *ille terrarum mihi
praeter omnes angulus ridet*—doch, Sie verstehen
nicht Latein"—Ich hatte mich kaum von meinem
Erstaunen erholt, so war er schon verschwunden.
„Nein!" sprach ich bei mir, „so was ist mir noch nie
30 vorgekommen! das geht über alle Träume! Und doch
war ich so gänzlich überzeugt, daß der Mann mein
Stock war.

Die Reiseschatten (1811)

LUDWIG UHLAND

1787–1862

170   *Walther von der Vogelweide*

WALTHER von der Vogelweide hat seine
Kunst nicht den Ritter- und Zaubermären
vom heiligen Gral, von der Tafelrunde u.s.w. zugewendet sondern hat die Gegenwart ergriffen. Er
behandelt die verschiedensten Zustände der mensch- 5
lichen Seele, er spiegelt in seinem Leben das öffentliche, er knüpft seine eigenen Schicksale an die
wichtigsten Personen und Ereignisse seiner Zeit.
Diese Zeit war eine bedeutende und stürmisch
bewegte: die Verwirrung des Reiches nach dem 10
Tode Heinrichs des Sechsten, der verderbliche
Streit der Gegenkönige Philipp und Otto, Friedrichs
des Zweiten heranwachsende Größe, dessen Kämpfe
gegen die päpstliche Macht, der Kreuzzüge wogendes
Gedräng. Unscheinbar allerdings ist das Auftreten 15
unseres Dichters auf der Bühne dieser Weltbegeben-
heiten. Schon darüber könnten wir verlegen sein,
wie wir ihn zuerst in die Welt einführen; denn sein
Ursprung ist bis jetzt nicht mit Sicherheit erhoben.
Der Dichter selbst gedenkt nur einmal des Landes, 20
wo er geboren ist, aber ohne es zu benennen. Die
erste bestimmtere Ortsbezeichnung ist es, wenn er
meldet: „Zu Österreich lernte ich singen und sagen.“
Aus diesen Worten ist übrigens noch keineswegs zu
schließen, daß er auch in Österreich geboren sei, 25
eher das Gegenteil; denn sie bezeichnen nur das
Land seiner Bildung zur Kunst. Nach allen An-
zeigen war Walther von adliger Abkunft. Mit dem
Titel „Herr“, dem Zeichen ritterbürtigen Standes,

redet er selbst sich an, und so wird er auch von
Zeitgenossen benannt. Spätere nennen ihn „Ritter".
Ansehnlich muß das adlige Geschlecht des Dichters
in keinem Falle gewesen sein. Über seine Armut
5 klagt er öfters, und eben sie mag ihn bewogen haben
aus der Kunst des Gesanges, die von andern aus
freier Lust geübt ward, ein Gewerbe zu machen.

Wenn uns der Dichter von den Schicksalen seiner
früheren Lebenszeit keine bestimmte Nachricht
10 gibt, so ist uns doch ein Blick in seine Jugend
gestattet. Er zeigt uns den Zeitraum, worin solche
gefallen, im Widerscheine seiner späteren Lieder.
„Hiervor war die Welt so schön!" ruft er klagend
aus. „O weh, daß er nicht vergessen kann, wie recht
15 froh die Leute waren! Jetzt trauern selbst die
Jungen, die doch vor Freude sollten in den Lüften
schweben." Dieses unfrohe Wesen rügt er an
mehreren Stellen; es gilt ihm für ein sittliches
Gebrechen, so wie umgekehrt die Freude für eine
20 Tugend. „Niemand", sagt er, „taugt ohne Freude."
Ob Walther außer dem Unterrichte in der Kunst
des Gesanges irgend eine Art von gelehrter Bildung
genossen, ist nicht ersichtlich. Nirgends eine sichere
Spur, ob er des Lesens und Schreibens kundig war.
25 Das Leben hat ihn erzogen; er hat gelernt, was er
mit Augen sah, das Treiben der Menschen, die
Ereignisse der Zeit waren seine Wissenschaft. Seine
Gedichte tragen das Gepräge der Welterfahrenheit,
des Ernstes, der Betrachtung. Er stellt sich uns in
30 einem seiner Lieder dar auf einem Steine sitzend,
Bein über Bein geschlagen, den Ellenbogen darauf
gestützt, Kinn und Wange in die Hand geschmiegt
und so über die Welt nachdenkend. Damit be-

zeichnet er treffend das Wesen seiner Dichtung, und sinnreich ist er in zwei Handschriften vor seinen Liedern in dieser Stellung abgebildet. Die Sänger jener Zeit waren notwendig wandernde. Mochten auch die Herren, welche sich im Liede zur Kurzweil 5 übten, auf ihren Burgen daheim bleiben; diejenigen, welche den Gesang zu ihrem Berufe gemacht, mußten sich auf den Weg begeben. Um Unterhalt und Lohn zu finden, mußten sie den Höfen und Festlichkeiten gesangliebender Fürsten nachziehen. 10 War doch der Hof des Kaisers selbst ein wandernder, bald in dieser, bald in jener Stadt des Reiches sich niederlassend. Krönungstage, Fürstenversammlungen, Hochzeitsfeste, das waren die Anlässe, bei welchen die Kunst- oder Prunkliebe der Großen sich 15 am freigebigsten äußerten. So war denn auch Walthers Leben das eines fahrenden Sängers. Er reiste zu Pferde, vermutlich die Geige mit sich führend. Daß er seine Lieder selbst vorgetragen, ist aus einigen derselben noch hörbar. Zu Hof und 20 an der Straße läßt er sie ertönen. Er hat der Lande viel gesehen. Von der Elbe bis an den Rhein und wieder bis ins Ungerland hat er sich umgesehen; von der Seine bis an die Mur, von dem Po bis an die Drau hat er der Menschen Weise erkannt. 25

Der Umgang mit den Mächtigen hat das Urteil des Dichters über die wahren Vorzüge der Menschen keineswegs getrübt. Er sucht diese nicht in der Geburt. Den wahren Wert des Mannes begründen ihm drei Eigenschaften: Kühnheit, Milde, besonders 30 aber Treue. So streng der Dichter hier und anderwärts gegen alles eifert, was er für schlecht erkannt hat, so scharf er auch zu spotten versteht,

so erscheint doch sein Innerstes ungemein weich und
milde. In sittlicher Beziehung zeichnet ihn das
Zartgefühl, ja die Ängstlichkeit aus, womit er vor-
zubeugen sucht, daß sein Straflied nicht mit dem
5 Schuldigen zugleich den Unschuldigen verletze. Er
hütet sich, daß nicht die Leute sein verdrieße; mit
den Frohen ist er froh und lacht ungerne, wo man
weinet. Seiner selbst mächtig zu sein, gilt ihm für
eine vorzügliche Tugend. „Wer schlägt den Löwen?
10 Wer schlägt den Riesen? Wer überwindet jenen
und diesen? Das tut jener, der sich selber zwinget."
Die Ungunst des Geschickes, womit er vielfältig zu
kämpfen hatte, konnte frühzeitig seinen Sinn auf
das Höhere lenken. Die mannigfachen Erfahrungen
15 einer langen Lebensbahn waren geeignet ihm die
Nichtigkeit der irdischen Dinge aufzudecken. Mit
tiefschmerzlicher Empfindung ist die Nichtigkeit
des Irdischen besonders in dem großen Klagege-
sange dargelegt, den der Dichter anstimmt, nach-
20 dem er in späteren Jahren in das Land seiner Geburt
zurückgekommen ist. Alles findet er umgewandelt;
ihm ist jetzt das Leben ein Traum. Lautes Wehe
erhebt er über die Verderbnis und den Unbestand
der Welt. Er will sich hinüber retten in das Heilige.
25 Es kann mit Recht gefragt werden, was nach der
Verschmähung des Irdischen dem Dichter das
Göttliche sei, das ihn entschädige und erhebe.
Eines seiner späteren Gedichte benennt uns den
Kampf unter der Fahne des Kreuzes. Es ist be-
30 merkenswert, wie der Dichter, der sonst um das
Gold der Fürsten geworben, jetzt, dieses verschmä-
hend, selbst eine Krone, die himmlische, erwerben
möchte. Das heilige Land ist ihm die durch Gottes

irdischen Wandel verklärte Erde, der Kampf um
dieses Land eine höhere Weihe, ein Übertritt vom
Dienste der Welt in den des Himmels, der Tod in
diesem Kampfe der geradeste Pfad nach dem Reiche
Gottes.   5

Es ist uns keine Nachricht von den äußeren
Umständen seiner letzten Zeit geblieben. Davon
jedoch ist die Kunde vorhanden, wo seine irdische
Hülle bestattet worden. In der Würzburger Lieder-
handschrift (aus der ersten Hälfte des 14. Jahr- 10
hunderts) findet sich die Nachricht, daß Herr
Walther von der Vogelweide zu Würzburg im
Münster begraben liege. In einer Chronik aber ist
eine liebliche Sage aufbewahrt. Im Kreuzgange
des Münsters sei Walther begraben unter einem 15
Baume. In seinem Testament habe er verordnet,
daß man auf seinem Grabsteine den Vögeln Weizen-
körner und Trinken gebe.

Walther von der Vogelweide, ein altdeutscher Dichter
(1822)

ARTHUR SCHOPENHAUER

1788–1860

171   *Heiterkeit des Sinnes*

WAS uns am unmittelbarsten beglückt, ist
die Heiterkeit des Sinnes, denn diese gute 20
Eigenschaft belohnt sich augenblicklich selbst. Wer
fröhlich ist, hat allemal Ursach' es zu sein: nämlich
eben diese, daß er es ist. Nichts kann so sehr wie
diese Eigenschaft jedes andere Gut vollkommen
ersetzen, während sie selbst durch nichts zu ersetzen 25
ist. Einer sei jung, schön, reich und geehrt; so
frägt sich, wenn man sein Glück beurteilen will, ob

er dabei heiter sei: ist er hingegen heiter, so ist es einerlei, ob er jung oder alt, gerade oder bucklig, arm oder reich sei; er ist glücklich. In früher Jugend machte ich einmal ein altes Buch auf, und
5 da stand: „Wer viel lacht, ist glücklich, und wer viel weint, ist unglücklich"—eine sehr einfältige Bemerkung, die ich aber wegen ihrer einfachen Wahrheit doch nicht habe vergessen können. Dieserwegen sollen wir der Heiterkeit, wann immer sie sich ein-
10 stellt, Tür und Tor öffnen; denn sie kommt nie zur unrechten Zeit; statt daß wir oft Bedenken tragen ihr Eingang zu gestatten, indem wir erst wissen wollen, ob wir denn auch wohl in jeder Hinsicht Ursach' haben zufrieden zu sein; oder auch
15 weil wir fürchten in unsern ernsthaften Überlegungen und wichtigen Sorgen dadurch gestört zu werden: allein was wir durch diese bessern ist sehr ungewiß, hingegen die Heiterkeit unmittelbarer Gewinn. Sie ist gleichsam die bare Münze des
20 Glückes und nicht wie alles andere bloß der Bankzettel, weil nur sie unmittelbar in der Gegenwart beglückt. Demnach sollten wir die Erwerbung dieses Gutes jedem andern Trachten vorsetzen. Nun ist gewiß, daß zur Heiterkeit nichts weniger
25 beiträgt als Reichtum, und nichts mehr als Gesundheit. In den niedrigen, arbeitenden, zumal das Land bestellenden Klassen sind die heitern und zufriedenen Gesichter, in den reichen und vornehmen die verdrießlichen zu Hause. Folglich
30 sollten wir vor allem bestrebt sein uns den hohen Grad vollkommener Gesundheit zu erhalten, als dessen Blüte die Heiterkeit sich einstellt.

Aphorismen zur Lebensweisheit (1851)

172 *Die Phantasie im Zügel halten!*

IN allem, was unser Wohl und Wehe betrifft, sollen
wir die Phantasie im Zügel halten: also zuvörderst
keine Luftschlösser bauen; weil diese zu kostspielig
sind, indem wir gleich darauf sie unter Seufzern
wieder einzureißen haben. Aber noch mehr sollen 5
wir uns hüten durch das Ausmalen bloß möglicher
Unglücksfälle unser Herz zu ängstigen. Wenn nämlich diese ganz aus der Luft gegriffen oder doch sehr
weit hergeholt wären, so würden wir beim Erwachen
aus einem solchen Traume gleich wissen, daß alles 10
nur Gaukelei gewesen, daher uns der bessern Wirklichkeit um so mehr freuen und allenfalls eine Warnung gegen ganz entfernte wiewohl mögliche Unglücksfälle daraus entnehmen. Allein mit dergleichen
spielt unsere Phantasie nicht leicht, ganz müßiger- 15
weise baut sie höchstens heitere Luftschlösser. Der
Stoff zu ihren finstern Träumen sind Unglücksfälle
die uns, wenn auch aus der Ferne, doch einigermaßen wirklich bedrohen; diese vergrößert sie,
bringt ihre Möglichkeit viel näher als sie in Wahrheit 20
ist, und malt sie auf das fürchterlichste aus. Einen
solchen Traum können wir beim Erwachen nicht
sogleich abschütteln wie den heitern, denn diesen
widerlegt alsbald die Wirklichkeit und läßt höchstens
eine schwache Hoffnung im Schoße der Möglichkeit 25
übrig. Aber haben wir uns den schwarzen Phantasien überlassen, so haben sie uns Bilder nahe gebracht,
die nicht so leicht wieder weichen; denn die Möglichkeit der Sache im allgemeinen steht fest, und den
Maßstab des Grades derselben vermögen wir nicht 30
jederzeit anzulegen; sie wird nun leicht zur Wahr-

scheinlichkeit, und wir haben uns der Angst in die Hände geliefert. Daher also sollen wir die Dinge, welche unser Wohl und Wehe betreffen, bloß mit dem Auge der Vernunft und der Urteilskraft betrachten. Die Phantasie soll dabei aus dem Spiele bleiben; denn urteilen kann sie nicht sondern bringt bloße Bilder vor die Augen, welche das Gemüt unnützer und oft sehr peinlicher Weise bewegen.

Am strengsten sollte diese Regel abends beobachtet werden. Denn wie die Dunkelheit uns furchtsam macht und uns überall Schreckensgestalten erblicken läßt, so wirkt die Undeutlichkeit der Gedanken, weil jede Ungewißheit Unsicherheit gebiert; deshalb nehmen des Abends, wann die Abspannung Verstand und Urteilskraft mit einer subjektiven Dunkelheit überzogen hat, der Intellekt müde ist und den Dingen nicht auf den Grund zu kommen vermag, die Gegenstände unsrer Meditation, wenn sie unsere persönlichen Verhältnisse betreffen, leicht ein gefährliches Ansehn an und werden zu Schreckbildern. Am meisten ist dies der Fall nachts im Bette, wo der Geist völlig abgespannt und daher die Urteilskraft ihrem Geschäfte gar nicht mehr gewachsen, die Phantasie aber noch rege ist. Unsere Gedanken vor dem Einschlafen, oder gar beim nächtlichen Erwachen, sind meistens fast eben so arge Verzerrungen und Verkehrungen der Dinge wie die Träume es sind, und dazu, wenn sie persönliche Angelegenheiten betreffen, gewöhnlich pechschwarz, ja entsetzlich. Am Morgen sind dann alle solche Schreckbilder so gut wie die Träume verschwunden. Aber auch schon abends, sobald das Licht brennt, sieht der Verstand wie das Auge nicht so klar wie bei Tage; daher diese Zeit nicht zur Meditation ernster zumal unangenehmer Angelegenheiten geeignet ist. Hiezu ist der Morgen die rechte Zeit; wie er es denn überhaupt zu allen Leistungen sowohl den geistigen wie den körper- 5 lichen ist. Denn der Morgen ist die Jugend des Tages; alles ist heiter, frisch und leicht; wir fühlen uns kräftig und haben alle unsere Fähigkeiten zu völliger Disposition. Man soll ihn nicht durch spätes Aufstehn verkürzen noch auch an unwürdige 10 Beschäftigungen verschwenden sondern ihn als die Quintessenz des Lebens betrachten und gewisser- maßen heilig halten. Hingegen ist der Abend das Alter des Tages; wir sind abends matt, geschwätzig und leichtsinnig. Jeder Tag ist ein kleines Leben, 15 jedes Erwachen und Aufstehn eine kleine Geburt, jeder frische Morgen eine kleine Jugend, und jedes Zubettgehn und Einschlafen ein kleiner Tod. Über- haupt aber hat Gesundheitszustand, Schlaf, Nah- rung, Wetter, Umgebung und noch viel anderes 20 Äußerliches auf unsere Stimmung und diese auf unsere Gedanken einen mächtigen Einfluß. Daher ist wie unsere Ansicht einer Angelegenheit so auch unsere Fähigkeit zu einer Leistung so sehr der Zeit und selbst dem Orte unterworfen. Darum also 25

> „Nehmt die gute Stimmung wahr,
> Denn sie kommt so selten."

Nicht etwa bloß objektive Konzeptionen und Originalgedanken muß man abwarten, ob und wann es ihnen zu kommen beliebt; sondern selbst die 30 gründliche Überlegung einer persönlichen Angele- genheit gelingt nicht immer zu der Zeit, die man

zum voraus für sie bestimmt und wann man sich
dazu zurecht gesetzt hat; auch sie wählt sich ihre
Zeit selbst, wo alsdann der ihr angemessene Gedan-
kengang unaufgefordert rege wird und wir mit
5 vollem Anteil ihn verfolgen. Zur anempfohlenen
Zügelung der Phantasie gehört auch noch, daß wir
ihr nicht gestatten ehemals erlittenes Unrecht,
Schaden, Verlust, Beleidigungen, Zurücksetzungen,
Kränkungen und dergleichen uns wieder zu verge-
10 genwärtigen und auszumalen; weil wir dadurch den
längst schlummernden Unwillen, Zorn und alle
gehässigen Leidenschaften wieder aufregen, wodurch
unser Gemüt verunreinigt wird.

Aphorismen zur Lebensweisheit (1851)

173 *Unterschiede der Lebensalter*

DIE Heiterkeit und der Lebensmut unserer
15 Jugend beruht zum Teil darauf, daß wir
bergauf gehend den Tod nicht sehn, weil er am
Fuß der andern Seite des Berges liegt. Haben wir
aber den Gipfel überschritten, dann werden wir den
Tod, welchen wir bis dahin nur vom Hörensagen
20 kannten, wirklich ansichtig, wodurch, da zu derselben Zeit die Lebenskraft zu ebben beginnt, auch
der Lebensmut sinkt; so daß jetzt ein trüber Ernst
den jugendlichen Übermut verdrängt und auch dem
Gesichte sich aufdrückt. Solange wir jung sind,
25 halten wir das Leben für endlos und gehn danach
mit der Zeit um; je älter wir werden, desto mehr
ökonomisieren wir unsere Zeit. Denn im späten
Alter erregt jeder verlebte Tag eine Empfindung,
welche der verwandt ist, die bei jedem Schritt ein
30 zum Hochgericht geführter Delinquent hat. Vom

Standpunkte der Jugend aus gesehen, ist das Leben eine unendlich lange Zukunft; vom Standpunkt des Alters aus, eine sehr kurze Vergangenheit, so daß es anfangs sich uns darstellt wie die Dinge, wann wir das Objektivglas des Opernguckers ans Auge 5 legen; zuletzt aber wie wann das Okular. Man muß alt geworden sein, also lange gelebt haben, um zu erkennen wie kurz das Leben ist. Die Zeit selbst hat in unserer Jugend einen viel langsameren Schritt; daher das erste Viertel unsers Lebens 10 nicht nur das glücklichste sondern auch das längste ist, so daß es viel mehr Erinnerungen zurückläßt, und jeder, wenn es darauf ankäme, aus demselben mehr zu erzählen wissen würde als aus zweien der folgenden. 15

Warum nun aber erblickt man im Alter das Leben, welches man hinter sich hat, so kurz? Weil man es für so kurz hält wie die Erinnerung desselben ist. Aus dieser nämlich ist alles Unbedeutende und viel Unangenehmes herausgefallen, daher wenig übrig 20 geblieben. Wie man, auf einem Schiffe befindlich, sein Vorwärtskommen nur am Zurückweichen und demnach Kleinerwerden der Gegenstände auf dem Ufer bemerkt, so wird man sein Alt- und Älter-werden daran inne, daß Leute von immer höhern 25 Jahren einem jung vorkommen. Die ersten vierzig Jahre unsers Lebens liefern den Text, die folgenden dreißig den Kommentar dazu, der uns den wahren Sinn und Zusammenhang des Textes erst recht verstehen läßt. Gegen das Ende des Lebens geht es 30 wie gegen das Ende eines Maskenballs, wann die Larven abgenommen werden. Man sieht jetzt, wer diejenigen, mit denen man während seines Lebens-

laufes in Berührung gekommen war, eigentlich
gewesen sind. Denn die Charaktere haben sich an
den Tag gelegt, die Taten haben ihre Früchte getragen, die Leistungen ihre gerechte Würdigung
5 erhalten, und alle Trugbilder sind zerfallen.

Man pflegt die Jugend die glückliche Zeit des
Lebens zu nennen und das Alter die traurige. Das
wäre wahr, wenn die Leidenschaften glücklich
machten. Von diesen wird die Jugend hin und her
10 gerissen, mit wenig Freude und vieler Pein. Die
Jugend ist die Zeit der Unruhe, das Alter die der
Ruhe. Das Kind streckt seine Hände begehrlich aus
ins Weite, nach allem, was es da so bunt und viel-
gestalt vor sich sieht. Dasselbe tritt mit größerer
15 Energie beim Jüngling ein. Auch er wird gereizt von
der bunten Welt und ihren vielfältigen Gestalten.
Sofort macht seine Phantasie mehr daraus als die
Welt je verleihen kann. Daher ist er voll Begehr-
lichkeit und Sehnsucht ins Unbestimmte; diese
20 nehmen ihm die Ruhe, ohne welche kein Glück ist.
Im Alter hingegen hat sich das alles gelegt; teils
weil das Blut kühler geworden ist, teils weil Erfahrung über den Wert der Dinge und den Gehalt
der Genüsse aufgeklärt hat. Durch dies alles ist
25 Ruhe herbeigeführt worden; diese aber ist ein
großer Bestandteil des Glücks, wenn nicht gar die
Hauptsache. *Vom Unterschiede der Lebensalter* (1851)

174   *Über Schriftsteller*

ZUVÖRDERST gibt es zweierlei Schriftsteller:
solche, die der Sache wegen, und solche, die des
30 Schreibens wegen schreiben. Jene haben Gedanken

gehabt oder Erfahrungen gemacht, die ihnen mitteilenswert scheinen; diese brauchen Geld, und deshalb schreiben sie für Geld. Wiederum kann man sagen, es gebe dreierlei Autoren: erstlich solche, welche schreiben ohne zu denken. Sie schreiben aus 5 dem Gedächtnis, aus Reminiscenzen oder gar unmittelbar aus fremden Büchern. Diese Klasse ist die zahlreichste. Zweitens solche, die während des Schreibens denken. Sie denken um zu schreiben. Sind sehr häufig. Drittens solche, die gedacht haben, 10 ehe sie ans Schreiben gingen. Sie schreiben bloß, weil sie gedacht haben. Sind selten.

Nur wer bei dem was er schreibt, den Stoff unmittelbar aus seinem eigenen Kopfe nimmt, ist wert, daß man ihn lese. Aber Büchermacher nehmen den 15 Stoff unmittelbar aus Büchern; aus diesen geht er in die Finger ohne im Kopf auch nur Transitozoll und Visitation, geschweige Bearbeitung, erlitten zu haben. Dabei hat ihr Gerede oft so unbestimmten Sinn, daß man vergeblich sich den Kopf zerbricht 20 heraus zu bringen was sie denn am Ende denken. Sie denken eben gar nicht. Das Buch, aus dem sie abschreiben, ist bisweilen eben so verfaßt: also ist es mit dieser Schriftstellerei wie mit Gipsabdrücken von Abdrücken von Abdrücken, wobei am Ende der 25 Antinous zum kaum kenntlichen Umriß eines Gesichtes wird.

Über Schriftstellerei und Stil (1851)

175 *Über Stil*

DER Stil ist die Physiognomie des Geistes. Sie ist untrüglicher als die des Leibes. Fremden Stil nachahmen heißt eine Maske tragen. Wäre 30 diese auch noch so schön, so wird sie durch das Leblose bald unerträglich; so daß selbst das häßlichste lebendige Gesicht besser ist.

Nichts ist leichter als so zu schreiben, daß kein Mensch es versteht; wie hingegen nichts schwerer als bedeutende Gedanken so auszudrücken, daß jeder sie verstehen muß.

Ein Autor sollte sich vor nichts mehr hüten als vor dem sichtbaren Bestreben mehr Geist zeigen zu wollen als er hat; weil dies im Leser den Verdacht erweckt, daß er dessen sehr wenig habe, da man immer nur das affektiert, was man nicht wirklich besitzt. Auch sehn wir jeden wirklichen Denker bemüht seine Gedanken so rein, deutlich, sicher und kurz wie nur möglich auszusprechen. Demgemäß ist Simplizität stets ein Merkmal nicht allein der Wahrheit sondern auch des Genies gewesen.

Dunkelheit und Undeutlichkeit des Ausdrucks ist allemal und überall ein sehr schlimmes Zeichen. Denn in neunundneunzig Fällen unter hundert rührt sie her von der Undeutlichkeit des Gedankens.

Die Wahrheit ist nackt am schönsten, und der Eindruck, den sie macht, um so tiefer, als ihr Ausdruck einfacher war; teils weil sie dann das ganze, durch keinen Nebengedanken zerstreute Gemüt des Hörers ungehindert einnimmt, teils weil er fühlt, daß er hier nicht durch rhetorische Künste bestochen oder getäuscht ist, sondern die ganze Wirkung von der Sache selbst ausgeht. Eben daher steht die naive Poesie Goethes so unvergleichlich höher als die rhetorische Schillers. Daher auch die starke Wirkung mancher Volkslieder. Deshalb hat man, wie in der Baukunst vor der Überladung mit

Zieraten, in den redenden Künsten sich vor allem
nicht notwendigen rhetorischen Schmuck zu hüten,
also sich eines keuschen Stils zu befleißigen. Alles
Entbehrliche wirkt nachteilig. Die echte Kürze
des Ausdrucks besteht darin, daß man nur sagt 5
was sagenswert ist, hingegen alle weitschweifigen
Auseinandersetzungen dessen, was jeder selbst
hinzu denken kann, vermeidet, mit richtiger
Unterscheidung des Nötigen und Überflüssigen.
Hingegen soll man nie der Kürze die Deutlichkeit 10
zum Opfer bringen. Den Ausdruck eines Gedankens
schwächen oder gar den Sinn einer Periode ver-
dunkeln, um einige Worte weniger hinzusetzen, ist
beklagenswerter Unverstand.

Wenige schreiben wie ein Architekt baut, der 15
zuvor seinen Plan entworfen und bis ins Einzelne
durchdacht hat; vielmehr die meisten nur so wie
man Domino spielt. Wie nämlich hier, halb durch
Absicht halb durch Zufall, Stein an Stein sich fügt,
so steht es eben auch mit der Folge und dem Zu- 20
sammenhang ihrer Sätze. Kaum daß sie ungefähr
wissen, welche Gestalt im Ganzen herauskommen
wird, und wo das alles hinaus soll. Viele wissen selbst
dies nicht sondern schreiben wie die Korallen-
polypen bauen: Periode fügt sich an Periode, und 25
es geht wohin Gott will.

Der leitende Grundsatz der Stilistik sollte sein,
daß der Mensch nur einen Gedanken zur Zeit
deutlich denken kann; daher ihm nicht zuzumuten
ist, daß er deren zwei oder gar mehrere auf einmal 30
denke. Dies aber mutet ihm der zu, welcher solche
als Zwischensätze in die Lücken einer zu diesem
Zwecke zerstückelten Hauptperiode schiebt; wo-

durch er ihn also unnötiger und mutwilliger Weise
in Verwirrung setzt.

Über Schriftstellerei und Stil (1851)

JOSEPH VON EICHENDORFF

1788–1857

176 *Das Marmorbild*

SO in Gedanken schritt er noch lange fort, als er
unerwartet bei einem großen, von hohen
5 Bäumen rings umgebenen Weiher anlangte. Der
Mond, der eben über die Wipfel trat, beleuchtete
scharf ein marmornes Venusbild, das dort dicht am
Ufer auf einem Steine stand, als wäre die Göttin
soeben erst aus den Wellen aufgetaucht und be-
10 trachte nun, selber verzaubert, das Bild der eigenen
Schönheit, das der trunkene Wasserspiegel zwischen
den leise aus dem Grunde aufblühenden Sternen
widerstrahlte. Einige Schwäne beschrieben still ihre
einförmigen Kreise um das Bild, ein leises Rauschen
15 ging durch die Bäume ringsumher. Florio stand
wie eingewurzelt im Schauen, denn ihm kam jenes
Bild wie eine lang gesuchte, nun plötzlich erkannte
Geliebte vor, wie eine Wunderblume aus der
Frühlingsdämmerung und träumerischen Stille
20 seiner frühesten Jugend heraufgewachsen. Je länger
er hinsah, je mehr schien es ihm, als schlüge es die
seelenvollen Augen langsam auf, als wollten sich die
Lippen bewegen zum Gruße, als blühe Leben wie
ein lieblicher Gesang erwärmend durch die schönen
25 Glieder herauf. Er hielt die Augen lange geschlossen
vor Blendung, Wehmut und Entzücken. Als er
wieder aufblickte, schien auf einmal alles wie ver-

wandelt. Der Mond sah seltsam zwischen Wolken hervor, ein stärkerer Wind kräuselte den Weiher in trübe Wellen; das Venusbild, weiß und regungslos, sah ihn fast schreckhaft mit den steinernen Augenhöhlen aus der grenzenlosen Stille an. Ein nie 5 gefühltes Grausen überfiel da den Jüngling. Er verließ schnell den Ort, und immer schneller und ohne auszuruhen eilte er durch die Gärten und Weinberge wieder fort der ruhigen Stadt zu.—

Endlich beschloß er den Weiher wieder aufzu- 10 suchen und schlug rasch denselben Pfad ein, den er in der Nacht gewandelt. Wie sah aber dort nun alles so anders aus! Fröhliche Menschen durchirrten geschäftig die Weinberge, Gärten und Alleen, Kinder spielten ruhig auf dem sonnigen Rasen vor 15 den Hütten, die ihn in der Nacht unter den traumhaften Bäumen oft gleich eingeschlafenen Sphinxen erschreckt hatten; der Mond stand fern und verblaßt am klaren Himmel, unzählige Vögel sangen lustig im Walde durcheinander. Er konnte gar nicht 20 begreifen, wie ihn damals hier so seltsame Furcht überfallen konnte. Bald bemerkte er indes, daß er in Gedanken den rechten Weg verfehlt. Er betrachtete aufmerksam alle Plätze und ging zweifelhaft bald zurück, bald wieder vorwärts, aber 25 vergeblich; je emsiger er suchte, je unbekannter und ganz anders kam ihm alles vor. Lange war er so umhergeirrt. Da kam er unerwartet an ein Tor von Eisengitter, zwischen dessen zierlich vergoldeten Stäben hindurch man in einen weiten prächtigen 30 Lustgarten hineinsehen konnte. Das Tor war nicht verschlossen, er öffnete es leise und trat hinein. Hohe Buchenhallen empfingen ihn da mit ihren feierlichen Schatten, zwischen denen goldene Vögel wie abgewehte Blüten hin und wieder flatterten, während große seltsame Blumen traumhaft mit ihren gelben und roten Glocken in dem leisen Winde 5 hin und her schwankten. Unzählige Springbrunnen plätscherten, mit vergoldeten Kugeln spielend, einförmig in der großen Einsamkeit. Kein Mensch war ringsum zu sehen, tiefe Stille herrschte überall. Nur hin und wieder erwachte manchmal eine Nach- 10 tigall und sang wie im Schlummer, fast schluchzend. Er war noch nicht weit vorgedrungen, als er Lautenklänge vernahm, bald stärker, bald wieder in dem Rauschen der Springbrunnen leise verhallend. Lauschend blieb er stehen; die Töne kamen immer 15 näher und näher, da trat plötzlich in dem stillen Bogengange eine hohe schlanke Dame von wundersamer Schönheit zwischen den Bäumen hervor, langsam wandelnd und ohne aufzublicken. Ihr langes goldenes Haar fiel in reichen Locken über 20 die fast bloßen, blendend weißen Achseln bis auf den Rücken hinab; die langen weiten Ärmel, wie vom Blütenschnee gewoben, wurden von zierlichen goldenen Spangen gehalten; den schönen Leib umschloß ein himmelblaues Gewand. Ein heller 25 Sonnenblick durch eine Öffnung des Bogenganges schweifte soeben scharf beleuchtend über die blühende Gestalt. Florio fuhr innerlich zusammen — es waren unverkennbar die Züge, die Gestalt des schönen Venusbildes, das er heute nacht am Weiher 30 gesehen.

Das Marmorbild (1819)

177 *Taugenichts zieht in die Welt*

DAS Rad an meines Vaters Mühle brauste und rauschte schon wieder recht lustig, der Schnee tröpfelte emsig vom Dache, die Sperlinge zwitscherten und tummelten sich dazwischen; ich saß auf der Türschwelle und wischte mir den Schlaf aus den 5 Augen; mir war so recht wohl in dem warmen Sonnenscheine. Da trat der Vater aus dem Hause; er hatte schon seit Tagesanbruch in der Mühle rumort und die Schlafmütze schief auf dem Kopfe, der sagte zu mir: „Du Taugenichts! da sonnst du 10 dich schon wieder und dehnst und reckst dir die Knochen müde und läßt mich alle Arbeit allein tun. Ich kann dich hier nicht länger füttern. Der Frühling ist vor der Tür, geh auch einmal hinaus in die Welt und erwirb dir selber dein Brot." 15 „Nun," sagte ich, „wenn ich ein Taugenichts bin, so ist's gut, so will ich in die Welt gehen und mein Glück machen." Und eigentlich war mir das recht lieb, denn es war mir kurz vorher selber eingefallen auf Reisen zu gehen, da ich die Goldammer, welche 20 im Herbst und Winter immer betrübt an unserm Fenster sang: „Bauer, miet' mich, Bauer, miet' mich!" nun in der schönen Frühlingszeit wieder ganz stolz und lustig vom Baume rufen hörte: „Bauer, behalt' deinen Dienst!" Ich ging also in das Haus hinein 25 und holte meine Geige, die ich recht artig spielte, von der Wand; mein Vater gab mir noch einige Groschen Geld mit auf den Weg, und so schlenderte ich durch das lange Dorf hinaus. Ich hatte recht meine heimliche Freude, als ich da alle meine alten 30 Bekannten und Kameraden rechts und links wie

gestern und vorgestern und immerdar zur Arbeit
hinausziehen, graben und pflügen sah, während ich
so in die freie Welt hinausstrich. Ich rief den armen
Leuten nach allen Seiten recht stolz und zufrieden
5 Adjes zu, aber es kümmerte sich eben keiner sehr
darum. Mir war es wie ein ewiger Sonntag im
Gemüte. Und als ich endlich ins freie Feld hinaus
kam, da nahm ich meine liebe Geige vor und spielte
und sang, auf der Landstraße fortgehend:

10   Wem Gott will rechte Gunst erweisen,
    Den schickt er in die weite Welt,
    Dem will er seine Wunder weisen
    In Berg und Wald und Strom und Feld.

Indem, wie ich mich so umsehe, kommt ein
15 köstlicher Reisewagen ganz nahe an mich heran, der
mochte wohl schon einige Zeit hinter mir drein
gefahren sein, ohne daß ich es merkte, weil mein
Herz so voller Klang war, und zwei vornehme
Damen steckten die Köpfe aus dem Wagen und
20 hörten mir zu. Die eine war besonders schön und
jünger als die andere, aber eigentlich gefielen sie
mir alle beide. Als ich nun aufhörte zu singen, ließ
die ältere still halten und redete mich holdselig an:
„Ei, lustiger Gesell, Er weiß ja recht hübsche Lieder
25 zu singen.“ Ich nicht zu faul dagegen: „Euer
Gnaden aufzuwarten, wüßt’ ich noch viel schönere.“
Darauf fragte sie mich wieder: „Wohin wandert Er
denn schon so am frühen Morgen?“ Da schämte ich
mich, daß ich das selber nicht wußte, und sagte
30 dreist: „Nach Wien“. Nun sprachen beide miteinander in einer fremden Sprache, die ich nicht
verstand. Die jüngere schüttelte einige Male mit

dem Kopfe, die andere lachte aber in einem fort
und rief mir endlich zu: „Spring Er nur hinten mit
auf, wir fahren auch nach Wien." Wer war froher
als ich! Ich machte eine Reverenz und war mit
einem Sprunge hinter dem Wagen; der Kutscher 5
knallte, und wir flogen über die glänzende Straße
fort, daß mir der Wind am Hute pfiff.

Aus dem Leben eines Taugenichts (1819)

178   *Alt Heidelberg*

DIE deutschen Universitäten hatten vom Mittel-
alter noch ein gut Stück Romantik ererbt, was
freilich in der veränderten Welt wunderlich und 10
seltsam genug sich ausnahm. Der durchgreifende
Grundgedanke war dennoch ein kerngesunder: der
Gegensatz von Ritter und Philister. Stets schlagfertige Tapferkeit war die Kardinaltugend des
Studenten; die Muse, die er oft gar nicht kannte, 15
war seine Dame, der Philister der tausendköpfige
Drache, der sie schmählich gebunden hielt, und gegen
den er daher mit Faust, List und Spott beständig
zu Felde lag. Und gleichwie überall gerade unter
Verwandten oft die grimmigste Feindschaft aus- 20
bricht, so wurde auch hier aller Philisterhaß ganz
besonders auf die Handwerksburschen gerichtet.
Wo diese etwa auf dem sogenannten breiten Steine
(dem bescheidenen Vorläufer des jetzigen Trottoirs)
sich betreten ließen oder gar Studentenlieder anzu- 25
stimmen wagten, wurden sie sofort in die Flucht
geschlagen. Waren sie aber vielleicht in allzu bedeutender Mehrzahl, so erscholl das allgemeine
Feldgeschrei: „Burschen heraus!" Da stürzten,

ohne nach Grund und Veranlassung zu fragen, halbentkleidete Studenten mit Rapieren und Knütteln aus allen Türen. Durch den herbeieilenden Sukkurs des nicht minder rauflustigen Gegenparts

5 wuchs das improvisierte Handgemenge von Schritt zu Schritt, dichte Staubwirbel verhüllten Freund und Feind, die Hunde bellten, die Häscher warfen ihre Bleistifte (mit Fangeisen versehene Stangen) in den verwickelten Knäuel. So wälzte sich der Kampf

10 oft mitten in der Nacht durch Straßen und Gäßchen fort, daß überall Schlafmützen erschrocken aus den Fenstern fuhren und hie und da wohl auch ein gelocktes Mädchenköpfchen in scheuer Neugier hinter den Scheiben sichtbar wurde.

15 Die damaligen Universitäten hatten überhaupt noch ein durchaus fremdes Aussehen, als lägen sie außer der Welt. Man konnte kaum etwas Malerischeres sehen als diese phantastischen Studententrachten, ihre sangreichen Wanderzüge in der Umgebung,

20 die nächtlichen Ständchen unter den Fenstern imaginärer Liebchen; dazu das beständige Klirren von Sporen und Rapieren auf allen Straßen, die schönen jugendlichen Gestalten zu Roß, und alles bewaffnet und kampfbereit wie ein lustiges Kriegslager oder ein

25 Mummenschanz. Alles dies aber kam erst zu rechter Blüte und Bedeutsamkeit, wo die Natur, die ewig jung, auch am getreusten zu der Jugend hält, selber mitdichtend studieren half. Wo, wie in Heidelberg, der Waldhauch von den Bergen erfrischend durch

30 die Straßen ging und nachts die Brunnen auf den stillen Plätzen rauschten, und in dem Blütenmeer der Gärten rings die Nachtigallen schlugen, mitten zwischen Burgen und Erinnerungen einer großen

Vergangenheit, da atmete auch der Student freier auf und schämte vor der ernsten Sagenwelt sich der kleinlichen Brotjägerei und der kindischen Brutalität. Wie großartig im Vergleich mit anderen Studentengelagen war namentlich der Heidelberger Kommers, 5 hoch über der Stadt auf der Altane des halbverfallenen Burgschlosses, wenn rings die Täler abendlich versanken, und von dem Schlosse nun der Widerschein der Fackeln die Stadt, den Neckar und die darauf hingleitenden Nachen beleuchtete, die 10 freudigen Burschenlieder dann wie ein Frühlingsgruß durch die träumerische Stille hinzogen und Wald und Neckar wunderbar mitsangen. So war das ganze Studentenwesen eigentlich ein wildschönes Märchen, dem gegenüber die übrige Menschheit, 15 die altklug den Maßstab des gewöhnlichen Lebens daran legte, notwendig, wie Sancho Pansa neben Don Quixote, philisterhaft und lächerlich erscheinen mußte.

Halle und Heidelberg (Aus dem Nachlaß 1866)

FRANZ GRILLPARZER

1791–1872

179   *Der arme Spielmann*

BARHÄUPTIG und kahlköpfig stand er da, den 20 Hut als Sammelbüchse vor sich auf dem Boden, und so bearbeitete er eine alte vielzersprungene Violine, wobei er den Takt nicht nur durch Aufheben und Niedersetzen des Fußes sondern zugleich durch übereinstimmende Bewegung des ganzen 25 gebückten Körpers markierte. Aber all diese Bemühung Einheit in seine Leistung zu bringen, war

fruchtlos, denn was er spielte, schien eine unzu-
sammenhängende Folge von Tönen ohne Zeitmaß
und Melodie. Dabei war er ganz in sein Werk
vertieft; die Lippen zuckten, die Augen waren starr
5 auf das vor ihm befindliche Notenblatt gerichtet —
ja wahrhaftig, Notenblatt! Denn indes alle andern
Musiker sich auf ihr Gedächtnis verließen, hatte der
alte Mann mitten in dem Gewühle ein kleines leicht
tragbares Pult vor sich hingestellt mit schmutzigen
10 zergriffenen Noten, die das in schönster Ordnung
enthalten mochten, was er so außer allem Zusammen-
hange zu hören gab. Gerade das Ungewöhnliche
dieser Ausrüstung hatte meine Aufmerksamkeit auf
ihn gezogen, sowie es auch die Heiterkeit des
15 vorüberwogenden Haufens erregte, der ihn auslachte
und den zum Sammeln hingestellten Hut des alten
Mannes leer ließ. Er spielte noch eine Weile fort.
Endlich hielt er ein, blickte, wie aus einer langen
Abwesenheit zu sich gekommen, nach dem Firma-
20 ment, das schon die Spuren des nahenden Abends
zu zeigen anfing, darauf abwärts in seinen Hut, fand
ihn leer, setzte ihn mit ungetrübter Heiterkeit auf,
steckte den Geigenbogen zwischen die Saiten; *sunt
certi denique fines*, sagte er, ergriff sein Notenpult
25 und arbeitete sich mühsam durch die Menge.

Klein wie er war, und durch das Notenpult in
seiner Hand nach allen Seiten hin störend, schob ihn
einer dem andern zu. So entschwand er mir, und
als ich endlich selbst ins ruhige Freie gelangte, war
30 weit und breit kein Spielmann mehr zu sehen. Ich
durchstrich den Garten nach allen Richtungen und
beschloß endlich nach Hause zu kehren. In die
Nähe des kleinen Türchens gekommen, das aus dem

Garten nach der Straße führt, hörte ich plötzlich
den bekannten Ton der alten Violine wieder. Ich
verdoppelte meine Schritte, und siehe da! der
Gegenstand meiner Neugier stand, aus Leibeskräften spielend, im Kreise einiger Knaben, die 5
ungeduldig einen Walzer von ihm verlangten.
„Einen Walzer spielt!" riefen sie; „einen Walzer,
hörst du nicht?" Der Alte geigte fort, scheinbar
ohne auf sie zu achten, bis ihn die kleine Zuhörer-
schar schmähend und spottend verließ, sich um 10
einen Leiermann sammelnd, der seine Drehorgel in
der Nähe aufgestellt hatte. „Sie wollen nicht tanzen," sagte wie betrübt der alte Mann, sein Musik-
gerät zusammenlesend. Ich war ganz nahe zu ihm
getreten. „Die Kinder kennen eben keinen andern 15
Tanz als den Walzer," sagte ich. „Ich spielte einen
Walzer," versetzte er, mit dem Geigenbogen den
Ort des soeben gespielten Stückes auf seinem Noten-
blatte bezeichnend. „Man muß derlei auch führen,
der Menge wegen. Aber die Kinder haben kein 20
Ohr," sagte er, indem er wehmütig den Kopf
schüttelte. „Ihre heutige Einnahme," sprach ich,
„scheint nicht die beste gewesen zu sein, und doch
entfernen Sie sich in einem Augenblicke, wo eben
die eigentliche Ernte angeht. Das Fest dauert, 25
wissen Sie wohl, die ganze Nacht, und Sie könnten
da leicht mehr gewinnen als an acht gewöhnlichen
Tagen. Wie soll ich mir das erklären?" „Wie Sie
sich das erklären sollen?" versetzte der Alte. „Herr,
ich spiele den ganzen Tag für die lärmenden Leute 30
und gewinne kaum kärglich Brot dabei, aber der
Abend gehört mir und meiner armen Kunst.
Abends halte ich mich zu Hause, und"— dabei

ward seine Rede immer leiser, Röte überzog sein
Gesicht, sein Auge suchte den Boden — „da spiele
ich denn aus der Einbildung so für mich ohne
Noten. Phantasieren, glaub' ich, heißt es in den
5 Musikbüchern. Ich will kein Bettler sein, verehrter
Herr. Ich weiß wohl, daß die übrigen öffentlichen
Musikleute sich damit begnügen einige auswendig
gelernte Gassenhauer, Walzer, ja wohl gar Melodien
von unartigen Liedern immer wieder herabzu-
10 spielen, so daß man ihnen gibt um ihrer los zu
werden. Daher spielen sie auch aus dem Gedächtnis
und greifen falsch mitunter, ja häufig. Von mir aber
sei fern zu betrügen. Ich habe deshalb, teils weil
mein Gedächtnis überhaupt nicht das beste ist,
15 teils weil es für jeden schwierig sein dürfte ver-
wickelte Zusammensetzungen geachteter Musik-
verfasser Note für Note bei sich zu behalten, diese
Hefte mir selbst ins Reine geschrieben." Er zeigte
dabei auf sein Musikbuch, in dem ich zu meinem
20 Entsetzen mit sorgfältiger aber widerlich steifer
Schrift ungeheuer schwierige Kompositionen alter
berühmter Meister, ganz schwarz von Passagen und
Doppelgriffen, erblickte. Und derlei spielte der alte
Mann mit seinen ungelenken Fingern! „Indem ich
25 nun diese Stücke spiele," fuhr er fort, „bezeige ich
meine Verehrung den geachteten, längst nicht mehr
lebenden Meistern, tue mir selbst genug und lebe
der angenehmen Hoffnung, daß die mir mildest
gereichte Gabe nicht ohne Entgelt bleibt, durch
30 Veredlung des Geschmackes und Herzens der ohnehin
von so vielen Seiten gestörten und irre geleiteten
Zuhörerschaft. Da derlei aber eingeübt sein will,
sind meine Morgenstunden ausschließend diesem

Exerzitium bestimmt. Die drei ersten Stunden des
Tages der Übung, die Mitte dem Broterwerb, und
der Abend mir und dem lieben Gott, das heißt nicht
unehrlich geteilt," sagte er, und dabei glänzten seine
Augen wie feucht; er lächelte aber.   5

Der arme Spielmann (1848)

180 *Bei einer Sitzung des englischen*
Parlamentes

MEINE Kenntnis Londons wurde mir sehr
dadurch erleichtert, daß ein junger Mann aus
Wien, namens Figdor, meine Anwesenheit erfahren
hatte, mich aufsuchte und mich teils in die nähern
Umgebungen führte, teils die größern Industrie- 10
Etablissements kennen lehrte. Zufällig fand sich
Figdors Vater und seine liebenswürdige Schwester
zum Besuch bei dem jungen Manne, in deren
Gesellschaft ich mich wie zu Hause fühlte. Figdor
der Vater veranlaßte einmal einen komischen Auf- 15
tritt, der mich eine interessante Persönlichkeit,
wenigstens vom Ansehen, kennen lehrte. Es war
damals eben im Parlament die irische Zehntbill in
Verhandlung. Ich versäumte keinen Tag, oder vielmehr keine Nacht, der Diskussion, die oft bis vier 20
Uhr morgens währte, beizuwohnen. Bei meinem
für die Aussprache des Englischen ungeübten Ohre
verstand ich zwar kaum die Hälfte der Reden, aber
schon als Schauspiel war das Ganze hinreißend. Ich
weiß nicht, wie die Parlamentshäuser jetzt einge- 25
richtet sind, aber damals war der Saal des Unter-
hauses lang und verhältnismäßig schmal, die beiden
Parteien waren sich daher wie Kriegsheere ganz

nahe, und die Redner traten wie homerische Helden
vor und schleuderten die Speere ihrer Worte in die
feindliche Schar. Am besten, wenigstens am leb-
haftesten, sprach Sheil; der Minister Peel kalt aber
5 fließend und mit der Kraft der Überzeugung;
O'Connell und die meisten übrigen hatten weniger
Fluß der Rede. Die vielen *hear, hear*! der Versammlung, die nach einer Art Melodie abgesungen
werden, sind häufig nur ein Bestreben der Partei
10 das Stocken des Redners zu verkleiden und ihm Zeit
zur Anknüpfung zu geben. Das Ganze ist großartig
und hinreißend.

Meistens ging ich allein, wo ich dann nur mit
Hilfe der Police-Männer den Rückweg in meine
15 Wohnung fand. Eines Abends begleiteten mich die
beiden Figdor. Das Gedränge war groß, und wir
mußten lange im Vorsaale warten. Auf einmal
entfernt sich der Vater Figdor und kommt bald
darauf ganz kleinlaut zurück. Später zeigte sich,
20 daß er sich zu dem Türhüter begeben und einen
Vorzug für uns unter der Angabe beansprucht hatte,
es befinde sich ein deutscher Literator da, der ein
Bekannter des Herrn Bulwer sei. Ich wußte von
dem allen nichts und war wie aus den Wolken
25 gefallen, als bald darauf der Türhüter mit einem
elegant gekleideten jungen Manne zu uns trat und
mir sagte: „Hier ist Herr Bulwer," und zu letzterem:
„Hier ist der deutsche Gentleman, Ihr Freund."
Bulwer ersparte mir die Verlegenheit, indem er
30 seinen Arm um meine Schultern schlang, mit mir
im Vorsaale auf und nieder ging und mir sagte:
heute sei der Saal zu überfüllt um mich einzuführen,
aber morgen möchte ich wieder kommen. Er verließ

uns wie taumelnd und machte auf mich ganz den
Eindruck eines Betrunkenen. Bald aber erfuhr ich,
daß er eben eine Rede gehalten, und was ich für
Trunkenheit nahm, war die Nachwirkung der aufgeregten Lebensgeister. Ich unterließ um so mehr 5
ihm meinen Namen zu sagen, als er ihn ja doch nicht
gekannt hätte. Wenn ein Deutscher nicht Schiller
oder Goethe heißt, geht er unbekannt durch die
ganze Welt.

Selbstbiographie (1853)

JOHANN PETER ECKERMANN

1792–1854

181 *Goethes Gartenhaus im Park zu Weimar*

Montag den 22. März 1824

MIT Goethe vor Tisch nach seinem Garten 10
gefahren. Die Lage dieses Gartens, in der
Nähe des Parks, an dem westlichen Abhange eines
Hügelzuges, hat etwas sehr Trauliches. Der Stadt
ist man so nahe, daß man in wenigen Minuten dort
sein kann, und doch, wenn man umherblickt, sieht 15
man nirgend ein Gebäude oder eine Turmspitze
ragen, die an eine solche städtische Nähe erinnern
könnte; die hohen dichten Bäume des Parks ver-
hüllen alle Aussicht nach jener Seite. Gegen Westen
und Südwesten blickt man frei über eine geräumige 20
Wiese hin, durch welche in der Entfernung eines
guten Pfeilschusses die Ilm in stillen Windungen
vorbeigeht. Jenseits des Flusses erhebt sich das
Ufer gleichfalls hügelartig, an dessen Abhängen und

auf dessen Höhen in den mannigfaltigen Laub-
Schattierungen hoher Erlen, Eschen, Pappelweiden
und Birken, der sich breit hinziehende Park grünt,
indem er den Horizont gegen Mittag und Abend in
5 erfreulicher Entfernung begrenzt. Diese Ansicht
des Parkes über die Wiese hin, besonders im Sommer,
gewährt den Eindruck, als sei man in der Nähe eines
Waldes, der sich stundenweit ausdehnt. Man denkt,
es müsse jeden Augenblick ein Hirsch, ein Reh auf
10 die Wiesenfläche hervorkommen. Man fühlt sich
in den Frieden tiefer Natureinsamkeit versetzt, denn
die große Stille ist oft durch nichts unterbrochen
als durch die einsamen Töne der Amsel oder durch
den pausenweise abwechselnden Gesang einer Wald-
15 drossel. Aus solchen Träumen gänzlicher Abge-
schiedenheit erweckt uns jedoch das gelegentliche
Schlagen der Turmuhr, das Geschrei der Pfauen
von der Höhe des Parks herüber, oder das Trommeln
und Hörnerblasen des Militärs der Kaserne. Und
20 zwar nicht unangenehm; denn es erwacht mit
solchen Tönen das behagliche Nähegefühl der
heimatlichen Stadt, von der man sich meilenweit
versetzt glaubte. Zu gewissen Tages- und Jahreszeiten sind diese Wiesenflächen nichts weniger als
25 einsam. Bald sieht man Landleute, die nach Weimar
zu Markt oder Arbeit gehen und von dort zurück-
kommen; bald Spaziergänger aller Art längs den
Krümmungen der Ilm, besonders in der Richtung
nach Oberweimar, das zu gewissen Tagen ein sehr
30 besuchter Ort ist. Sodann die Zeit der Heuernte
belebt diese Räume auf das heiterste. Hinterdrein
sieht man weidende Schafherden, auch wohl die
stattlichen Schweizerkühe der nahen Ökonomie.

399

Heute jedoch war von all diesen die Sinne erquickenden Sommer-Erscheinungen noch keine Spur. Auf den Wiesen waren kaum einige grünende Stellen sichtbar, die Bäume des Parks standen noch in braunen Zweigen und Knospen; doch verkündigte der Schlag der Finken sowie der hin und wieder vernehmbare Gesang der Amsel und Drossel das Herannahen des Frühlings. Die Luft war sommerartig, angenehm; es wehte ein sehr linder Südwestwind. Einzelne kleine Gewitterwolken zogen am heitern Himmel herüber; sehr hoch bemerkte man sich auflösende Cirrus-Streifen. Wir betrachteten die Wolken genau und sahen, daß sich die ziehenden geballten der untern Region gleichfalls auflösten, woraus Goethe schloß, daß das Barometer im Steigen begriffen sein müsse. Während er mich so belehrte, gingen wir in dem breiten Sandwege des Gartens auf und ab. Wir traten in die Nähe des Hauses, das er seinem Diener aufzuschließen befahl, um mir später das Innere zu zeigen. Die weiß getünchten Außenseiten sah ich ganz mit Rosenstöcken umgeben, die sich bis zum Dach hinaufgerankt hatten. Goethe führte mich darauf in das Innere des Hauses. Unten fand ich nur ein wohnbares Zimmer, an dessen Wänden einige Karten und Kupferstiche hingen; desgleichen ein farbiges Portrait Goethes in Lebensgröße und zwar von Meyer gemalt bald nach der Zurückkunft beider Freunde aus Italien. Goethe erscheint hier im kräftigen mittleren Mannesalter, sehr braun und etwas stark. Der Ausdruck des wenig belebten Gesichtes ist sehr ernst; man glaubt einen Mann zu sehen, dem die Last künftiger Taten auf der Seele

liegt. Wir gingen die Treppe hinauf in die oberen
Zimmer; ich fand deren drei, aber alle sehr klein
und ohne eigentliche Bequemlichkeit. Goethe
sagte, daß er in früheren Jahren hier eine ganze
5 Zeit mit Freuden gewohnt und sehr ruhig gearbeitet habe. Die Temperatur dieser Zimmer war
etwas kühl, und wir trachteten wieder nach der
milden Wärme im Freien. In dem Hauptwege in
der Mittagsonne auf- und abgehend, kam das Ge-
10 spräch auf die neueste Literatur. Bald darauf
kehrte unsere Aufmerksamkeit auf die uns um-
gebende Natur zurück. Die Kaiserkronen und
Lilien sproßten schon mächtig, auch kamen Malven
zu beiden Seiten des Weges schon grünend hervor.
15 Der obere Teil des Gartens, am Abhange des Hügels,
liegt als Wiese mit einzelnen zerstreut stehenden
Obstbäumen. Wege schlängeln sich hinauf, längs
der Höhe hin und wieder herunter, welches einige
Neigung in mir erregte mich oben umzusehen.
20 Goethe schritt, diese Wege hinansteigend, mir rasch
voran, und ich freute mich über seine Rüstigkeit.
An der anderen Seite den sich schlängelnden Weg
herabkommend, fand ich von Gebüsch umgeben
einen Stein mit den eingehauenen Versen des be-
25 kannten Gedichtes:

> „Hier im stillen gedachte der Liebende seiner
> Geliebten."

Wir traten um eine Baumgruppe herum und befanden uns wieder an dem Hauptwege in der Nähe
30 des Hauses. Die soeben umschrittenen Eichen,
Tannen, Birken und Buchen, wie sie untermischt
stehen, bilden hier einen Halbkreis, den innern

Raum grottenartig überwölbend, worin wir uns auf
kleinen Stühlen setzten, die einen runden Tisch
umgaben. Die Sonne war so mächtig, daß der
geringe Schatten dieser blätterlosen Bäume bereits
als eine Wohltat empfunden ward. „Bei großer 5
Sommerhitze", sagte Goethe, „weiß ich keine bessere
Zuflucht als diese Stelle. Ich habe die Bäume vor
vierzig Jahren alle eigenhändig gepflanzt, ich habe
die Freude gehabt sie heranwachsen zu sehen und
genieße nun schon seit geraumer Zeit die Er- 10
quickung ihres Schattens. Das Laub dieser Eichen
und Buchen ist der mächtigsten Sonne undurch-
dringlich; ich sitze hier gerne an warmen Sommertagen nach Tische, wo denn auf diesen Wiesen und
auf dem ganzen Park umher oft eine Stille herrscht, 15
von der die Alten sagen würden: daß der Pan
schlafe." — Indessen hörten wir es in der Stadt zwei
Uhr schlagen und fuhren zurück.

Gespräche mit Goethe (1837)

KARL IMMERMANN
1796–1840

Münchhausens Enkel

182   *i. Er beklagt seine Abkunft*

IN kahlen vernutzten Zimmern des Schlosses
Schnick-Schnack-Schnurr hauste noch vor weni- 20
gen Jahren ein bejahrter Edelmann, den sie in der
ganzen Gegend nur den alten Baron nannten, mit
seiner gleichfalls verblühten, nachgerade vierzig-
jährigen Tochter Emerentia. Wenn man die
Fenster die Augen eines Hauses nennen darf, so 25

konnte man dieses Schloß mit gutem Rechte zum
Teil erblindet heißen; denn nur vor wenigen Zimmern waren jene Augen noch ersichtlich. Der alte
Baron lud den Freiherrn von Münchhausen auf das
5 freundlichste ein bei ihm so lange vorlieb zu nehmen
als es ihm gefiele, was Münchhausen dankbar annahm. Alle begaben sich hierauf in das Haus,
nachdem der Schloßherr seinem Gaste, der das
zerstörte Gebäude einigermaßen stutzig anblickte,
10 zuvor eröffnet hatte, die Wirtschaft sei in diesem
Augenblicke durch allerhand Zufälligkeiten etwas
in Unordnung geraten, auch solle gebaut werden.
Unter den vielen wunderwürdigen Dingen, die den
Schloßbewohnern an dem Gaste auffielen, erregten
15 zwei im vorzüglichsten Grade ihr Erstaunen. Er
hatte nämlich ein blaues und ein braunes Auge,
welcher Umstand seinem Antlitze einen ungemein
charakteristischen Ausdruck gab, um so charak-
teristischer als, wenn seine Seele voll gemischter
20 Empfindungen war, die verschiedenen Elemente
solcher Stimmungen gesondert in den beiden Augen
hervortraten. Fühlte er zum Beispiel eine freudige
Wehmut, so leuchtete die Freude aus dem braunen
Auge, die Wehmut dahingegen zitterte im blauen;
25 denn diesem blieben die zarten, dem braunen die
starken Gefühle zugewiesen. Sein Gesicht war
bleich, mit einem gelblichen Anfluge, etwa von der
Farbe des pentelischen Marmors oder eines in
Wachs gesottenen Meerschaum-Pfeifenkopfes, der
30 seinen Raucher noch nicht gefunden hat. Stiegen
in ihm Affekte auf, welche bei uns andern ein
Erröten hervorzubringen pflegen, so lief über seine
Gesichtsfläche ein grüner Farbenton. Daher hatte

der alte Baron auch sehr richtig den Ausdruck „ergrünen" gebraucht, und wir werden uns desselben ebenfalls bedienen müssen, wenn Münchhausen im Verlaufe dieser Geschichten in Affekt geraten und die Farben wechseln sollte.

In den nächsten Tagen nach der Ankunft des Fremden ging das schwärmerische Entzücken der Schloßbewohner über den wunderbaren Mann in den ruhigen aber um so festeren Glauben über, daß in ihm der Heiland ihrer Wünsche erschienen sei. Denn der alte Baron merkte schon am ersten Abende, an welchem er Münchhausens Unterhaltung genoß, daß mit den Kenntnissen, Erfahrungen, Schicksalen, Ideen und Hypothesen seines Gastes niemand zwischen Himmel und Erde sich zu messen vermöge. Der alte Baron hatte hauptsächlich die Abendstunden, in welchen die Gesellschaft sich im Wohnzimmer zu versammeln pflegte und bei dem Scheine einer Kerze auf den hölzernen Schemeln um den Tisch saß, sich zu Mitteilungen erbeten. An einem der Abende sagte Münchhausen: „Was für ein schändliches Laster ist das Lügen! Denn erstens kommt es leicht heraus, wenn einer zu arg flunkert, und zweitens kann jemand, der sich's angewöhnt hat, auch einmal die Wahrheit sprechen, und keiner glaubt sie ihm dann. Daß mein Ahnherr, der Freiherr von Münchhausen auf Bodenwerder, einmal in seinem Leben die Wahrheit sagte und niemand ihm glauben wollte, das hat bei dreihundert Menschen das Leben gekostet." — „Wie?" riefen der alte Baron und seine Tochter aus einem Munde. „Geschätzte Freunde und liebe Wirte, mäßigt euer Erstaunen,"

versetzte der Gast, indem er wie ein Kaninchen die
Nasenflügel zitternd bewegte und mit den doppel-
farbigen Augen zwinkerte. „Nichts natürlicher als
das. Hört nur zu. Der besagte Ahnherr war leider
5 Gottes, wie ihr wißt, ein erschreklicher Lügensack.
Wer erinnert sich nicht seines halbierten Rosses,
nicht des toll gewordenen Jagdpelzes, nicht der im
Posthorn eingefrornen Töne, und — und — o! o!
o!" — Das blaue Auge des Enkels weinte, sein
10 braunes blitzte von tugendhaftem Zorne, er konnte
nicht weiter reden. Dem alten Baron und seiner
Tochter gelang es endlich ihn zu beruhigen. Der
edle Redner schluchzte noch ein weniges, dann fuhr
er fort: „Es ist meiner Treu recht schlecht von mir,
15 daß ich von meinem in Gott ruhenden Ahnherrn
Übles rede, aber ehrlich währt am längsten. Meinem
Vater tat die Abstammung von diesem Manne Zeit
seines Lebens den größten Schaden. Wenn er Geld
erborgen wollte und auf Kavalierparole die Rück-
20 zahlung versprach, sobald sie sich tun lasse, sagten
die Wucherer, mit denen er unterhandelte: „Wir
bedauern sehr, aber wir können nicht dienen,
denn Sie sind der Herr von Münchhausen!" Er
trat in Kriegsdienste und machte als Stabsritt-
25 meister einst einen allerdings unwahrscheinlich
lautenden Rapport; der General glaubte ihm nicht,
und davon war die Folge, daß eine große Schlacht
verloren ging. Kabale über Kabale wurde gegen
ihn gespielt; man drehte die Sache ganz herum, er
30 erhielt in Ungnaden seinen Abschied. Nun widmete
er sich dem Finanzfache; da entdeckte er ein ge-
heimes Mittel die edlen Metalle zu vervielfältigen,
wollte es dem Staate verkaufen, aber der Staat wies

ihn zurück und sagte, es sei schon gut, man wisse,
daß er Münchhausen heiße. Bei zwölf Fräuleins
hielt er nach einander um ihre Hand an, aber alle
meine zwölf projektierten Mütter schlugen dem
armen Manne sein Begehr ab, bloß wegen seines 5
Namens und wegen der Erinnerung an den Großvater. Ich wäre ohne Mutter geblieben, wenn er
nicht bei einer dreizehnten Gehör gefunden hätte,
bei einer Denkerin, die in des Großvaters Lügen-
buche einen geheimen Sinn ahnte und alles alle- 10
gorisch und theosophisch auslegte. Sie gab meinem
Vater ihr Jawort, nicht aus Liebe zu ihm, wie sie
ihm bei der Verlobung offen sagte, sondern aus
Achtung für den Großvater."

183   *ii. Wunderbare Bekehrung*

„GESCHÄTZTE Freunde und Zuhörer," hob 15
Münchhausen wieder an, „wissen Sie hiermit,
"daß ich das vielbelobte christlich-mystische Buch
auf meinem Bücherbrette neben dem *Leben Jesu*
von Strauß stehen hatte. Es war unvorsichtig von
mir, daß ich zwei so widerhaarige Bücher zusammen- 20
gestellt hatte; ich mußte voraussehen, daß sie sich
nicht vertragen würden. Und so kam es auch.
Eines Nachts wache ich von einem sonderbaren
Geräusch auf, welches aus meiner Bibliothek tönt.
Ich nehme die Kerze, leuchte hin und habe einen 25
seltsamen Anblick. Strauß und Görres sind in
wütendem Kampfe begriffen, nämlich so, daß die
beiden einander zugekehrten Buchdeckel auf einander zuschlagen wie die Flügel erboster Truthähne.
Der Kirchenrat Paulus, Steudel, Marheineke, die 30

rechts und links von diesen beiden Werken gestanden
hatten, waren scheu zur Seite gewichen, so daß die
Gegner vollen Raum zur Entfaltung ihrer Polemik
in den Buchdeckeln gefunden hatten. Dabei gaben
5 sie sonderbare Töne zu vernehmen. Im *Leben Jesu*
ließ sich ein feines Knispern wie von fressenden
Mäusen hören, dagegen grunzte die dicke Mystik in
einer Art von Strohbaß. Ich nahm meinen armen
Görres, der auch schon ganz warm geworden war,
10 vom Brette, streichelte ihn, redete ihm mit guten
Worten zu und brachte es denn endlich auch dahin,
daß sich das Buch von seiner entsetzlichen Aufregung beruhigte; während *das Leben Jesu* noch
immer mit dem einen Deckel in die leere Luft
15 hineinfocht gegen einen Wunderglauben, der ihm
gar nicht mehr gegenüber stand.

Ich stellte meinen Görres auf ein anderes Brett,
hatte ihm jedoch in der Nachtmüdigkeit abermals
einen unschicklichen Platz gegeben, wie ich am
20 folgenden Morgen sah. Nämlich neben Voltaires
Pucelle hatte ich ihn gestellt. Aber diesem Spotte
gegenüber hat sich die christliche Mystik sehr
mächtig erwiesen. Denken Sie sich, die *Pucelle* war
in der Nacht von dem frommen Buche bekehrt
25 worden. Sie mögen es glauben oder nicht, es liegt
mir nichts daran, aber es ist wahr. Das frivole
Gedicht war in sich geschlagen, der Text verschwunden, und ich hielt, als ich einen Blick hinein
tat, ein in Halbfranz gebundenes Buch voll un-
30 schuldig weißer Papierblätter in Händen. Ja, was
noch mehr sagen will, das Papier schämt sich seiner
früheren Sünden, es liegt ein leiser roter Schimmer
darüber, dem Satze zum Trotz: *litterae non*

erubescunt. Ich will es doch gleich herbeiholen Sie
durch den Augenschein zu überzeugen." Münchhausen lief rasch hinaus. Nachdem der alte Baron
mit seiner Tochter eine geraume Zeit auf seine
Rückkehr gewartet hatte, trat statt seiner der 5
Bediente in das Zimmer und sagte: „Mein Herr
läßt sich entschuldigen; er kann das Buch nicht
finden."

Münchhausen, eine Geschichte in Arabesken (1838)

AUGUST GRAF VON PLATEN

1796–1835

184   *Lebensregeln*

i

LASS keine Zweifel, keine Zweifler dich irre
machen. Es ist weder möglich noch denkbar, 10
daß du mit menschlichem Verstande die Gottheit
und die ursprüngliche Erschaffung der Dinge begreifen könnest, da du nur einen so kleinen Teil des
Universums übersiehst und selbst diesen nur sinnlich
und von außen her erkennst. Ins Innere der Natur 15
dringt kein erschaffner Geist.

ii

Die Idee der Gottheit wird dich unausweichlich
zu dem Glauben einer Fortdauer der Geister führen,
ohne welche das Leben keinen Sinn hätte. Nicht der
Geist verläßt den Körper, wie man gewöhnlich sagt, 20
sondern der Körper, welcher der Abnahme und dem
Tode vermöge seiner Materie unterworfen ist, verläßt den Geist; und obgleich dieser fortbesteht, so

muß uns doch die Sichtbarkeit seiner Wirkungen verborgen bleiben, sobald der Körper die Werkzeuge versagt hat.

iii

Was du tust, vertraue auf die Vorsehung und 5 vertraue auf dich selbst. Eines von diesen ohne das andere wird dir selten frommen; aber beide vereinigt retten dich aus jeder Lage, ermutigen dich in jedem Unternehmen.

iv

Bewahre die Unbescholtenheit deines Namens 10 und bringe ihn rein und makellos auf die Nachwelt. Laß dich durch keinen guten Zweck zu zweideutigen Mitteln hinreißen.

v

Bei allen Dingen liebe die Mäßigung, eine Tugend, die schwerer ist als sie scheint, aber notwendiger als 15 irgendeine. Glaube aber nicht, daß das Schlimme durch Mäßigung könne geadelt werden.

vi

Sei immer wahr und offen und hasse jede Art von Verstellung. Scheue dich nicht deine Unwissenheit zu gestehen.

vii

20 Deine Reue sei lebendiger Wille, fester Vorsatz. Klage und Trauer über begangene Fehler sind zu nichts nütze.

viii

Sei auf deiner Hut vor Aufwallungen des Zorns.
Laß deinen Unmut niemals Leute fühlen, die dir
nichts darauf erwidern dürfen.

ix

Das Urteil der Menge mache dich immer nach-
denkend aber niemals verzagt.   5

Lebensregeln (1817)

ANNETTE VON DROSTE-HÜLSHOFF

1797–1848

185   *Bauernhochzeit in Westfalen*

AM Tage vor der Hochzeit findet der „Gaben-
abend" statt, eine freundliche Sitte, um den
jungen Anfängern über die schwerste Zeit weg-
zuhelfen. Abends, wenn es bereits stark dämmert,
tritt eine Magd nach der andern ins Haus, setzt mit   10
den Worten: „Gruß von unserer Frau" einen mit
einem weißen Tuch verdeckten Korb auf den Tisch
und entfernt sich sofort; dieser enthält die Gabe:
Eier, Butter, Geflügel, Schinken — je nach den
Kräften eines jeden — und die Geschenke fallen oft,   15
wenn das Brautpaar unbemittelt ist, so reichlich
aus, daß dieses um den nächsten Wintervorrat nicht
sorgen darf. Am Hochzeitsmorgen, etwa um acht,
besteigt die Braut den mit einer weißen, gold-
flinkernden Fahne geschmückten Wagen, der ihre   20
Ausstattung enthält. Sie sitzt allein zwischen ihren
Schätzen, im besten Staate, aber ohne besonderes
Abzeichen, und weint aufs jämmerlichste; auch die

auf dem folgenden Wagen gruppierten Braut-
jungfern und Nachbarinnen beobachten eine ernste
verschämte Haltung, während die auf dicken Acker-
gäulen nebenher trabenden Burschen durch Hut-
5 schwenken und hier und dort ein schwerfälliges
Juchhei ihre Lustigkeit auszudrücken suchen und
zuweilen eine alte blind geladene Flinte knallen
lassen. Erst vor der Pfarrkirche findet sich der
Bräutigam mit seinem Gefolge ein, besteigt aber
10 nach der Trauung nicht den Wagen der Braut
sondern trabt als einziger Fußgänger nebenher bis
zur Tür seines Hauses, wo die junge Frau von der
Schwiegermutter empfangen und mit einem „Gott
segne deinen Ein- und Ausgang" feierlich über die
15 Schwelle geleitet wird. Während dieser Zeremonie
schlüpft der Bräutigam in seine Kammer und erscheint alsbald in Kamisol, Zipfelmütze und
Küchenschürze. In diesem Aufzuge muß er an
seinem Ehrentage den Gästen aufwarten, nimmt
20 auch keinen Teil am Hochzeitsmahle, sondern steht,
mit dem Teller unterm Arme, hinter der Braut, die
ihrerseits keinen Finger rührt und sich wie eine
Prinzessin bedienen läßt. Nach Tische beginnen die
althergebrachten Tänze, manche mit den anmu-
25 tigsten Verschlingungen. Das Orchester besteht aus
zwei Geigen und einer invaliden Baßgeige, die der
Schweinehirt oder Pferdeknecht aus dem Stegreif
streicht. Zwischen den Tänzen verschwindet die
Braut von Zeit zu Zeit und kehrt allemal in einem
30 anderen Anzuge zurück, so viel ihr deren zu Gebote
stehen, vom Traustaate an bis zum gewöhnlichen
Sonntagputze: in der damastenen Kappe mit
breiter Goldtresse, dem schweren Seidenhalstuche

und einem so imposanten Körperumfange, als ihn mindestens vier Tuchröcke übereinander hervorbringen können.

Sobald die Hängeuhr in der Küche Mitternacht geschlagen hat, sieht man die Frauen sich von ihren Bänken erheben und miteinander flüstern; gleichzeitig drängt sich das junge Volk zusammen, nimmt die Braut in seine Mitte und beginnt einen äußerst künstlichen Schneckentanz, dessen Zweck ist in raschem Durcheinanderwimmeln immer eine vierfache Mauer um die Braut zu erhalten, denn jetzt gilt's den Kampf zwischen Ehe und Jungfrauschaft. Sowie die Frauen anrücken, wird der Tanz lebhafter, die Verschlingungen bunter, die Frauen suchen von allen Seiten in den Kreis zu dringen, die Junggesellen durch vorgeschobene Paare sie wegzudrängen. Die Parteien erhitzen sich, immer rascher wirbelt die Musik, immer enger zieht sich die Spirallinie; Arme und Knie werden zu Hilfe genommen, die Burschen glühen wie Öfen, die ehrwürdigen Matronen triefen vor Schweiß, und man hat Beispiele, daß die Sonne unter dem unentschiedenen Kampfe aufgegangen ist. Endlich hat eine Veteranin, die schon einige zwanzig Bräute in den Ehestand gezerrt hat, ihre Beute gepackt; plötzlich verstummt die Musik, der Kreis stäubt auseinander, und alles strömt den Siegerinnen und der weinenden Braut nach, die jetzt zum letzten Mal umgekleidet und mit Anlegung der fraulichen Stirnbinde symbolisch von ihrem Mädchentum geschieden wird, ein Ehrendienst, welcher den Nachbarinnen zusteht, dem sich aber jede anwesende Ehefrau durch irgend eine kleine Dienstleistung,

Darreichung einer Nadel oder eines Bandes an-
schließt. Dann erscheint die Braut noch einmal in
Hauskleidung und Hemdärmeln, gleichsam eine
bezwungene und fortan zum Dienen willige Brun-
5 hilde, greift aber dennoch nach ihres Mannes bereit
liegendem Hute und setzt ihn auf. Die Frauen tun
desgleichen, und zwar jede den Hut ihres eigenen
Mannes, den er ihr selbst ehrerbietig reicht, und
ein stattliches Frauenmenuett beschließt die Feier
10 und gibt zugleich die Vorbedeutung eines fleißigen
friedlichen Ehestandes, in dem die Frau aber nie
vergißt, daß sie am Hochzeitstage ihres Mannes Hut
getragen. Noch bleibt den Gästen eine seltsame
Aufgabe: der Bräutigam ist nämlich während des
15 Menuetts unsichtbar geworden. Er hat sich versteckt, offenbar aus Furcht vor der behuteten Braut,
und das ganze Haus wird umgekehrt ihn zu suchen;
man schaut in und unter die Betten, raschelt im
Stroh und Heu umher, durchstöbert sogar den
20 Garten, bis endlich jemand in einem Winkel voll
alten Gerümpels den Quast seiner Zipfelmütze oder
ein Endchen der Küchenschürze entdeckt, wo er
dann sofort gefaßt und mit gleicher Gewalt und
viel weniger Anstand als seine schöne Hälfte der
25 Brautkammer zugeschleppt wird.

Bilder aus Westfalen (1840)

AUGUST HAGEN   1797–1880

186 *Eine Singschule der Meistersinger*

ES war Pfingstzeit. Eines Morgens ging ich in
der Stube meiner Herberge auf und ab und
wartete auf mein Frühstück. Ich sah durch das

Fenster und erblickte ein Seil, das von der St.
Sebaldus-Kirche nach dem Rathaus gezogen war, und
woran ein gemaltes Schild hing. Eben wollte ich
zum Schenkwirt hinuntergehen und mir Bescheid
holen, als Peter Vischer, der Jüngere, in mein 5
Zimmer trat. Er begrüßte mich und meldete mir,
daß heute dem Kaiser zu Ehren eine Festschule
gehalten würde; durch das Schild würden alle, die
daran teilnehmen wollten, eingeladen. Viel erzählte
er mir von den Meistersingern und ihrer hohen 10
Kunst; dann verabschiedete er sich und versprach in
einer Stunde zurückzukehren, da er erst andere
Tracht anlegen müßte. Er hielt Wort, und wir
gingen nach der Katharinenkirche. Um das Fehl-
gehen hatte es keine Not, da man nur dem Zuge 15
der Menschen zu folgen brauchte, die alle nach der
Festschule strömten.

Die Kirche war im Innern schön aufgeputzt, und
vom Chor, den der Kaiser einnehmen sollte, hing
eine kostbare Purpurdecke herab. Gar feierlich 20
nahm sich der Verein der edlen Meistersinger aus,
die umher auf den Bänken saßen, teils langbärtige
Greise, teils glatte Jünglinge, die aber alle so still
und ernst waren, als wenn sie zu den sieben Weisen
Griechenlands gehörten. Alle prangten in Seiden- 25
gewändern, grün, blau und schwarz mit zierlich
gefalteten Spitzenkragen. Unter ihnen befand sich
auch Hans Sachs und sein Lehrer Nunnenbeck.
Neben der Kanzel befand sich der Singstuhl; nur
kleiner war er, sonst wie eine Kanzel und heute mit 30
einem bunten Teppich geschmückt. Vorne im Chor
sah man ein niedriges Gerüst aufgeschlagen, worauf
ein Tisch und ein Pult stand. Dies war das Gemerke;

denn hier hatten diejenigen einen Platz, die die
Fehler anmerken mußten, welche die Sänger in der
Form gegen die Gesetze der Tabulatur und im
Inhalt gegen die Erzählung der Bibel begingen.
5 Diese Leute hießen Merker und ihrer waren drei.
Obgleich das Gemerk mit schwarzen Vorhängen
umzogen war, so konnte ich doch von meinem Sitze
aus alles beobachten, was hier vorging, und ich sah
an der einen Seite des Gerüstes die goldene Kette
10 mit vielen Schaustücken hangen, die der Davidsgewinner hieß, und den Kranz, der aus seidenen
Blumen bestand.

Als der Kaiser erschien, geriet alles in lebhafte
Bewegung. Ein greiser Meister betrat den Sing-
15 stuhl und vom Gemerke erscholl das Wort: „Fanget
an!" Es war Konrad Nachtigall, ein Schlosser, der
so sehnsüchtig und klagend sang, daß er seinen
Namen wohl mit Recht führte. Vom himmlischen
Jerusalem und von der Gründung des neuen sagte
20 er viel Schönes in gar künstlichen Reimen und
Redensarten. Auf dem Gemerke sah ich, wie einer
der Meister in der Bibel nachlas, der andere an den
Fingern die Silben abzählte und der dritte auf-
schrieb, was diese beiden ihm von Zeit zu Zeit
25 zuflüsterten. Aber auch die Meister unten waren
aufmerksam und in stiller Tätigkeit. Alle trieben
mit den Fingern ein närrisches Spiel um genau die
Versmaße wahrzunehmen. An ihrem Kopfschütteln
erkannte ich, daß der Sprecher hie und da ein Ver-
30 sehen begangen. Nach dem Meister Nachtigall kam
die Reihe an einen Jüngling. Der hatte die Schöp-
fungsgeschichte zum Gegenstand seines Gedichtes
gewählt. Aber der Arme war verlegen, es wollte

nicht gehen, und ein Merker hieß ihn den Singstuhl
zu verlassen. „Er hat versungen", raunte mir Vischer
zu, und da ich ihn fragte, warum man ihn nicht hätte
sein Stück zu Ende bringen lassen, erklärte er mir,
daß derselbe ein „Laster" begangen. Mit diesem 5
Namen belegten nämlich die Kenner der Tabulatur
einen Verstoß gegen die Reime. Dergleichen
wunderliche Benennungen für Fehler gab es viele,
als: blinde Meinung (Undeutlichkeit), Klebsilbe
(willkürliche Zusammenziehung), Milbe (des 10
Reimes wegen abgebrochene Wörter). Die Bezeichnung der verschiedenen Tonweisen war ganz absonderlich, als: die Schwarz-Tinten-Weise, die
abgeschiedne Vielfraß-Weise, die Cupidinis-Hand-
bogen-Weise. In der Hageblüt-Weise ließ sich jetzt 15
vom Singstuhl herab Leonhard Nunnenbeck vernehmen, ein ehrwürdiger Greis in schwarzem Ge-
wande. Sein Kopf war glatt wie meine innere Hand,
aber das Kinn schmückte ein schneeweißer Bart.
Alles bewunderte ihn, wie er gemäß der Offen- 20
barung Johannis den Herrn beschrieb, an dessen
Stuhl der Löwe, der Stier, der Adler und der Engel
ihm Preis und Ehre und Dank gaben. Als Nunnenbeck endigte, da waren alle voller Entzücken, und
namentlich leuchtete aus Hans Sachsens Gesicht, 25
der sein dankbarer Schüler war, hell die Freude. Da
trat als der letzte Sänger wieder ein Jüngling auf,
Michael Behaim. Nie war er früher in einer Festschule aufgetreten, da er nicht anders als mit Ruhm
den Singstuhl besteigen wollte. Was er sagte, war 30
so recht nach meinem Sinn. Sonder Zweifel hätte
er den ersten Preis errungen, wenn nicht Nunnenbeck
vorher gesungen. Als Behaim sein Gedicht vor-

getragen hatte, verließen die Merker ihren Sitz.
Der erste trat zu Nunnenbeck und mit einem langen
Glückwunsch hing er ihm den Davidsgewinner um,
und der zweite Merker zierte Behaims Haupt mit
5 dem Kranze, der ihm gar wohl stand. Das Fest in
der Kirche war beendigt, und alle drängten sich
jetzt zu den Begabten, um ihnen freudig die Hände
zu drücken.

Norica, Nürnbergische Novellen (1827)

JEREMIAS GOTTHELF

1797–1854

187   *Ein Hagelsturm*

DREI, vier große Wetter standen am Horizonte,
10 eins drohender als das andere; feurig war ihr
Schoß, schwarz und weiß gestreift ihr Angesicht;
dumpf toste es. Langsam rückten die Wetter herauf,
zogen sich rechts, zogen sich links, feindlichen
Heeren gleich, die sich bald von vorn, bald von der
15 Seite bedrohen. Schaurig wirbelten die Wolken,
zornig schleuderten sie einander ihre Blitze zu.
Uli war es bang. „Das kommt bös," sagte er, „ich
habe es noch nie so gesehen." Wie er das für sich
selbst sagte, ward er scharf auf eine Hand getroffen.
20 Er zuckte zusammen, sah um sich, sah einzelne
Hagelsteine aufschlagen auf der Straße und durch
die Bäume zwicken; wie große Haselnüsse waren die
Steine. Uli stand auf einem kleinen Vorsprunge, wo
das ganze Gut sichtbar vor ihm lag; da zwickte ihn
25 wieder was und zwar mitten ins Gesicht, daß er
hoch auffuhr; ein großer Hagelstein lag zu seinen
Füßen. Und plötzlich brach der schwarze Wolken-

schoß, vom Himmel prasselten die Hagelmassen zur
Erde. Schwarz war die Luft, betäubend, sinnver-
wirrend das Getöse, welches den Donner verschlang.
Uli barg sich mühsam unter einem Kirschbaum, der
ihm den Rücken schirmte, verstieß die Hände in die 5
Kleider, mußte so stehen bleiben und noch froh
sein, daß er einen Baum zur Stütze hatte. Weiter-
zugehen war eine Unmöglichkeit. Da stand er nun
gebeugt am Baum, in den sausenden Hagelmassen
vor seinen vor kurzem so schön prangenden Feldern, 10
welche jetzt durch die alles vernichtenden Hagel-
wolken verborgen waren. Uli war betäubt, keines
klaren Gedankens fähig; er hatte nichts als ein
unaussprechlich Gefühl seines Nichts, ein Zagen und
Beben an Leib und Seele, das oft einer Ohnmacht 15
nahe kam, dann in ein halb bewußtloses Beten
überging. So stand er eine Ewigkeit, wie es ihm
vorkam. Da nahm das schreckliche Brausen ab.
Wie eine milde, liebliche Stimme von oben hörte
man das Rollen des Donners wieder, sah die Blitze 20
wieder zucken, der Gesichtskreis dehnte sich aus, die
Schlacht tobte weiter, die Wolkenmassen stürmten
über neue Felder, rasch hörte der Hagel auf. Uli
hob sich auf, zerschlagen und durchnäßt bis auf die
Haut; aber das fühlte er nicht. Vor ihm lag sein 25
zerschlagener Hof, anzusehen wie ein Leichnam,
gehüllt in sein weißes Leichentuch; von den Bäumen
hing in Fetzen die Rinde, und verderblich rollten
die Bäche durch die Wiesen. Aber Uli schlug die
Hände nicht über dem Kopf zusammen, verzweifelte 30
nicht. Uli war zerknirscht, war kraftlos an Leib und
Seele, fühlte sich vernichtet, von Gottes Hand
niedergeschlagen.

Er wankte heim, merkte Vreneli nicht, das weit
vom Hause die Knechte anleitete, daß sie Einhalt
täten den stürmenden Wassern, bis es ihm um den
Hals fiel mit lautem Jubel und sprach: „Gottlob,
5 bist da nun; wenn du da bist, ist alles wieder gut
und gut zu machen. Aber was ich für einen Kummer um dich ausgestanden, das glaubst du nicht.
Mein Gott, wo warst in diesem Wetter? Gewiß im
Freien, und kamst lebendig davon! Als es am
10 stärksten machte, wollte mir es fast das Herz abdrücken; es war mir, als sollte ich dem lieben Gott
zuschreien, was er doch denke. Da fiel mir ein, du
könntest im Wetter sein, vom Blitz getroffen
werden oder sonst übel zugerichtet. Da war es mir
15 weder um Korn, noch Gras, noch Bäume mehr; es
kommt ein ander Jahr und da wachsen wieder
andere Sachen, aber wenn es nur Uli nichts tut,
dieser recht nach Hause kommt, so macht alles
andere nichts. Da faßte ich mich; und sobald man
20 vor das Dach durfte, sah ich nach dem Wasser; und
siehe, da kamst du daher, und jetzt ist alles gut.
Jetzt komm heim, du hast es nötig!" „Siehst,"
sagte beim Gehen Uli, „kein Halm steht mehr, kein
Blatt ist an den Bäumen, alles am Boden, alles weiß
25 wie mitten im Winter. Was jetzt?" Er stand still
und zeigte Vreneli hin über das Gut. Es bot wirklich einen herzzerreißenden Anblick, sah schaurig
aus, ein Schlachtfeld Gottes, wo seine Hand über
den Saaten der Menschen gewaltet. Unwillkürlich
30 tränten Vrenelis Augen, und seine Hände falteten
sich; aber es suchte sich stark zu machen, es sagte:
„In Gottes Namen, es sieht schrecklich aus, aber
denk', Gott hat es getan, wer weiß, warum? Wir

müssen es nehmen, wie er es gibt; mit Kümmern und Klagen richten wir nichts aus. Denk', wie es heißt: sorget nicht für den morgenden Tag, es ist gut, daß jeder Tag seine eigene Plage habe!" „Das steht schon geschrieben, aber wer kann es so 5 nehmen?" sagte Uli, „besonders...." Doch Vreneli fiel ihm ins Wort: „Nit, nit, Uli, immer denken muß man so, dann kommt es einem auch so ins Herz, und man weiß nichts mehr anders."

Uli, der Pächter (1849)

HEINRICH HEINE

1797–1856

188 *Düsseldorf*

JA, Madame, dort bin ich geboren, und ich 10 bemerke dieses ausdrücklich für den Fall, daß etwa nach meinem Tode sieben Städte — Schilda, Krähwinkel, Polkwitz, Bockum, Dülken, Göttingen und Schöppenstedt — sich um die Ehre streiten meine Vaterstadt zu sein. Düsseldorf ist eine Stadt 15 am Rhein, es leben da sechzehntausend Menschen, und viele hunderttausend Menschen liegen noch außerdem da begraben. Und darunter sind manche, von denen meine Mutter sagt, es wäre besser, sie lebten noch, z. B. mein Großvater und mein Oheim, 20 der alte Herr von Geldern und der junge Herr von Geldern, die beide so berühmte Doktoren waren und so viele Menschen vom Tode kuriert und doch selber sterben mußten. Und die fromme Ursula, die mich als Kind auf den Armen getragen, liegt auch dort 25 begraben, und es wächst ein Rosenstrauch auf ihrem Grab — Rosenduft liebte sie so sehr im

Leben, und ihr Herz war lauter Rosenduft und
Güte. Auch der alte kluge Kanonikus liegt dort
begraben. Gott, wie elend sah er aus, als ich ihn
zuletzt sah! Er bestand nur noch aus Geist und
5 Pflastern, und studierte dennoch Tag und Nacht,
als wenn er besorgte die Würmer möchten einige
Ideen zu wenig in seinem Kopfe finden. Auch der
kleine Wilhelm liegt dort, und daran bin ich schuld.
Wir waren Schulkameraden im Franziskanerkloster
10 und spielten auf jener Seite desselben, wo zwischen
steinernen Mauern die Düssel fließt, und ich sagte:
„Wilhelm, hol’ doch das Kätzchen, das eben hinein-
gefallen“— und lustig stieg er hinab auf das Brett,
das über dem Bach lag, riß das Kätzchen aus dem
15 Wasser, fiel aber selbst hinein, und als man ihn
herauszog, war er naß und tot. Das Kätzchen hat
noch lange Zeit gelebt.

Die Stadt Düsseldorf ist sehr schön, und wenn
man in der Ferne an sie denkt und zufällig dort
20 geboren ist, wird einem wunderlich zu Mute. Ich
bin dort geboren, und es ist mir, als müßte ich
gleich nach Hause gehn. Und wenn ich sage, nach
Hause gehn, so meine ich die Bolkerstraße und das
Haus, worin ich geboren bin. Dieses Haus wird
25 einst sehr merkwürdig sein, und der alten Frau, die
es besitzt, habe ich sagen lassen, daß sie beileibe das
Haus nicht verkaufen solle. Für das ganze Haus
bekäme sie jetzt doch kaum so viel, wie schon allein
das Trinkgeld betragen wird, das einst die grün-
30 verschleierten, vornehmen Engländerinnen dem
Dienstmädchen geben, wenn es ihnen die Stube
zeigt, worin ich das Licht der Welt erblickt, und
den Hühnerwinkel, worin mich Vater gewöhnlich

einsperrte, wenn ich Trauben genascht, und auch
die braune Tür, worauf Mutter mich die Buchstaben mit Kreide schreiben lehrte — ach Gott!
Madame, wenn ich ein berühmter Schriftsteller
werde, so hat das meiner armen Mutter genug 5
Mühe gekostet.

Ideen. Das Buch Le Grand (1826)

189   *Aufstieg zum Brocken*

DIE Sonne ging auf.   Die Nebel flohen wie Gespenster beim dritten Hahnenschrei.   Ich stieg
wieder bergauf und bergab, und vor mir schwebte
die schöne Sonne, immer neue Schönheiten be- 10
leuchtend. Der Geist des Gebirges begünstigte
mich ganz offenbar; er wußte wohl, daß so ein
Dichtermensch viel Hübsches wieder erzählen kann,
und er ließ mich diesen Morgen seinen Harz sehen,
wie ihn gewiß nicht jeder sah. Aber auch mich sah 15
der Harz, wie mich nur wenige gesehen; in meinen
Augenwimpern flimmerten ebenso kostbare Perlen
wie in den Gräsern des Tals. Morgentau der Liebe
feuchtete meine Wangen, die rauschenden Tannen
verstanden mich, ihre Zweige taten sich voneinander, 20
bewegten sich herauf und herab gleich stummen
Menschen, die mit den Händen ihre Freude be-
zeigen, und in der Ferne klang's wunderbar geheimnisvoll wie Glockengeläute einer verlornen
Waldkirche. Man sagt, das seien die Herden- 25
glöckchen, die im Harz so lieblich, klar und rein
gestimmt sind. Nach dem Stande der Sonne war
es Mittag, als ich auf eine solche Herde stieß, und
der Hirt, ein freundlich blonder junger Mensch,

sagte mir: der große Berg, an dessen Fuß ich stände,
sei der alte, weltberühmte Brocken. Viele Stunden
ringsum liegt kein Haus, und ich war froh genug,
daß mich der junge Mensch einlud mit ihm zu
5 essen. Wir setzten uns nieder zu einem *déjeuner
dinatoire*, das aus Käse und Brot bestand; die
Schäfchen erhaschten die Krumen, die lieben
blanken Kühlein sprangen um uns herum und
klingelten schelmisch mit ihren Glöckchen und
10 lachten uns an mit ihren großen vergnügten
Augen.

Wir nahmen freundschaftlich Abschied, und fröhlich stieg ich den Berg hinauf. Bald empfing mich
eine Waldung himmelhoher Tannen, für die ich in
15 jeder Hinsicht Respekt habe. Diesen Bäumen ist
nämlich das Wachsen nicht so ganz leicht gemacht
worden, und sie haben es sich in der Jugend sauer
werden lassen. Der Berg ist hier mit vielen großen
Granitblöcken übersät, und die meisten Bäume
20 mußten mit ihren Wurzeln diese Steine umranken
oder sprengen und mühsam den Boden suchen,
woraus sie Nahrung schöpfen können. Hier und da
liegen die Steine, gleichsam ein Tor bildend, über
einander, und oben darauf stehen die Bäume, die
25 nackten Wurzeln über jene Steinpforte hinziehend
und erst am Fuße derselben den Boden erfassend,
so daß sie in der freien Luft zu wachsen scheinen.
Und doch haben sie sich zu jener gewaltigen Höhe
emporgeschwungen, und mit den umklammerten
30 Steinen wie zusammengewachsen, stehen sie fester
als ihre bequemen Kollegen im zahmen Forstboden
des flachen Landes. So stehen auch im Leben jene
großen Männer, die durch das Überwinden früher

Hemmungen und Hindernisse sich erst recht gestärkt und befestigt haben.

Je höher man den Berg hinaufsteigt, desto kürzer,
zwerghafter werden die Tannen, sie scheinen immer
mehr und mehr zusammenzuschrumpfen, bis nur 5
Heidelbeer- und Rotbeersträuche und Bergkräuter
übrig bleiben. Da wird es auch schon fühlbar
kälter. Die wunderlichen Gruppen der Granitblöcke
werden hier erst recht sichtbar; diese sind oft von
erstaunlicher Größe. Das mögen wohl die Spielbälle 10
sein, die sich die bösen Geister einander zuwerfen
in der Walpurgisnacht, wenn hier die Hexen auf
Besenstielen und Mistgabeln einhergeritten kommen,
und die abenteuerlich verruchte Lust beginnt, wie
die glaubhafte Amme es erzählt, und wie es zu 15
schauen ist auf den hübschen Faustbildern des
Meister Retzsch. In der Tat, wenn man die obere
Hälfte des Brockens besteigt, kann man sich nicht
erwehren an die ergötzlichen Blocksberggeschichten
zu denken, und besonders an die große mystische 20
deutsche Nationaltragödie vom Doktor Faust. Mir
war immer, als ob der Pferdefuß neben mir hinauf
klettere, und jemand humoristisch Atem schöpfe.
Und ich glaube, auch Mephisto muß mit Mühe Atem
holen, wenn er seinen Lieblingsberg ersteigt; es ist ein 25
äußerst erschöpfender Weg, und ich war froh, als ich
endlich das langersehnte Brockenhaus zu Gesicht
bekam.   *Die Harzreise* (1826)

190 *Der fliegende Holländer*

DIE Fabel von dem fliegenden Holländer ist euch
gewiß bekannt. Es ist die Geschichte von dem 30
verwünschten Schiffe, das nie in den Hafen gelangen

424

kann und jetzt schon seit undenklicher Zeit auf dem
Meere herumfährt. Begegnet es einem anderen
Fahrzeuge, so kommen einige von der unheimlichen
Mannschaft in ein꯭ Boote herangefahren und
5 bitten ein Paket ꯭riefe gefälligst mitzunehmen.
Diese Briefe muß man an den Mastbaum festnageln,
sonst widerfährt dem Schiffe ein Unglück, besonders wenn keine Bibel an Bord oder kein Hufeisen
am Fockmaste befindlich ist. Die Briefe sind immer
10 an Menschen adressiert, die man gar nicht kennt,
oder die längst verstorben, so daß zuweilen der späte
Enkel einen Liebesbrief in Empfang nimmt, der an
seine Urgroßmutter gerichtet ist, die schon seit
hundert Jahren im Grabe liegt. Jenes hölzerne Ge-
15 spenst, jenes grauenhafte Schiff führt seinen Namen
von seinem Kapitän, einem Holländer, der einst bei
allen Teufeln geschworen, daß er irgend ein Vorgebirge, dessen Namen mir entfallen, trotz des
heftigsten Sturms umschiffen wolle, und sollte er
20 auch bis zum Jüngsten Tage segeln müssen. Der
Teufel hat ihn beim Wort gefaßt, er muß bis zum
Jüngsten Tage auf dem Meere herum irren, es sei
denn, daß er durch die Treue eines Weibes erlöst
werde. Der Teufel, dumm wie er ist, glaubt nicht
25 an Weibertreue und erlaubte daher dem verwünschten Kapitän alle sieben Jahr einmal ans Land
zu steigen und zu heiraten und bei dieser Gelegenheit seine Erlösung zu betreiben.

Auf diese Fabel gründete sich das Stück, das ich
30 im Theater zu Amsterdam gesehen. — Es sind
wieder sieben Jahr verflossen, der arme Holländer
ist des endlosen Umherirrens müder als jemals,
steigt ans Land, schließt Freundschaft mit einem

schottischen Kaufmann, dem er begegnet, verkauft
ihm Diamanten zu spottwohlfeilem Preise, und wie
er hört, daß sein Kunde eine schöne Tochter besitzt,
verlangt er sie zur Gemahlin. Auch dieser Handel
wird abgeschlossen. Nun sehen wir das Haus des 5
Schotten, das Mädchen erwartet den Bräutigam
zagen Herzens. Sie schaut oft mit Wehmut nach
einem großen verwitterten Gemälde, welches in der
Stube hängt und einen schönen Mann in spanisch-
niederländischer Tracht darstellt; es ist ein altes 10
Erbstück, und nach der Aussage der Großmutter ist
es ein getreues Konterfei des fliegenden Holländers,
wie man ihn vor hundert Jahr in Schottland gesehen
zur Zeit König Wilhelms von Oranien. Auch ist mit
diesem Gemälde eine überlieferte Warnung ver- 15
knüpft, daß die Frauen der Familie sich vor dem
Originale hüten sollten. Eben deshalb hat das
Mädchen von Kind auf sich die Züge des gefährlichen Mannes ins Herz geprägt. Wenn nun der
wirkliche fliegende Holländer leibhaftig hereintritt, 20
erschrickt das Mädchen; aber nicht aus Furcht.
Auch jener ist betroffen bei dem Anblick des Por-
träts. Als man ihm bedeutet, wen es vorstelle, weiß
er jedoch jeden Argwohn von sich fern zu halten;
er lacht über den Aberglauben, er spöttelt selber 25
über den fliegenden Holländer, den ewigen Juden
des Ozeans; jedoch unwillkürlich in einen weh-
mütigen Ton übergehend, schildert er, wie Mynheer
auf der unermeßlichen Wasserwüste die uner-
hörtesten Leiden erdulden müsse, wie das Leben 30
ihn von sich stößt und auch der Tod ihn abweist.
Die Braut betrachtet ihn ernsthaft und wirft manchmal Seitenblicke nach seinem Konterfei. Es ist, als

ob sie sein Geheimnis erraten habe, und wenn er
nachher fragt: „Katharina willst du mir treu sein?"
antwortet sie entschlossen: „Treu bis in den Tod".
Als ich ins Theater noch einmal zurückkehrte, kam
5 ich eben zur letzten Szene des Stücks, wo auf einer
hohen Meerklippe das Weib des fliegenden Holländers verzweiflungsvoll die Hände ringt, während auf
dem Meere, auf dem Verdeck seines unheimlichen
Schiffes, ihr unglücklicher Gemahl zu schauen ist
10 Er liebt sie und will sie verlassen, um sie nicht ins
Verderben zu ziehen, und er gesteht ihr sein grauen-
haftes Schicksal und den schrecklichen Fluch, der
auf ihm lastet. Sie aber ruft mit lauter Stimme:
„Ich war dir treu bis zu dieser Stunde, und ich weiß
15 ein sicheres Mittel, wodurch ich dir meine Treue
erhalte bis in den Tod!" Bei diesen Worten stürzt
sich das treue Weib ins Meer, und nun ist auch die
Verwünschung des fliegenden Holländers zu Ende;
er ist erlöst, und wir sehen, wie das gespenstische
20 Schiff in den Abgrund des Meeres versinkt.

Aus den Memoiren des Herren von Schnabelewopski
(1834)

191   *Das Nibelungenlied*

ES war lange Zeit von nichts anderem als vom
Nibelungenlied bei uns die Rede, und die
klassischen Philologen wurden nicht wenig geärgert,
wenn man dieses Epos mit der Ilias verglich, oder
25 wenn man gar darüber stritt, welches von beiden
Gedichten das vorzüglichere sei? Und das Publikum
sah dabei aus wie ein Knabe, den man ernsthaft
fragt: „Hast du lieber ein Pferd oder einen Pfeffer-
kuchen?" Jedenfalls ist aber dieses Nibelungenlied

von großer, gewaltiger Kraft. Ein Franzose kann sich schwerlich einen Begriff davon machen. Und gar von der Sprache, worin es gedichtet ist. Es ist eine Sprache von Stein, und die Verse sind gleichsam gereimte Quadern. Hie und da aus den Spalten quellen rote Blumen hervor wie Blutstropfen, oder zieht sich der lange Efeu herunter wie grüne Tränen. Von den Riesenleidenschaften, die sich in diesem Gedichte bewegen, könnt ihr kleinen artigen Leutchen euch noch viel weniger einen Begriff machen. Denkt euch, es wäre eine helle Sommernacht, die Sterne, bleich wie Silber aber groß wie Sonnen träten hervor am blauen Himmel, und alle gotischen Dome von Europa hätten sich ein Rendezvous gegeben auf einer ungeheuer weiten Ebene, und da kämen nun ruhig herangeschritten der Straßburger Münster, der Kölner Dom, der Glockenturm von Florenz, und diese machten der schönen Notre Dame de Paris ganz artig die Kour. Es ist wahr, daß ihr Gang ein bißchen unbeholfen ist, daß einige sich sehr linkisch benehmen, und daß man über ihr verliebtes Wackeln manchmal lachen könnte. Aber dieses Lachen hätte doch ein Ende, sobald man sähe, wie sie in Wut geraten, wie sie sich untereinander würgen, wie Notre Dame de Paris verzweiflungsvoll ihre beiden Steinarme gen Himmel erhebt und plötzlich ein Schwert ergreift und dem größten aller Dome das Haupt vom Rumpfe herunter schlägt. Aber nein, ihr könnt euch auch dann von den Hauptpersonen des Nibelungenlieds keinen Begriff machen; kein Turm ist so hoch und kein Stein ist so hart wie der grimme Hagen und die rachgierige Kriemhilde.

Wer hat aber dieses Lied verfaßt? Eben so wenig wie von den Volksliedern weiß man den Namen des Dichters, der das Nibelungenlied geschrieben. Sonderbar! von den vortrefflichsten Büchern, Ge-
5 dichten, Bauwerken und sonstigen Denkmälern der Kunst weiß man selten den Urheber. Wie hieß der Baumeister, der den Kölner Dom erdacht? Wer hat dort das Altarbild gemalt, worauf die schöne Gottesmutter und die heiligen drei Könige so
10 erquicklich abkonterfeit sind? Wer hat das Buch Hiob gedichtet, das so viele leidende Menschengeschlechter getröstet hat. Die Menschen vergessen nur zu leicht die Namen ihrer Wohltäter; die Namen des Guten und Edlen, der für das Heil
15 seiner Mitbürger gesorgt, finden wir selten im Munde der Völker, und ihr dickes Gedächtnis bewahrt nur die Namen ihrer Dränger und grausamen Kriegshelden. Der Baum der Menschheit vergißt des stillen Gärtners, der ihn gepflegt in der
20 Kälte, getränkt in der Dürre und vor schädlichen Tieren geschützt hat; aber er bewahrt treulich die Namen, die man ihm in seine Rinde unbarmherzig eingeschnitten mit scharfem Stahl, und er überliefert sie in immer wachsender Größe den spätesten
25 Geschlechtern.

Die Romantische Schule (1835)

192 *Das deutsche Volkslied*

CLEMENS BRENTANO hat in Gemeinschaft mit seinem verstorbenen Freunde Achim von Arnim unter dem Titel *Des Knaben Wunderhorn* eine Sammlung Lieder herausgegeben, die sie teils

noch im Munde des Volkes, teils auch in fliegenden
Blättern und seltenen Druckschriften gefunden
haben; es enthält die holdseligsten Blüten des deutschen Geistes, und wer das deutsche Volk von einer
liebenswürdigen Seite kennen lernen will, der lese 5
diese Volkslieder. In diesem Augenblick liegt dieses
Buch vor mir, und es ist mir, als röche ich den Duft
der deutschen Linden. Die Linde spielt nämlich
eine Hauptrolle in diesen Liedern, in ihrem Schatten
kosen des Abends die Liebenden, sie ist ihr Lieblings- 10
baum und vielleicht aus dem Grunde, weil das
Lindenblatt die Form eines Menschenherzens zeigt.
Diese Bemerkung machte einst ein deutscher Dichter, der mir am liebsten ist, nämlich ich. Auf dem
Titelblatte jenes Buches ist ein Knabe, der das Horn 15
bläst; und wenn ein Deutscher in der Fremde dieses
Bild lange betrachtet, glaubt er die wohlbekannten
Töne zu vernehmen, und es könnte ihn wohl dabei
das Heimweh beschleichen wie den Schweizer
Landsknecht, der auf der Straßburger Bastei Wache 20
stand, fern den Kuhreigen hörte, die Pike von sich
warf, über den Rhein schwamm, aber bald wieder
eingefangen und als Deserteur erschossen wurde.
Des Knaben Wunderhorn enthält darüber das rührende Lied: "Zu Straßburg auf der Schanz, da ging 25
mein Trauern an. . . ."

Es liegt in diesen Volksliedern ein sonderbarer
Zauber. Die Kunstpoeten wollen diese Naturer-
zeugnisse nachahmen in derselben Weise, wie man
künstliche Mineralwässer verfertigt. Aber wenn sie 30
auch durch chemischen Prozeß die Bestandteile ermittelt, so entgeht ihnen doch die Hauptsache, die
unzersetzbare sympathetische Naturkraft. In diesen

Liedern fühlt man den Herzschlag des deutschen Volkes. Hier offenbart sich all seine düstere Heiterkeit, all seine närrische Vernunft. Hier trommelt der deutsche Zorn, hier pfeift der deutsche Spott, hier
5 küßt die deutsche Liebe. Hier perlt der echt deutsche Wein und die echt deutsche Träne. Letztere ist manchmal doch noch köstlicher als ersterer; es ist viel Eisen und Salz darin. Welche Naivetät in der Treue! In der Untreue welche
10 Ehrlichkeit! Frägt man nun entzückt nach dem Verfasser solcher Lieder, so antworten diese wohl selbst mit ihren Schlußworten:

> Wer hat das schöne Liedel erdacht?
> Es haben's drei Gäns' übers Wasser gebracht,
> 15   Zwei graue und eine weiße.

Gewöhnlich ist es aber wanderndes Volk, Vagabunden, Soldaten, fahrende Schüler oder Handwerksburschen, die solch ein Lied gedichtet. Es sind besonders die Handwerksburschen. Gar oft auf
20 meinen Fußreisen verkehrte ich mit diesen Leuten und bemerkte, wie sie zuweilen, angeregt von irgend einem ungewöhnlichen Ereignisse, ein Stück Volkslied improvisierten oder in die freie Luft hineinpfiffen. Die Worte fallen solchem Burschen
25 vom Himmel herab auf die Lippen, und er braucht sie nur auszusprechen, und sie sind dann noch poetischer als all die schönen poetischen Phrasen, die wir aus der Tiefe unseres Herzens hervorgrübeln.

Die Romantische Schule (1835)

193 *Goethes äußere Erscheinung*

DIE Übereinstimmung der Persönlichkeit mit
dem Genius, wie man sie bei außerordentlichen
Menschen verlangt, fand man ganz bei Goethe.
Seine äußere Erscheinung war eben so bedeutsam
wie das Wort, das in seinen Schriften lebte; auch 5
seine Gestalt war harmonisch, klar, freudig, edel
gemessen, und man konnte griechische Kunst an
ihm studieren wie an einer Antike. Die Züge dieses
Antlitzes waren nicht verzerrt von christlicher Zer-
knirschung; diese Augen waren nicht scheu, nicht 10
andächtelnd und himmelnd, nicht flimmernd bewegt; — nein, seine Augen waren ruhig wie die
eines Gottes. Goethes Auge blieb in seinem Alter
eben so göttlich wie in seiner Jugend. Die Zeit hat
auch sein Haupt zwar mit Schnee bedecken, aber 15
nicht beugen können. Er trug es ebenfalls immer
stolz und hoch, und wenn er sprach, wurde er immer
größer; und wenn er die Hand ausstreckte, so war
es, als ob er mit dem Finger den Sternen am Himmel
den Weg vorschreiben könne, den sie wandeln 20
sollten. Um seinen Mund will man einen kalten
Zug von Egoismus bemerkt haben; aber auch dieser
Zug ist den ewigen Göttern eigen und gar dem Vater
der Götter, dem großen Jupiter, mit welchem ich
Goethe schon oben verglichen. Wahrlich, als ich 25
ihn in Weimar besuchte und ihm gegenüberstand,
blickte ich unwillkürlich zur Seite, ob ich nicht auch
neben ihm den Adler sähe mit den Blitzen im
Schnabel. Ich war nahe daran ihn griechisch anzureden; da ich aber merkte, daß er Deutsch verstand, 30
so erzählte ich ihm auf deutsch, daß die Pflaumen

auf dem Wege zwischen Jena und Weimar sehr gut
schmeckten. Ich hatte in so manchen langen Winter-
nächten darüber nachgedacht, wie viel Erhabenes
und Tiefsinniges ich dem Goethe sagen würde,
5 wenn ich ihn mal sähe. Und als ich ihn endlich sah,
sagte ich ihm, daß die sächsischen Pflaumen sehr gut
schmeckten. Und Goethe lächelte.

Die Romantische Schule (1835)

BOGUMIL GOLTZ

1801–70

194   *Frühling!*

WIE wunder- und wonnevoll rührt der Frühling
die Menschenseele zugleich mit der Erde an!
10 Allen Sinnen erzählt er ein Traummärchen, und das
Herz umwebt und berauscht er wie eine Braut.
Geheimnisvoll schafft er in und über seinem Erden-
leib. Voll von Ätherduft treibt er im Frühlings-
wehen jungfräulich verschlossene, in harziges Aroma
15 getränkte Knospen, Aprilhumor mit süßem Maien-
tag wechselnd. Aber Märzwunder; zuvor Krokus-
blüten brechen da orangefarben blattlos aus der
winterkalten Erde, wie wachsend Gold, das im
blauen Äther Sonnengold trinken will. Veilchen und
20 Schneeglöckchen duften unter Schnee und Eis, und
die Brunnenkresse steht so kraus am fließenden
Quell, ihr frisches Grün sticht so wunderbar herzer-
greifend gegen die dünne Eisrinde ab, die alltäglich
der Morgenfrost bildet und die Mittagssonne zer-
25 schmilzt. So erscheint noch der Frühling im Kampfe
mit dem Winter; aber die Lerchen wissen es besser
und singen über den Furchen des gefrorenen
Sturzackers, wie wenn nie ein Winter gewesen wär'.

Bald erwarmt auch das Erdreich. Herfür kriecht der
Käfer, und jeder Wurm empfindet von neuem sein
Dasein. Überall eine himmlische Verheißung und
ein Sieg des Lebens über den Tod! Jetzt brechen
auch die Waldseen ihre festen Decken, die Ströme 5
ihre Brücken von Eis. Schon treiben die Schollen
zum Meer, es ruft der Kuckuck auf sprossenden
Wipfeln der Waldbäume, und die Rohrdommel
stöhnt ihre tiefen Seufzer in den Sumpf, welchen
der Storch mit pedantischen Schritten durchmißt. 10
Unter trocknem Laub und zwischen all den ge-
knickten Halmen im Stoppelfelde, unter dem
Wiesenmoos, im gebleichten Schilfe des Teichs, im
hohen Rohricht der Waldseen, auf den Hofplätzen
unter der Hausschwelle hervor, an dem Saume der 15
Mauern, überall sprießende Gräser, geschäftige
Kräuter, wuchernde Unkräuter, witzige Brennesseln,
vorwitzige Spatzen, hurtige Ameisen, rennende
Käfer, neugierige Eidechsen, berstende Knospen,
spritzende Mandelblüten, Pfirsich- und Äpfel- 20
blüten, die kaum ihre Blätter abwarten können,
purpurrote verschämte Haselnußblüten und ihre
lang heraushängenden Kinderschäfchen. Zu früh
herausgeflogene Schmetterlinge wie gelbe Blüten
und Flocken gaukeln in lauer Luft. Und all dies 25
Schmeicheln, all dies Leben, um den winterstarren
schwarzen Erdenkoloß zu wecken.

Buch der Kindheit (1847)

195 *Sonntag!*

AM Sonntag war in meiner Kindheit immer
schön Wetter, in jeder Witterung und Jahreszeit. Wie konnte ein Sonntag häßlich sein, wie war 30

das möglich an dem Tage, da man mit dem ent-
zückenden Bewußtsein erwachte, daß wirklich Sonntag und nicht etwa Schulmontag sei! O über dieses
Erwachen an dem immer sonnigen Sonntag! Wo
5 die Wirklichkeit uns so heilig und schmeichelnd
umfing wie der Morgentraum selbst; ach, und so
erwartungsvoll, wie wenn sich Wunder und Über-
raschungen in jedem Winkel versteckt hätten! Nur
eine kleine Geduld, und sie kamen hervor. Ach, an
10 diesem Sonntage war nichts so wie am Schul- und
Werkeltage: man sog ihn aus den Lüften, man
trank ihn im bloßen Wasser, man erging ihn sich
auf dem Erdboden, die Sonnenstrahlen blitzten ihn
in die Seele, die Sperlinge zwitscherten ihn unter
15 den fernen Orgeltönen der Kirche, die im Laub
flüsternden Bäume erzählten ihn sich, der Morgen-
wind trug ihn im Aufgang der Sonne auf seinem
Fittich und überlieferte schon im Morgengrauen
dem auserwählten Erdentage die herannahende
20 heilige Zeit! Nun war es wirklich Sonntag! Sonntag
den ganzen, langen Tag, in allen Stunden und
Minuten, Sonntag in jedem Augen- und Sonnenblick! Sonntag in allen Pulsen und Blutstropfen,
Sonntag in Sinn und Gedanken, in allen Kisten und
25 Kasten gleichwie in Seele und Leib. Man konnte
nichts hören und sehen, nichts fühlen und empfinden,
nichts wollen und denken als eben ihn, diesen Sonntag,
diesen heiligen Tag! Mir schauerte jede Fiber am
Sonntag Morgen in stiller Wonne und Andachtslust;
30 mir war es immer, als wenn am Sonntage Engel unsichtbar zwischen Himmel und Erde auf und nieder
führen, als wenn der liebe Gott selbst allenthalben
umherwandeln müßte.   *Buch der Kindheit* (1847)

GUSTAV FECHNER

1801–87

196   *Vom Leben nach dem Tode*

DER Mensch lebt auf der Erde nicht einmal
sondern dreimal. Seine erste Lebensstufe ist
ein steter Schlaf, die zweite eine Abwechslung
zwischen Schlaf und Wachen, die dritte ein ewiges
Wachen. Auf der ersten Stufe lebt der Mensch 5
einsam im Dunkel; auf der zweiten lebt er gesellig
oder gesondert neben und zwischen andern in
einem Lichte, das ihm die Oberfläche abspiegelt;
auf der dritten verflicht sich sein Leben mit dem
von andern Geistern zu einem höhern Leben in 10
dem höchsten Geiste, und schaut er in das Wesen
der endlichen Dinge. Auf der ersten Stufe entwickelt sich der Körper aus dem Keime und verschafft sich seine Werkzeuge für die zweite; auf der
zweiten entwickelt sich der Geist aus dem Keime 15
und erschafft sich seine Werkzeuge für die dritte;
auf der dritten entwickelt sich der göttliche Keim,
der in jedes Menschen Geiste liegt und schon hier
in ein für uns dunkles, für den Geist der dritten
Stufe tageshelles, Jenseits durch Ahnung, Glaube, 20
Gefühl und Instinkt des Genius über den Menschen
hinausweist. Der Übergang von der ersten zur
zweiten Lebensstufe heißt Geburt; der Übergang
von der zweiten zur dritten heißt Tod.

Der Weg, auf dem wir von der zweiten zur 25
dritten Stufe übergehen, ist nicht finstrer als der,
auf dem wir von der ersten zur zweiten gelangen.
Der eine führt zum äußern, der andere zum innern

Schauen der Welt. Wie aber das Kind auf der
ersten Stufe noch blind und taub ist für allen Glanz
und alle Musik des Lebens auf der zweiten und seine
Geburt aus dem warmen Mutterleibe ihm hart
5 ankommt und es schmerzt, und wie es einen Augenblick in der Geburt gibt, wo es die Zerstörung seines
frühern Daseins als Tod fühlt, bevor noch das
Erwachen zum äußern neuen Sein stattfindet, so
wissen wir in unserm jetzigen Dasein, wo unser
10 ganzes Bewußtsein noch im engen Körper gebunden
liegt, noch nichts vom Glanze und der Musik und
der Herrlichkeit und Freiheit des Lebens auf der
dritten Stufe und halten leicht den engen dunklen
Gang, der uns dahin führt, für einen blinden Sack,
15 aus dem kein Ausgang sei. Aber der Tod ist nur eine
zweite Geburt zu einem freiern Sein, wobei der
Geist seine enge Hülle sprengt und liegen und verfaulen läßt, wie das Kind die seine bei der ersten
Geburt. Danach wird alles, was uns mit unseren
20 jetzigen Sinnen äußerlich und gleichsam nur aus der
Ferne nahe gebracht wird, in seiner Innerlichkeit
von uns durchdrungen und empfunden werden.
Der Geist wird nicht mehr vorüberstreifen am
Berge und Grase, er wird nicht mehr, umgeben von
25 der ganzen Wonne des Frühlings, doch von der
Wehmut gequält werden, daß das alles ihm nur
äußerlich bleibt, sondern er wird Berg und Gras
durchdringen und jenes Stärke und dessen Lust im
Wachsen fühlen; er wird sich nicht mehr abmühen
30 durch Wort und Gebärde einen Gedanken in
andern zu erzeugen, sondern in der unmittelbaren
Einwirkung der Geister auf einander, die nicht
mehr durch die Körper getrennt sondern durch

die Körper verbunden werden, wird die Lust der
Gedankenzeugung bestehen; er wird nicht äußerlich den zurückgelassenen Lieben erscheinen, sondern
er wird in ihren innersten Seelen wohnen, als Teil
derselben, in ihnen und durch sie denken und 5
handeln.

Büchlein vom Leben nach dem Tode (1836)

197 *Das Seelenleben der Pflanzen*

ÜBERBLICKEN wir einmal den ganzen Lebenskreis der Pflanze: wie die Säfte in ihr so regsam
quellen; wie es sie drängt Augen und Zweige zu
treiben und rastlos an sich selber zu gestalten; wie 10
sie mit der Krone gen Himmel und mit der Wurzel
in die Tiefe trachtet, selbstmächtig, ohne daß sie
jemand dorthin zöge oder den Weg ihr dahin wiese;
wie sie den Frühling mit jungen Blättern, den
Herbst mit reifen Früchten grüßt; einen langen 15
Winter schläft und dann von frischem zu schaffen
beginnt; im Trocknen die Blätter hängt und in der
Frische sie aufrichtet; sich am Taue erquickt; als
Schlingpflanze umherkriecht die Stütze zu suchen;
wie die Blume erst in der Knospe still verborgen 20
ruht und dann ein Tag kommt, wo sie sich dem
Lichte öffnet; wie sie Düfte auszuströmen beginnt
und in Wechselverkehr mit Schmetterlingen, Bienen
und Käfern tritt; wie das Geschlecht in ihr rege
wird; sie des Morgens sich auftut, des Abends oder 25
vor dem Regen sich schließt; dem Lichte sich
zuwendet; — und es deucht mich, daß es uns doch
schwer fallen sollte diesen ganzen schwellenden und
quellenden, an innerem und äußerem Wechsel so

reichen Lebenskreis leer für die Empfindung zu
denken. Freilich sind es nicht Zeichen der Empfindung eines Menschen, einer Katze, eines Sperlings,
eines Fisches, eines Frosches, eines Wurmes, was wir
5 hier erblicken; es sind Zeichen der Empfindung
einer Tanne, einer Weide, einer Lilie, einer Nelke,
eines Mooses. Aber das Seelenleben der Pflanzen
soll ja das der Tiere nicht wiederholen sondern
ergänzen. Und ist nicht doch genug Analogie in
10 jenen Lebenszeichen sogar mit unsern eignen, um
die Pflanzen noch als unsre Seelenverwandten anzusehen? Ja, könnten die Pflanzen laufen und schreien
wie wir, niemand spräche ihnen Seele ab; alle jene
mannigfältigen und zarten und stillen Zeichen von
15 Seele, die sie von sich geben, wiegen uns nicht so
viel wie jene groben, die wir an ihnen vermissen;
und doch sind die Pflanzen wahrscheinlich bloß
stumm für uns, weil wir taub für sie sind. Doch
sagen wir selber von einer Pflanze, die in der Dürre
20 steht, sie sehe traurig aus, sie lechze, schmachte.
Sollten denn aber wir mehr von dem Trauern, dem
Lechzen, Schmachten jener Pflanze fühlen als sie
selber, die wir vielleicht ganz vergnügt dabei
aussehen, während sie die Blätter hängt und im
25 Begriff ist zu vergehen? Es scheint ihr doch nach
allen Zeichen näher zu gehen als uns. Und warum
sagen wir nie eben so von einer künstlichen Blume,
daß sie uns anlache wie eine lebendige, sei sie auch
noch so ähnlich der lebendigen? Warum anders,
30 als weil wir nur in dieser nicht in jener eine wirkliche lachende Seele ahnen.

Nanna oder *Über das Seelenleben der Pflanzen* (1848)

WILHELM VON KÜGELGEN

1802–67

198 *Napoleon in Dresden*

SCHON im Frühjahr 1812 wälzten sich die
Heersäulen der krieggeübten französischen
Armeen nach Norden. Durch Dresden zogen sie in
dichtgedrängten Massen. Noch schweben mir die
langen Züge der alten Garde mit ihren stolzen 5
Adlern, hohen Bärenmützen und martialischen
Gesichtern wie düstere Traumgebilde vor; vorweg
der kriegerische Lärm der Trommeln und Pfeifen,
dann die gespenstischen Gestalten der Sappeure mit
blinkenden Äxten und langen schwarzen Bärten, 10
und hintennach endlose Reihen von Trossen. So
ging es täglich unter unseren Fenstern durch, Mann
an Mann und Brigade an Brigade. Ich bekam fast
alle Waffengattungen des Heeres zu sehen, die hohen
Kürassiere mit beschweiften Helmen und goldenen 15
Panzern, die leichtberittenen Chasseurs, Dragoner,
Husaren, alle Gattungen von Infanterie und Artil-
lerie, endlich lange Züge von Pontons und Kriegs-
gerät. Es war eine gar treffliche Armee, wie sie die
Welt noch nicht gesehen, wohl versorgt mit allem Nöt- 20
igen; sogar an Winterschuhe hatte man gedacht, und
an grüne Brillen gegen die Blendungen des Schnees.
Endlich sahen wir noch ein ganzes Geschwader
von jungen Näherinnen auf kleinen Pferden folgen,
vielleicht um die Soldaten im rohen Rußland vor 25
Verwilderung zu bewahren. Aber auch die deutschen,
spanischen und italienischen Truppen, die dem
Machtgebot des Zwingherrn folgten, sahen kriege-

risch und trotzig drein. Sie hatten seine Siege mit
erfochten, teilten die Ehren seiner Armee und
sollten mit dieser auch die letzte Katastrophe teilen.
Zu Anfang Mai erschien Napoleon selbst und
5 empfing, von zahlreichen Vasallenfürsten umgeben,
die Besuche seiner hohen Verbündeten, des Kaisers
Franz und Königs Friedrich Wilhelm. Die Anwesenheit so vieler Kriegsheere erfüllte die Stadt
mit kriegerischem Pomp; Glocken und Kanonen
10 spielten zum Empfang der Fürsten auf, großartige
Paraden und Manöver unterhielten sie, und bei
Nacht erstrahlte die Stadt im Zauberglanze tausend-
fältiger Lampen.

Die politischen Ereignisse gingen ihren Gang und
15 wurden in unserem Hause aufs lebhafteste be-
sprochen. Zwar las mein Vater keine Zeitung, weil
er keine Zeit dazu zu haben meinte; unser Hausarzt
aber und treuer Freund, der Dr. Pönitz, las dafür
jede. Er war ein lebendiges Tageblatt und kam
20 zur Zeit und Unzeit, das Haus mit Nagelneuestem
zu alarmieren. Meine Eltern hatten die kolossalen
französischen Armeen, geführt von dem größten
Feldherrn der Zeit, nicht ohne Besorgnis nach
Rußland ziehen sehen; daß aber dies riesige Reich
25 so rasch und fast im Umsehen erobert werden
würde, hatten sie sich nicht träumen lassen. In der
Dresdener Hofkirche ward ein Tedeum nach dem
andern gesungen zur Verherrlichung der siegreichen
Fortschritte des großen Kaisers, bis endlich der
30 Sturz des altehrwürdigen Moskau die Alleinherr-
schaft Napoleons über den Kontinent zu begründen
schien. Da brachte der getreue Pönitz, anfänglich
zwar nur als unverbürgtes Gerücht, die sich bald

bestätigende Nachricht von dem schauerlichen
Brande Moskaus. Man kannte den Hergang jedoch
nicht und wußte nicht, ob man dies Ereignis zum
Vorteil oder Nachteil deuten sollte, bis ein Brief aus
der fernen Heimat meiner Mutter den Weg zu uns 5
gefunden und von dem Aufschwunge der öffentlichen Meinung, wie von der Siegeszuversicht erzählte, welche infolge jenes Brandes ganz Rußland
belebe, und alle Stände zu jedem Opfer begeistere.
So durfte man denn wieder hoffen. Es war nicht 10
unwahrscheinlich, daß solche Entschlossenheit Erfolge haben müsse, und diese Hoffnung schien sich
denn auch bald in allerlei Gerüchten zu realisieren,
die sich mit Eintritt des Winters häuften und rasch
von Mund zu Munde flogen. Jetzt wußte Pönitz 15
viel zu sagen von ernstlichen Verlegenheiten der
großen Armee, von Hunger, Frost und Blöße, von
schrecklicher Bedrängnis, unglücklichen Gefechten,
Rückzug und Flucht; und immer lauter und kecker
wurden die Gerüchte, obschon die offiziellen Be- 20
richte noch längere Zeit zu täuschen suchten.
Gewisses war nicht zu erfahren, und die Spannung
steigerte sich ins Ungeheure. „Was gibt es Neues?"
das war die herrschende Phrase jener Zeit und die
gangbare Rede, mit der sich jedermann begrüßte. 25
„Was gibt's Neues, Blanke?" so pflegte mein Vater
auch seinen Stiefelputzer anzureden, einen alten
verdrossenen Mann, der, wenn es ihm überhaupt zu
antworten beliebte, sich wohl herbeiließ etwas von
den Neuigkeiten mitzuteilen, die er auf seinen 30
Gängen in die Stadt erfuhr. Nun mochte es etwa
gegen die Weihnachtszeit sein, als der Alte sich auf
obige Frage hinter den Ohren kratzte und gleich-

gültig erwiderte, er wisse nischt; außer etwa nur das,
daß der Napoleon in der Nacht einpassiert wäre.
„Wer sagt das!" rief mein Vater, indem er aufsprang
und den alten Brummbär bei den Schultern packte.
5 „Nu, nu!" erwiderte der, „wer soll's denn sagen;
die Leute sprechen's." Der Vater ließ alles stehen
und liegen, eilte in die Stadt, und kam bald mit der
Bestätigung der großen Novität zurück. Napoleon
war wirklich angekommen, unangemeldet, allein
10 und ohne alte oder junge Garde. Ganz über-
raschend war er halberfroren bei seinem Gesandten
vorgefahren, hatte diesen aus den Federn geschreckt,
sich in sein warmes Bett gelegt und war vor Tagesanbruch schon wieder abgereist. Der alte Blanke
15 bekam für seine Nachricht einen Taler, und die
zahlreich vorsprechenden Freunde tranken vom
besten Rheinwein, den wir im Keller hatten.

Jugenderinnerungen eines alten Mannes (Aus dem
Nachlaß 1870)

199 *Goethe*

GOETHE war der einzige deutsche Dichter, an
welchem mein Vater Geschmack fand, weil er
20 der einzige sei, der deutsch schreibe, sagte er, und
so weit ging er in der Wertschätzung seines Lieb-
lings, daß er den Goethischen *Faust*, ihn gleich an
die Bibel reihend, für das zweitbeste Buch der Welt
erklärte. Nicht so die Mutter. Für sie waren die
25 Dichtungen des großen Meisters mannigfach ver-
letzend. Zwar erkannte sie die Pracht und Wahrheit
der Goethischen Darstellung, den Wohlklang und
die Einfalt der Sprache vollkommen an; aber es
schien ihr diese hohe Meisterschaft zumeist an

unwürdige Stoffe verschwendet, und es betrübte sie
allerlei Unsauberkeit der Sünde mit derselben
Liebe behandelt zu sehen wie sittlich Reines und
Schönes. Sie wollte, daß so herrliche Kräfte allein
im Dienste Gottes tätig wären, wie sie dies an 5
Klopstocks und Herders Muse rühmte, die sie
deshalb entschieden vorzog. Dagegen nahm mein
Vater seinen Liebling aufs wackerste in Schutz. Er
entgegnete etwa, daß Goethe weder Schulmeister
noch Pfaffe sondern Dichter und als solcher wie alle 10
Künstler nur mit seinem eigenen Maß zu messen sei.
Er schildere die Dinge weder wie er wünsche, daß
sie sein möchten, noch wie Gott sie etwa fordern
möge; er stelle sie vielmehr ganz einfach bloß nach
ihrer Wahrheit dar, so wie sie wirklich wären, ohne 15
sich ein Richteramt darüber anzumaßen. Was allen
bekannt sei, was jeder habe und besitze, heiße es nun
Glück oder Unglück, Gutes oder Böses, das stelle er
als Wirkliches und Unausweichliches dar, und zwar
in einem versöhnlichen Lichte, bei dessen Schönheit 20
und Liebenswürdigkeit man sich beruhigen könne.
In meinen Kinderaugen gewann der Vielbesprochene
durch solche Diskussionen nur an Bedeutung. Ich
hatte nichts von ihm gelesen, und doch erschien er
mir auf Autorität des Vaters hin wie eine Sonne, vor 25
deren Glanz jedwedes andere Gestirn verbleichen
müsse. Ja, er war allgemach in meiner Vorstellung
zu einem solchen Koloß angewachsen, daß ich selbst
für den einziehenden Kaiser Alexander nur ein
halbes Auge hatte, da ich zwei Minuten vorher den 30
hochgefeierten Dichter gesehn, an seiner Seite
gestanden und freundliche Worte aus seinem Munde
vernommen hatte.

444

WILHELM VON KÜGELGEN

Goethe war nämlich am Morgen des Einzugs der Monarchen bei uns eingetreten, und da er den Vater nicht zu Hause fand, hatte er die Mutter um Erlaubnis gebeten bei ihr bleiben zu dürfen, um aus 5 ihren Fenstern den erwarteten Einzug mit anzusehen. Er werde in keiner Weise stören, hatte er hinzugesetzt, wolle sich ganz still verhalten und bitte keinerlei Notiz von ihm zu nehmen. Die Mutter glaubte zu verstehen, daß er unbelästigt 10 sein wolle. Sie überließ ihm daher ein Fenster, setzte sich mit ihrer Arbeit an ein anderes und drängte sich ihm mit keiner Unterhaltung auf. Da stand er denn, der prachtvoll hohe Mann in seinem langen Überrock und blickte, die Hände auf dem 15 Rücken, behaglich auf das bunte Gewühl des drängenden Volkes nieder. Er sah sehr heiter aus, und meine Mutter glaubte es ihm abzufühlen, wie dankbar er ihr für die Schonung sei, mit der sie ihn gewähren ließ; denn sie wußte, wie sehr der seltene 20 Gast bis dahin von der bewundernden Zudringlichkeit schöngeisterischer Damen belästigt und gequält gewesen. Da er so allein gekommen, nahm meine Mutter an, daß es ihm gelungen sich aus seiner anbetenden Umgebung wegzustehlen und hierher 25 zu retten, um die feierlichen Eindrücke eines geschichtlichen Ereignisses ungestörter in sich aufzunehmen. Sie rief daher auch mich hinweg, der ich dem großen Manne immer näher rückte und ihn anstarrte wie einer, der zum ersten Male 30 in seinem Leben einen Walfisch oder Elefanten sieht. Er aber zog mich an sich, legte die Hand auf meine Schulter und fragte mich dies und jenes.

445

Indem ward heftig an der Klingel gerissen. Ich sprang fort um die Tür zu öffnen, und herein drang eine unbekannte Dame, groß und stattlich wie ein Kachelofen und nicht weniger erhitzt. Mit Hast rief sie mich an: „Ist Goethe hier?" Kaum hatte 5 ich die Zeit mein einfaches Ja herauszubringen, als sie auch schon, mich fast übersegelnd, unangemeldet und ohne üblichen Salutschuß, wie ein majestätischer Dreidecker in dem Zimmer meiner Mutter einlief. Mit offenen Armen auf ihren 10 Götzen zuschreitend, rief sie: „Goethe! ach Goethe, wie habe ich Sie gesucht! Und war denn das recht mich so in Angst zu setzen?" Sie überschüttete ihn nun mit Freudenbezeugungen und mit Vorwürfen. Unterdessen hatte sich der Dichter langsam um- 15 gewendet. Alles Wohlwollen war aus seinem Gesichte verschwunden, und er sah düster und versteinert aus wie eine Rolandssäule. Auf meine Mutter zeigend, sagte er in sehr prägnanter Weise: „Da ist auch Frau von Kügelgen." Die Dame 20 machte eine leichte Verbeugung, wandte dann aber ihrem Freunde, dessen üble Laune sie nicht bemerkte, ihre Breitseiten wieder zu und gab ihm eine volle Ladung nach der andern von Freudenbezeugungen, daß sie ihn glücklich geentert, be- 25 teuernd sie werde sich diesen Morgen nicht von ihm lösen. Jener war in sichtliches Mißbehagen versetzt. Er knöpfte seinen Oberrock bis ans Kinn zu, und da mein Vater eintrat und die Aufmerksamkeit der Dame für einen Augenblick in Anspruch nahm — 30 war Goethe plötzlich fort. Entsetzt eilte die Getäuschte ihm nach, sich jeden Abschied sparend. Ob sie ihn noch erreichte, weiß ich nicht, da in

demselben Momente die Ankunft der Monarchen
das ganze Interesse von uns Rückbleibenden fesselte.

Jugenderinnerungen eines alten Mannes (Aus dem
Nachlaß 1870)

WILHELM HAUFF

1802–27

200   *Vox populi, vox Dei*

ES gehörte zu meinen Vergnügungen in eine
Leihbibliothek zu gehen; nicht um Bücher
5 auszuwählen, denn die Sammlung bestand aus vier-
bis fünftausend Bänden, die ich größtenteils zwei
Jahre zuvor in einer langen Krankheit durch-
blättert hatte, sondern um zu sehen, wie die Bücher
ausgewählt werden. Ich trug mich damals mit dem
10 sonderbaren Gedanken ein Buch zu schreiben; ich
hatte noch keinen bestimmten Gegenstand und war
noch sehr unentschieden, nach welchem großen
Meister ich mein erstes Stück verfertigen sollte;
doch schien mir das Größte und Notwendigste für
15 einen, der ein Buch machen will, daß er die Menschen studiere, nicht um Menschenkenntnis zu
sammeln (die lernt man jetzt in Büchern), sondern
um den Leuten abzusehen, was etwa am meisten
Beifall finde, oft und gern gelesen werde. *Vox*
20 *populi, vox Dei*, dachte ich, gilt auch hier. So saß
ich denn manchen Vormittag in der Bibliothek, um
die Leser und ihre Neigungen zu studieren. Der
Bibliothekar, ein alter kleiner Mann, hatte in seinem
Fach eine vieljährige Erfahrung, und interessant
25 war, was er zuweilen darüber äußerte. Ich konnte
jetzt eine Frage an ihn richten, die mir schon lange

auf den Lippen schwebte, die Frage über den Geschmack des Publikums. „Er ist sehr verschieden," antwortete er, „und ist oft so sonderbar als der Geschmack an Speisen. Der eine will süße, der andre gesalzene; der eine Seefische, Austern und italienische Früchte, der andre nahrhafte Hausmannskost; in einem Punkte stimmen sie aber alle überein: sie wollen gut speisen." „Das heißt?" „Sie wollen unterhalten sein; natürlich jeder auf seine Weise." „Aber wer ist der Koch," rief ich aus, „der für diese verschiedenen und verwöhnten Gaumen das Schmackhafte zubereitet? Wie kann man es allen oder nur vielen recht machen? Denn darin liegt doch der Ruhm des Autors." „Sie sind nicht so verwöhnt als man glaubt," entgegnete er, „die Mode tut viel, und wenn nur die Schriftsteller fleißiger die Leihbibliotheken besuchten, mancher würde finden, was ihm noch abgeht, oder was er zuviel hat. Kann doch keiner ein guter Theaterdichter werden, der nicht mit der ganzen Stadt vor seinem eignen Stücke sitzt, aufmerksam zuschaut und lauscht, was am meisten Effekt macht."

Ein Bedienter unterbrach uns. „Die Frau Gräfin von Langsdorf läßt sich ein Buch ausbitten," sprach er. „Was für eine Nummer?" „Das hat sie nicht gesagt. Aber ich glaube, sie will eine Geistergeschichte." „Geistergeschichte?" fragte der kleine Bibliothekar umhersuchend, „darf es auch eine Rittergeschichte sein? Die Geister sind alle ausgeblieben." "Ja, nur etwas recht Schauerliches, das hat sie gerne," erwiderte der Diener, „so wie letzthin *Die schwarzen Ruinen oder das unterirdische Gefängnis*, das hat uns sehr gut gefallen." „Liest

Er denn auch mit?" fragte der kleine Mann mit
Staunen. Wenn die Frau Gräfin einen Band durch
hat, lesen wir ihn auch im Bedientenzimmer."
„Gut; will Er lieber *das Geisterschloß, die Aufer-*
stehung im Totengewölbe, oder *das feurige Rache-*
schwert?" „Da tut mir die Wahl weh," erwiderte er,
„was müssen das für schöne Bücher sein! Nu — ich
will diesmal *das feurige Racheschwert* nehmen."
Kaum hatte sich der Diener der Gräfin entfernt, so
trat gemessenen Schrittes ein Soldat ein. „Für den
Herrn Leutnant Flunker beim fünfzehnten Regiment *den blinden Torwart* vom alten Schott."
„Freund, hat Er auch recht gehört?" fragte der
Bibliothekar. *„Den blinden Torwart* vom alten
Schott? Ich kenne keinen Autor dieses Namens."
„Es soll auch kein Auditor sein", entgegnete der
Soldat, „sondern ein Buch; der Herr Leutnant sind
auf Wache und wollen lesen." „Wohl! Aber vom
alten Schott? Es steht weder ein alter noch ein
junger im Katalog." „Es ist, glaub' ich, derselbe,
der so viel gedruckt hat und den sich alle Korporals
und Wachtmeister um zwei Groschen gekauft
haben." „Walter Scott!" rief der Kleine mit
Lachen; „und das Buch wird *Quentin Durward*
heißen." „Ach ja, so wird es heißen!" sprach der
Soldat; „aber ich darf den Herrn Leutnant nichts
zweimal fragen, sonst hätte ich wohl den Namen
gemerkt, und er hat sich das undeutliche Sprechen
vom Kommandieren angewöhnt." Er empfing
seinen *blinden Torwart* und ging. Aber seine Worte
hatten einen Lichtstrahl in meine Seele geworfen.
„So ist es denn wahr," sprach ich, „daß die Werke
dieses Briten beinahe so verbreitet sind als die Bibel,

daß alt und jung und selbst die niedrigsten Stände
von ihm bezaubert sind?" „Gewiß, man kann
rechnen, daß allein in Deutschland sechzigtausend
Exemplare verbreitet sind, und er wird täglich noch
berühmter." 5

Mein Entschluß stand fest: „einen historischen
Roman à la Walter Scott mußt du schreiben,"
sagte ich zu mir, „denn nach allem, was man gegenwärtig vom Geschmack des Publikums hört, kann
nur diese und keine andere Form Glück machen." 10

Die Bücher und die Lesewelt (1826)

201 *Der Riese vom Reißenstein*

DAS Schloß Reißenstein liegt auf jähen Felsen
weit oben in der Luft und hat keine Nachbarschaft als die Wolken und bei Nacht den Mond.
Geradeüber der Burg auf einem Berge liegt eine
Höhle, und darinnen wohnte vor alters ein Riese. 15
Er hatte ungeheuer viel Gold, und da fiel es ihm ein,
er wolle sich ein Schloß bauen, wie es die Ritter
haben. Der Felsen gegenüber schien ihm gerade
recht dazu. Er selbst aber war ein schlechter Baumeister; er grub mit den Nägeln haushohe Felsen 20
aus der Alb und stellte sie auf einander, aber sie
fielen immer wieder ein. Da legte er sich auf den
Felsen und schrie ins Tal hinab nach Handwerkern;
Zimmerleute, Maurer, Steinmetze, Schlosser, alles
sollte kommen und ihm helfen, er wolle gut bezahlen. 25
Man hörte sein Geschrei im ganzen Schwabenland,
und überall her kamen die Meister und Gesellen um
dem Riesen das Schloß zu bauen. Es war lustig
anzusehen, wie er vor seiner Höhle im Sonnenschein

saß und über dem Tal drüben auf dem hohen Felsen
sein Schloß bauen sah. Die Meister und Gesellen
waren flink an der Arbeit und bauten, wie er ihnen
über das Tal hinüber zuschrie; sie hatten allerlei
5 fröhlichen Schwank und Kurzweil mit ihm, weil er
von der Bauerei nichts verstand. Endlich war der
Bau fertig, und der Riese zog ein und schaute aus
dem höchsten Fenster aufs Tal hinab, wo die
Meister und Gesellen versammelt waren, und fragte
10 sie, ob ihm das Schloß gut anstehe, wenn er so zum
Fenster herausschaue. Als er sich aber umsah, er-
grimmte er, denn die Meister hatten geschworen,
es sei alles fertig, aber an dem obersten Fenster, wo
er heraus sah, fehlte noch ein Nagel. Die Schlosser-
15 meister entschuldigten sich und sagten: es habe sich
keiner getraut vors Fenster hinaus in die Luft zu
sitzen und den Nagel einzuschlagen. Der Riese aber
wollte nichts davon hören, sondern zahlte den Lohn
nicht aus, bis der Nagel eingeschlagen sei. Da zogen
20 sie alle wieder in die Burg. Die wildesten Burschen
vermaßen sich hoch und teuer, es sei ihnen ein
Geringes den Nagel einzuschlagen; wenn sie aber
an das oberste Fenster kamen und hinausschauten
in die Luft und hinab in das Tal, das so tief unter
25 ihnen lag, da schüttelten sie den Kopf und zogen
beschämt ab. Da boten die Meister zehnfachen
Lohn, wer den Nagel einschlage, und es fand sich
lange keiner.

Nun war ein flinker Schlossergeselle dabei, der
30 hatte die Tochter seines Meisters lieb und sie ihn
auch, aber der Vater war ein harter Mann und wollte
sie ihm nicht zum Weib geben, weil er arm war.
Der faßte sich ein Herz und dachte, er könne hier

seinen Schatz verdienen oder sterben, denn das
Leben war ihm verleidet ohne sie. Er trat vor den
Meister, ihren Vater, und sprach: „Gebt Ihr mir
Eure Tochter, wenn ich den Nagel einschlage?"
Der aber gedachte seiner auf diese Art los zu werden, 5
wenn er auf die Felsen hinabstürze und den Hals
breche, und sagte ja. Der flinke Schlossergeselle
nahm den Nagel und seinen Hammer, sprach ein
frommes Gebet und schickte sich an zum Fenster
hinaus zu steigen und den Nagel einzuschlagen für 10
sein Mädchen. Da erhob sich ein Freudengeschrei
unter den Bauleuten, daß der Riese vom Schlaf aufwachte und fragte, was es gebe. Und als er hörte,
daß sich einer gefunden habe, der den Nagel ein-
schlagen wolle, kam er, betrachtete den jungen 15
Schlosser lange und sagte: „Du bist ein braver Kerl
und hast mehr Herz als das Lumpengesindel da;
komm, ich will dir helfen." Da nahm er ihn beim
Genick, daß es allen durch Mark und Bein ging, hob
ihn zum Fenster hinaus in die Luft und sagte: 20
„Jetzt hau drauf zu! ich lasse dich nicht fallen."
Und der Knecht schlug den Nagel in den Stein, daß
er fest saß; der Riese aber küßte und streichelte ihn,
so daß er beinah ums Leben kam, führte ihn zum
Schlossermeister und sprach: „Diesem gibst du dein 25
Töchterlein." Dann ging er hinüber in seine Höhle,
langte einen Geldsack heraus und zahlte jeden aus
bei Heller und Pfennig. Endlich kam er auch an
den flinken Schlossergesellen; zu diesem sagte er:
„Jetzt gehe heim, du herzhafter Bursche, hole deines 30
Meisters Töchterlein und ziehe ein in diese Burg,
denn sie ist dein."

Lichtenstein (1826)

LUDWIG RICHTER

1803–84

202 *Nachahmung der Griechen und deutsche Kunst*

DIE Deutschen, da sie Nationalität und eigentümliches Volksleben verloren hatten, konnten auf den tollen Einfall geraten in Nachahmung griechischer Werke, deren Geist und Leben sie doch
5 nicht erkannten, ihr höchstes Ziel zu finden. Es kann keiner den Homer verstehen, der nicht von der Herrlichkeit seiner eigenen vaterländischen Natur und Geschichte recht herzinniglich durchdrungen ist; und wer das ist, dem wird gewiß
10 niemals einfallen sein Vaterland zu gräzisieren oder die Gegenstände seiner Darstellungen aus einem so ganz von dem seinigen verschiedenen Lande herzunehmen, wobei er nur aus der staubigen Bücherquelle und nicht zugleich vom frischen Born des
15 Lebens schöpfen kann.

Die Zeiten des Mittelalters hielt man für roh und barbarisch und doch beschämen uns ihre Bau-, Schrift- und Bilderwerke. Alles ist durchdrungen von dem herrlichsten Leben, alles macht ein groß-
20 artiges vollendetes Ganze. Man sehe nur so einen christlichen Dom an, wie herrlich er wie ein himmlischer Baum emporwächst, und wie die schlanken Säulenstengel, Knospen und Laubwerk uns hinaufziehen, und dagegen eine ganze Heiligenwelt zu uns
25 herabgekommen zu sein scheint, am Portal uns begrüßt und inwendig an den Gräbern unserer in Frieden ruhenden Voreltern tröstlich uns anschaut;

wie ein tiefes heiliges Licht durch die verklärten
Farben der hohen bunten Fenster hereinbricht;
kurz, alles vereint auf uns einwirkt uns zu erheben
und unsere am Werktage abgestumpften Sinne auf-
zuwecken und hinaufzuziehen zum Allmächtigen. 5
Da ist Leben drin und eine ganz andere Grundregel
als in jenen modernen halb griechisch halb chinesisch
ausgeführten Gotteshäusern, wo bloß eine ein-
förmige Symmetrie, kahle Wände und sinnlose
Zieraten zu sehen sind, und der Hauptzweck der zu 10
sein scheint viele Menschen vor Regen zu schützen.

Tagebücher (1825)

EDUARD MÖRIKE

1804-75

203   *Mozart und die Pomeranze*

ER hatte bald den kurzen Weg bis zu dem
offenen Gattertor zurückgelegt, dann langsam
einen hohen, alten Lindengang durchmessen, an
dessen Ende er in geringer Entfernung das Schloß 15
auf einmal vor sich hatte. Von der Mitte zweier
großen, noch reichlich blühenden Blumenparterre
ging unser Meister nach den buschigen Teilen der
Anlagen zu und lenkte seine Schritte auf vielfach
gewundenen Pfaden dem lebhaften Rauschen eines 20
Springbrunnens nach, den er sofort erreichte. Das
weite ovale Bassin war rings von einer sorgfältig
gehaltenen Orangerie in Kübeln, abwechselnd mit
Lorbeeren und Oleandern, umstellt; ein weicher
Sandweg, gegen den sich eine schmale Gitterlaube 25
öffnete, lief rund umher. Die Laube bot das angenehmste Ruheplätzchen dar; ein kleiner Tisch

454

stand vor der Bank, und Mozart ließ sich vorn am
Eingang nieder. Das Ohr behaglich dem Geplätscher
des Wassers hingegeben, das Aug' auf einen Pome-
ranzenbaum von mittlerer Größe geheftet, der
5 außerhalb der Reihe ganz dicht an seiner Seite auf
dem Boden stand und voll der schönsten Früchte
hing, ward unser Freund durch diese Anschauung
des Südens alsbald auf eine liebliche Erinnerung aus
seiner Knabenzeit geführt. Nachdenklich lächelnd
10 reicht er hinüber nach der nächsten Frucht, als wie
um ihre herrliche Rûnde, ihre saftige Kühle in
hohler Hand zu fühlen. Ganz im Zusammenhang
mit jener Jugendszene aber, die wieder vor ihm
aufgetaucht, stand eine längst verwischte musika-
15 lische Reminiszenz, auf deren unbestimmter Spur
er sich ein Weilchen träumerisch erging. Jetzt
glänzen seine Blicke, sie irren da und dort umher,
er ist von einem Gedanken ergriffen, den er sogleich
eifrig verfolgt. Zerstreut hat er zum zweiten Male
20 die Pomeranze angefaßt, sie geht vom Zweige los
und bleibt ihm in der Hand. Er sieht und sieht es
nicht; ja so weit geht die künstlerische Geistes-
abwesenheit, daß er, die duftige Frucht beständig
unter der Nase hin und her wirbelnd und bald den
25 Anfang, bald die Mitte einer Weise unhörbar
zwischen den Lippen bewegend, zuletzt instinkt-
mäßig ein emailliertes Etui aus der Seitentasche des
Rocks hervorbringt, ein kleines Messer mit silbernem
Heft daraus nimmt und die gelbe kugelige Masse
30 von oben nach unten langsam durchschneidet. Es
mochte ihn dabei entfernt ein dunkles Durstgefühl
geleitet haben, jedoch begnügten sich die angeregten
Sinne mit Einatmung des köstlichen Geruchs. Er

starrt minutenlang die beiden innern Flächen an,
fügt sie sachte wieder zusammen, ganz sachte, trennt
und vereinigt sie wieder.

Da hört er Tritte in der Nähe, er erschrickt, und
das Bewußtsein, wo er ist, was er getan, stellt sich 5
urplötzlich bei ihm ein. Schon im Begriff die
Pomeranze zu verbergen, hält er doch gleich damit
inne, sei es aus Stolz, sei's weil es zu spät dazu war.
Ein großer breitschulteriger Mann in Livree, der
Gärtner des Hauses, stand vor ihm. Derselbe hatte 10
wohl die letzte verdächtige Bewegung noch gesehen
und schwieg betroffen einige Sekunden. Mozart,
gleichfalls sprachlos, auf seinem Sitz wie angenagelt,
schaute ihm halb lachend unter sichtbarem Erröten,
doch gewissermaßen keck und groß mit seinen 15
blauen Augen ins Gesicht; dann setzte er — für
einen dritten wäre es höchst komisch anzusehen
gewesen — die scheinbar unverletzte Pomeranze mit
einer Art von trotzig couragiertem Nachdruck in
die Mitte des Tisches. „Um Vergebung," fing jetzt 20
der Gärtner, nachdem er den wenig versprechenden
Anzug des Fremden gemustert, mit unterdrücktem
Unwillen an, „ich weiß nicht, wen ich hier —"
„Kapellmeister Mozart aus Wien." „Sind ohne
Zweifel bekannt im Schloß?" „Ich bin hier fremd. 25
Ist der Herr Graf anwesend?" „Nein." „Seine
Gemahlin?" „Sind beschäftigt und schwerlich zu
sprechen." Mozart stand auf und machte Miene
zu gehen. „Mit Erlaubnis, mein Herr, wie kommen
Sie dazu an diesem Ort auf solche Weise zu- 30
zugreifen?" „Was?" rief Mozart, „zugreifen? Zum
Teufel, glaubt Er denn, ich wollte stehlen und das
Ding da fressen?" „Mein Herr, ich glaube, was ich

sehe. Ich lasse Sie nicht fort, bevor ich die Sache
gemeldet und Sie mir selbst bezeugten, wie das da
zugegangen ist." „Sei's drum. Ich werde hier so
lange warten. Verlaß Er sich darauf." Inzwischen
5 hatte unser Meister seine Brieftasche gezogen, ein
weißes Blatt herausgenommen und, während der
Gärtner nicht von der Stelle wich, mit Bleistift
angefangen zu schreiben:

„Gnädigste Frau! Hier sitze ich Unseliger in
10 Ihrem Paradiese, wie weiland Adam, nachdem er
den Apfel gekostet. Das Unglück ist geschehen,
und ich kann nicht einmal die Schuld auf eine
gute Eva schieben. Befehlen Sie, und ich stehe
persönlich Ihro Gnaden Rede über meinen mir
15 selbst unfaßlichen Frevel. Mit aufrichtiger Beschämung
Hochdero untertänigster Diener
W. A. Mozart."

Er übergab das Billet, ziemlich ungeschickt zu-
20 sammen gefaltet, dem wartenden Diener mit der
nötigen Weisung. Der Unhold hatte sich nicht
sobald entfernt, als man an der hinteren Seite des
Schlosses ein Gefährt in den Hof rollen hörte. Es
war der Graf. Nun sah man in dem Schlosse alles
25 in voller Bewegung, und nur mit Mühe gelang es
dem Gärtner endlich den Zettel der Frau Gräfin
einzuhändigen, die ihn jedoch nicht auf der Stelle
öffnete, sondern ohne genau auf die Worte des
Überbringers zu achten geschäftig weitereilte. Er
30 wartete und wartete, sie kam nicht wieder; bis
endlich Vater und Sohn zugleich herauskamen und
die fatale Nachricht empfingen. „Das wär' ja
höllenmäßig!" rief der dicke, gutmütige doch etwas

zähe Mann; „das geht ja über alle Begriffe! Ein
Wiener Musikus, sagt Ihr? Vermutlich irgend solch
ein Lump, der mitnimmt, was er findet?" „Verzeihen Ew. Gnaden, danach sieht er gerad' nicht
aus. Er deucht mir nicht richtig im Kopf; auch ist 5
er sehr hochmütig. Moser nennt er sich. Er wartet
unten auf Bescheid; ich hieß den Franz um den
Weg bleiben und ein Aug' auf ihn haben." Hier
trat die Gräfin hastig und mit freudiger Aufregung,
das offene Billet in der Hand, aus dem anstoßenden 10
Kabinett. „Wißt ihr," rief sie, „wer unten ist? Um
Gotteswillen, lest den Brief — Mozart aus Wien, der
Komponist! Man muß gleich gehen ihn herauf-
zubitten." *Mozart auf der Reise nach Prag* (1855)

ADALBERT STIFTER

1805–68

Weihnacht

204

UNSERE Kirche feiert verschiedene Feste, 15
welche zum Herzen dringen. Man kann sich
kaum etwas Lieblicheres denken als Pfingsten und
kaum etwas Ernsteres und Heiligeres als Ostern.
Das Traurige und Schwermütige der Karwoche und
darauf das Feierliche des Sonntags begleiten uns 20
durch das Leben. Eines der schönsten Feste feiert
die Kirche fast mitten im Winter, wo beinahe die
längsten Nächte und kürzesten Tage sind und
Schnee alle Fluren deckt, das Fest der Weihnacht.
Wie in vielen Ländern der Tag vor dem Geburts- 25
feste des Herrn der Christabend heißt, so heißt er
bei uns der heilige Abend, der darauf folgende Tag
der heilige Tag und die dazwischen liegende Nacht

die Weihnacht. In den meisten Gegenden wird
schon die Mitternachtstunde als die Geburtstunde
des Herrn mit prangender Nachtfeier geheiligt, zu
der die Glocken durch die stille winterliche Mitter-
5 nachtluft laden, zu der die Bewohner mit Lichtern
oder auf dunkeln Pfaden, aus schneeigen Bergen, an
bereiften Wäldern vorbei zu der Kirche eilen, aus
der die feierlichen Töne kommen, und die aus der
Mitte des in beeiste Bäume gehüllten Dorfes mit
10 den langen beleuchteten Fenstern emporragt.

Mit dem Kirchenfeste ist auch ein häusliches
verbunden. Es hat sich fast in allen christlichen
Ländern verbreitet, daß man den Kindern die
Ankunft des Christkindleins — auch eines Kindes,
15 des wunderbarsten, das je auf der Welt war — als
ein heiteres, feierliches Ding zeigt, das durch das
ganze Leben fortwirkt und manchmal noch spät im
Alter bei schwermütigen oder rührenden Erinnerungen gleichsam als Rückblick in die einstige
20 Zeit mit den bunten schimmernden Fittichen durch
den traurigen und ausgeleerten Nachthimmel fliegt.
Man pflegt den Kindern die Geschenke zu geben,
die das heilige Christkindlein gebracht hat um ihnen
Freude zu machen. Das tut man gewöhnlich am
25 heiligen Abende, wenn die tiefe Dämmerung eingetreten ist. Man zündet Lichter und meistens sehr
viele an, die oft mit den kleinen Kerzlein auf den
schönen grünen Ästen eines Tannen- oder Fichten-
bäumchens schweben, das mitten in der Stube steht.
30 Die Kinder dürfen nicht eher kommen als bis das
Zeichen gegeben wird, daß der heilige Christ zu-
gegen gewesen ist und die Geschenke, die er mit-
gebracht, hinterlassen hat. Dann geht die Tür auf,

459

die Kleinen dürfen hinein und bei dem herrlichen
schimmernden Lichterglanze sehen sie die Dinge auf
dem Baume hängen oder auf dem Tische herum-
gebreitet, die alle Vorstellungen ihrer Einbildungskraft weit übertreffen, die sie sich nicht anzurühren 5
getrauen und die sie endlich, wenn sie sie bekommen
haben, den ganzen Abend in ihren Ärmchen herum-
tragen und mit sich in das Bett nehmen. Wenn sie
dann zuweilen in ihre Träume hinein die Glocken-
töne der Mitternacht hören, durch welche die 10
Großen in die Kirche zur Andacht gerufen werden,
dann mag es ihnen sein, als zögen jetzt die Englein
durch den Himmel, oder als kehre der heilige Christ
nach Hause, welcher nunmehr bei allen Kindern
gewesen ist und jedem von ihnen ein herrliches 15
Geschenk gebracht hat.

Bunte Steine (1852)

205 *Ausblick vom Stephansdom bei Sonnenaufgang*

SEHR oft erwartete ich durch die Güte des
Türmers, mit dem ich Bekanntschaft gemacht
hatte, auf der höchsten Höhe des Turmes das
Erwachen des Tages. Ich stieg zu diesem Zwecke 20
entweder schon vor Tagesanbruch auf den Turm,
oder ich durchwachte die Nacht auf demselben und
stieg bei noch vollständigem Sternenscheine auf
meinen Beobachtungsplatz. Diese Nachtspähen
waren das lohnendste. Erst gegen den Morgen hin 25
wird die Stadt stille, und es gibt nur eine kurze Zeit
nach Mitternacht und vor dem Morgen, in welcher
es in der Stadt Nacht ist. Da liegt sie unten wie tot

und starr. Und wenn man auf dem Turme hoch oben ist, von den prangenden Sternen umgeben, und wenn man dann niedersieht in die schwarzen Klumpen der verschiedenen Häuserdurchschlingun-
5 gen, in denen sich die Nachtlichter wie trübe irdische Sterne zeigen, so erscheint einem erst recht das menschliche Treiben, das hier eine Größe darstellen will, als Tand. Von Lauten hört man in dieser Zeit gar nichts als den Glockenschlag der
10 Turmuhr, dem die Schläge von anderen Türmen antworten, und in Sommernächten zuweilen den Ruf einer Nachtigall, welche ein Liebhaber vor seinem Fenster hängen hat, welcher Ruf wahrscheinlich ein Not- und Angstruf in diesem Steinmeere ist.
15 Der Himmel fängt an im Osten lichter zu werden, und die dunkle Landschaftscheibe löst sich, wenn vorerst auch nur in einzelne größere Teile. Gegen Norden ziehen und ruhen Nebel. Dort ist die Donau, und die dunkleren Streifen, die im Nebel
20 liegen oder mit ihm zu gehen scheinen, sind Auen, durch welche der schöne Strom wallt. Allmählich wird der Himmel im Morgen immer klarer, die Sterne blasser, und die Rundsicht beginnt deutlicher zu werden. Jenseits des Nebels ist ein fahlroter
25 Hauch hinaus: es ist das Marchfeld. Rechts von ihm, unter der hellsten Stelle des Himmels im Osten, schneidet sich der Rand der Scheibe am schärfsten von der Luft; dort sind die Karpathen, die ungarischen Höhenzüge, und ist die ungarische
30 Grenze. Die Berge im Westen, welche jetzt fast unschön schwarz in den Himmel ragen, sind anmutige Höhen, die gegen ihren Fuß herab Reben hegen, in denen Landhäuser, Dörfer und Schlösser

herum gestreut sind. Nach und nach wird der
Morgenhimmel golden, die Sterne sind erloschen,
und der Süden tritt in die Rundsicht ein. Dort
steht ein Berg mit bleigrauem Lichte auf dem
Schnee, den sein Rücken hie und da trägt. Es ist der 5
Schneeberg, eine Tagereise von Wien, das letzte
Haupt in jener Bergkette, welche von der Schweiz
ausläuft, durch Tirol und Salzburg geht, zwischen
Österreich und Steiermark hinzieht, manchen Gipfel
mit Eis und Schnee zeigt, und hier gegen Ungarn 10
hin mit einem Male ein Ende nimmt. Der Himmel
wird röter und legt auch schon ein ganz schwaches
Rot auf die Steine und Rippen des Turmes in der
Gegend, in welcher wir stehen. Selbst durch Teile
der Stadt läuft hie und da ein graues Schimmern; 15
sie wird immer größer und streckt ihre Glieder, sie
gleichsam im Morgenschlummer dehnend, über
Hügel und Täler hinaus. Der Himmel wird nun
glühend rotgelb. Die Nebel sind von der Donau
verschwunden, und sie geht nun wieder wie ein 20
stiller goldener Bach dahin. In der Stadt blitzen
hie und da Funken auf, es sind Fenster, an denen
sich die Glut des Morgenhimmels fängt. In ihren
Gassen wird das Rasseln häufiger, in anderen verworrenen Tönen beginnt es sich zu regen, und dort 25
und da braust es sanft wie Atemzüge eines Erwachenden. Auch einzelne Rauchsäulen steigen
gegen den Himmel. Jetzt geht sachte ein anschwel-
lender Blitz auf das Steinwerk unsers Turmes. Die
Sonne ist es, welche die ersten Strahlen auf ihn 30
sendet. Die Stadt trifft sie noch nicht. Bald wird
auch sie begrüßt, und dieser Anblick ist unbeschreiblich schön. Von den tausend und tausend Fenstern

glänzt es wunderbar. Zuerst entzündet sich irgend
ein Teil, dann verbreitet sich der Brand, von Gasse
zu Gasse lodert es gleichsam, endlich glüht alles,
und darüber funkeln die Turmkreuze und Kuppeln.
5 Nach und nach mehren sich die Zeichen des Lebens.
Der aufsteigenden Rauchsäulen werden mehrere,
bis ein allgemeiner leichter Rauch wie ein trüber
Schleier gegen den Morgenhimmel emporwallt.
Einzelne Menschen werden in den Gassen wie
10 schwarze Punkte sichtbar, die sich regen und durcheinander schießen, sie werden schnell ihrer viele und
mehren sich stets; neue Laute schlagen herauf, das
Rollen, Rasseln und Prasseln wird immer dichter,
das verworrene Tönen ergreift alle Stadtteile,
15 gleichsam als ob sich Häuser und Gassen rührten,
bis ein gleichmäßiges, dumpfes Brausen durch die
ganze Stadt geht. Sie ist erwacht.

Vermischte Schriften (1844)

206 *Am Waldsee*

EIN dichter Anflug junger Fichten nimmt uns
nach einer Stunde Wanderung auf, und von
20 dem schwarzen Sammet seines Grundes heraus-
getreten, steht man an der noch schwärzern See-
fläche. Ein Gefühl der tiefsten Einsamkeit überkam
mich jedesmal unbesieglich, so oft ich zu dem
märchenhaften See hinauf stieg. Ein gespanntes
25 Tuch ohne eine einzige Falte liegt er weich zwischen
dem harten Geklippe, gesäumt von einem dichten
Fichtenbande, dunkel und ernst, daraus manch einzelner Urstamm den ästelosen Schaft emporstreckt
wie eine einzelne altertümliche Säule. Gegenüber

diesem Waldbande steigt ein Felsentheater lotrecht
auf wie eine graue Mauer, nach jeder Richtung
denselben Ernst der Farbe breitend, nur geschnitten
durch zarte Streifen grünen Mooses und sparsam
bewachsen von Schwarzföhren, die aber von solcher 5
Höhe so klein herabsehen wie Rosmarinkräutlein.
Auch brechen sie häufig aus Mangel des Grundes
los und stürzen in den See hinab; daher man, über
ihn hinschauend, der jenseitigen Wand entlang in
gräßlicher Verwirrung die alten ausgebleichten 10
Stämme liegen sieht, in traurigem weiß leuchtendem
Verhack die dunklen Wasser säumend. Rechts treibt
die Seewand einen mächtigen Granitgiebel empor;
links schweift sie sich in ein sanftes Dach herum, von
hohem Tannenwald bestanden und mit einem 15
grünen Tuche des feinsten Mooses überhüllt. Da in
diesem Becken nie ein Wind weht, so ruht das
Wasser unbeweglich, und der Wald und die grauen
Felsen und der Himmel schauen aus seiner Tiefe
heraus wie aus einem ungeheuren schwarzen Glas- 20
spiegel. Über ihm steht ein Fleckchen der tiefen
Himmelsbläue. Man kann hier tagelang weilen und
sinnen, und kein Laut stört die durch das Gemüt
sinkenden Gedanken als etwa der Fall einer Tannen-
frucht oder der kurze Schrei eines Geiers. Oft 25
entstieg mir ein und derselbe Gedanke, wenn ich an
diesen Gestaden saß: als sei es ein unheimlich
Naturauge, das mich hier ansehe, tief schwarz,
überragt von der Stirne und Braue der Felsen,
gesäumt von der Wimper dunkler Tannen — drin 30
das Wasser regungslos wie eine versteinerte Träne.

Der Hochwald (1856)

FRIEDRICH THEODOR VISCHER

1807–87

207   *Über Jean Paul*

JEAN PAUL ist eine historisch merkwürdige
Gestalt gerade dadurch, daß die Sentimentalität
in ihm ihren Gipfel erstieg. Eine Stimmung, die
von so großer Macht war in England, Frankreich,
5 die uns in Deutschland so lange beherrschte, verdient an sich schon Untersuchung. Aber noch
merkwürdiger ist der seltene und seltsame Mensch
dadurch, daß diese weltflüchtige Stimmung in ihm
mit so lebhaftem und energischem Purzelbaum wie
10 doch gewiß in keinem seiner englischen Geistes-
verwandten und Muster in den Humor umschlug.
Nicht, daß sie im Umsprung verschwände, er bringt
nicht Heilung; der Springer fängt, kaum auf den
Füßen, gleich wieder an mit nassen und verzückten
15 Augen nach Mond und Sternen und Milchstraße zu
blicken und hebt die Arme wie Flügel um in die
fernen Höhen zu schweben; doch nur um dann
gleich wieder ein Rad zu schlagen und die Sohlen
derb auf die grobe Erde zu stoßen. Das Spiel
20 beginnt immer von neuem; es ist kein Aufheben
des einen Extrems im andern, es ist ein unaufhörlich
neues Nebeneinander. Nun aber, wenn er mit
festem Fuß auf dem Boden steht, welche Schärfe
des Blickes in die Wirklichkeit, welches Falkenauge,
25 welche schneidende Sachlichkeit! Und welcher
Reichtum an Witz, an Gleichnis, an Phantasie, an
Ironie, an Humor! Doch gewiß ungleich voller als
bei den englischen Humoristen sprudelt in Garben

von Strahlen der gedrängt aufschießende Quell.
Freilich ohne Haushalt, freilich überfruchtet und
doch auch gesucht, gemacht; aber wir reden von
der Gabe an sich, und niemand kann ihre Fülle
bezweifeln.   5

Interessant aber und von historischer Bedeutung
ist an dem wunderlichen Heiligen seine Formlosigkeit. Sie ist eine belehrende Erscheinung einer
alten deutschen Unart. Der Eigensinn gegen die
Disziplin, die Eitelkeit interessanter sein zu wollen 10
durch Unordnung, durch Grillen, wilde Ranken,
Schnörkel, Stöße, Stiche, Sprünge als durch Ordnung, Vernunft und Ebenmaß, die Verpuffung des
Geistes in Irrwischen und romantischen Lichtern:
das sitzt tief in unserem Wesen. Die ältesten 15
germanischen Zeichner sind Virtuosen in traumhaften Arabesken, lange ehe sie eine Gestalt richtig
zu umschreiben vermögen; ein Fischart steckt in uns
allen, und wer war wohl je ein begabter Deutscher
und jung, der nicht den Kitzel gefühlt hätte lieber 20
eine *Affentheurlich naupengeheurliche Geschichtklitterung* zu schreiben als eine Geschichte? Der
schnurrige Mainzer und Jean Paul: ja wohl, die
werden sich lustig begrüßt haben im Elysium!
Auch in unsern großen Malern des sechzehnten 25
Jahrhunderts war der Zug zum Phantastischen stark
genug um dem geraden Schritte zur Schönheit ein
Bein zu stellen; auch zwischen Albrecht Dürer und
Jean Paul besteht mehr als Vetterschaft. Spezielles
Interesse hat die Formlosigkeit Jean Pauls dadurch, 30
daß sie auf die verwandte Willkür unserer romantischen Schule überleitet. Freilich in aller Unschuld.
Das beständige Ausgehen vom Ich und Zurückgehen

auf das Ich, die Durchbrechung jedes Zusammen-
hangs mit dem Vordrängen der eigenen Person und
Reflexion ist bei diesem sonderbaren Schwärmer
noch nicht das blasierte Spiel, noch nicht die
5 berüchtigte Ironie der Schlegel, Tieck und Genossen;
er glaubt sich vorschieben zu dürfen, weil er es
ehrlich meint; er ist gut, er ist ein Kind; er ist im
Grunde Rationalist; wenig Dogma und redliche
Moral sind die Hebel seiner Entzückungen; er spielt
10 nicht Komödie mit dem Mystizismus. Aber ein
unartiges Kind ist er doch mit seinen Kobold-
sprüngen, und er hat es zu verantworten, daß wir
von ihm den Unfug der Willkür datieren.

Kritische Gänge (1873)

OTTO LUDWIG

1813–65

208   *Zwischen Himmel und Erde*

i

ZWISCHEN Himmel und Erde ist des Schiefer-
15 deckers Reich. Tief unten das lärmende
Gewühl der Wanderer der Erde, hoch oben die
Wanderer des Himmels, die stillen Wolken in ihrem
großen Gang. Monden, Jahre, Jahrzehnte lang hat es
keine Bewohner als der krächzenden Dohlen unruhig
20 flatternd Volk. Aber eines Tages öffnet sich in der
Mitte der Turmdachhöhe die enge Ausfahrtür;
unsichtbare Hände schieben zwei Rüststangen heraus.
Den Zuschauer von unten gemahnt es, sie wollen
eine Brücke von Strohhalmen in den Himmel
25 bauen. Die Dohlen haben sich auf Turmknopf und
Wetterfahne geflüchtet und sehen herab und

sträuben ihr Gefieder vor Angst. Die Rüststangen
stehen wenige Fuß heraus, und die unsichtbaren
Hände lassen vom Schieben ab. Dafür beginnt ein
Hämmern im Herzen des Dachstuhls. Die schlafenden Eulen schrecken auf und taumeln aus ihren 5
Luken zackig in das offene Auge des Tages hinein.
Die Dohlen hören es mit Entsetzen, das Menschen-
kind unten auf der festen Erde vernimmt es nicht;
die Wolken oben am Himmel ziehen gleichmütig
darüber hin. Lange währt das Pochen, dann ver- 10
stummt es. Und den Rüststangen nach und quer
auf ihnen liegend schieben sich zwei, drei kurze
Bretter. Hinter ihnen erscheint ein Menschenhaupt
und ein Paar rüstige Arme. Eine Hand hält den
Nagel, die andere trifft ihn mit geschwungenem 15
Hammer, bis die Bretter fest aufgenagelt sind. Die
fliegende Rüstung ist fertig. So nennt sie ihr Baumeister, dem sie eine Brücke zum Himmel werden
kann, ohne daß er es begehrt. Auf die Rüstung
baut sich nun die Leiter und, ist das Turmdach 20
sehr hoch, Leiter auf Leiter. Nichts hält sie zusammen als der eiserne Längehaken, nichts hält sie
fest als auf der Rüstung vier Männerhände und oben
die Helmstange, an der sie lehnt. Ist sie einmal
über der Ausfahrtür und an der Helmstange mit 25
starken Tauen angebunden, dann sieht der kühne
Schieferdecker keine Gefahr mehr in ihrem Besteigen, so weh dem schwindelnden Menschenkinde
tief unten auf der sicheren Erde wird, wenn er
heraufschaut und meint, die Leiter sei aus leichten 30
Spänen zusammengeleimt wie ein Spielwerk für
Kinder. Aber ehe er die Leiter angebunden hat —
und um das zu tun, muß er erst einmal hinauf-

gestiegen sein — mag er seine arme Seele Gott
befehlen. Dann ist er erst recht zwischen Himmel
und Erde. Er weiß, die leichteste Verschiebung der
Leiter — und ein einziger falscher Tritt kann sie
5 verschieben — stürzt ihn rettungslos hinab in den
sicheren Tod. Haltet den Schlag der Glocken unter
ihm zurück, er kann ihn erschrecken! Die Zuschauer
unten tief auf der Erde falten atemlos unwillkürlich
die Hände, die Dohlen, die er von ihrem letzten
10 Zufluchtsorte verscheucht, krächzen wildflatternd
um sein Haupt; nur die Wolken am Himmel gehen
unberührt ihren Pfad über ihn hin. Nur die Wolken?
Nein. Der kühne Mann auf der Leiter geht so
unberührt wie sie. Er ist kein eitler Waghals, der
15 frevelnd von sich reden machen will; er geht seinen
gefährlichen Pfad in seinem Berufe. Er weiß, die
Leiter ist fest; er selbst hat das fliegende Gerüst
gebaut, er weiß, es ist fest; er weiß, sein Herz ist stark
und sein Tritt ist sicher. Er sieht nicht hinab, wo
20 die Erde mit grünen Armen lockt, er sieht nicht
hinauf, wo vom Zug der Wolken am Himmel der
tödliche Schwindel herabtaumeln kann auf sein
festes Auge. Die Mitte der Sprossen ist die Bahn
seines Blickes, und oben steht er. Es gibt keinen
25 Himmel und keine Erde für ihn als die Helmstange
und die Leiter, die er mit seinem Tau zusammen-
knüpft. Der Knoten ist geschlungen; die Zuschauer
atmen auf und rühmen auf allen Straßen den
kühnen Mann und sein Tun hoch oben zwischen
30 Himmel und Erde.

ER war fertig. Blendend glänzte die neue
Blechzier in der Sonne um die dunkle Fläche
des Schieferdachs. Flaschenzug, Fahrzeug und
Leiter waren entfernt; die Arbeiter, die die
Leiter während des Herabsteigens gehalten, 5
waren gegangen. Apollonius hatte die fliegende
Rüstung und die Stangen, worauf sie geruht, vom
Dachgebälke abgelöst und stand allein auf dem
schmalen Brette, das den Weg vom Balkenkreuze
nach der Ausfahrtür hin bildete. Er stand sinnend. 10
Es war ihm, als hätte er irgendwo Nägel einzuschlagen vergessen. Ein heimlicher hastiger Schritt
tönte unter ihm die Turmtreppe herauf. Er achtete
nicht darauf, denn eben sah er im Schieferkasten
eine zurückgebliebene Bleiplatte liegen. Er hatte 15
nur so viel Bleibleche mit sich heraufgenommen als
er brauchte; eine war also von ihm vergessen worden;
in der Zerstreuung hatte er eine Befestigungsstelle
übergangen. Aus der Ausfahrtür sah er an der
Turmdachfläche hinab und hinauf. War der Fehler 20
auf dieser Turmseite geschehen, so ließ er sich
vielleicht ohne Fahrzeug bessern. Er brauchte vielleicht nur die Leiter um zu der Stelle zu kommen.
Und so war es auch. Etwa sechs Fuß hoch über
ihm hatte er die Schieferplatte herausgenommen, 25
aber vergessen sie durch die Bleiplatte zu ersetzen
und die Blechguirlande mit Nägeln darauf zu befestigen. Unterdes waren die heimlichen Schritte
immer näher gekommen; jetzt hatte der Eilende
das Ende der Steintreppen erreicht und stieg die 30
Leitertreppe nach dem Dachgebälke herauf. Die

Uhr unter ihm hob aus. Es war auf zwei. Apollonius
hatte noch nicht Mittag gemacht; aber war er in
seiner Arbeit einem Fehler auf die Spur gekommen,
dann ließ es ihm nicht Ruh', bis er ihn entfernt hatte.
5 Er war zurückgegangen um die Leiter herbeizuholen.
Diese lag neben dem Fahrzeug auf dem Balken.
Da, indem er sich darnach herabbeugt, fühlt er sich
ergriffen und mit wilder Gewalt nach der Ausfahrtür zugeschoben. Unwillkürlich faßt er mit der
10 Rechten die untere Kante eines Balkens seitwärts
über ihm; mit der Linken sucht er vergebens nach
einem Halt. Durch diese Bewegung wendet er sich
dem Angreifer zu. Entsetzt sieht er in ein verzerrtes
Gesicht. Es ist das wildbleiche Gesicht seines
15 Bruders. Er hat keine Zeit sich zu fragen, wie das
jetzt hierher kommt.

   „Was willst du?" ruft er. Ein wahnwitziges Lachen
antwortet ihm: „Du sollst sie allein haben, oder
mit hinunter!" „Fort!" ruft der Bedrohte. Mit
20 seiner ganzen Kraft stößt er mit der freien Hand
den Drängenden zurück. „Zeigst du endlich dein
wahres Gesicht?" höhnt dieser noch wütender. „Von
jeder Stelle hast du mich verdrängt, wo ich stand;
nun ist die Reihe an mir. Auf deinem Gewissen
25 sollst du mich haben. Wirf mich hinunter, oder du
sollst mit!" Apollonius sieht keine Rettung. Die
Hand erlahmt, mit der er sich nur mühsam
anhält an der scharfen Kante des starken Balkens.
Er muß den Bruder mit seiner ganzen Kraft an den
30 Armen fassen, ihn herumdrehen und hinunter-
stürzen, oder der Bruder reißt ihn mit hinunter.
Doch ruft er: „Ich nicht!" „Gut!" stöhnt jener.
„Auch das willst du auf mich wälzen! Auch dazu

471

willst du mich bringen! Nun ist's mit deiner Scheinheiligkeit am End'!" Apollonius würde einen andern Halt suchen, wüßte er nicht, der Bruder benutzt den Augenblick, wo er den alten läßt. Und schon stürzt der mit wildem Anlauf heran. Apollo- 5 nius' Hand rutscht von der Balkenkante ab. Er ist verloren, findet er keinen neuen Halt. Er kann vielleicht im Sprunge den Balken mit beiden Händen umfassen, aber dann stürzt den Bruder die Gewalt des eignen Anlaufes durch die Tür. Da sieht er im 10 Geiste den alten stolzen Vater, sie und die Kinder; ihm kommt das Wort, das er sich gab; er ist der einzige Halt der Seinen: er muß leben. Ein Schwung, und er hat den Balken im Arme. In demselben Augenblicke stürzt der Bruder vorbei. Die Gewichte 15 tief unter ihnen rasseln, und es schlägt zwei Uhr. Die Dohlen, die der Kampf aus ihrer Ruhe gestört, schießen wild hernieder bis zur Aussteigetür und schweben in krächzender Wolke dort. Tief unter ihnen hört man den Fall eines schweren Körpers auf 20 dem Straßenpflaster. Ein Aufschrei schallt zugleich von allen Seiten. Bleiche lebende Gesichter sehen auf ein bleicheres totes herab, das blutig auf dem Straßenpflaster liegt.

Zwischen Himmel und Erde (1857)

FRIEDRICH HEBBEL

1813–63

210   *Qualen einer regen Phantasie*

SCHON in der frühesten Zeit war die Phantasie 25 außerordentlich stark in mir. Wenn ich des Abends zu Bett gebracht wurde, so fingen die

Balken über mir zu kriechen an; aus allen Ecken und
Winkeln des Zimmers glotzten Fratzengesichter
hervor, und das Vertrauteste, ein Stock auf dem
ich selbst zu reiten pflegte, ja die eigene Bettdecke
5 mit ihren Blumen und Figuren, wurden mir fremd
und jagten mir Schrecken ein. Aber auch am Tage
war die Phantasie ungewöhnlich und vielleicht
krankhaft rege in mir. Häßliche Menschen zum
Beispiel erfüllten mich mit Grauen. Ich konnte
10 keinen Knochen sehen und begrub auch den
kleinsten, der sich in unserem Gärtchen entdecken
ließ, ja ich merzte später in Susannas Schule das
Wort Rippe aus meinem Katechismus aus, weil es
mir den eklen Gegenstand, den es bezeichnete,
15 immer so lebhaft vergegenwärtigte, als ob er selbst
in widerwärtiger Modergestalt vor mir läge. Dagegen war mir aber auch ein Rosenblatt, das der
Wind mir über den Zaun zuwehte, so viel und mehr,
wie anderen die Rose selbst, und Wörter wie Tulpe
20 und Lilie, wie Kirsche und Aprikose, wie Apfel und
Birne, versetzten mich unmittelbar in Frühling,
Sommer und Herbst hinein, so daß ich die Fibel-
stücke, in denen sie vorkamen, vor allen gern laut
buchstabierte und mich jedesmal ärgerte, wenn die
25 Reihe mich nicht traf. Ich sollte einmal zu Mittag
eine Semmel holen, die Bäckersfrau reichte sie mir
und gab mir zugleich in großmütiger Laune einen
alten Nußknacker, der sich beim Aufräumen irgendwo vorgefunden haben mochte. Ich hatte noch nie
30 einen Nußknacker gesehen, ich kannte keine seiner
verborgenen Eigenschaften und nahm ihn hin wie
jede andere Puppe, die sich durch rote Backen und
glotzende Augen empfahl. Vergnügt den Rückweg

antretend und den Nußknacker als neugewonnenen
Liebling zärtlich an die Brust drückend, bemerkte
ich plötzlich, daß er den Rachen öffnet und mir zum
Dank für die Liebkosung seine grimmigen weißen
Zähne zeigt. Man male sich meinen Schreck aus! 5
Ich kreischte hell auf, ich rannte wie gehetzt über
die Straße, aber ich hatte nicht so viel Besinnung
oder Mut den Unhold von mir zu werfen, und da
er während des Laufens sein Maul bald schloß bald
wieder aufriß, so konnte ich nicht umhin ihn für 10
lebendig zu halten, und kam halb tot zu Hause an.

Bei Nacht gipfelte die Tätigkeit meiner gärenden
Phantasie in einem Traum, der so ungeheuerlich war
und einen solchen Eindruck in mir zurückließ, daß
er siebenmal hintereinander wiederkehrte. Mir war, 15
als hätte der liebe Gott, von dem ich schon so
manches gehört hatte, zwischen Himmel und Erde
ein Seil ausgepannt, mich hineingesetzt und sich
daneben gestellt um mich zu schaukeln. Nun flog
ich denn ohne Rast und Aufenthalt in Schwindel 20
erregender Eile hinauf und hinunter; jetzt war ich
hoch in den Wolken, die Haare flatterten mir im
Winde, ich hielt mich krampfhaft fest und schloß
die Augen; jetzt war ich dem Boden wieder so nah,
daß ich den gelben Sand sowie die kleinen roten und 25
weißen Steinchen deutlich erblicken, ja mit den
Fußspitzen erreichen konnte. Dann wollte ich mich
herauswerfen, aber das kostete doch einen Entschluß, und bevor es mir gelang, ging's wieder in
die Höhe, und mir blieb nichts übrig als abermals 30
ins Seil zu greifen, um nur nicht zu stürzen und
zerschmettert zu werden. Die Woche, in welche
dieser Traum fällt, war vielleicht die entsetzlichste

meiner Kindheit, denn die Erinnerung an ihn verließ mich den ganzen Tag nicht, und da ich, sowie
ich trotz meines Sträubens zu Bett gebracht wurde,
die Angst vor seiner Wiederkehr gleich mit hinein,
5 ja unmittelbar mit in den Schlaf hinüber nahm, so
war es kein Wunder, daß er sich auch immer wieder
einstellte.

Aus meiner Jugend (1854)

211 *Über das Drama*

D AS Drama stellt den Lebensprozeß an sich dar.
Und zwar nicht bloß in dem Sinne, daß es uns
10 das Leben in seiner ganzen Breite vorführt, was die
epische Dichtung sich ja wohl auch zu tun erlaubt,
sondern in dem Sinne, daß es uns das bedenkliche
Verhältnis vergegenwärtigt, worin das aus dem
ursprünglichen Nexus entlassene Individuum dem
15 Ganzen, dessen Teil es trotz seiner unbegreiflichen
Freiheit noch immer geblieben ist, gegenübersteht.
Das Drama ist demnach, wie es sich für die höchste
Kunstform schicken will, auf gleiche Weise ans
Seiende wie ans Werdende verwiesen. Ans Seiende,
20 indem es nicht müde werden darf die ewige Wahrheit zu wiederholen, daß das Leben als Verein-
zelung, die nicht Maß zu halten weiß, die Schuld
nicht bloß zufällig erzeugt, sondern sie notwendig
und wesentlich mit einschließt und bedingt. Ans
25 Werdende, indem es an immer neuen Stoffen, wie
die wandelnde Zeit und ihr Niederschlag, die Geschichte, sie ihm entgegenbringt, darzutun hat, daß
der Mensch, wie die Dinge um ihn her sich auch
verändern mögen, seiner Natur und seinem Geschick

nach ewig derselbe bleibt. Hiebei ist nicht zu übersehen, daß die dramatische Schuld nicht wie die christliche Erbsünde erst aus der Richtung des menschlichen Willens entspringt, sondern unmittelbar aus dem Willen selbst, aus der starren, eigenmächtigen Ausdehnung des Ichs, hervorgeht, und daß es daher dramatisch völlig gleichgültig ist, ob der Held an einer vortrefflichen oder einer verwerflichen Bewegung scheitert.

Den Stoff des Dramas bilden Fabel und Charaktere. Von jener wollen wir hier absehen, denn sie ist, wenigstens bei den Neueren, ein untergeordnetes Moment geworden, wie jeder, der etwa zweifelt, sich klar machen kann, wenn er ein Shakespearesches Stück zur Hand nimmt und sich fragt, was wohl den Dichter entzündet hat — die Geschichte oder die Menschen, die er auftreten läßt. Von der allergrößten Wichtigkeit dagegen ist die Behandlung der Charaktere. Diese dürfen in keinem Fall als fertige erscheinen, die nur noch allerlei Verhältnisse durch- und abspielen und wohl äußerlich an Glück oder Unglück, nicht aber innerlich an Kern und Wesenhaftigkeit gewinnen und verlieren können. Dies ist der Tod des Dramas, der Tod vor der Geburt. Nur dadurch, daß es uns veranschaulicht, wie das Individuum im Kampf zwischen seinem persönlichen und dem allgemeinen Weltwillen, der die Tat, den Ausdruck der Freiheit, immer durch die Begebenheit, den Ausdruck der Notwendigkeit, modifiziert und umgestaltet, seine Form und seinen Schwerpunkt gewinnt, und daß es uns so die Natur alles menschlichen Handelns klar macht, das beständig, so wie es ein inneres Motiv zu

manifestieren sucht, zugleich ein widerstrebendes,
auf Herstellung des Gleichgewichts berechnetes
äußeres entbindet — nur dadurch wird das Drama
lebendig. Und obgleich die zugrunde gelegte Idee,
5 von der die hier vorausgesetzte Würde des Dramas
und sein Wert abhängt, den Ring abgibt, innerhalb
dessen sich alles planetarisch regen und bewegen
muß, so hat der Dichter doch im gehörigen Sinn
und unbeschadet der wahren Einheit für Verviel-
10 fältigung der Interessen oder richtiger für Vergegen-
wärtigung der Totalität des Lebens und der Welt
zu sorgen und sich wohl zu hüten alle seine Charaktere, wie dies in den sogenannten lyrischen Stücken
öfters geschieht, dem Zentrum gleich nahe zu
15 stellen. Das vollkommenste Lebensbild entsteht dann,
wenn der Hauptcharakter das für die Neben- und
Gegencharaktere wird, was das Geschick, mit dem
er ringt, für ihn ist, und wenn sich auf solche Weise
alles, bis zu den untersten Abstufungen herab, in-,
20 durch-, und miteinander entwickelt, bedingt und
spiegelt.

Mein Wort über das Drama (1843)

212 *Helgoland*

WIR hatten contrairen Wind und brauchten
deshalb etwas länger Zeit wie gewöhnlich;
gegen sechs Uhr abends tauchte der rötlich ge-
25 sprenkelte Fels aber vor uns auf. Denken Sie sich
einen kolossalen steinernen Würfel, notdürftig mit
Erde bedeckt, so daß Kartoffeln und Rüben eben
gedeihen; überall steil abschüssig, vielfach zerklüftet,
und Sie haben Helgoland vor sich. Denken Sie sich

ein emsiges Völkchen dazu, das sich in ewiger Rührsamkeit ameisenhaft anklammert, als ob von dem ganzen großen Planeten nur noch dieser kleine, dem Zerbröckeln nahe Rest übrig geblieben wäre, und Sie sehen die Helgoländer. Nirgends wird mehr 5 eingesetzt um weniger zu gewinnen als hier, aber gerade die schmale Situation ist dem Durchschnittsmenschen am zuträglichsten, und darum haben die hiesigen Fischer und Schiffer mehr Rundes und Abgeschlossenes als alle Dichter und Philosophen 10 zusammengenommen. Mich begünstigte das Wetter ausnehmend; es veränderte sich jeden Augenblick, und so hatte ich Gelegenheit Insel und Meer während meines kurzen Aufenthalts in allen möglichen Schattierungen kennen zu lernen. Den ersten 15 Tag erlebte ich einen Sturm, der die Bänke auf dem Oberland umstürzte, obgleich sie in die Erde eingegraben sind, und die Schafe, die der Milch wegen zahlreich gehalten werden, fast herunter gefegt hätte. Mit Entzücken sah ich, auf die einzige alte 20 Kanone gelehnt, durch die England sich hier gegen das mächtige Deutschland verteidigt, dem tobenden Wogenspiel zu meinen Füßen stundenlang zu. Die Nordsee ist ja auch meine Amme, wenn sie an der dithmarsischen Küste ihr wildes Zerstörungslied 25 auch nicht ganz so grausenhaft singt, und sie mag mehr Gewalt über mich haben als ich selbst weiß, denn ich höre sie viel zu gern, als daß ich ihr nicht unbewußt nachlallen sollte. Diesmal erleichterte sie mich: auf einem Schlachtfeld tut niemandem 30 der Finger mehr weh, und wer einem Kampf zwischen der Erde und dem Meer zuschaut, dem löst sich die Spannung in der eignen Brust. Der

Abend spannte einen Regenbogen über die Insel
wie ich nie einen ähnlichen erblickte, und der
folgende Tag endigte mit einem herrlichen Sonnenuntergang.

5 Rührend und höchst charakteristisch für die
engen, knappen Verhältnisse der Insel schien mir
eine Anekdote, die mir ein geborener Helgoländer,
der seinem Felsen treu geblieben ist, mitteilte. Eine
alte Frau kommt in ihrem Leben zum ersten Mal
10 aufs feste Land. „Mein Gott, mein Gott," ruft sie
mit Tränen aus, „wie groß ist Deine Welt!"

Reisebriefe (1853)

RICHARD WAGNER
1813–83

213 *„Ich beschloß Musiker zu werden"*

ICH heiße Wilhelm Richard Wagner und bin den
22. Mai 1813 in Leipzig geboren. Mein Vater
war Polizeiaktuarius und starb ein halbes Jahr nach
15 meiner Geburt. Mein Stiefvater, Ludwig Geyer,
war Schauspieler und Maler; er hat auch einige
Lustspiele geschrieben, worunter das eine *Der
bethlehemitische Kindermord* Glück machte; mit ihm
zog meine Familie nach Dresden. Er wollte, ich
20 sollte Maler werden; ich war aber sehr ungeschickt
im Zeichnen. Auch mein Stiefvater starb zeitig —
ich war erst sieben Jahr. Kurz vor seinem Tode
hatte ich: „Üb' immer Treu und Redlichkeit" und
den damals ganz neuen „Jungfernkranz" auf dem
25 Klavier spielen gelernt: einen Tag vor seinem Tode
mußte ich ihm beides im Nebenzimmer vorspielen;
ich hörte ihn da mit schwacher Stimme zu meiner

479

Mutter sagen: „Sollte er vielleicht Talent zur Musik haben?" Am frühen Morgen, als er gestorben war, trat die Mutter in die Kinderstube, sagte jedem der Kinder etwas, und mir sagte sie: "Aus Dir hat er etwas machen wollen." Ich entsinne mich, daß ich mir lange Zeit eingebildet habe, es würde etwas aus mir werden. — Ich kam mit meinem neunten Jahr auf die Dresdner Kreuzschule: ich wollte studieren, an Musik wurde nicht gedacht; zwei meiner Schwestern lernten gut Klavier spielen, ich hörte ihnen zu, ohne selbst Klavierunterricht zu erhalten. Nichts gefiel mir so wie *Der Freischütz*; ich sah Weber oft vor unserm Hause vorbeigehen, wenn er aus den Proben kam; stets betrachtete ich ihn mit heiliger Scheu. Ein Hauslehrer, der mir den Cornelius Nepos explizierte, mußte mir endlich auch Klavierstunden geben; kaum war ich über die ersten Fingerübungen hinaus, so studierte ich mir heimlich, zuerst ohne Noten, die Ouvertüre zum *Freischütz* ein; mein Lehrer hörte das einmal und sagte: aus mir würde nichts. Er hatte recht, ich habe in meinem Leben nicht Klavierspielen gelernt. Nun spielte ich nur noch für mich, nichts wie Ouvertüren und mit dem greulichsten Fingersatze. Es war mir unmöglich eine Passage rein zu spielen, und ich bekam deshalb einen großen Abscheu vor allen Läufen. Von Mozart liebte ich nur die Ouvertüre zur *Zauberflöte*; *Don Juan* war mir zuwider, weil da italienischer Text darunter stand; er kam mir so läppisch vor.

Diese Beschäftigung mit Musik war aber nur große Nebensache; Griechisch, Lateinisch, Mythologie und alte Geschichte waren die Hauptsache.

Ich machte auch Gedichte. Einmal starb einer
unsrer Mitschüler, und von den Lehrern wurde an
uns die Aufgabe gestellt auf seinen Tod ein Gedicht
zu machen; das beste sollte gedruckt werden: — das
5 meine wurde gedruckt, jedoch erst, nachdem ich
vielen Schwulst daraus entfernt hatte. Ich war
damals elf Jahre alt. Nun wollte ich Dichter
werden; ich entwarf Trauerspiele nach dem Vorbild
der Griechen; dabei galt ich in der Schule für einen
10 guten Kopf *in litteris*: schon in Tertia hatte ich die
ersten zwölf Bücher der Odyssee übersetzt. Einmal
lernte ich auch Englisch, und zwar bloß um Shakespeare ganz genau kennen zu lernen: ich übersetzte
Romeos Monolog metrisch. Das Englische ließ ich
15 bald wieder liegen, Shakespeare aber blieb mein
Vorbild. Ich entwarf ein großes Trauerspiel, welches
ungefähr aus *Hamlet* und *Lear* zusammengesetzt
war; der Plan war äußerst großartig: zweiundvierzig
Menschen starben im Verlaufe des Stückes, und ich
20 sah mich bei der Ausführung genötigt die meisten
als Geister wiederkommen zu lassen, weil mir sonst
in den letzten Akten die Personen ausgegangen wären.
Dieses Stück beschäftigte mich zwei Jahre lang.
Ich verließ darüber Dresden und kam nach Leipzig.
25 Auf der dortigen Nikolaischule setzte man mich nach
Tertia, nachdem ich auf der Dresdner Kreuzschule
schon in Sekunda gesessen; dieser Umstand erbitterte
mich so sehr, daß ich von da an alle Liebe zu den
philologischen Studien fahren ließ. Ich ward faul
30 und liederlich, bloß mein großes Trauerspiel lag mir
noch am Herzen. Während ich dieses vollendete,
lernte ich in den Leipziger Gewandhauskonzerten
zuerst Beethovensche Musik kennen; ihr Eindruck

auf mich war allgewaltig. Auch mit Mozart be-
freundete ich mich, zumal durch sein *Requiem.*
Beethovens Musik zu *Egmont* begeisterte mich so,
daß ich um alles in der Welt mein fertig gewordenes
Trauerspiel nicht anders vom Stapel laufen lassen 5
wollte als mit einer ähnlichen Musik versehen. Ich
traute mir ohne alles Bedenken zu, diese so nötige
Musik selbst schreiben zu können, hielt es aber doch
für gut mich zuvor über einige Hauptregeln des
Generalbasses aufzuklären. Um dies im Fluge zu 10
tun, lieh ich mir auf acht Tage Logiers Methode
des Generalbasses und studierte mit Eifer darin.
Das Studium trug aber nicht so schnelle Früchte
als ich glaubte; die Schwierigkeiten desselben
reizten und fesselten mich; — ich beschloß Musiker 15
zu werden.

Autobiographische Skizze (1843)

214   *Ouvertüre für großes Orchester*

WÄHREND dem war mein großes Trauerspiel
von meiner Familie entdeckt worden; sie
geriet in große Betrübnis, weil am Tage lag, daß ich
darüber meine Schulstudien auf das gründlichste 20
vernachlässigt hatte, und ich ward somit zu fleißiger
Fortsetzung derselben streng angehalten. Die heimliche Erkenntnis meines Berufes zur Musik ver-
schwieg ich unter solchen Umständen, komponierte
nichtsdestoweniger aber in aller Stille eine Sonate, 25
ein Quartett und eine Arie. Als ich mich in meinem
musikalischen Privatstudium hinlänglich herange-
reift fühlte, trat ich endlich mit der Entdeckung
desselben hervor. Natürlich hatte ich nun harte

Kämpfe zu bestehen, da die Meinigen auch meine
Neigung zur Musik nur für eine flüchtige Leidenschaft halten mußten, um so mehr, da sie durch
keine Vorstudien, besonders durch etwa bereits
5 erlangte Fertigkeit auf einem Instrument, gerecht-
fertigt war. Ich war damals in meinem sechzehnten
Jahre und zumal durch die Lektüre Hoffmanns zum
tollsten Mystizismus aufgeregt: am Tage, im Halb-
schlafe hatte ich Visionen, in denen mir Grundton,
10 Terz und Quinte leibhaft erschienen und mir ihre
wichtige Bedeutung offenbarten; was ich auf-
schrieb, starrte von Unsinn. Endlich wurde mir der
Unterricht eines tüchtigen Musikers zugeteilt; der
arme Mann hatte große Not mit mir. Was konnte
15 für die Meinigen betrübender sein als zu erfahren,
daß ich auch in diesem Studium mich nachlässig
und unordentlich erwies? Mein Lehrer schüttelte
den Kopf, und es kam so heraus, als ob auch hier
nichts Gescheites aus mir werden würde. Meine
20 Lust zum Studium erlahmte immer mehr, und ich
zog vor Ouvertüren für großes Orchester zu
schreiben, von denen eine einmal im Leipziger
Theater aufgeführt wurde. Diese Ouvertüre war
der Kulminationspunkt meiner Unsinnigkeiten; ich
25 hatte sie eigentlich zum näheren Verständnis des-
jenigen, der die Partitur etwa studieren wollte, mit
drei verschiedenen Tinten schreiben wollen, die
Streichinstrumente rot, die Holzblasinstrumente
grün und die Blechinstrumente schwarz. Beethovens
30 neunte Symphonie sollte eine Pleyelsche Sonate
gegen diese wunderbar kombinierte Ouvertüre sein.
Bei der Aufführung schadete mir besonders ein
durch die ganze Ouvertüre regelmäßig alle vier

Takte wiederkehrender Paukenschlag im Fortissimo:
das Publikum ging aus anfänglicher Verwunderung
über die Hartnäckigkeit des Paukenschlägers in un-
verhohlenen Unwillen, dann aber in eine mich tief
betrübende Heiterkeit über.   5

Autobiographische Skizze (1843)

215   *Geplanter Besuch bei Beethoven*

ICH weiß nicht recht, wozu man mich eigentlich
bestimmt hatte, nur entsinne ich mich, daß ich
eines Abends zum ersten Male eine Beethovensche
Symphonie aufführen hörte, daß ich darauf Fieber
bekam, krank wurde und, als ich wieder genesen, 10
Musiker geworden war. Aus diesem Umstande mag
es wohl kommen, daß, wenn ich mit der Zeit wohl
auch andre schöne Musik kennen lernte, ich doch
Beethoven vor allem liebte, verehrte und anbetete.
Ich kannte keine Lust mehr als mich so ganz in die 15
Tiefe dieses Genius zu versenken, bis ich mir endlich
einbildete ein Teil desselben geworden zu sein, und
als dieser kleinste Teil fing ich an mich selbst zu
achten, höhere Begriffe und Ansichten zu bekommen, kurz das zu werden, was die Gescheiten 20
gewöhnlich einen Narren nennen. Mein Wahnsinn
war aber sehr gutmütiger Art und schadete niemandem; das Brot, das ich in diesem Zustande aß, war
sehr trocken, und der Trank, den ich trank, sehr
wässerig, denn Stundengeben wirft bei uns nicht viel 25
ab. So lebte ich einige Zeit in meinem Dach-
stübchen, als mir eines Tages einfiel, daß der Mann,
dessen Schöpfungen ich über alles verehrte, ja noch
lebe. Es war mir unbegreiflich, bis dahin noch

nicht daran gedacht zu haben. Mir war nicht eingefallen, daß Beethoven vorhanden sein, daß er Brot
essen und Luft atmen könne wie unsereins. Dieser
Beethoven lebte ja aber in Wien und war auch ein
5 armer deutscher Musiker!

Nun war es um meine Ruhe geschehen! Alle
meine Gedanken wurden zu dem einen Wunsch:
Beethoven zu sehen. Kein Muselmann verlangte
gläubiger nach dem Grabe seines Propheten zu
10 wallfahrten als ich nach dem Stübchen, in dem
Beethoven wohnte. Wie aber es anfangen, um mein
Vorhaben ausführen zu können? Nach Wien war
eine große Reise, und es bedurfte Geld dazu; ich
Armer gewann aber kaum genug um das Leben zu
15 fristen! Da mußte ich denn außerordentliche Mittel
ersinnen um mir das nötige Reisegeld zu verschaffen.
Einige Klaviersonaten, die ich nach dem Vorbilde
des Meisters komponiert hatte, trug ich hin zum
Verleger; der Mann machte mir mit wenigen Worten
20 klar, daß ich ein Narr sei mit meinen Sonaten; er
gab mir aber den Rat, daß, wollte ich mit der Zeit
durch Kompositionen ein paar Taler verdienen, ich
anfangen sollte durch Galopps und Potpourris mir
ein kleines Renommee zu machen. Ich schauderte,
25 aber meine Sehnsucht Beethoven zu sehen siegte;
ich komponierte Galopps und Potpourris, konnte
aber in dieser Zeit aus Scham mich nie überwinden
einen Blick auf Beethoven zu werfen. Zu meinem
Unglück bekam ich aber diese ersten Opfer meiner
30 Unschuld noch gar nicht bezahlt, denn mein Verleger
erklärte mir, daß ich mir erst einen Namen machen
müßte. Ich schauderte wiederum und fiel in Verzweiflung. Diese Verzweiflung brachte aber einige

vortreffliche Galopps hervor. Wirklich erhielt ich
Geld dafür, und endlich glaubte ich genug gesammelt
zu haben, um damit mein Vorhaben auszuführen.
Wer war seliger als ich? Ich konnte mein Bündel
schnüren und zu Beethoven wandern. Gern hätte 5
ich mich wohl in eine Diligence gesetzt, nicht weil
ich die Strapazen des Fußgehens scheute (o, welche
Mühseligkeiten hätte ich nicht freudig für dieses
Ziel ertragen!), sondern weil ich auf diese Art
schneller zu Beethoven gelangt wäre. Um aber 10
Fuhrlohn zahlen zu können, hatte ich noch zu wenig
für meinen Ruf als Galoppkomponist getan. Somit
ertrug ich alle Beschwerden und pries mich glücklich so weit zu sein, daß sie mich ans Ziel führen
könnten. O, was schwärmte ich, was träumte ich! 15
Kein Liebender konnte seliger sein, der nach langer
Trennung zur Geliebten seiner Jugend zurückkehrt.

Novellen und Aufsätze (1840)

216 *Vom Zusammenwirken aller Künste im Drama*

DAS höchste gemeinsame Kunstwerk ist das
Drama; nach seiner möglichen Fülle kann es
nur vorhanden sein, wenn in ihm jede Kunstart in 20
ihrer höchsten Fülle vorhanden ist. Die Absicht
jeder einzelnen Kunstart wird nur im Zusammen-
wirken aller Kunstarten vollständig erreicht.

Die Architektur kann keine höhere Absicht
haben als einer Genossenschaft sich darstellender 25
Menschen die räumliche Umgebung zu schaffen, die
dem Kunstwerke zu seiner Kundgebung notwendig
ist. Nur dasjenige Bauwerk ist nach Notwendigkeit

errichtet, das einem Zwecke des Menschen am dien-
lichsten entspricht: der höchste Zweck des Menschen
ist der künstlerische, der höchste künstlerische das
Drama. Im gewöhnlichen Nutzgebäude hat der
5 Baukünstler nur dem niedrigsten Zwecke der
Menschheit zu entsprechen. Bei der Konstruktion
des Gebäudes hingegen, das einzig einem gemeinsamen künstlerischen Zwecke entsprechen soll, also
des Theaters, hat der Baukünstler einzig nach den
10 Rücksichtnahmen auf das Kunstwerk zu verfahren.

Aber auch das üppigste Gemäuer von Stein ge-
nügt allein dem dramatischen Kunstwerke nicht zur
vollkommen entsprechenden räumlichen Bedingung
seines Erscheinens. Die Szene, die dem Zuschauer
15 das Bild des menschlichen Lebens vorführen soll,
muß zum vollen Verständnisse des Lebens auch das
lebendige Abbild der Natur darzustellen vermögen,
in welchem der künstlerische Mensch erst ganz als
solcher sich geben kann. Die Wände dieser Szene,
20 die kalt und teilnahmlos auf den Künstler herab und
zu dem Publikum hin starren, müssen sich mit den
frischen Farben der Natur schmücken, um würdig
zu sein an dem menschlichen Kunstwerk teilzu-
nehmen. Die Architektur fühlt hier ihre Schranke
25 und wirft sich liebebedürftig der Malerkunst in die
Arme.

Auf die Bühne des Architekten und Malers tritt
nun der künstlerische Mensch. Was Bildhauer und
Maler in Stein und auf Leinwand zu bilden sich
30 mühten, das bildet dieser nun an sich, an seiner
Gestalt, den Gliedern seines Leibes, den Zügen
seines Antlitzes zu bewußtem künstlerischem Leben.
Derselbe Sinn, der den Bildhauer leitete im Wieder-

geben der menschlichen Gestalt, leitet den Darsteller nun im Gebaren seines Körpers. Dasselbe Auge, das den Maler in Zeichnung und Farbe, bei Anordnung der Gewänder und Aufstellung der Gruppen das Schöne, Anmutige und Charakteristische finden ließ, ordnet nun die Fülle menschlicher Erscheinung.

Nicht eine Fähigkeit der einzelnen Künste wird in dem Gesamtkunstwerke der Zukunft unbenutzt verbleiben, gerade in ihm erst wird sie zur vollen Geltung gelangen. So wird namentlich auch die in der Instrumentalmusik so eigentümlich mannigfaltig entwickelte Tonkunst nach ihrem reichsten Vermögen in diesem Kunstwerke sich entfalten können, ja sie wird die mimische Tanzkunst wiederum zu ganz neuen Erfindungen anregen, wie nicht minder den Atem der Dichtkunst zu ungeahnter Fülle ausdehnen. In ihrer Einsamkeit hat die Musik sich aber ein Organ gebildet, welches des unermeßlichsten Ausdruckes fähig ist, und dies ist das Orchester. Die Tonsprache Beethovens, durch das Orchester in das Drama eingeführt, ist ein ganz neues Moment für das dramatische Kunstwerk. Vermögen die Architektur und namentlich die szenische Malerei den darstellenden dramatischen Künstler in die Umgebung der physischen Natur zu stellen und ihm einen reichen und beziehungsvollen Hintergrund zu geben, so ist im Orchester dem darstellenden Menschen ein unversiegbarer Quell menschlichen Naturelementes zur Unterlage gegeben. Das Orchester ist, so zu sagen, der Boden gemeinsamen Gefühles, aus dem das individuelle Gefühl des einzelnen Darstellers zur höchsten Fülle herauszuwachsen vermag. *Das Kunstwerk der Zukunft* (1850)

488

GUSTAV FREYTAG

1816–95

217 *Die Angestellten der Firma Schröter*

DER Buchhalter, Herr Liebold, thronte als
geheimer Minister des Hauses an einem Fenster
des zweiten Comptoirs in einsamer Majestät und
geheimnisvoller Tätigkeit. Unaufhörlich schrieb er
5 Zahlen in ein ungeheures Buch und sah nur selten
von seinen Ziffern auf, wenn sich ein Sperling auf
die Gitterstäbe des Fensters setzte, oder wenn ein
Sonnenstrahl die eine Fensterecke mit gelbem
Glanze überzog. Mit der Ruhe seiner Ecke kon-
10 trastierte die ewige Rührigkeit in der entgegen-
gesetzten. Dort waltete in besonderem Verschlage
der zweite Würdenträger, der Kassierer Purzel,
umgeben von schweren Geldschränken und einem
großen Tisch mit einer Steinplatte. Auf diesem
15 Tische klangen die Taler, klirrte das goldene Blech
der Dukaten, flatterte geräuschlos das graue Papier-
geld vom Morgen bis zum Abend. Alles hatte in der
Seele des Herrn Purzel eine eisenfeste unveränder-
liche Stellung: unser Herrgott, die Firma, der große
20 Geldkasten, der Wachsstock, das Petschaft. Jeden
Morgen begann er seine Amtstätigkeit damit, daß
er die Kreide ergriff und einen weißen Punkt auf
den Tisch malte, um der Kreide selbst die Stelle zu
bezeichnen, wo sie sich den Tag über aufzuhalten
25 hatte. Aber die größte Tätigkeit unter allen, eine
absolute Feldherrntätigkeit, entwickelte Herr Pix.
Er war der Gott aller Kleinkrämer aus der Provinz,
die ihre laufenden Rechnungen hatten, galt bei
ihnen für den Chef des Hauses und erwies ihnen

dafür die Ehre sich um ihre Frauen und Kinder zu
bekümmern. Er regierte ein halbes Dutzend Hausknechte und eben so viele Auflader, schalt die
Fuhrleute, kannte und wußte alles. Außerdem
besaß Herr Pix zwei Eigenschaften von wahrhaft 5
wissenschaftlicher Bedeutung: er konnte von jedem
Häufchen Kaffeebohnen angeben, in welchem Lande
dasselbe gewachsen war und vermochte leere Räume
im Hause eben so wenig zu vertragen wie die Luft
und die Philosophie einen leeren Raum vertragen 10
wollen. Was aber Herrn Pix in dem Auge der Mit-
welt das größte Ansehen gab, das waren die Riesen,
welche um die große Wage herum nach seinem
Befehle schalteten, hohe breitschultrige Männer mit
herkulischer Kraft. Wenn sie die großen Tonnen 15
zuschlugen und rollten und mit Zentnern umgingen
wie gewöhnliche Menschen mit Pfunden, so erschienen sie wie die Überreste eines alten Volkes,
von dem die Märchen erzählen, daß es einst auf
deutschem Boden gehaust und mit turmhohen 20
Felsblöcken Märmel gespielt habe.

Unter diesen Lederschürzen war Sturm wieder
der größte und stärkste, ein Mann, der enge Hinter-
gassen vermied, um seine Kleider nicht auf beiden
Mauerseiten zu reiben. Er wurde gerufen, wenn 25
eine Last so schwer war, daß seine Kameraden sie
nicht bewältigen konnten; dann stemmte er seine
Schulter an und schob die größten Fässer weg wie
Holzklötzchen. Er besaß ein einziges Kind, an dem
er mit großer Zärtlichkeit hing. Der Knabe hatte 30
seine Mutter früh verloren, und der Vater hatte
ihn als fünfzehnjährigen Burschen in der Handlung
von T. O. Schröter untergebracht. Karl Sturm trug

seine Lederschürze und seinen kleinen Haken wie
der Vater und war durch eigenes Verdienst zu
einem ausgedehnten Wirkungskreis gekommen. Er
wußte in jedem Winkel des Hauses Bescheid,
5 sammelte alle Bindfäden und Nägel, hob alles
Packpapier auf und unterstützte den Bedienten beim
Stiefelputzen. Immer guter Laune und nie um
Auskunft verlegen, war er ein Günstling aller
Parteien; die Auflader nannten ihn „unser Karl", und
10 der Vater wandte sich oft von seiner Arbeit ab, um
einen heimlichen Blick voll Stolz auf den Knaben
zu werfen. Nur in einem Punkte war er nicht mit
ihm zufrieden: Karl gab keine Hoffnung seinem
Vater in Größe und Stärke gleich zu werden. Er
15 war ein hübscher Bursch mit roten Wangen und
blondem Kraushaar, aber nach dem Gutachten
aller Riesen war für seine Zukunft keine andere als
eine mäßige Mittelgröße zu erwarten. So kam es,
daß der Vater ihn als eine Art Zwerg behandelte,
20 mit unaufhörlicher Schonung und nicht ohne
Wehmut. Er verbot seinem Sohne beim Aufladen
schwerer Frachtgüter anzugreifen, und wenn er
plötzlich von einem Vatergefühl ergriffen wurde, so
legte er die Hand vorsichtig auf den Kopf seines
25 Karls, in der unbestimmten Furcht, daß die Köpfe
von Zwergen nur die Dicke einer Eierschale hätten
und bei einem kräftigen Druck zerbrechen müßten.

Soll und Haben (1854)

218 *Der neue Rector Magnificus*

IM großen Saale der Universität war ein gewähltes
Publikum versammelt: Würdenträger der Re-
30 gierung und Stadt, Männer der Wissenschaft, hinter

ihnen die Studenten, welche ab- und zuströmend
die Tür des großen Portals in Bewegung erhielten.
Oben aber auf der Galerie saßen die Frauen der
Professoren, in der Mitte der ersten Reihe Ilse auf
dem Ehrenplatz. Heut war für Ilse ein großer Tag, 5
denn der Glanz der höchsten akademischen Würde
sank auf das Haupt ihres Gatten. Felix Werner war
zum Rector Magnificus gewählt und sollte hier sein
Amt antreten. In langem Zuge schritten die Lehrer
der Universität in den Saal, vor ihnen die Pedelle in 10
altertümlicher Amtstracht, große Scepter in der
Hand; die Herren selbst nach den Fakultäten geordnet. Die Theologie begann den Zug, und die
Philosophie schloß den Reigen, diese an Zahl der
Männer und Bedeutung die stärkste Abteilung, alle 15
zusammen aber bildeten eine stattliche Genossenschaft, neben einzelnen Nullen gingen hochbe-
rühmte Herren, auf welche das Land stolz sein
durfte, und es war eine Freude für jedermann so
viel gelehrtes Wissen körperlich versammelt zu sehen. 20
Nur die würdige Darstellung im Zuge gelang den
großen Geistern nicht, sie hielten schlecht Reihe,
mancher sah aus, als ob er mehr an seine Bücher
denke als an den Eindruck, welchen seine Gestalt
dem Publikum machen sollte; einer hatte sich gar 25
verspätet — er hieß Raschke — und kam sorglos und
vertraulich grüßend hinter den jüngsten Privat-
dozenten hergelaufen. Den Zug empfing ein lateinischer Gesang des akademischen Sängerchors, nicht
verständlich aber festlich. Die Professoren ordneten 30
sich auf ihren Sitzen, der bisherige Rector betrat
ein hohes, mit Blumen verziertes Katheder, hielt
zuerst eine gelehrte Rede über den Nutzen, welchen

vor längerer Zeit das unruhige Volk der Araber der
medizinischen Wissenschaft gebracht hat, und berichtete dann über die akademischen Ereignisse des
letzten Jahres. Der Vortrag war schön und alles
5 war sehr feierlich, die Ehrengäste der Stadt und der
Regierung saßen unbeweglich, die Professoren
hörten ergeben zu, die Studenten knarrten nur
wenig an der Tür, und wenn von dem gemalten
Plafond der Aula zuweilen die Langeweile ihre
10 großen Fledermausflügel gegen die Augen der
Zuhörer herabbewegte — Ilse merkte nichts davon.
Als Magnificus den Vortrag beendet hatte, bat er
mit einer zierlichen Handbewegung und den ver-
bindlichsten Worten seinen Nachfolger zu ihm auf
15 die Erhöhung zu steigen. Ilse errötete, als ihr Felix
das Katheder betrat. Der Rector nahm sein Barett
ab, die goldene Kette und den Mantel, der wie ein
alter Fürstenmantel aussah, und alles setzte und
hing er um seinen Nachfolger mit warmen Wünschen
20 und Äußerungen der Hochachtung. Laura flüsterte
ihrer Nachbarin zu: „Wenn unser Herr Professor
ein Schwert an der Seite trüge, wäre er ganz wie ein
Kurfürst auf den Bildern draußen"; und Ilse nickte
freudig, es war genau ihre Ansicht. Jetzt aber trat
25 Werner in Purpurmantel und Kette vor. Die
Pedelle kreuzten ihre Scepter zu beiden Seiten des
Katheders, und der neue Rector hielt majestätisch
eine Ansprache an Professoren und Studenten, worin
er Günstiges erbat und gutes Regiment verhieß.
30 Wieder begann der akademische Chor ein lateinisches
Triumphlied, und der Zug der Universitätslehrer
bewegte sich in das Nebenzimmer zurück, wo die
Professoren ihren Rector händeschüttelnd um-

standen und die Pedelle Purpurmantel und Kette
in Kisten packten, zur Schonung für spätere Zeiten.

Die verlorene Handschrift (1864)

219 *Friedrichs des Großen letzte Lebens- jahre*

WÄHREND der große König sorgte und schuf,
zog ein Jahr nach dem andern über sein
sinnendes Haupt; stiller ward es um ihn, leerer und 5
einsamer, kleiner der Kreis von Menschen, denen
er sich öffnete. Die Flöte hatte er beiseite gelegt,
auch die neue französische Literatur erschien ihm
schal und langweilig; zuweilen war ihm, als ob ein
neues Leben unter ihm in Deutschland ergrüne; es 10
blieb ihm fremd. Unermüdlich arbeitete er an
seinem Heer, an dem Wohlstand seines Volkes,
immer weniger galten ihm seine Werkzeuge, immer
höher und leidenschaftlicher wurde das Gefühl für
die große Pflicht seiner Krone. Aber wie man sein 15
siebenjähriges Ringen im Kriege übermenschlich
nennen darf, so war auch jetzt in seiner Arbeit
etwas Ungeheures, was den Zeitgenossen zuweilen
überirdisch und zuweilen unmenschlich erschien.
Es war groß, aber es war auch furchtbar, daß ihm 20
das Gedeihen des Ganzen in jedem Augenblick das
Höchste war und das Behagen des einzelnen so gar
nichts. Wenn er den Obersten, dessen Regiment bei
der Revue einen ärgerlichen Fehler gemacht hatte,
vor der Front mit herbem Scheltwort aus dem 25
Dienst jagte; wenn er in dem Sumpfland der Netze
mehr die Stiche der zehntausend Spaten zählte als
die Beschwerden der Arbeiter, welche am Sumpf-

fieber in den Lazaretten lagen; wenn er ruhelos mit
seinem Fordern auch der schnellsten Tat voraneilte,
so verband sich mit der tiefen Ehrfurcht und
Hingebung in seinem Volke auch eine Scheu wie vor
5 einem, dem nicht irdisches Leben die Glieder
bewegt. Als das Schicksal des Staates erschien er
den Preußen, unberechenbar, unerbittlich, das
Größte wie das Kleine übersehend. Und wenn sie
einander erzählten, daß er auch die Natur hatte
10 bezwingen wollen, und daß seine Orangenbäume
doch in den letzten Frösten des Frühlings erfroren
waren, dann freuten sie sich in der Stille, daß es
für ihren König doch eine Schranke gab, aber noch
mehr, daß er sich mit so guter Laune darein ge-
15 funden und vor den kalten Tagen des Mai den
Hut abgenommen hatte.

Noch vierzehnmal seit der Erwerbung von West-
preußen blühten die Orangen von Sanssouci, da
wurde die Natur Meisterin auch des großen Königs.
20 Er starb allein, nur von seinen Dienern umgeben.
Mit ehrgeizigem Sinn war er in der Blüte des Lebens
ausgezogen, alle hohen und prächtigen Kränze des
Lebens hatte er dem Schicksal abgerungen, der
Fürst von Dichtern und Philosophen, der Geschicht-
25 schreiber, der Feldherr. Kein Triumph, den er sich
erkämpft, hatte ihn befriedigt. Zufällig, unsicher,
nichtig war ihm aller Erdenruhm geworden; nur das
Pflichtgefühl, das unablässig wirkende, eiserne, war
ihm geblieben. Aus dem gefährlichen Wechsel von
30 warmer Begeisterung und nüchterner Schärfe war
seine Seele heraufgewachsen. Mit Willkür hatte er
sich poetisch einzelne Menschen verklärt, die Menge,
die ihn umgab, verachtet. Aber in den Kämpfen

seines Lebens verlor er den Egoismus, verlor er fast
alles, was ihm persönlich lieb war, und er endigte
damit die einzelnen gering zu achten, während sich
ihm das Bedürfnis für das Ganze zu leben immer
stärker erhob. Mit der feinsten Selbstsucht hatte er 5
das Größte für sich begehrt, und selbstlos gab er
zuletzt sich selbst für das gemeine Wohl. Als ein
Idealist war er in das Leben getreten, auch durch
die furchtbarsten Erfahrungen wurden ihm seine
Ideale nicht zerrissen sondern veredelt, gehoben, 10
geläutert; viele Menschen hatte er seinem Staat
zum Opfer gebracht, niemanden so sehr als sich
selbst. *Bilder aus der deutschen Vergangenheit* (1859–67)

THEODOR STORM

1817–88

220   *Der Alte*

A N einem Spätherbstnachmittage ging ein alter
wohlgekleideter Mann langsam die Straße 15
hinab. Er schien von einem Spaziergange nach
Hause zurückzukehren; denn seine Schnallenschuhe,
die einer vorübergegangenen Mode angehörten,
waren bestäubt. Den langen Rohrstock mit goldenem
Knopf trug er unter dem Arm; mit seinen dunkeln 20
Augen, in welche sich die ganze verlorene Jugend
gerettet zu haben schien und welche eigentümlich
von den schneeweißen Haaren abstachen, sah er
ruhig umher oder in die Stadt hinab, welche im
Abendsonnendufte vor ihm lag. Er schien fast ein 25
Fremder; denn von den Vorübergehenden grüßten
ihn nur wenige, obgleich mancher unwillkürlich in
diese ernsten Augen zu sehen gezwungen wurde.
Endlich stand er vor einem hohen Giebelhause still,
sah noch einmal in die Stadt hinaus und trat dann 30

in die Hausdiele. Bei dem Schall der Türglocke wurde drinnen in der Stube von einem Guckfenster, welches nach der Diele hinausging, der grüne Vorhang weggeschoben und das Gesicht einer alten
5 Frau dahinter sichtbar. Der Mann winkte ihr mit seinem Rohrstock. „Noch kein Licht!" sagte er; und die Haushälterin ließ den Vorhang wieder fallen. Der Alte ging nun über die weite Hausdiele, dann durch einen Vorraum, wo große Eichschränke mit
10 Porzellanvasen an den Wänden standen; durch die gegenüberstehende Tür trat er in einen kleinen Flur, von wo aus eine enge Treppe zu den oberen Zimmern führte. Er stieg sie langsam hinauf, schloß oben eine Tür auf und trat dann in ein mäßig
15 großes Zimmer. Hier war es heimlich und still; die eine Wand war fast mit Behältnissen und Bücherschränken bedeckt; an der andern hingen Bilder von Menschen und Gegenden; vor einem Tische mit grüner Decke, auf dem einzelne aufgeschlagene
20 Bücher umherlagen, stand ein schwerfälliger Lehnstuhl mit rotem Sammetkissen. Nachdem der Alte Hut und Stock in die Ecke gestellt hatte, setzte er sich in den Lehnstuhl und schien mit gefalteten Händen von seinem Spaziergange auszuruhen. —
25 Wie er so saß, wurde es allmählich dunkler; endlich fiel ein Mondstrahl durch die Fensterscheiben auf die Gemälde an der Wand, und wie der helle Streif langsam weiter rückte, folgten die Augen des Mannes unwillkürlich. Nun trat er über ein kleines
30 Bild in schlichtem schwarzem Rahmen. „Elisabeth!" sagte der Alte leise; und wie er das Wort gesprochen, war die Zeit verwandelt: er war in seiner Jugend.

Immensee (1852)

Elisabeth

221

i

BALD trat die anmutige Gestalt eines kleinen
Mädchens zu ihm. Sie hieß Elisabeth und
mochte fünf Jahre zählen; er war doppelt so alt.
Um den Hals trug sie ein rotseidenes Tüchelchen;
das ließ ihr hübsch zu den braunen Augen. „Rein- 5
hard!" rief sie, „wir haben frei, frei! den ganzen Tag
keine Schule, und morgen auch nicht." Reinhard
stellte die Rechentafel, die er schon unterm Arm
hatte, flink hinter die Haustür, und dann liefen
beide Kinder durchs Haus in den Garten und durch 10
die Gartenpforte hinaus auf die Wiese. Die un-
verhofften Ferien kamen ihnen herrlich zustatten.
Reinhard hatte hier mit Elisabeths Hilfe ein Haus
aus Rasenstücken aufgeführt; darin wollten sie die
Sommerabende wohnen, aber es fehlte noch die 15
Bank. Nun ging er gleich an die Arbeit; Nägel,
Hammer und die nötigen Bretter lagen schon bereit.
Während dessen ging Elisabeth an dem Wall entlang
und sammelte den ringförmigen Samen der wilden
Malve in ihre Schürze; davon wollte sie sich 20
Ketten und Halsbänder machen; und als Reinhard
endlich trotz manches krummgeschlagenen Nagels
seine Bank dennoch zustande gebracht hatte und
nun wieder in die Sonne hinaustrat, ging sie schon
weit davon am andern Ende der Wiese. 25

„Elisabeth!" rief er, „Elisabeth!" und da kam sie,
und ihre Locken flogen. „Komm," sagte er, „nun
ist unser Haus fertig. Du bist ja ganz heiß geworden;
komm herein, wir wollen uns auf die neue Bank

setzen. Ich erzähl' dir etwas." Dann gingen sie
beide hinein und setzten sich auf die neue Bank.
Elisabeth nahm ihre Ringelchen aus der Schürze
und zog sie auf lange Bindfäden; Reinhard fing an
5 zu erzählen: „Es waren einmal drei Spinnfrauen —"
„Ach," sagte Elisabeth, „das weiß ich ja auswendig;
du mußt auch nicht immer dasselbe erzählen." Da
mußte Reinhard die Geschichte von den drei Spinnfrauen stecken lassen, und statt dessen erzählte er
10 die Geschichte von dem armen Mann, der in die
Löwengrube geworfen war.

„Nun war es Nacht," sagte er, „weißt du? ganz
finstere, und die Löwen schliefen. Mitunter aber
gähnten sie im Schlaf und reckten die roten Zungen
15 aus; dann schauderte der Mann und meinte, daß
der Morgen komme. Da warf es um ihn her auf
einmal einen hellen Schein, und als er aufsah, stand
ein Engel vor ihm. Der winkte ihm mit der Hand
und ging dann gerade in die Felsen hinein."
20 Elisabeth hatte aufmerksam zugehört. „Ein Engel?"
sagte sie. „Hatte er denn Flügel?" „Es ist nur so
eine Geschichte," antwortete Reinhard; „es gibt
ja gar keine Engel." „O pfui, Reinhard!" sagte sie
und sah ihm starr ins Gesicht. Als er sie aber
25 finster anblickte, fragte sie ihn zweifelnd: „Warum
sagen sie es denn immer? Mutter und Tante und
auch in der Schule?" „Das weiß ich nicht," antwortete er. „Aber du," sagte Elisabeth, „gibt es
denn auch Löwen?" „Löwen? Ob es Löwen
30 gibt? In Indien; da spannen die Götzenpriester sie
vor den Wagen und fahren mit ihnen durch die
Wüste. Wenn ich groß bin, will ich einmal selber
hin. Da ist es viel tausendmal schöner als hier bei

uns; da gibt es gar keinen Winter. Du mußt auch
mit mir. Willst du?" „Ja," sagte Elisabeth; „aber
Mutter muß dann auch mit, und deine Mutter
auch." „Nein," sagte Reinhard, „die sind dann zu
alt, die können nicht mit." „Ich darf aber nicht 5
allein." „Du sollst schon dürfen; du wirst dann
wirklich meine Frau, und dann haben die andern
dir nichts zu befehlen." „Aber meine Mutter wird
weinen." „Wir kommen ja wieder," sagte Reinhard
heftig; „sag' es nur gerade heraus, willst du mit mir 10
reisen? Sonst geh' ich allein; und dann komme ich
nimmer wieder." Der Kleinen kam das Weinen
nahe. „Mach' nur nicht so böse Augen," sagte sie;
„ich will ja mit nach Indien." Reinhard faßte sie
mit ausgelassener Freude bei beiden Händen und 15
zog sie hinaus auf die Wiese. „Nach Indien, nach
Indien!" sang er und schwenkte sich mit ihr im
Kreise, daß ihr das rote Tüchelchen vom Halse flog.
Dann aber ließ er sie plötzlich los und sagte ernst:
„Es wird doch nichts daraus werden; du hast keine 20
Courage."

„Elisabeth! Reinhard!" rief es jetzt von der
Gartenpforte. „Hier! Hier!" antworteten die
Kinder und sprangen Hand in Hand nach Hause.

222   ii

ES ging schon gegen Abend, die Familie saß, wie 25
gewöhnlich um diese Zeit, im Gartensaal zusammen. Die Türen standen offen; die Sonne war
schon hinter den Wäldern jenseits des Sees. Reinhard wurde um die Mitteilung einiger Volkslieder
gebeten, welche er am Nachmittage von einem auf 30

dem Lande wohnenden Freunde geschickt bekommen hatte. Er ging auf sein Zimmer und kam gleich darauf mit einer Papierrolle zurück, welche aus einzelnen, sauber geschriebenen Blättern zu
5 bestehen schien. Man setzte sich an den Tisch, Elisabeth an Reinhards Seite. „Wir lesen auf gut Glück," sagte er, „ich habe sie selber noch nicht durchgesehen." Elisabeth rollte das Manuskript auf. „Hier sind Noten," sagte sie; „das mußt du
10 singen, Reinhard." Und dieser las nun zuerst einige Tiroler Schnaderhüpferl, indem er beim Lesen je zuweilen die lustige Melodie mit halber Stimme anklingen ließ. Eine allgemeine Heiterkeit bemächtigte sich der kleinen Gesellschaft. „Wer hat doch
15 aber die schönen Lieder gemacht?" fragte Elisabeth. Reinhard sagte: „Sie werden gar nicht gemacht; sie wachsen, sie fallen aus der Luft, sie fliegen über Land wie Mariengarn, hierhin und dorthin, und werden an tausend Stellen zugleich gesungen.
20 Unser eigenstes Tun und Leiden finden wir in diesen Liedern; es ist, als ob wir alle an ihnen mitgeholfen hätten."

Er nahm ein anderes Blatt.

Es war schon dunkler geworden; ein roter Abend-
25 schein lag wie Schaum auf den Wäldern jenseits des Sees. Reinhard rollte das Blatt auf, Elisabeth legte an der einen Seite ihre Hand darauf und sah mit hinein. Dann las Reinhard:

Meine Mutter hat's gewollt,
30 Den andern ich nehmen sollt':
Was ich zuvor besessen,
Mein Herz sollt' es vergessen;
Das hat es nicht gewollt.

Während des Lesens hatte Reinhard ein unmerkliches Zittern des Papiers empfunden; als er zu Ende war, schob Elisabeth leise ihren Stuhl zurück und ging schweigend in den Garten hinab. Ein Blick der Mutter folgte ihr. *Immensee* (1852) 5

THEODOR MOMMSEN

1817–1903

223 *Königin Luise*

DIE Königin Luise lebt nicht aus dem Grunde in der Erinnerung fort, wie es die Königin Elisabeth von England tut; sie gehört nicht in eine Reihe mit Maria Theresia und Katharina II. Sie hat es selbst von sich gesagt, daß die Geschichte sie 10 nicht zu den großen Frauen rechnen werde; und es ist dies vollkommen richtig. Sie hat nicht mit unter denen gesessen, die über die Geschicke der Völker berieten; sie hat so wenig Politik getrieben wie sie Gedichte hinterlassen oder Bilder gemalt hat. Nicht 15 ihre Taten haben ihr Gedächtnis in das Herz des Volkes gestiftet sondern ihr Wesen und Sein, und man kann hinzufügen ihr Lieben und Leiden. Sie hat sich immer glücklich gepriesen vor allem Frau sein zu dürfen, auch als sie Königin war. Sie war 20 eben wie andere Frauen auch, nichts Besonderes und abnorm Geniales aber die vollendete Weiblichkeit mit all ihrer Schönheit und Reinheit, in all ihrer Anmut und Würde, in all ihrer Heiterkeit und Hoffnungskraft. Als sie siebzehnjährig aus be- 25 scheidenen Verhältnissen eintrat in den ihr völlig fremden Kreis des großen glänzenden Hofes, der in der Verkümmerung des Deutschfranzosentums, **in** dem Eingeschlafensein auf den ererbten Lorbeeren, in der feilen und feigen Politik und Romantik der nachfriderizianischen Epoche verkam, da hat sie, ohne es zu wollen und ohne es zu wissen, diesen Hof 5 reformiert; sie hat die unbefangene Fröhlichkeit wie die gute Zucht und Sitte, Goethes und Schillers goldene Worte in jene Kreise eingeführt, die im Begriff schienen zu verstocken und zu verwelschen. Die unverwüstliche Heiterkeit, wie sie dem rechten 10 Mädchen eigen ist, hätte fast die strenge Oberhofmeisterin gezwungen sich mit auf den Leiterwagen zu setzen, der zur Abwechselung das junge Ehepaar in den Wald fuhr. Der frische Lebensmut, die schlagfertige Rede, das gutmütige und heitere 15 Hinnehmen jeder nur irgend erträglichen Eigenart, all diese weiblichen Privilegien waren ihrem Wesen eingeboren. Sie bedurfte nichts um glücklich zu sein, als was aller Gebildeten Gemeingut ist; als sie in den schweren Jahren nach der Jenaer Schlacht 20 auf der einfachen bürgerlichen Villa bei Königsberg lebte, da sprach sie es aus, daß sie habe, was sie brauche: neben dem guten Gewissen gute Bücher und ein gutes Pianoforte.

So lebte sie das beglückte Leben des deutschen 25 Mädchens, der deutschen Frau in den übermütigen Jahren der Jugend wie in der heitern Anfangszeit ihrer Ehe, die junge Mutter im reichen Kranze der Kinder; und so hat sie denn gelitten, als die schrecklichen Jahre herankamen, in denen sie dem Vater 30 schrieb: „Mit uns ist es aus" und von dem wohlwollenden französischen Marschall den guten Rat hinnehmen mußte ihre Juwelen rechtzeitig zu verkaufen, um für die Flucht über die Grenze ihres

Königsreichs versehen zu sein. Wie es bei rechten
Frauen immer der Fall ist, entwickelte erst das
Unglück die volle Kraft ihrer Natur, den Scharfblick, das Vertrauen, die Energie, die in solchen
Lagen die Männer oft beschämt. Es ist wunderbar, 5
mit welchem instinktiven Abscheu sie nicht bloß
dem Überwinder sondern auch dessen moralischen
Bundesgenossen in der Heimat gegenüberstand;
noch wunderbarer, wie sie durchaus nach den
rechten Männern griff, wie sie Blüchers Art erfaßte 10
und mit felsenfestem Vertrauen an Stein hielt, der
dann der Eckstein der Regeneration Deutschlands
geworden ist. Sie vielleicht allein hat nie gezweifelt
an Napoleons endlichem Sturz, aber freilich auch
nie gehofft ihn zu erleben. Deutlicher als die 15
Männer erkannte sie die tönernen Füße des Kolosses,
begriff sie den ungeheuren Anachronismus der
napoleonischen Weltmonarchie, diese Rückwendung
von dem nationalen Staat der Neuzeit zu der Groß-
wirtschaft der Eroberung verschollener Geschichts- 20
epochen. Aber sie fühlte es auch, daß ihre zart
besaitete Natur nicht bestimmt war die Erlösung zu
schauen, die sie im Geiste ahnte. — Sie ist hin-
geschieden in der Blüte der Jugend, und jugendlich
blühend lebt sie fort in den Herzen der Zeitgenossen 25
und noch der heutigen Generation. Eben weil sie
so war, weder mehr noch weniger war als die
deutsche Frau, leuchtet ihr Andenken in diesem
Glanze. Die beiden innigsten Empfindungen, die
dem Menschen gegönnt sind, die Ahnung des ewig 30
Weiblichen, wie der Dichter es nennt, und das
Opfergefühl, sind uns persönlich geworden in der
Königin Luise.   *Festrede* (1876)

GOTTFRIED KELLER

1819-90

224 *Komödie im Faß*

ICH schloß mich einigen Knaben an, welche sich gut zu unterhalten schienen, indem sie in einem großen alten Fasse Komödie spielten. Sie hatten einen Vorhang davorgezogen und ließen eine be-
5 günstigte Anzahl Kinder respektvoll harren, bis sie ihre geheimnisvollen Vorbereitungen geendet. Dann wurde das Heiligtum geöffnet, einige Ritter in papiernen Rüstungen führten ein gedrängtes Zwie-gespräch tüchtiger Schimpfreden, um sich darauf
10 schleunigst durchzubleuen und unter dem Fallen des durchlöcherten Teppichs tot hinzustrecken. Ich wurde bald eingeweiht als ein anstelliger Junge und brachte vor allem einen bestimmteren Stoff in das Faß, indem ich kurze Handlungen aus der
15 biblischen Geschichte oder den Volksbüchern auszog und die vorkommenden Reden wörtlich abschrieb und durch einige Wendungen verband. Ich fand auch, daß es wünschbar wäre, wenn die Helden einen besonderen Eingang hätten, um vorher un-
20 gesehen auftreten zu können. Deshalb wurde in die Hinterwand ein Loch gesägt, geschnitten und ge-kratzt, bis ein Wohlgewappneter bescheiden durch-kriechen konnte; was sehr possierlich aussah, wenn er mit seinen donnernden Reden begann, ehe er sich
25 völlig aufgerichtet hatte. Sodann wurden grüne Zweige geholt, um das Innere des Fasses in einen Wald umzuwandeln; ich nagelte sie ringsherum fest und ließ nur oben das Spundloch frei, durch welches überirdische Stimmen herniederzuschallen hatten.

Ein Knabe brachte eine ansehnliche Tüte Theatermehl und hiermit ein neues prächtiges Element in
unsere Bestrebungen.

Eines Tages wurde David und Goliath gegeben.
Die Philister standen auf dem Plane, führten sich 5
heidnisch auf und traten vor das Faß hinaus in das
Proszenium. Dann krochen die Kinder Israel herein,
lamentierten und waren verzagt und traten auf die
andere Seite des Einganges, als Goliath, ein großer
Bengel, erschien und übermütige Possen machte 10
zum großen Gelächter beider Heere und des
Publikums, bis David, ein unterwachsener bissiger
Junge, plötzlich dem Unfug ein Ende machte und
dem Riesen aus seiner Schleuder, die er trefflich
führte, eine große Roßkastanie an die Stirne 15
schleuderte. Darüber wurde dieser wütend und
hieb dem David ebenso derb auf den Kopf, und
sogleich waren beide im heftigsten Raufen ineinander
verknäuelt. Die Zuschauer und die beiden Chöre
klatschten Beifall und nahmen Partei; ich selbst saß 20
rittlings oben auf dem Fasse, ein Lichtstümpfchen
in der einen und eine tönerne Pfeife mit Kolophonium in der andern Hand, und blies als Zeus
gewaltige ununterbrochene Blitze durch das Spundloch hinein, daß die Flammen durch das grüne Laub 25
züngelten und das Silberpapier auf Goliaths Helm
magisch erglänzte. Dann und wann guckte ich
schnell durch das Loch hinunter, um dann die
tapfer Kämpfenden wieder mit Blitzen anzufeuern,
und hatte kein Arges, als die Welt, welche ich zu 30
beherrschen wähnte, plötzlich auf ihrem Lager
wankte, überschlug und mich aus meinem Himmel
schleuderte; denn Goliath hatte endlich den David

überwunden und mit Gewalt an die Wand geworfen.
Es gab ein großes Geschrei, der Eigentümer des
Fasses kam heran und schloß das rollende Haus,
nicht ohne Schelten und ausgeteilte Püffe, als er die
5 willkürlichen Veränderungen entdeckte, welche angebracht waren.   *Der grüne Heinrich* (1879)

225   *Eine Faust-Aufführung*

DER wandernde Künstlerverein schlug seinen
Sitz in einem Gasthause der Stadt auf, wandelte den geräumigen Tanzsaal in ein Theater um
10 und füllte zugleich alle bescheideneren Zimmer und
Räume mit seinem häuslichen Leben. Nur der
Direktor bewohnte vornehm ein glänzenderes Gemach. An den Abenden, wo gespielt wurde, waren
wir vollzählig und unfehlbar auf unserm Platze und
15 schlichen wie die Katzen um das Gebäude herum.
Da ich bei der Sparsamkeit meiner Mutter keine
Möglichkeit sah auf legalem Wege in das Innere des
Kunsttempels zu gelangen, so befand ich mich
doppelt wohl bei meinen Genossen der Armen-
20 schule, welche ebenfalls darauf angewiesen waren
entweder durch kleine Dienstleistungen oder durch
verwegene Schlauheit durchzuschlüpfen. Wir
standen eines Abends ziemlich mutlos vor einer
Seitentür, als eben der *Faust* gegeben wurde. Wir
25 hatten gehört, daß man den famosen Doktor Faust,
den wir genugsam kannten, nebst dem Teufel und
allen seinen Herrlichkeiten sehen würde, fanden
aber heute alle Hindernisse unübersteiglich, welche
auf unsern gewohnten Schlupfwegen sich entgegen-
30 stellten. So hörten wir betrübt die Klänge der

Ouvertüre, welche von den vornehmen Liebhabern
der Stadt aufgeführt wurde, und zerbrachen die
Köpfe über einem noch möglichen Eindringen. Es
war ein dunkler Herbstabend und regnete kühl und
anhaltend. Es fror mich, und ich dachte ans Nach- 5
hausegehen, als die dunkle Tür sich öffnete, ein
dienstbarer Geist heraussprang und rief: „Heda,
ihr Buben! Drei oder vier von euch mögen herein-
kommen, die sollen einmal mitspielen!" Auf dieses
Zauberwort drängten sich sogleich die stärksten in 10
das Haus. Er wies sie aber zurück, indem er sie für
zu groß und dick erklärte und mich, der ich ohne
sonderliche Hoffnungen im Hintergrunde stand,
heranrief und sagte: „Der da ist recht, der wird eine
gute Meerkatze sein!" Dazu ergriff er noch zwei 15
andere schmächtig gewachsene Jungen, schloß die
Tür hinter uns und marschierte an unserer Spitze
nach einem kleinen Saale, welcher als Garderobe
diente. Dort hatten wir nicht Zeit die aufgehäuften
Gewänder, Waffen und Rüstungen zu betrachten; 20
denn wir wurden schnell unserer Kleider entledigt
und in abenteuerliche Pelze gesteckt, welche vom
Kopf bis zum Fuße eine Hülle bildeten. Das Meer-
katzengesicht konnte wie eine Kapuze zurückgeschlagen werden, und als wir solchergestalt ver- 25
wandelt dastanden, die langen Schwänze in der
Hand haltend, lächelten wir ganz vergnügt und be-
glückwünschten uns nun erst.

Nun wurden wir auf die Bühne geführt, wo wir von
zwei großen Meerkatzen lustig begrüßt und in aller 30
Eile für unsere bevorstehende Aufgabe unterrichtet
wurden. Wir begriffen dieselbe bald und leisteten
eine gelungene Probe verschiedener Purzelbäume

und Affensprünge, spielten auch zierlich mit einer
Kugel, so daß wir bis zu unserm Auftreten entlassen
wurden. Wir spazierten gravitätisch unter dem
Gedränge herum, das sich auf dem schmalen Raume
5 zwischen den vier wirklichen und den gemalten
Wänden schob und mischte; ich schaute unver-
wandt bald auf die Bühne, bald hinter die Kulissen
und beobachtete mit hoher Freude, wie aus dem
unkenntlichen, unterdrückt lärmenden und streiten-
10 den Chaos sich still und unmerklich geordnete
Bilder und Handlungen ausschieden und auf dem
freien hellen Raum erschienen, wie in einer jenseitigen Welt, um wieder ebenso unbegreiflich in
das dunkle Gebiet zurückzutauchen. Die Verse des
15 Faust, welche jeden Deutschen, sobald er einen
davon hört, elektrisieren, diese wunderbar gelungene
und gesättigte Sprache klang fortwährend wie eine
edle Musik, machte mich froh und setzte mich mit
in Erstaunen, obgleich ich nicht viel mehr davon
20 verstand als eine wirkliche Meerkatze. Indessen
fühlte ich mich plötzlich beim Schwanze gefaßt und
rücklings in die Hexenküche gezogen, wo bereits
sämtliche Katzen umhersprangen und ein Schein
und Gefunkel unzähliger Gesichter und Augen aus
25 dem Parterre hereinschimmerte. Ich hatte bisher
über meinen Betrachtungen die zu Tage getretenen
Dekorationen der Hexenküche übersehen und daher
vieles nachzuholen; denn die phantastischen Dinge
um mich her, die Zerrbilder und Gespenster reizten
30 mich sowohl wie das Treiben Mephistos, der Hexe
und der andern Meerkatzen. Als ob ich nicht selbst
eine Meerkatze wäre und meine Aufgabe zu erfüllen
hätte, vergaß ich ganz die eingelernten Sprünge

und Possen und sah ruhig und selbstvergessen den
anderen zu. Gretchen war unterdessen auf die
Bühne gekommen. Es war eine sehr schöne Frau,
von welcher ich kein Auge mehr abwandte, ungeachtet der heimlichen Püffe und Schelten, welche 5
ich von meinen fleißigen Mitmeerkatzen erhielt.
Die Zeit unseres Wirkens ging endlich vorüber, und
ich machte meinen ersten und einzigen guten
Sprung, als ich leidenschaftlich vom Schauplatze
abtrat oder sprang.   10

Der grüne Heinrich (1879)

226 *Gretchen und die Meerkatze*

DER Vorhang war gefallen, und alles lief auf dem
Theater bunt durcheinander, während ich
einigen Papieren nachschlich, welche ich in den
Händen des Direktors und der Künstler vorhin
bemerkte und in einem Winkel hinter einer ge- 15
malten Mauer fand. Ich gelüstete sehr Einsicht zu
nehmen von dem Geschriebenen, welches so große
Wirkung hervorgebracht; daher war ich bald in das
Lesen der Rollen versenkt. Aber obgleich ich die
körperlichen Erscheinungen gefaßt und empfunden 20
hatte, so waren doch nun die geschriebenen Worte,
als die Zeichensprache eines gereiften und großen
männlichen Geistes, dem unwissenden Kinde vollkommen unverständlich; der kleine Eindringling
fand sich bescheidentlich wieder vor die verschlossene 25
Türe einer höheren Welt gestellt, und ich schlief
über meinen Forschungen schnell und fest ein. —
Als ich wieder erwachte, war das Theater leer und
still, die Lampen ausgelöscht, und der Vollmond

goß sein Licht zwischen den Kulissen über die seltsame Unordnung herein. Ich wußte nicht, wie mir
geschah, noch wo ich mich befand; doch als ich
meine Lage erkannte, ward ich voll Furcht und
5 suchte einen Ausgang, fand aber die Türen verschlossen, durch welche ich herein gekommen war.
Nun schickte ich mich in das Geschehene und
begann von neuem alle Seltsamkeiten dieser Räume
zu untersuchen. Ich betastete die raschelnden
10 papiernen Herrlichkeiten und legte das Mäntelchen
und den Degen des Mephistopheles, welche auf
einem Stuhle lagen, über meinen Meerkatzenhabit
um. So spazierte ich in dem hellen Mondscheine
auf und nieder, zog den Degen und fing an zu ges-
15 tikulieren. Dann entdeckte ich die Maschinerie des
Vorhanges, und es gelang mir denselben aufzuziehen.
Da lag der Zuschauerraum dunkel und schwarz vor
mir wie ein erblindetes Auge; ich stieg in das
Orchester hinab, wo die Instrumente umher lagen
20 und nur die Violinen sorgfältig in Kästchen verschlossen waren. Auf den Pauken lagen die schlanken
Hämmer, welche ich ergriff und zagend gegen das
Fell schlug, daß es einen dumpf grollenden Ton gab.
Jetzt wurde ich kühner und schlug stärker, bis es
25 zuletzt wie ein Gewitter durch den leeren mitter-
nächtlichen Saal hallte. Ich ließ den Donner an-
schwellen und wieder abnehmen, und wenn er
verklang, so dünkten mich die unheimlichen Pausen
noch schöner als das Geräusch selbst. Endlich
30 erschrak ich über meinem Tun, warf die Schlegel
hin und getraute mir kaum über die Bänke des
Parterre hinwegzusteigen und mich zuhinterst an
der Wand hinzusetzen. Ich fror und wünschte zu

511

Hause zu sein, auch ward es mir bange in meiner
Einsamkeit. Die Fenster in diesem Teile des Saales
waren dicht verschlossen, so daß nur die Bühne,
welche immer noch den Kerker vorstellte, durch das
Mondlicht magisch beleuchtet war. Im Hinter- 5
grunde stand das Pförtchen noch offen, wo Gretchen
gelegen hatte, ein bleicher Strahl fiel auf das Stroh-
lager; ich dachte an das schöne Gretchen, welches
nun hingerichtet sein werde, und der stille mondhelle
Kerker kam mir zauberhafter und heiliger vor als 10
dem Faust einst Gretchens Kammer. Ich stützte
meinen Kopf auf beide Hände und sah mit sehnen-
den Blicken hinüber, besonders in die vom Lichte
halb bestreifte Vertiefung, wo das Stroh lag.

Da regte es sich im Dunkel, atemlos sah ich hin, 15
und jetzt stand eine weiße Gestalt in jenem Winkel;
es war Gretchen, wie ich sie zuletzt gesehen hatte.
Mich schauerte es vom Wirbel bis zur Zehe, meine
Zähne schlugen zusammen, während doch ein
mächtiges Gefühl glücklicher Überraschung mich 20
durchzuckte und erwärmte. Ja, es war Gretchen,
es war ihr Geist, obgleich ich in der Entfernung ihre
Züge nicht unterscheiden konnte, was die Erscheinung noch geisterhafter machte. Sie schien mit
dunkeln Blicken in dem Raume umherzusuchen, ich 25
richtete mich empor, es zog mich vorwärts, wie mit
gewaltigen unsichtbaren Händen, und während
mein Herz hörbar klopfte, schritt ich über die
Bänke gegen das Proszenium hin, jeden Schritt
einen Augenblick anhaltend. Die Pelzumhüllung 30
machte meine Füße unhörbar, so daß mich die
Gestalt nicht bemerkte, bis ich, an dem Souffleur-
kasten hinaufklimmend, in meiner befremdlichen

Tracht vom ersten Mondstrahle bestreift wurde.
Ich sah, wie sie entsetzt ihr glühendes Auge auf mich
richtete und lautlos zusammenfuhr. Einen leisen
Schritt trat ich näher und hielt wieder ein; meine
5 Augen waren weit geöffnet, ich hielt die Hände
zitternd erhoben, indes ich, von einem frohen
Feuer des Mutes durchströmt, auf das Phantom
losging. Da rief es mit gebieterischer Stimme:
„Halt! kleines Ding! was bist du?" und streckte
10 drohend den Arm gegen mich aus, daß ich fest auf
der Stelle gebannt blieb. Wir sahen uns unver-
wandt an; ich erkannte jetzt ihre Züge wohl, sie
hatte ein weißes Nachtkleid umgeschlagen, Hals
und Schultern waren entblößt und gaben einen
15 milden Schein wie nächtlicher Schnee. Ich witterte
alsogleich das warme Leben, und der abenteuerliche
Mut, den ich dem Gespenste gegenüber empfunden
hatte, verwandelte sich in die natürliche Blödigkeit
vor dem lebendigen Weibe. Sie hingegen war
20 immer noch zweifelhaft über meine dämonische
Erscheinung, und sie rief daher noch einmal: „Wer
seid Ihr, kleiner Bursch?" Kleinlaut antwortete ich:
„Ich heiße Heinrich und bin eine von den Meerkatzen; man hat mich hier eingeschlossen!"

Der grüne Heinrich (1879)

227 *Darstellung des „Wilhelm Tell"*

25 EINIGE Wochen nach Neujahr, als ich eben den
Frühling herbeiwünschte, erhielt ich vom
Dorfe aus die Kunde, daß mehrere Ortschaften sich
verbunden hätten dieses Mal zusammen die Fast-
nachtsbelustigungen durch eine großartige drama-

tische Schaustellung zu verherrlichen. Mein Heimat-
dorf war nebst ein paar anderen Dörfern von einem
benachbarten Marktflecken eingeladen worden zu
einer großer Darstellung des *Wilhelm Tell*, und
infolgedessen war ich durch meine Verwandten auf- 5
gefordert worden an den Vorbereitungen teil-
zunehmen, da man mir einige Erfahrung und
Fertigkeit besonders als Maler zutraute. Man legte
der Aufführung Schillers *Tell* zu Grunde, welcher
in einer Volksschulausgabe vielfach vorhanden war, 10
darin nur die Liebesepisode zwischen Berta von
Bruneck und Ulrich von Rudenz fehlte. Das Buch
ist den Leuten sehr geläufig, denn es drückt auf
eine wunderbare Weise ihre Gesinnung und alles
aus, was sie durchaus für wahr halten; wie denn 15
selten ein Sterblicher es übel aufnehmen wird, wenn
man ihn dichterisch ein wenig oder gar stark idea-
lisiert. Der Schauplatz der Handlung war auf alle
Ortschaften verteilt, je nach ihrer Eigentümlichkeit,
so daß dadurch ein festliches Hin- und Herwogen 20
der kostümierten Menge und der Zuschauermassen
bedingt wurde. Der wichtige und ersehnte Tag
brach an mit dem allerschönsten Morgen; der
Himmel glänzte wolkenlos, und es war schon so
warm, daß die Bäume anfingen auszuschlagen und 25
die Wiesen grünten. Mit Sonnenaufgang tönten
Alpenhörner und Herdengeläute durch das Dorf
herab, und ein Zug von mehr als hundert prächtigen
Kühen, bekränzt und mit Glocken versehen, kam
heran, begleitet von einer großen Menge junger 30
Burschen und Mädchen. Die frischen Hemdärmel
der Jünglinge und Mädchen, ihre roten Westen und
blumigen Mieder leuchteten weithin in frohem

Gewimmel, von Gesang, Jauchzen und Gelächter
begleitet. Endlich gelangten wir in den Marktflecken, welcher für heute unser Altdorf war. Als
wir durch das alte Tor ritten, fanden wir die kleine
5 Stadt schon ganz belebt, voll Musik, und Fahnen
und Tannenreiser an allen Häusern. Eben ritt Herr
Geßler hinaus, um in der Umgegend einige Untaten
zu begehen. Schon sahen wir auch die Spießknechte
mit der verhaßten Stange ankommen, dieselbe
10 mitten auf dem Platze aufpflanzen und unter
Trommelschlag das Gesetz verkünden. Der Platz
wurde jetzt geräumt, das Volk an die Seiten verwiesen und vor allen Fenstern, auf Treppen, Holz-
galerien und Dächern wimmelte die Menge. Bei
15 der Stange schritten die beiden Wachen auf und ab;
jetzt kam Tell mit seinem Knaben über den Platz
gegangen, von rauschendem Beifall begrüßt.

Wir ritten nun unter Trompetenklang herein und
fanden die Handlung in vollem Gange, den Tell in
20 großen Nöten und das Volk in lebhafter Bewegung
und nur zu geneigt den Helden seinen Drängern zu
entreißen. Doch als der Landvogt seine Rede
begann, wurde es still. Die Rollen wurden nicht
theatralisch und mit Gebärdenspiel gesprochen
25 sondern mehr wie die Reden in einer Volksversamm-
lung, eintönig und etwas singend, da es doch Verse
waren; man konnte sie auf dem ganzen Platze vernehmen, und wenn jemand nicht verstanden
wurde, so rief das Volk: „Lauter, lauter!" und war
30 höchst zufrieden die Stelle noch einmal zu hören.
Dies störte übrigens nicht, da man manchmal die
Schillerschen Jamben mit eigenen Kraftausdrücken
verzierte, so wie es die Bewegung eben mit sich

brachte. Doch machte sich der Volkshumor im Schoße des Schauspiels selbst geltend, als es zum Schlusse kam. Hier war seit undenklichen Zeiten, wenn bei Aufzügen die Tat des Tell auf alte Weise vorgeführt wurde, der Scherz üblich gewesen, daß 5 der Knabe während des Hin- und Herredens den Apfel vom Kopfe nahm und zum großen Jubel des Volkes gemütlich verspeiste. Dies Vergnügen war auch hier wieder eingeschmuggelt worden, und als Geßler den Jungen grimmig anfuhr, was das zu 10 bedeuten hätte, erwiderte dieser keck: „Herr, mein Vater ist ein so guter Schütz, daß er sich schämen würde auf einen so großen Apfel zu schießen! Legt mir einen auf, der nicht größer ist als Euere Barm-herzigkeit, und der Vater wird ihn um so besser 15 treffen!" Als der Tell schoß, schien es ihm fast leid zu tun, daß er nicht seine Kugelbüchse zur Hand hatte und nur einen blinden Theaterschuß absenden konnte. Doch zitterte er wirklich und unwillkürlich, indem er anlegte, so sehr war er von 20 der Ehre durchdrungen diese geheiligte Handlung darstellen zu dürfen. Und als er dem Tyrannen den zweiten Pfeil drohend unter die Augen hielt, während alles Volk in atemloser Beklemmung zusah, da zitterte seine Hand wieder mit dem Pfeile; er 25 durchbohrte den Geßler mit den Augen, und seine Stimme erhob sich einen Augenblick lang mit solcher Gewalt der Leidenschaft, daß Geßler er-blaßte und ein Schrecken über den ganzen Markt fuhr. Dann verbreitete sich ein frohes Gemurmel, 30 tief tönend; man schüttelte sich die Hände und sagte, der Wirt wäre ein ganzer Mann und solange wir solche hätten, tue es nicht not. Doch wurde

der wackre Mann einstweilen gefänglich abgeführt,
und die Menge strömte aus dem Tore nach verschiedenen Seiten um anderen Auftritten beizuwohnen oder sich sonst nach Belieben umher-
5 zutreiben. *Der grüne Heinrich* (1879)

THEODOR FONTANE

1819–98

228 *Kriegsgefangen*

UM 12 Uhr weiter nach Domremy. Die letzten
zehn Minuten vor Einfahrt in das Dorf waren
die schönsten. Ein Geistlicher in weißem Haar und
breitkrempigem Hut kam des Weges; wir grüßten
10 einander. Ein Hirt folgte: strickend schritt er
seiner Herde voraus. Durch die herbstlich klare
Luft zogen Tausende von Sommerfäden, und auf
meine neugierige Frage, welchen Namen diese
weißen Fäden in Frankreich führten, antwortete
15 mein Kutscher 'les cheveux de la Sainte Vierge'.
War es denkbar, unter glücklicherer Vorbedeutung
in das Dorf der Jeanne d'Arc einzuziehen? Um
3 Uhr etwa fuhren wir in die Hauptstraße hinein.
Der Eindruck, trotz hellen Sonnenscheins, war ein
20 düsterer; alles schien auf Verfall und Armut hinzu-
deuten. In der Mitte des Dorfes hielten wir vor
einem rußigen Gasthause, das in verwaschenen
Buchstaben die Inschrift trug: *Café de Jeanne d'Arc*.
Ich eilte mich diesem Eindruck zu entziehen; die
25 geweihte Stätte, wo 'la Pucelle' geboren wurde,
schien mir der geeignetste Platz dazu. Ich brach
also unverzüglich auf. Es waren nur 150 Schritt;
in einem Stück Gartenland lag das ehrwürdige

Gemäuer. Ich zog die Glocke an einem sauberen
Gittertor, das den Garten von der Straße schied.
Eine ‚Religieuse' öffnete und machte die Führerin.
Und als ich in der Nische über der niederen Ein-
gangstür das in Stein gemeißelte Bild der gewapp- 5
neten Jungfrau sah, fühlte ich mich ganz dem
Zauber dieser Stunde hingegeben. Ich trat zurück
in den Garten und versenkte mich in den Anblick
dieses in Geschichte und Dichtung gleich gefeierten
Ortes. Convolvulus rankte sich um die Stämme 10
einiger Zypressen, Resedabeete füllten die Luft mit
ihrem Duft, die Religieuse sprach leise freundliche
Worte, — alles war Poesie. In unmittelbarer Nähe
des Hauses liegt die Kapelle. Sie ist gotisch. Einige
Glasfenster, namentlich eines, dessen bunte Scheiben 15
das Wappen der Jeanne d'Arc aufweisen, deuten auf
das 15. Jahrhundert zurück; das meiste aber ist
modern. Ich verweilte an dieser Stelle, mir jedes
Kleinste einprägend, und trat dann wieder vor das
Portal der Kapelle, zu deren Linken sich eine Statue 20
der Pucelle erhebt. Diese kniet im Gebet, preßt
die linke Hand aufs Herz, während sie die rechte
gen Himmel hebt. Ich klopfte eben mit meinem
spanischen Rohr an der Statue umher, um mich zu
vergewissern, ob es Bronze oder gebrannter Ton sei, 25
als ich vom Café Jeanne d'Arc her eine Gruppe von
Männern auf mich zukommen sah. Ich ließ mich
zunächst in meiner Untersuchung nicht stören und
fragte, als sie heran waren, mit Unbefangenheit:
aus welchem Material die Statue gemacht sei. Man 30
antwortete ziemlich höflich: „Aus Bronze", schnitt
aber weitere kunsthistorische Fragen durch die
Gegenfrage nach meinen Papieren ab. Ich über-

reichte ein rotes Portefeuille, in dem sich meine
Papiere befanden. Man suchte sich darin zurechtzufinden, kam aber nicht weit und forderte mich
auf zu besserer Feststellung meiner Person ihnen
5 ins Wirtshaus zu folgen. Die ganze Szene hatte
nicht viel Bedrohliches gehabt und schien nach
unserem Eintreten ins Wirtshaus, wo bald Wein und
Reimser Biskuits herumgegeben wurden, ein immer
helleres Licht gewinnen zu wollen. Ich machte alle
10 Umstehenden, deren Zahl von Minute zu Minute
wuchs, mit dem Inhalt meiner Legitimationspapiere
bekannt und setzte ihnen den Zweck meiner Reise
auseinander, was wohl aufgenommen wurde. Ich
war eben noch im besten Perorieren, als ein junger
15 Bauer, der sich mit meinem Stock zu tun gemacht
hatte, die Krücke aus der Stockscheide zog und mit
einem „ah, un poignard" die mir zuhörende Gesellschaft überraschte. Es durchfröstelte mich etwas,
weil ich klar einsah, was jetzt notwendig kommen
20 mußte. Einer aus dem Kreise trat jetzt an mich
heran und fragte: ob ich damit einverstanden sei,
daß man mich nach Neufchâteau auf die Souspräfektur führe? Eben so gut hätte er mich fragen
können, ob ich damit einverstanden sei gehängt zu
25 werden. Ich bezahlte meine Zehrung; die Wirtin
nahm das Geld und sah mich teilnahmsvoll an. Wir
stiegen auf. Rechts der Kutscher, links ein Frank-
tireur, ich eingeklemmt zwischen beiden; hinter uns
auf einem Strohbündel lagen zwei Blusenmänner.
30 Die Sonne war im Niedergehen, der Abend klar und
schön; so ging es auf Neufchâteau zu.

Es dunkelte schon, als wir in Neufchâteau ein-
fuhren. Nach einigem Hin- und Herfragen hielten

wir vor der Souspräfektur. Der Anblick war der freundlichste von der Welt. Ein Gitter, ein kies-bestreuter Vorhof, dahinter eine Villa, im italieni-schen Kastellstil aufgeführt. Nach erfolgter An-meldung wurde ich treppauf geführt. In einem mit 5 türkischem Teppich ausgelegten Salon saßen die Damen des Hauses; ein Diener brachte eben die Lampen. M. Cialandri empfing mich und drückte sein Bedauern aus mich nicht ohne weiteres in Freiheit setzen zu können; der Kapitän der Gens- 10 darmerie, nach dem er bereits geschickt habe, werde das weitere veranlassen. Der Kapitän trat ein, ver-beugte sich leicht und nahm dann den mit leiser Stimme gegebenen Bericht des Souspräfekten entgegen. Dann und wann warf er ein kurzes Wort ein 15 und blickte scharf musternd mit seinen dunklen Augen zu mir herüber. Nun folgte wieder ein Geflüster, worauf ich gebeten wurde ihm zu folgen. Die Damen erwiderten höflich meinen Gruß, und ich stieg rasch in den Flur des Hauses nieder. Der 20 Kapitän ließ eine Hinterpforte öffnen und führte mich durch Straßen, wo niemand unserer achtete, in das Gefängnis der Stadt. Es war ein weit-schichtiges Gebäude, Korridore, ein Gewirr von Treppen; endlich öffneten wir ein Zimmer, darin 25 der Greffier seine Wohnung hatte. Der Kapitän übergab mich dem Greffier, der den vollklingenden Namen Palazot führte, verbeugte sich gegen mich mit einem Anflug von Ironie und ließ mich mit meinem Hüter allein. Ich war jetzt Gefangener. 30 Monsieur Palazot rückte seinen Stuhl vom Kamin an den Tisch, stellte die üblichen Fragen und machte einige Notizen, nachdem ich Uhr und Geld

und ein kleines Perlmuttermesser, das gerade aus-
gereicht haben würde einen Maikäfer zu ermorden,
bei ihm deponiert hatte. Nachdem so alles Dienst-
liche abgemacht worden war, glättete sich die Stirn
5 des Alten; er warf ein neues Scheit in die Flamme
und forderte mich auf an seiner Mahlzeit teilzu-
nehmen. Es waren Karotten in einer Petersilien-
sauce. Alsbald erschien Madame Palazot. Wir
saßen nun zu dritt um den runden Tisch und
10 sprachen von Krieg und Frieden. Die üblichen
Trivialitäten wurden ausgetauscht, und aufs neue
festgestellt, daß Krieg eine sehr böse und Friede
eine sehr schöne Sache sei. Nachdem wir uns innerhalb dieses Glaubensbekenntnisses gefunden, wurden
15 die Herzen immer offener. ‚Madame‘, eine herzens-
gute Frau, holte das Bild ihres Sohnes, eines
hübschen Husarenoffiziers, von dem seit der Ein-
schließung von Metz keine Nachrichten mehr ein-
getroffen waren. „Il est mort,“— dabei liefen der
20 Alten die Tränen über das Gesicht; der Alte sah
starr vor sich hin, spießte eine Karotte auf, legte
aber die Gabel wieder nieder ohne gegessen zu
haben. Ein weißer Hühnerhund, der dem Sohn
gehörte, stimmte winselnd in die Familientrauer
25 mit ein. Die Aufregungen dieses Tages, die sich
immer wieder aufdrängende Frage: „was wird?“,
die Diskussionen in einer fremden Sprache, — eine
völlige Erschöpfung kam über mich, und ich bat
mich in mein Zimmer zu führen. Ich glaube, ich
30 sagte wirklich Zimmer.

Es mochte 9 Uhr sein. Madame Palazot gab mir
vier wollene Decken mit; der Alte selbst nahm ein
Licht und führte mich in mein ‚Zimmer‘. Wir

sagten einander gute Nacht, der Bolzen wurde vorgeschoben. Ich kann nicht sagen, daß mich ein
Schrecken angewandelt hätte. Der übliche Gefäng-
nisapparat, der Schemel, der Wasserkrug, das
eiserne Bett machten mich lächeln. Ich schritt 5
eine Viertelstunde lang auf und ab; dann entkleidete
ich mich und wickelte mich in die Decken. Ich war
todmüde und hoffte „einen guten Schlaf zu tun".
Es war anders beschlossen. Ich mochte fünf Minuten
geschlafen haben, als mich ein lautes Nagen und 10
Knabbern weckte. Ich fuhr auf und horchte. Kein
Zweifel: Ratten! Nie hab' ich diese Tiere mit
solcher Frechheit sich geberden sehen; sie zupften
und zerrten an den Decken, ließen sich durch mein
Zurufen nicht im geringsten stören und machten, 15
wenn sie unter dem Fußboden mit Gepolter hin-
jagten, den Eindruck einer infernalen Kavallerie auf
mich. Jeden Augenblick mußt' ich fürchten, daß
sie mein Bett mit Sturm nehmen würden. Ich
stand auf, kleidete mich an, und setzte mich auf das 20
Fensterbrett. In solcher Stellung durchwachte ich
die Nacht. Das höllische Getier, das mich einfach
als einen Eindringling betrachtete, ließ auch jetzt
nicht von mir ab; sie drängten sich an den Schemel,
den ich an das Fenster geschoben hatte, und suchten 25
diesen zu erklettern; als sie aber ihre Anstrengungen
scheitern sahen, gaben sie endlich ihre Chargen auf.
Um 4 Uhr wurde es still; um 5 Uhr dämmerte es.
Um 7 Uhr erschien M. Palazot. Ich sagte ihm, daß
ich nicht geschlafen hatte und weshalb nicht. Er 30
lächelte. „Ja, ja." Dann fragte ich ihn, ob er mir
wohl erlauben wolle in seinem Sorgenstuhl den ver-
säumten Schlaf der Nacht nachzuholen. Er nickte,

gab mir sein bestes Kissen, und ich rückte mich
zurecht. So saß ich eine Stunde; das Feuer knisterte,
der Hühnerhund gappste nach den Fliegen, der Alte
las, Madame ging leise, wie auf Socken, auf und ab.
5 Mit dem Schlage neun wurde es draußen laut;
schwere Schritte klangen auf der Treppe; drei
Gendarmen traten ein. Unter ihrer Eskorte sollte
ich nach der Festung Langres gebracht werden.
Abschied war bald genommen; meiner freundlichen
10 Wirtin sprach ich die Hoffnung aus, daß sie ihren
Sohn wiedersehen möge. Sie weinte: „jamais,
jamais!"
Erlebtes (1871)

WILHELM HEINRICH RIEHL

1823–97

229 *Meine erste literarische Kritik*

WIR Biebricher hatten den prächtigsten Schul-
weg, da wir als zehnjährige Knaben die
15 Lateinschule in Wiesbaden besuchten. Früh morgens halb sechs Uhr sammelten wir uns in den
Gassen, und dann stürmte die kleine Rotte lustig
vom Rheine durchs Dorf und durch Mosbach über
den Berg nach Wiesbaden, fast fünfviertel Stunden
20 Wegs, in jeder Jahreszeit und bei jedem Wetter.
Im Winter war's besonders schön, da brachen wir
erst um halb sieben auf, traten gar manchmal die
erste Spur in den frischen Schnee und fanden es
weit vernünftiger durch die Schneewehen des
25 Chausseegrabens zu waten als mit den andern
Leuten oben auf dem Fußpfad zu gehen. Mein
besonderer Stolz aber war dann eine kleine Laterne,

welche ich im Dunkel voranleuchten ließ. Sobald
wir beim Ausmarsch das letzte Haus von Mosbach
im Rücken hatten, trat einer von uns vor und sprach
laut die Versregel, welche aus Zumpts Grammatik
für den Tag auswendig zu lernen war, und die 5
andern sprachen sie taktfest im Chore nach: „Viele
Wörter sind auf is/Masculini generis." Der Heimweg
am Abend sah aber ganz anders aus. Die Freude über
den vollendeten Schultag mußte ausgetobt sein,
man trieb allerlei Mutwillen, neckte sich und balgte. 10
Nun geschah es eines Tages, daß einer der Genossen
den *Rinaldo Rinaldini* mitbrachte, welchen er von
ungefähr zu Hause gefunden hatte. Der glückliche
Finder begann auf dem Heimwege den Roman vor-
zulesen. Allein er kam nicht weit. Wir fanden das 15
Buch grausam langweilig, hatten bei einem Räuber-
romane ganz andere und zwar recht haarsträubende
Dinge erwartet, und der Vorleser verstummte
alsbald mißmutig, weil ihm niemand mehr zuhörte.
„Da könnte ich euch ganz andere Geschichten 20
erzählen, weit schönere!" rief ich übermütig. Die
Kameraden staunten und nahmen mich beim Wort.
Ich besann mich auch nicht lange und begann. Was
für eine Geschichte ich darauf erzählte, weiß ich
freilich nicht mehr. Allein sie muß gefallen haben, 25
denn ich war von nun an der ausgemachte Rhapsode
unserer Schar und erzählte allabendlich auf dem
Heimwege lauter selbsterfundene Geschichten, ge-
zeugt und geboren, erdacht und vorgetragen im
nämlichen Augenblicke auf der Chaussee. Es muß 30
damals wunderlich genug in meinem Kopfe ausgesehen haben. Gelesen hatte ich noch keinen Roman,
aber zerstreute Bilder und Charaktere aus dem *Robin-*

son, aus Märchen, Sagen und Reisebeschreibungen tanzten vor meinem inneren Gesichte, und ich verwob die bunten Bruchstücke zum seltsamen Ganzen, schuf mir neue Helden, indem ich die
5 alten nach Lust und Laune umbildete. So berichtete ich denn naturgetreu, als wäre ich selber dabei gewesen, von Schiffbrüchen an wüsten Inseln, von Räubern, die in Höhlen oder auf hohen Eichbäumen wohnten, von tapferen Rittern, besonders Kreuz-
10 fahrern, von eingemauerten Mönchen und Nonnen; und immer gelangte mein Haupheld durch unsäg-liche Kämpfe und Nöte zuletzt zu hohen Ehren. Liebschaften und Frauenzimmer hielt ich für lang-weilig, sie kamen gar nicht vor in meinen Geschichten.
15 Damit jedoch auch den zarteren Regungen des Herzens ihr Recht werde, lebte mein Held etwa in wahrer Bruderschaft mit seinem Pferde, oder hatte einen großen Hühnerhund zum Busenfreunde, oder noch besser einen gezähmten Löwen, der sich ihm
20 des Nachts im Walde dienstwillig als weiches Lager unterbreitete. Indem wir aber so erzählend und hörend heimwärts zogen, schlossen wir uns nun zur geordneten Gruppe wie am Morgen; keiner blieb mehr zurück oder lief vor, keiner neckte mehr den
25 andern, wir hatten Feierabend und hatten Friede geschlossen mit allem, was auf der Landstraße lebte und webte.

Da aber kam urplötzlich jener bekannte Blitz aus heiterer Luft und schlug zerschmetternd in den
30 Abendfrieden meiner Geschichten. Dies geschah an einem blütenduftigen Maitage. Die Sonne stand noch hoch, als wir unsern Heimweg antraten. In lieblicher Pracht wogten die frisch aufsprossenden

Saatfelder zu dem breiten Silberstreifen des Rheines
hinab, wir Knaben fühlten den beseelenden Frühlingsodem gleich dem andern jungen Volk der Vögel
und Mücken, das uns umschwirrte: wir waren heute
besonders aufgeregt und wußten nicht warum. Ich 5
erzählte wieder, und auch in meiner Geschichte
trieb und gärte der Frühling; ich häufte Abenteuer
auf Abenteuer, und ließ meinen Helden die erhabensten Taten vollbringen: kein Wunder, daß er
auf einmal grausam ins Gedränge kam. Er ist 10
abgeschnitten von den Seinigen, in zwanzigfacher
Übermacht sitzt ihm der Feind auf dem Nacken und
vor ihm und seinem todmüden Rappen gähnt eine
fünfzig Fuß breite turmtiefe Felsenkluft. Der bedrängte Ritter aber besinnt sich nicht lange, befiehlt 15
Gott seine Seele, schließt die Augen, spornt, daß es
blutet, und im Fluge setzt das Roß über die Kluft;
die Feinde aber, die ihm nachsprengen wollen,
purzeln einer nach dem andern in den Abgrund. —
Ich verschnaufte eine Weile, der große Sprung hatte 20
mich etwas außer Atem gesetzt. Da rief mein
Nebenmann, es sei unmöglich, daß ein todmüder
Rappe über eine fünfzig Fuß breite Kluft setze; er
wisse auch, wie weit Rappen springen könnten, denn
sein Oheim habe einen solchen im Stall. Ich fuhr 25
auf — das war die erste literarische Kritik, die ich
in meinem Leben erduldete — und entgegnete fest
und ernst: „In den Ritterzeiten sind eben die
Pferde viel stärker gewesen, das Roß des Eppelein
von Gailingen hat zu Nürnberg einen noch weit 30
größeren Satz getan als vorhin mein Rappe, des
rabenschwarzen Pferdes der vier Haimonskinder gar
nicht zu gedenken; übrigens," so schloß ich mit

trotzig gehobener Stimme, „übrigens habe ich mir
den Ritter samt dem Rappen selbst gemacht und
lasse meine Ritter so viele Heiden totschlagen als mir
beliebt, und meine Rappen springen, so weit ich
5 will!" Die andern begriffen meine Rede nicht; sie
fragten, ob denn die fünfzig Fuß wirklich im Buche
stünden? Da regte sich zum erstenmal der Autor
in mir, und ich erwiderte: „Im Buche steht gar
nichts, meine Geschichten stehen überhaupt in
10 keinem Buche sondern bloß in meinem Kopfe und
sind alle miteinander hier auf der Chaussee gewachsen." Diese Erklärung wirkte wie ein Donner-
schlag. Meine Kameraden glaubten, was ich ihnen
erzählte, das stehe alles irgendwo gedruckt und sei
15 folglich wahr: nun fiel es ihnen wie Schuppen von
den Augen, und sie hielten sich für belogen und
schändlich angeführt. Sie hatten keine Ahnung von
dem Schöpferrecht der Phantasie und hielten
Dichten und Lügen für gleichbedeutend. Der eine
20 rief, ich dürfe niemals wieder eine Geschichte erzählen, der andere, ich müsse für die bereits erzählten
einen exemplarischen Denkzettel erhalten;— „da
liegt der Denkzettel schon!" schrie der dritte und
brachte ein schweres Holz herbei, das am Graben
25 lag: den Klotz sollte ich bis Biebrich schleppen zur
Strafe für meine ungedruckten Geschichten. Die
andern fielen dem Vorschlag jubelnd bei; ich wehrte
mich, es kam zum Handgemenge — ich war auf dem
Punkte der Übermacht zu erliegen. Da kam ein
30 vierspänniger Leiterwagen hinter uns her gerollt,
ich reiße mich los und springe dem Wagen nach;
ein paar Hausknechte, die oben standen, sahen
meine Not, winkten mir herbei; es gelang mir mich

an dem dahinsausenden Wagen hinten festzu-
klammern, die Männer packten mich unter den
Armen, zogen mich hinauf, und ehe ich recht
wußte was geschehen, stand ich oben und fuhr wie
ein Triumphator davon, indes meine Widersacher 5
mit dem Klotze verblüfft auf der Straße standen.

Abendfrieden (1874)

230 *Mühsal und Genuß des Schaffens*

IN den höheren geistigeren Formen der Arbeit
fällt Mühsal und Genuß in Eins zusammen. Die
Arbeit selber wird Genuß, während beim rein
mechanischen Tagewerk, welches ein Tier oder eine 10
Maschine beinahe ebensogut vollführen könnte als
der Mensch, erst nach der Arbeit und in ihren
Resultaten der rechte Genuß kommt. Es geht
darum den meisten Handarbeitern wie vielen
Studenten, denen die lange Vakanz als das Schönste 15
an den Universitätsstudien erscheint. Dem schöpferischen Geistesarbeiter ist kein Feierabend vergönnt, und er träumt wohl gar im Schlafe seine
Arbeit weiter; allein für diese Entbehrung ward ihm
dennoch reicher Ersatz, denn die Wonne des Feier- 20
abends steckt ihm in der Arbeit. Darum fällt auch
dem schöpferischen Manne in Alter oder Krankheit
nichts schwerer als mit der Arbeit aufzuhören.
Kluge Leute haben gut predigen, daß der Künstler
mit seiner reifsten Blütezeit abschließen solle. Mit 25
dem Schaffen abschließen heißt für ihn mit dem
reinsten Lebensgenusse abschließen, und das mag
doch keiner, bevor er wirklich tot ist. Die seligsten
Augenblicke bei der Geistesarbeit sind das Emp-

fangen und das Vollenden, Anfang und Ende, der erste Wurf und die letzte Hand. In beiden wird die Arbeit zum freien Genuß, dazwischen liegt der Schweiß und die Mühe der Arbeit. Begabte, aber
5 strenger Selbstzucht und gesammelter Tatkraft bare Naturen bleiben daher häufig bei dem bloßen Empfangen, bei den ersten zündenden Ideen der Geistesarbeit stehen; sie beginnen und entwerfen ewig um nichts zu Ende zu führen.

10 Nicht im Entwurf bleiben die meisten Arbeiten stecken sondern im ersten Teile der Ausführung; selten dagegen und in der Regel nur durch ein äußeres Hindernis bleibt ein über die Mitte vorgeschrittenes Werk Fragment. In der Mitte kommt
15 man über den Berg, und nicht die steilste Stelle, sondern das erste Ansteigen ist bergauf das sauerste. Den Scheitelpunkt der Gebirgspässe nennt man in vielen Gegenden „beim fröhlichen Mann“; denn mag der Wanderer von hüben oder drüben kommen,
20 bei dieser Stelle ist er allemal fröhlich; und das Hinuntersteigen deucht ihm nur noch ein Spiel. Bevor man aber in einer Arbeit beim „fröhlichen Mann“ angelangt ist, kostet es ganz besonderer Willenskraft und Ausdauer. Im Augenblicke des
25 ersten Wurfes sitzen wir wie ein Feldherr hoch zu Roß, ordnen und mustern unsere Reihen in keckem Flug und sehen überall schon gewonnenes Spiel. Beim Ausführen aber müssen wir all die Schritte erst erkämpfen, die wir im Geiste schon weit hinter
30 uns hatten. Es beginnt eine Schule der Selbsterkenntnis, wir finden tausend ungeahnte Lücken unsers Wissens, der Stoff trocknet uns ein, oder er wird uns auch umgekehrt so warm und lebendig,

daß er mit unserer Phantasie durchgeht und wir
nicht mehr zum geduldigen Sitzen uns niederschlagen können. Allmählich gewinnt man aber
auch diese Nöte und Mühen lieb, und der Zwang
der begonnenen Arbeit hilft durch dick und dünn. 5
Es ist etwas Köstliches um diesen Zwang. Kein
großes Werk wird ohne äußeren Zwang vollendet.
Wer unbegrenzte Zeit hat, der tut gewöhnlich gar
nichts; nur wenn wir keine Zeit haben, finden wir
Zeit. Man verspricht sich oft Wunder wie viel von 10
einer Ferienarbeit, und sind die Ferien herum, so
haben wir nichts getan; kommt aber der köstliche
Zwang, brennt es auf dem Nagel, dann verdoppelt
sich die Schnellkraft des gesammelten Geistes, und
eine gestohlene Stunde reicht weiter als zwölf 15
geschenkte.

Mit der Feder eines Novellisten ließe sich's höchst
liebenswürdig ausmalen, wie allerlei Geister nach
verschiedenen Hausmitteln greifen, um sich in der
Mühsal der Produktion zu stärken und den inneren 20
Zwang zur Arbeit zu finden. Der eine kann sein
Werk nicht fördern, wenn er nicht periodisch Plan
und Schicksal der Arbeit haarklein mit Freunden
durchspricht; dem andern dagegen würde das Werk
für immer verleidet sein, wofern er irgend einer 25
Seele davon erzählt hätte, bevor er's mindestens bis
auf den Berg, bis zum „fröhlichen Mann" hinauf
geführt hat. Man sagt von der Gemse, daß sie lieber
Hungers stirbt als eine Pflanze benagt, woran sie die
Berührung einer Menschenhand wittert. So gibt 30
es auch Schriftsteller, die keinen Gedanken mehr
niederschreiben können, den sie einmal einem
Dritten vorgelegt haben. Solche Gemsennaturen

suchen wohl im Hinausstürmen in Wald und Wildnis
Ideen zu erhaschen oder zu formen, machen ein
keckes rohes Konzept unter den Bäumen und feilen
die Reinschrift bei verschlossener Türe. Gedanken,
5 die unter der lastenden Stubendecke schlechterdings
nicht heraus wollen, blühen wie entzaubert empor
unter freiem Himmel. Aber es gibt noch ein anderes,
viel allgemeineres Mittel den trägen Geist zu
wecken. Kunst zeugt Kunst; der Anblick eines
10 fremden vollendeten Werkes läßt uns nicht stille
stehen beim eigenen unvollendeten Entwurf. Darum
lauscht der Maler an der Staffelei dem Vorleser
guter Gedichte, daß es mit dem Pinsel frischer
flecke; der Poet, welcher die Katastrophe seines
15 Dramas nicht rund kriegen kann, hört eine Symphonie, und ehe die letzten Schläge des Finales gefallen
sind, hat er seine Katastrophe rund; und der Pro-
saiker betrachtet sich wohl gar einen Ruysdael oder
Dürer, um seinen historischen oder philosophischen
20 Stoff so warm und tief zu durchleben und so
harmonisch zu bilden wie der Maler seinen Eichwald
oder seine Figurengruppen. Nur hüte sich ein jeder
daß er sich nicht durch Meisterstücke gleicher
Gattung im Schaffen anregen wolle. Der Historiker
25 zum Exempel mag, während sein eigen Werk in ihm
gährt und treibt, Verse lesen, Musik hören, Bilder
betrachten: das erweckt und kräftigt seine Ideen
ohne ihn zu Nachklängen und subtilem Diebstahl
zu verlocken. Wenn er sich aber durch stilverwandte
30 Geschichtswerke mitten in der Arbeit zum Schaffen
kann höher stimmen lassen, dann muß er entweder
ein Original über alle Originale oder ein grund-
beschränkter Kopf sein. Vor und nach der Arbeit

soll man Fachwerke um der Form willen studieren,
während derselben nur als Stoffquellen. Es liegt
eine wunderbare Poesie der Arbeit in jenem er-
weckenden Rapport, den eine Kunst auf die andere
übt. Der Maler, welcher bei den Versen malt, 5
denkt: auch ich bin ein Poet; der Poet fühlt, indem
ihm die Symphonie sein Drama vollenden hilft,
daß auch in ihm Musik klingt. Daß jener begnadete
Mann musizierte, indes wir dichten; oder malte,
indes wir philosophieren, ändert im Wesen nichts; 10
es behütet uns aber, daß wir nicht in seine Formen
und individuellen Gedanken uns verstricken, und
daß wir nicht gar den Mut verlieren, wenn wir ein
Urbild vor uns schauen, gegen welches beim Vergleich im Einzelnen unser Beginnen doch leicht 15
Stümperei bleiben könnte. Der Dichter kann sich an
Beethoven erheben ohne sich mit ihm zu messen;
wollte er sich mitten im Schaffenseifer an Shakespeare erheben, so würde ihn der Vergleich zu Boden
drücken. Und schon ganz äußerlich gibt uns das 20
Beispiel, daß es dem Meister der fremden Kunst
gelang sein Werk zu vollenden, Mut und Wetteifer;
wir greifen zu, wir sehen es ist möglich und kommen
mit Gottes Hilfe wohl auch noch über den Berg.

Die deutsche Arbeit (1861)

CONRAD FERDINAND MEYER

1825–98

231   *Jürg und Lukretia*

ES war ein schwüler Sommertag im Jahre des 25
Heils 1615, und der würdige Magister Semmler
erklärte seiner jungen Zuhörerschaft in der dunkeln

Schulstube einen Vers der Iliade, der mit dem
helltönenden Dativ magádi schloß. „Magás," er-
läuterte er, „heißt die Drommete und ist ein
nachahmendes Klangwort. Glaubt ihr nicht den
5 durchdringenden Schall der Drommete im Lager
der Achaier zu vernehmen, wenn ich das Wort
ausrufe?" Er hemmte seinen Schritt vor der großen
Wandkarte des griechischen Archipelagus und rief
mit hellkrähender Stimme: Magádi! Diese Kraft-
10 anstrengung wurde durch ein schallendes Gelächter
belohnt, das der Magister mit Genugtuung vernahm ohne den Hohn zu bemerken, der im Beifall
seiner belustigten Schüler mitklang. War es ihm
doch verborgen geblieben, daß ihm diese alljährlich
15 wiederholte Szene den Spitznamen Magaddi zu-
gezogen hatte, der sich im Wechsel der nach-
rückenden Geschlechter von Klasse auf Klasse
vererbte. Als der Drommetenstoß erscholl, öffnete
sich geräuschlos die Tür, und über die Schwelle
20 trat ein vielleicht zehnjähriges Mädchen mit
dunkeln Augen und trotzig scheuer Miene. Ein
Körbchen in der Hand näherte sie sich dem würdigen Semmler, verneigte sich vor ihm und sprach:
„Mit Eurer Erlaubnis, Signor Maëstro." Dann
25 schritt sie auf Jürg Jenatsch zu, den sie auf den
ersten Blick in der Schülerschar entdeckt hatte.
Dieser saß, eine fremdartige Erscheinung, unter
seinen fünfzehnjährigen Altersgenossen, die er um
Haupteshöhe überragte. Seinem braunen Antlitz
30 gaben die düstern Brauen und der keimende Bart
einen fast männlichen Ausdruck, und seine kräftigen
Handgelenke ragten weit vor aus den engen Ärmeln
des dürftigen Wamses, dem er längst entwachsen

war. Beim Eintreten der Kleinen überflog eine dunkle Röte seine breit ausgeprägte Stirn. Er behielt eine ernste Haltung, aber seine Augen lachten. Jetzt stand das Mädchen vor ihm, umschlang den Sitzenden mit beiden Armen und küßte ihn herzlich 5 auf den Mund. „Ich habe gehört, daß du hungerst, Jürg," sagte sie, „und bringe dir etwas. . . ." Ein unbändiges Gelächter durchdröhnte die Schulstube, das Semmlers gebieterisch erhobene Rechte lange nicht beschwichtigen konnte. Die Augen des 10 Mädchens blickten befremdet und überquollen dann von schweren Tränen des Unmuts und der Scham, während sie Jenatsch fest bei der Hand faßte, als fände sie bei ihm allein Schutz und Hilfe. Jetzt endlich brach sich die strafende Stimme des 15 Magisters Bahn, „Was ist da zu lachen, ihr Esel? Ein naiver Zug sag' ich euch! Rein griechisch! Euer Gebaren ist ebenso einfältig, als wenn ihr euch beigehen laßt über die unvergleichliche Figur des göttlichen Sauhirten oder die Wäsche des Königs- 20 töchterleins Nausikaa zu lachen.—„Wem gehörst du, Kind?" wandte er sich jetzt mit väterlichem Wohlwollen zu der Kleinen, „und wer brachte dich hierher? Denn," setzte er, seinen geliebten Homer parodierend, hinzu, „nicht kamst du zu Fuß, wie es 25 scheint, nach Zürich gewandelt." „Mein Vater heißt Pompejus Planta," antwortete die Kleine und erzählte dann weiter: „Ich kam mit ihm nach Rapperswyl, und als ich den schönen blauen See sah und hörte, daß am andern Ende die Stadt Zürich 30 sei, so machte ich mich auf den Weg." Pompejus Planta, der angesehenste Mann in Bünden, das allmächtige Parteihaupt! Dieser Name machte auf

Herrn Semmler einen überwältigenden Eindruck. Sogleich schloß er die Schulstunde und führte die Kleine unter sein gastliches Dach.

Als sie die Gasse hinunter schritten, kam ihnen gestiefelt und gespornt ein imponierender Herr entgegen. „Hab' ich dich endlich, Lukrezchen!" sagte er, das Kind auf den Arm nehmend und heftig küssend. „Was fiel dir ein mir zu entspringen?" Dann wandte er sich gegen Semmler und sagte: „Ihr habt seltsamen Besuch in Eurer Schule erhalten! Verzeiht die Störung Eures gelehrten Vortrags durch meinen Wildfang." Semmler beteuerte, daß es ihm zur besonderen Freude und Ehre gereiche das junge Fräulein und durch sie den edeln Herrn Vater kennen gelernt zu haben. „Tut mir die Ehre, hochmögender Herr," schloß er, „eine bescheidene Mittagsuppe mit mir und meiner lieben Ehefrau zu teilen." Der Freiherr willigte ein und erzählte unterwegs, wie er Lukretias Verschwinden spät bemerkt, dann aber gleich sich aufs Pferd geworfen und die Reisende mit Leichtigkeit von Spur zu Spur verfolgt habe. Als nach beendigtem Mahle die Herren beim Weine saßen, während die Frau Magisterin sich mit Lukretia beschäftigte, erkundigte sich Planta nach dem jungen Jenatsch. „Der Junge," sagte er, „gehört auf einen Kriegsgaul, nicht hinter das Kanzelbrett. Ich hab' es dem Alten oft gesagt: Gebt den Burschen mir, es ist schade um ihn! Ein Weltkrieg steht bevor, und wer weiß, wie weit es ein so verwegenes Blut bringen könnte! Tollkühn ist der Bursche über alles Maß. Da muß ich Euch doch etwas erzählen, Herr Magister! Im Sommer vor etlichen Jahren trieb er

sich täglich mit meines Bruders Sohne Rudolf und
mit Lukretia herum. Da kommt einmal Lukretia,
als ich durch den Garten gehe, mit freudeblitzenden
Augen auf mich zu gelaufen. „Sieh, sieh, Vater!"
ruft sie atemlos und deutet in die Höhe zu den 5
Schwalbennestern meines Schloßturmes. Was erblick'
ich dort, Herr Magister! Ratet einmal. . . . Den
Jürg, der rittlings auf dem äußersten Ende eines
weit aus der Dachluke ragenden und sich auf und
nieder wiegenden Brettes sitzt. Und der Schlingel 10
schwingt noch den Filz und begrüßt uns mit
Jubelgeschrei! Der andere mochte drinnen auf dem
sicheren Ende der improvisierten Schaukel hocken,
und da Rudolf — ich sag' es ungern — ein tückischer
Junge ist, graute mir vor dem Wagstück. Ich erhob 15
drohend die Hand und eilte hinauf. Als ich ankam,
war alles wieder an Ort und Stelle. Ich faßte Jürg
am Kragen, ihm seine Frechheit vorhaltend; er antwortete aber ruhig, Rudolf hätte gemeint, er würde
sich dessen nicht getrauen, und das hätte er nicht 20
dürfen auf sich sitzen lassen." Semmler, dessen
Hände bei dieser Geschichte ängstlich nach
den Armlehnen seines Stuhls gegriffen hatten,
erlaubte sich nun das Bedenken auszusprechen, ob
der Umgang Lukretias mit so wilden Jungen, vor- 25
nehmlich mit dem durch eine unübersteigliche
Kluft von ihr getrennten Jenatsch, nicht die weib-
liche Zartheit und adelig feine Sitte des kleinen
Fräuleins gefährden könnte. „Flausen!" rief der
Freiherr. „Ihr dürft Euch darüber keine Gedanken 30
machen, daß das Kind dem Jungen nach Zürich
nachgelaufen ist. Natürlich Kindereien. Lukretia
kommt nächstens zu adeliger Erziehung ins Kloster,

und hinter den Mauern wird sie mir sittsam genug
werden. Was übrigens Eure unübersteiglichen
Klüfte betrifft, so meinen wir, auch wenn wir es
nicht sagen: Das ist Vorurteil." *Jürg Jenatsch* (1876)

JOSEPH VICTOR VON SCHEFFEL
1826–86

232   *Besuch im Kloster*

5 ES war Mittagszeit vorüber, schweigende Ruhe
lag über dem Tal. Des heiligen Benedikt Regel
ordnete für diese Stunde, daß ein jeder sich still
auf seinem Lager halte, und wiewohl von der glieder-
lösenden Glut italischer Mittagssonne, die Menschen
10 und Tier in des Schlummers Arme treibt, diesseits
der Alpen wenig zu verspüren, folgten sie im
Kloster doch pflichtgemäß dem Gebot. Nur der
Wächter auf dem Torturm stand, wie immer,
treulich und aufrecht im mückendurchsummten
15 Stüblein. Der Wächter hieß Romeias und hielt gute
Wacht. Da hörte er durch den nahen Tannwald
ein Roßgetrabe; er spitzte sein Ohr nach der
Richtung. „Acht oder zehn Berittene!" sprach er
nach prüfendem Lauschen; er ließ das Fallgatter
20 vom Tor hernieder rasseln, zog das Brücklein, was
über den Wassergraben führte, auf und langte sein
Horn vom Nagel. Und weil sich einiges Spinnweb
drin festgesetzt hatte, reinigte er dasselbe. Jetzt
kamen die Vordersten des Zuges am Waldsaum zum
25 Vorschein. Da fuhr Romeias mit der Rechten über
die Stirn und tat einen sonderbarlichen Blick hinunter. Das Endergebnis seines Blickes war ein Wort:
„Weibervölker!?" — er sprach's halb fragend, halb

als Ausruf, und lag weder Freudigkeit noch Aufer-
bauung in seinem Worte. Er griff sein Horn und
blies dreimal hinein. Da füllten sich die Fenster
am Saal der Klosterschulen mit neugierigen jungen
Gesichtern, manch lieblicher Traum in einsamer 5
Zelle entschwebte ohne seinen Schluß zu finden,
manch tiefsinnige Meditation halbwachender Denker desgleichen. Der Abt Cralo sprang aus seinem
Lehnstuhl und reckte seine Arme der Decke seines
Gemachs entgegen, ein schlaftrunkener Mann; auf 10
schwerem Steintisch stund ein prachtvoll silbern
Wasserbecken, darin tauchte er den Zeigefinger und
netzte die Augen, des Schlummers Rest zu ver-
treiben. Dann hinkte er zum offenen Söller seines
Erkers und schaute hinab. Und er ward betrüblich 15
überrascht, als wär' ihm eine Walnuß aufs Haupt
gefallen: „Heiliger Benedikt, sei mir gnädig —
meine Base, die Herzogin!"

Sofort schürzte er seine Kutte, strich den
schmalen Büschel Haare zurecht, der ihm inmitten 20
des kahlen Scheitels noch stattlich emporwuchs
gleich einer Fichte im öden Sandfeld, hing das
güldene Kettlein mit dem Klostersigill um, nahm
seinen Abtsstab, dran der reichverzierte Elfen-
beingriff erglänzte, und stieg in den Hof hernieder. 25
„Wird's bald?" rief einer der Berittenen draußen.
Da gebot er dem Wächter, daß er die Angekom-
menen nach ihrem Begehr frage. Romeias tat's.

Jetzt ward draußen ins Horn gestoßen, der Kämmerer Spazzo ritt als Herold ans Tor und rief mit 30
tiefer Stimme: „Die Herzogin und Verweserin des
Reichs in Schwabenland entbeut dem heiligen
Gallus ihren Gruß. Schaffet Einlaß!" Der Abt

538

seufzte leise auf. Er stieg auf Romeias' Warte; an
seinen Stab gelehnt, gab er denen vor dem Tore den
Segen und sprach: „Im Namen des heiligen Gallus
dankt der Unwürdigste seiner Jünger für den er-
5 lauchten Gruß. Aber sein Kloster ist keine Arche,
drin jegliche Gattung von Lebendigem, Männlein
und Weiblein Eingang findet. Darum, ob auch das
Herz von Betrübnis erfüllt wird, ist Einlaß schaffen
ein unmöglich Ding. Kanonische Satzung sperrt das
10 Tor." Frau Hadwig saß schon lange ungeduldig im
Sattel; jetzt schlug sie mit der Reitgerte ihren
weißen Zelter, daß er sich bäumte, und rief lachenden Mundes: „Spart die Umschweife, Vetter Cralo,
ich will das Kloster sehen." Wehmütig hub der Abt
15 an: „Wehe dem, durch welchen Ärgernis in die Welt
kam. Ihm wäre heilsamer, daß an seinem Hals ein
Mühlstein. . . ." Aber seine Warnung kam nicht zu
Ende. Frau Hadwig änderte den Ton ihrer Stimme:
„Herr Abt, die Herzogin in Schwaben muß das
20 Kloster sehen," sprach sie scharf. Da ward es dem
Schwergeprüften klar, daß weiterer Widerspruch
kaum möglich ohne große Gefahr für des Gottes-
hauses Zukunft. Wenn einer in zweifelhafter Lage
aus sich selber keine Auskunft zu schöpfen weiß,
25 ist's dem schwanken Gemüt wohltätig andere zu
gutem Rat beizuziehen, das nimmt die Verant-
wortung und deckt den Rücken. Darum rief Cralo
jetzt hinunter: „Da Ihr hartnäckig darauf besteht,
muß ich's der Ratsversammlung der Brüder vor-
30 tragen. Bis dahin geduldet Euch!" Er schritt zurück
über den Hof, im Herzen den stillen Wunsch, daß eine
Sündflut vom Himmel die Heerstraße zerstören möge,
die so leichtlich unberufenen Besuch herbeiführe.

Fünfmal erklang jetzt das Glöcklein von des heiligen Othmar Kapelle neben der Hauptkirche und rief die Brüder zum Kapitelsaal. Und der einsame Kreuzgang belebte sich mit einherwandelnden Gestalten; gegenüber vom sechseckigen Ausbau, wo 5 unter säulengetragenen Rundbogen der Springquell anmutig in die metallene Schale niederplätscherte, war der Ort der Versammlung, eine einfache graue Halle. Auf erhöhtem Ziegelsteinboden hob sich des Abtes Marmorstuhl, dran zwei rohe Löwenköpfe 10 ausgehauen, Stufen führten hinauf. Vergnüglich streift das Auge von dort an den dunkeln Pfeilern und Säulen vorüber ins Grün des Gärtleins im innern Hofe; Rosen und Malven blühten drin empor; die Natur sucht gütig auch die heim, die sich ihr 15 abgekehrt. In scharfem Gegensatz der Farbe hoben sich die weißen Kutten und dunkelfarbigen Oberkleider vom Steingrau der Wände; lautlos traten die Berufenen ein, flüchtig Nicken des Hauptes war der gegenseitige Gruß; wärmender Sonnenstrahl fiel 20 durchs schmale Fenster auf ihre Reihen. Jetzo bestieg der Abt seinen ragenden Steinsitz, und sie ratschlagten, was zu tun. Der Fall war schwierig. Die Beratung ward stürmisch, sie sprachen hin und her. Da hob sich unter den Jüngeren einer und erbat 25 das Wort. „Sprechet, Bruder Ekkehard," rief der Abt. Und das wogende Gemurmel verstummte; alle hörten den Ekkehard gern. Er war jung an Jahren, von schöner Gestalt, und fesselte jeden, der ihn schaute, durch sittige Anmut, dabei weise und 30 beredt, von klugverständigem Rat und ein scharfer Gelehrter. An der Klosterschule lehrte er den Virgilius, und wiewohl in der Ordensregel ge-

schrieben stund: zum Pförtner soll ein weiser Greis
erwählt werden, dem gesetztes Alter das Irrlichte-
lieren unmöglich macht, so waren die Brüder eins,
daß er die erforderlichen Eigenschaften besitze, und
5 hatten ihm auch das Pförtneramt übertragen. Ein
kaum sichtbares Lächeln war über seinen Lippen
gelegen, dieweil die Alten sich stritten. Jetzt erhob
er seine Stimme und sprach: „Die Herzogin in
Schwaben ist des Klosters Schirmvogt und gilt
10 in solcher Eigenschaft als wie ein Mann. Und wenn in
unserer Satzung streng geboten ist, daß kein Weib
den Fuß über des Klosters Schwelle setze: man kann
sie ja darüber tragen." Da heiterten sich die Stirnen
der Alten, als wäre jedem ein Stein vom Herzen
15 gefallen; beifällig nickten die Kapuzen, auch der
Abt war des verständigen Wortes nicht unbewegt
und sprach: „Fürwahr, oftmals offenbart der Herr
einem Jüngern das Dienstlichste. Bruder Ekkehard,
Ihr seid sanft wie die Taube aber klug wie die
20 Schlange, so sollt Ihr des eigenen Rates Vollstrecker
sein. Wir geben Euch Dispens." Dem Pförtner
schoß das Blut in die Wangen, er verbeugte sich,
seinen Gehorsam anzudeuten. Der Abt pflog noch
eine lange flüsternde Verhandlung mit Gerold, dem
25 Schaffner, wegen des Vesperimbisses; dann stieg er
von seinem Steinsitz und zog mit der Brüder Schar
den Gästen entgegen. Die waren draußen schon
dreimal um des Klosters Umfriedung herumgeritten
und hatten sich mit Glimpf und Scherz des Wartens
30 Ungeduld vertrieben.

In der Tonweise *justus germinavit* kamen die ein-
tönigen schweren Klänge des Lobliedes auf den
heiligen Benedictus aus dem Klosterhof zu den

Wartenden gezogen, das schwere Tor knarrte auf, heraus schritt der Abt, paarweise langsamen Ganges der Zug der Brüder. Dann gab der Abt ein Zeichen daß der Gesang verstumme. — „Wie geht's Euch, Vetter Cralo," rief die Herzogin leichtfertig vom Roß, hab' Euch lange nicht gesehen. Hinket Ihr noch?" Cralo aber sprach ernst: „Es ist besser, der Hirt hinke, als die Herde. Vernehmet des Klosters Beschluß." Und er eröffnete die Bedingung, die auf den Eintritt gesetzt. Da sprach Frau Hadwig lächelnd: „So lang' ich das Scepter führe in Schwabenland, ist mir ein solcher Vorschlag nicht gemacht worden. Aber Eures Ordens Vorschrift soll von uns kein Leides geschehen. Welchem der Brüder habt Ihr's zugewiesen die Landesherrin über die Schwelle zu tragen?" Sie ließ ihr funkelnd Auge über die geistliche Heerschar streifen. Wie sie auf Notkers, des Stammlers, unheimlich Schwärmer- antlitz traf, flüsterte sie leise der Griechin zu: „Möglich, daß wir gleich wieder umkehren!" Da sprach der Abt: „Das ist des Pförtners Amt, dort steht er." Frau Hadwig wandte den Blick in der Richtung, die des Abts Zeigefinger wies; gesenkten Hauptes stund Ekkehard; sie erschaute die sinnige Gestalt im rotwangigen Schimmer der Jugend, es war ein langer Blick, mit dem sie über die gedanken- bewegten Züge und das wallende gelbliche Haupt- haar und die breite Tonsur streifte. „Wir kehren nicht um!" nickte sie zu ihrer Begleiterin, und bevor der Kämmerer vom Gaul herab und ihrem Schimmel genaht war, sprang sie anmutig aus dem Bügel, trat auf den Pförtner zu und sprach: „So tut, was Eures Amtes!" Ekkehard hatte sich auf eine Anrede

besonnen und gedachte mit Anwendung tadellosen
Lateins die sonderbare Freiheit zu rechtfertigen,
aber wie sie stolz und gebietend vor ihm stand,
versagte ihm die Stimme, und die Rede blieb, wo
5 sie entstanden — in seinen Gedanken. Aber er war
unverzagten Mutes und umfaßte mit starkem Arm
die Herzogin, die schmiegte sich vergnüglich an
ihren Träger und lehnte den rechten Arm auf seine
Schulter. Fröhlich schritt er unter seiner Bürde
10 über die Schwelle, die kein Frauenfuß berühren
durfte, der Abt ihm zur Seite, Dienstmannen
folgten, hoch schwangen die dienenden Knaben
ihre Weihrauchfässer, und die Mönche wandelten
in gedoppelter Reihe hinterdrein, die letzten
15 Strophen ihres Lobliedes singend.

Ekkehard, Roman aus dem zehnten Jahrhundert (1862)

PAUL HEYSE

1830–1914

233　　*Die Blinden*

SICHTBAR genasen sie von Tag zu Tage, und
schon am vierten nach der Operation erlaubte
ihnen der Arzt aufzustehn. Er selber stützte das
Mädchen, wie sie schwach und zitternd durch die
20 finstere Kammer ging nach der offenen Tür, in der
der Knabe stand und fröhlich seine suchenden
Hände nach den ihren ausstreckte. Dann hielt er
ihre Hand fest und bat sie sich auf ihn zu stützen,
was sie zutraulich tat. Sie schritten die Kammer auf
25 und ab miteinander, und er mit dem feinen Gefühl
der Örtlichkeit, wie es Blinden eigen ist, geleitete sie

behutsam an den Sesseln und Schränken vorüber,
die an den Wänden standen. „Komm," sagte er,
„lehn dich fester an; du bist noch matt. Es täte dir
gut ein bißchen Wiesenduft im Freien zu atmen,
denn hier ist die Luft eng und schwer. Aber noch 5
ist's nicht gesund, sagt der Doktor. Die Augen
werden wund und erblinden gar wieder, wenn sie
zu früh ins Licht sehen. O, nun weiß ich schon,
was Licht und Dunkel ist. Kein Flötenton ist so
süß, als wenn es dir so weit ums Auge wird. Es tat 10
mir weh, muß ich sagen; doch hätt' ich immer so
ins Bunte starren mögen; so schön war der Schmerz.
Du wirst es auch erleben. Aber es ist noch mancher
Tag zu überstehen, bis es uns so gut wird. Dann
aber tu' ich den ganzen Tag nichts als sehen. Was 15
ich wissen möchte, Marlene: sie sagen, jedes Ding
habe eine andere Farbe. Was für Farben mag dein
und mein Gesicht haben? dunkel oder hell? Es wäre
garstig, wenn sie nicht recht schön hell wären. Ob
ich dich wohl erkenne mit den Augen? Jetzt, so 20
tastend, will ich dich mit meinem kleinen Finger
unter allen Menschen herausfinden. Aber hernach
— da haben wir uns ganz von neuem kennen zu
lernen. Ich weiß jetzt, deine Wangen und deine
Haare sind weich anzufühlen. Ob sie den Augen 25
auch so sein mögen? Das wüßt' ich gern, und es ist
noch lange hin!" In diesem Ton plauderte er unaufhörlich und achtete nicht darauf, daß sie stumm
neben ihm ging. Manche von seinen Worten waren
ihr tief zu Herzen gegangen. Sie war nie darauf 30
verfallen, daß sie sich selbst nun auch sehen würde,
und wußte auch kaum, wie sie sich das zu denken
habe. Von Spiegeln hatte sie gehört, ohne es zu

verstehen. Sie dachte sich jetzt, sobald ein Sehender
die Augen auftäte, erschiene ihm sein eigen Angesicht.—

Nun, wie sie wieder im Bette lag und die Mutter
5 dachte, sie schliefe, ging ihr das Wort durch den
Sinn: „Es wäre garstig, wenn unsere Gesichter nicht
hell wären." Sie hatte von schön und häßlich
gehört, und daß häßliche Menschen bemitleidet und
oft minder geliebt würden. „Wenn ich nun häßlich
10 bin," sagte sie sich, „und er will nichts mehr von
mir wissen! Sonst war es ihm gleich. Er spielte
gern mit meinen Haaren und nannte sie Seiden-
fädchen. Das wird nun aufhören, wenn er mich
garstig findet. Und er, wenn er's auch ist, ich will's
15 ihn gewiß nicht merken lassen, will ihn doch lieb
haben. Aber nein, ich weiß wohl, er kann nicht
häßlich sein, er nicht." Lange grübelte sie, in
Kummer und Neugier versunken. Es war schwül.
Im Garten die Nachtigallen riefen ängstlich herein,
20 und ein zuckender Westwind stieß gegen die
Scheiben. Sie war ganz allein in der Kammer, denn
das Bett ihrer Mutter, die sonst bei ihr geschlafen,
war der Hitze wegen aus dem engen Gemach wieder
hinausgeschafft worden. Überdies hielt man eine
25 Nachthüterin nicht mehr für nötig, da das Fieber
völlig verschwunden schien. Und gerade heute
überkam es sie wieder und warf sie hin und her, bis
lange nach Mitternacht ein kurzer, dumpfer Schlaf
sich ihrer erbarmte. Indessen zog das Wetter, das
30 die Hälfte der Nacht murrend am Horizont gekreist
hatte, mit Macht herauf, lagerte sich über den
Wald und stand nun still; denn der Wind schwieg.
Ein heftiger Donner schallt in Marlenens Schlummer

hinein. Halb träumend fährt sie empor. Sie weiß
nicht, was sie sucht und sinnt, in ungewisser Angst
treibt es sie aufzustehen, ihre Kissen sind so heiß.
Nun steht sie am Bett und hört draußen den
starken Regen niederrauschen. Aber er kühlt ihre 5
fiebernde Stirn nicht. Sie sucht sich zu fassen und
zurechtzufinden und besinnt sich auf nichts als auf
die traurigen Gedanken, mit denen sie einschlief.
Ein seltsamer Entschluß geht in ihr auf. Sie will
hinein zu Klemens. Auch er ist allein. Wer hindert 10
sie ihrer Ungewißheit ein Ende zu machen und sich
und ihn zu sehen? Nur dies eine denkt sie, und alle
Worte des Arztes sind vergessen. So geht sie mit
zitterndem Tasten der Tür zu, die halb offen steht,
findet die Lehne des Bettes, huscht auf den Zehen 15
an des Schlafenden Seite, und mit verhaltenem
Atem über ihn gebeugt, reißt sie sich rasch die
Binde von den Augen. Aber sie erschrickt, da es
dunkel bleibt wie zuvor. Sie hatte vergessen, daß es
Nacht sei und daß man ihr gesagt hatte, in der Nacht 20
seien die Menschen allzumal blind. Sie hatte gedacht, es müsse eine Klarheit ausströmen von einem
sehenden Auge und die Dinge erleuchten. Nun
fühlte sie den Hauch des Knaben sanft an ihre
Augen wehen, aber sie unterschied keine Gestalt. 25
Schon will sie bestürzt und fast verzweifelnd wieder
zurück—da flammt durch die nicht mehr genau verhüllten Scheiben ein sekundenlanger Blitz, dann ein
zweiter und dritter, die Luft wogt von plötzlicher
Helle; sie aber starrt einen Augenblick auf den 30
Lockenkopf, der sanft in die Kissen gedrückt daliegt;
dann verschwimmt das Bild, die Augen tränen gewaltsam, und von unaussprechlicher Angst auf-

gescheucht, flieht sie in ihre Kammer, legt die
Binde um, sinkt aufs Bett, und in ihr ist es, als wisse
sie es unerschütterlich, daß sie gesehen hat zum
ersten und letzten Male.   *Die Blinden* (1855)

RICHARD VOLKMANN-LEANDER
1830–89

234   *Die künstliche Orgel*

5   VOR langen langen Jahren lebte einmal ein sehr
geschickter junger Orgelbauer, der hatte schon
viele Orgeln gebaut, und die letzte war immer
wieder besser als die vorhergehende. Zuletzt machte
er eine Orgel, die war so künstlich, daß sie von selbst
10 zu spielen anfing, wenn ein Brautpaar in die Kirche
trat, an dem Gott sein Wohlgefallen hatte. Als er
auch diese Orgel vollendet hatte, besah er sich die
Mädchen des Landes, wählte sich die frömmste und
schönste und ließ seine eigne Hochzeit zurichten.
15 Wie er aber mit der Braut über die Kirchschwelle
trat, und Freunde und Verwandte in langem Zuge
folgten, jeder einen Strauß in der Hand oder im
Knopfloch, war sein Herz voller Stolzes und Ehr-
geizes. Er dachte nicht an seine Braut und nicht
20 an Gott sondern nur daran, was er für ein geschickter Meister sei, dem niemand es gleich tun
könne, und wie alle Leute staunen und ihn bewundern würden, wenn die Orgel von selbst zu
spielen begönne. So trat er mit seiner schönen
25 Braut in die Kirche ein — aber die Orgel blieb
stumm. Das nahm sich der Orgelbaumeister sehr
zu Herzen, denn er meinte in seinem stolzen Sinne,

daß die Schuld nur an der Braut liegen könne, und
daß sie ihm nicht treu sei. Er sprach den ganzen Tag
über kein Wort mit ihr, schnürte dann nachts heimlich sein Bündel und verließ sie. Nachdem er viele
hundert Meilen weit gewandert war, ließ er sich 5
endlich in einem fremden Lande nieder, wo niemand ihn kannte und keiner nach ihm fragte. Dort
lebte er still und einsam zehn Jahre lang; da überfiel
ihn eine namenlose Angst nach der Heimat und nach
der verlassenen Braut. Nachdem er vergeblich alles 10
getan um seine Sehnsucht nieder zu kämpfen, entschloß er sich zurück zu kehren und sie um Ver-
zeihung zu bitten. Er wanderte Tag und Nacht,
daß ihm die Fußsohlen wund wurden, und je mehr
er sich der Heimat näherte, desto stärker wurde 15
seine Sehnsucht. Endlich sah er die Türme seiner
Vaterstadt von fern in der Sonne blitzen. Da fing
er an zu laufen was er laufen konnte, sodaß die Leute
hinter ihm her den Kopf schüttelten und sagten:
„Entweder ist's ein Narr oder er hat gestohlen". 20
　Wie er aber in das Tor der Stadt eintrat, begegnete
ihm ein langer Leichenzug. Hinter dem Sarge her
gingen eine Menge Leute, welche weinten. „Wen
begrabt ihr hier, ihr guten Leute, daß ihr so weint?"
„Es ist die schöne Frau des Orgelbaumeisters, die 25
ihr böser Mann verlassen hat. Sie hat uns allen so
viel Gutes und Liebes getan, daß wir sie in der
Kirche beisetzen wollen." Als er dies hörte, entgegnete er kein Wort, sondern ging still gebeugten
Hauptes neben dem Sarge her und half ihn tragen. 30
Niemand erkannte ihn; weil sie ihn aber fortwährend schluchzen und weinen hörten, störte ihn
keiner, denn sie dachten: das wird wohl auch einer

von den vielen armen Leuten sein, denen die Tote
bei Lebzeiten Gutes erwiesen hat. So kam der Zug
zur Kirche, und wie die Träger die Kirchschwelle
überschritten, fing die Orgel von selbst zu spielen
5 an, so herrlich wie noch niemand eine Orgel spielen
gehört. Sie setzten den Sarg vor dem Altare nieder,
und der Orgelbaumeister lehnte sich still an eine
Säule daneben und lauschte den Tönen, die immer
gewaltiger anschwollen, so gewaltig, daß die Kirche
10 in ihren Grundpfeilern bebte. Die Augen fielen
ihm zu, denn er war sehr müde von der weiten Reise;
aber sein Herz war freudig, denn er wußte, daß ihm
Gott verziehen habe; und als der letzte Ton der
Orgel verklang, fiel er tot auf das steinerne Pflaster
15 nieder. Da hoben die Leute die Leiche auf, und
wie sie inne wurden, wer es sei, öffneten sie den
Sarg und legten ihn zu seiner Braut. Und wie sie
den Sarg wieder schlossen, begann die Orgel noch
einmal ganz leise zu tönen. Dann wurde sie still
20 und hat seitdem nie wieder von selbst geklungen.

Träumereien an französischen Kaminen (1871)

WILHELM RAABE

1831–1910

235   *An der Landstraße*

ES ist Sonntagmorgen. An der Landstraße steht
ein alter Brunnen, beschattet von zwei hohen
Eichen. Rauschend und sprudelnd stürzt das Wasser
aus einem wunderlichen Löwenhaupte in ein ver-
25 wittertes Bassin, an das eine Rasenbank gemütlich
sich anlehnt; hier sitze ich, das bunte Leben auf dem
Wege betrachtend. Unweit des Dorfes auf jenem

Hügel liegt eine Kirche, Fenster und Kreuz glitzern in den Sonnenstrahlen. Die Glocken ertönen und rufen mit ihren hellen Stimmen die Bewohner der umliegenden Dörfer zur Andacht. Auf der Straße wird's lebendig. Männer, Frauen und Kinder 5 ziehen daher, alle fröhlich aus den Augen blickend, das Gesangbuch unter dem Arme, die Mädchen und Weiber mit Blumensträußen geschmückt. Sie ziehen vorüber, freundlich grüßend, nach der Kirche, wo die Orgel tönt und der Prediger vom schönen 10 Morgenlande spricht, von Ewigkeit, von Gott und Welt und von allem, was heilig ist im Himmel und auf Erden. Aber draußen zwitschert die Lerche und begleitet mit ihren Tönen das Morgenlied der Handwerksburschen, die, den schweren Tornister auf 15 dem Rücken und den dornigen Knotenstock in der Hand, lustig in Gottes weite Welt hinein ziehen fremde Länder und fremde Menschen zu schauen. Und das Leben geht ihnen herrlich auf; alles ruhig genießend, bei jeder schönen Aussicht, jeder Merk- 20 würdigkeit anhaltend, werden sie in ihrer Reise froh, froher als jener Vornehme dort, dessen Wagen eben daherrollt, der mißmutig in die Ecke gelehnt vorbeijagt, nichts von den Schönheiten der Natur erblickend. Schon wieder tönt Wagengerassel; der 25 Staub erhebt sich, scherzende Stimmen werden laut. Es ist eine Familie aus der Stadt, die den schönen Sonntag auf dem Lande genießen will. Schäkernd sitzen die Alten da, die Kinder jubeln vor Freude, und vorbei saust der Wagen. In großen Staub- 30 wolken verschwindet er, und die Landstraße liegt wieder öde vor mir da; ich aber schaue den Blättern und Blüten nach, die der Wind im Kreise umher-

wirbelt und endlich in den Graben treibt. Das ist
das menschliche Leben. Das Leben wallt hin und
her; der Erdenbewohner wird in seinen Strudel
hinein gerissen, schwebt auf seinen Wogen, steigt
5 und fällt, und sinkt endlich in die Gewalt des Todes
wie die Blüten in den Graben.   *Aufsatzheft* (1848)

236   *Der erste Schnee*

ES ist eigentlich eine böse Zeit! Das Lachen ist
teuer geworden in der Welt, Stirnrunzeln und
Seufzen gar wohlfeil. Auf der Ferne liegen blutig
10 dunkel die Donnerwolken des Krieges, und über die
Nähe haben Krankheit, Hunger und Not ihren
unheimlichen Schleier gelegt; — es ist eine böse
Zeit! Dazu ist's Herbst, trauriger melancholischer
Herbst, und ein feiner kalter Vorwinterregen rieselt
15 schon wochenlang herab auf die große Stadt; es ist
eine böse Zeit! Die Menschen haben lange Gesichter und schwere Herzen, und wenn sich zwei
Bekannte begegnen, zucken sie die Achsel und eilen
fast ohne Gruß aneinander vorüber; — es ist eine
20 böse Zeit! Mißmutig hatte ich die Zeitung wegge-
worfen, eine frische Pfeife gestopft und ein Buch
herabgenommen und aufgeschlagen. Es war ein
einfaches altes Buch, in welches Meister Daniel
Chodowiecki gar hübsche Bilder gezeichnet hatte:
25 *Asmus omnia sua secum portans*, der prächtige
Wandsbecker Bote des alten Matthias Claudius, und
recht ein Tag war's darin zu blättern. Der Regen,
das Brummen und Poltern des Feuers im Ofen, der
Widerschein desselben auf dem Boden und an den
30 Wänden, alles trug dazu bei mich die Welt da

551

draußen vergessen zu machen und mich in die Welt von Herz und Gemüt auf den Blättern vor mir zu versenken. Aufs Geratewohl schlug ich eine Seite auf: Sieh! da ist der herbstliche Garten zu Wandsbeck. Es ist ebenso nebelig und trübe wie heute; leise 5 sinken die gelben Blätter zur Erde, als bräche eine unsichtbare Hand sie ab, eins nach dem andern. Wer kommt da den Gang herauf im geblümten bunten Schlafrock, die weiße Zipfelmütze über dem Ohr? Er ist's — Matthias Claudius, der wackere 10 Asmus selbst! Bedächtiglich schreitet er einher, von Zeit zu Zeit stehen bleibend; jetzt ein welkes Blatt aufnehmend und das zierliche Geäder desselben betrachtend; jetzt in die nebelige Luft hinauf-schauend. Er scheint in Gedanken versunken zu 15 sein. Was fällt ihm ein? Lustig wirft er die weiße Zipfelmütze in die Luft und tut einen kleinen Sprung: ein großer Gedanke ist ihm „aufs Herz geschossen" — das große neue Fest, der Herbstling, ist erfunden: der Herbstling, so anmutig zu feiern, 20 wenn der erste Schnee fällt, mit Kinderjubel und Lächeln auf den Gesichtern von jung and alt!

Wenn der erste Schnee fällt — wie ich in diesem Augenblick wieder einmal einen Blick zur grauen Himmelsdecke hinaufwerfe, da kommt er herunter, 25 wirklich herunter, der erste Schnee. In großen wäßrigen Flocken, dem Regen untermischt, schlägt er an die Scheiben, grüßend wie ein alter Bekannter, der aus weiter Ferne nach langer Abwesenheit zurückkommt. Schnell springe ich auf und ans 30 Fenster. Welche Veränderung da draußen! Die Leute, die eben noch mürrisch und unzufrieden mit sich und der Welt umherschlichen, sehen jetzt ganz

anders aus. Gegen den Regen suchte jeder sich
durch Mäntel und Schirme zu schützen, dem Schnee
aber kehrt man lustig das Gesicht zu. Der erste
Schnee! An den Fenstern erscheinen lachende
5 Kindergesichter, kleine Händchen klatschen fröhlich zusammen: welche Gedanken an weiße Dächer
und grüne, funkelnde Tannenbäume! Wie phantas-
tisch die Sperlingsgasse in dem wirbelnden weißen
Gestöber aussieht! Wie die Wasser holenden Dienst-
10 mädchen am Brunnen kichern! „Gehorsamster
Diener, Herr Professor Niepeguk! Auch im ersten
Schnee?" — „Ärztliche Verordnung!" brummt der
Weise und lächelt herauf zu mir, so gut es Würde
und Hypochondrie erlauben. Auf der Sophien-
15 kirche schlägt's jetzt. — Erst vier? und schon fast
Nacht! „Vier!" wiederholen die Glocken dumpf
über die ganze Stadt. Jetzt sind die Schulen zu
Ende! Hurra, hinaus in den beginnenden Winter:
die Buben wild und unbändig, die Mädchen ängst-
20 lich und trippelnd, dicht sich an den Häuserwänden
hinwindend. Hier und dort blitzt schon in einem
dunkeln Laden ein Licht auf, immer geisterhafter
wird das Aussehen der Sperlingsgasse. Da kommt
der Lehrer selbst, seine Bücher unter dem Arm;
25 aufmerksam betrachtet er das Zerschmelzen einer
Flocke auf seinem fadenscheinigen schwarzen
Rockärmel. —

Jetzt ist die Zeit für Märchenerzähler, für einen
Dichter. Ganz aufgeregt schritt ich hin und her;
30 vergessen war die böse Zeit; auch mir war wie
weiland dem ehrlichen Matthias ein großer Gedanke
„aufs Herz geschossen". „Ich führe ihn aus, ich
führe ihn aus!" brummte ich vor mich hin, während

ich auf und ab lief: „Ein Bilderbuch der Sperlingsgasse! Eine Chronik der Sperlingsgasse!" Ein
Kinderkopf drückt sich drüben im Hause gegen die
Scheibe, und der Lampenschein dahinter wirft den
runden Schatten über die Gasse in mein dunkles 5
Fenster. Ein gutes, ein glückliches Omen! Ich
mußte mich wirklich setzen, so arg war mir die
Aufregung in die alten Beine gefahren, und benutzte
das gleich um ein Buch Papier zu falzen für meinen
großen Gedanken und einen letzten Blick zu werfen 10
in den ersten Schnee. Bah! Wo war er geblieben?
Wie ein guter Diener war er, nachdem er die Ankunft seines Meisters, des gestrengen Herrn Winters,
verkündet hatte, zurückgekehrt, ohne eine Spur zu
hinterlassen. 15

Die Chronik der Sperlingsgasse, Vorwort (1856)

MAX EYTH

1836–1906

237 *Ankunft in London*

WIR waren in der Themse. Die Stewards
räumten ab und deckten die Tische für das
Frühstück. Einen von außen Kommenden hätte
allerdings die Atmosphäre hierzu kaum eingeladen.
Wir waren zum Glück daran gewöhnt; sie war so 20
zu sagen unser Eigentum. Stillvergnügt, mit halb
geschlossenen Augen sah ich die Rindskeule von
gestern und den kalten Hammelbraten aufmar-
schieren und die lange Reihe der Teetassen ihre
Löffelchen präsentieren. Schon damals sah man 25
es ihnen an, daß der Obersteward ein Preuße war:
alles hübsch in Reih und Glied. In der Erwartung

baldiger Trinkgelder fragten die Stewards auf-
munternd nach unserm Befinden und brachten den
schwächeren Leidensbrüdern die dampfenden Teetassen nach den Betten. Es war ein köstliches
5 Getränk unter obwaltenden Umständen. Dann ging
es eilig aufs Deck.

Das also war England, der Hort der Freiheit, der
Kern der größten Weltmacht unsrer Zeit, das Ideal
der jungen Maschinentechniker aller Welt. Es war
10 ein herrlicher Morgen nach englischen Begriffen,
wie ich sie später kennen lernte. Es schneite nicht,
es regnete nicht, und man sah nichts. Grau in grau
lag Wasser und Land vor uns; stahlgrau, silbergrau,
blau-, grün- und braungrau, alles merkwürdig, fern
15 und groß und wunderbar zart, das gespenstische
Bild einer kaum irdischen Welt, über der eine
verschwommene rundliche Lichtquelle zu schweben
schien, an der Stelle, wo in andern Ländern zu
dieser Tages- und Jahreszeit die Sonne steht. Glatt
20 und munter schwammen wir mit der steigenden
Flut den Strom hinauf. Dampfer plätscherten in
weiter Ferne, ehe sie aus dem Nebel heraustraten
und, selbst Nebelbilder, an uns vorbeiglitten.
Himmelhohe Segelschiffe, alle Segel ausgespannt,
25 traten plötzlich still und feierlich wie Gespenster
aus dem Silbergrau heraus, schwebten lautlos vorüber und waren verschwunden, ehe man sich zweimal umsah. Am Ufer zeigten sich jetzt nackte
Masten wie entnadelte Tannenwälder, formlose
30 Wesen mit Sparren und Stangen nach allen Richtungen. Dann hörte man ein leises dumpfes
Brausen, das langsam anschwoll und alles in geheimnisvoller Weise durchdrang, selbst das laute Rauschen

unsrer Räder; dazwischen manchmal einen scharfen
Knall, einen Pfiff, ein lautes Gepolter, weitschallende
Rufe von Schiffern aus unsichtbaren Fischerbooten.
Alles kühl und feucht und fröstelnd. Bald aber
kamen deutlichere Umrisse von Häusern, riesige 5
schwerfällige Vierecke, himmelhohe Schornsteine.
Das Brausen wurde lauter und schwoll zum dumpfen
unablässigen Brüllen der erwachenden Millionen-
stadt. Jetzt zeigte sich eine bekannte Form über
den zackigen Umrissen unzähliger Schornsteine wie 10
ein alter guter Freund: der Tower mit seinen vier
Ecktürmchen. Den kannte und liebte ich ja schon
seit meinem sechsten Jahr, in einem übel zerrissenen
Orbis pictus. Und gleich darauf sperrte uns in dem
immer glänzender werdenden Nebel eine gewaltige 15
Geisterbrücke den Weg, welche die glasartig
spiegelnde Wasserfläche begrenzte: London-Bridge.

Unser Dampfer macht jetzt unruhige, stockende
Bewegungen. Mächtige Schiffe wimmeln um uns
her, durch die er sich durcharbeiten muß. Scharfe 20
Kommandoworte, Pfeifen und Schreien scheint
hierzu nötig zu sein. Alles drängt sich aufs Deck:
Koffer und Mantelsäcke, Kinder und Frauen. Der
Kampf ums Dasein erwacht rücksichtslos unter
Menschen und Dingen. Ein halbes Dutzend 25
Matrosen schieben die Landungsbrücke zurecht.
Das dröhnende Brausen der Riesenstadt lastet be-
täubend auf den Ohren. Erdrückende, wirre
Häusermassen hängen über uns herein, feindlich
drohend. Jetzt heult unsre Dampfpfeife ein ohren- 30
zerreißendes Geheul. Unsre Maschine hält still.
Zischend und speiend fährt der überschüssige Dampf
durch das Rohr am Schornstein, das zitternd wie eine

Orgelpfeife im tiefsten Baß in den Lärm einstimmt.
Die Landungsbrücke fällt ans Ufer. Wie Schafe,
die den Kopf verloren, drängt sich alles zwischen die
Geländer des engen Stegs. Ich selbst stak mitten in
5 dem sich langsam durchtrichternden Knäuel und
riß an meinem Koffer, der zwischen den Knien
eines Herrn stak, der hinter mir drei Kinder zusam-
menzuhalten suchte. So ging's über die Brücke.
Alles rannte durch die finsteren Gebäude und
10 schwarzen Höfe der Katharinendocks in die Lower-
Thamesstraße hinaus, nach Fiakern schreiend, nach
Gepäckträgern, nach Gepäck, nach Weib und
Kind. Einen Augenblick lang lag mein Koffer auf
einem Tisch, der das Zollamt vorstellte; ich suchte
15 nach meinen Schlüsseln. Im nächsten hatte ihn ein
Mann ergriffen, auf die Schulter geschleudert und
rannte davon. Ich sah, schon ziemlich in der Ferne,
das teure, wohlbekannte gelbe Leder über den
Köpfen der Menge manchmal auftauchen. Das
20 ging denn doch über den Spaß: mein ganzes Hab
und Gut! Ich rannte ihm nach; natürlich.

Draußen, im Getümmel einer engen, düsteren
Straße, in der das Fuhrwerk ineinandergriff wie die
Zähne eines Uhrwerks, stand mein Mann neben
25 einem Hansom, auf dessen Dach sich bereits mein
Koffer befand, als ob er dort zu Hause wäre. Es
blieb keine Zeit, mich zu besinnen. Der Mann
streckte mir eine riesige Hand entgegen. Ich legte
einen Franken hinein in der bangen Erwartung
30 einer schwer durchzuführenden Diskussion über die
fremde Münze und von etwas Kleingeld englischen
Geprägs. Aber ich wurde angenehm enttäuscht.
Mit einem gutmütigen Nicken, halb Herablassung

halb Zufriedenheit andeutend, war der Mann verschwunden, ohne seine Ruhe, ohne eine Sekunde
seiner Zeit zu verlieren. Einige Augenblicke später
sah ich ihn noch einmal unter einer riesigen schwarzen Kiste, von zwei Damen verfolgt, die laut 5
schreiend ihre Regenschirme in der Luft schwangen.

Staunend nahm ich in dem ersten Hansom Platz,
das ich in meinem Leben sah. Eine wunderbare
Maschine, deren sinnige Konstruktion mir erst nach
Wochen ganz einleuchtete. Durch ein Loch in der 10
Decke schien mein Kutscher herunterzuschreien: wo
ich hin wolle. Kaum hatte ich Zeit, in meinem besten
Gymnasial-Englisch *Middleton Square, Islington* zu
rufen, als der Deckel, mit dem das Loch geschlossen werden kann, wieder zuflog und sich mein 15
Pferd, scheinbar führerlos — denn der Führer sitzt
hinter mir, in einem Kistchen auf dem Dach des
Fahrzeugs — ruhig trabend in dem reißenden Strom
von Karren und Wagen, Pferden und Menschen
verlor. Die Straßen wurden etwas freier, das Ge- 20
tümmel etwas weniger betäubend. Ich war in
England, mitten im Lande, dem Norden zutreibend,
als verstehe sich all das ganz von selbst. — Ich stieß
den Deckel in meinem Dach wieder auf und begann
zu explizieren. Der Mann schüttelte seine ziegel- 25
rote Nase herein — das einzige, was ich von ihm
sehen konnte, und fuhr ruhig weiter nach Norden,
immer nach Norden, endlose Straßen hinter sich
lassend, die nach und nach stiller wurden. Es war
gut, daß ich einen Kompaß bei mir hatte. Jetzt 30
bogen wir um die dreißigste Ecke, ungefähr. Anfänglich hatte ich im Gewirr der City die Ecken
gezählt aber auch diesen schwachen Faden bald

verloren. Eine grüne Oase öffnete sich jetzt vor uns,
mit einer kleinen gotischen Kirche in der Mitte,
ernst, still, vielleicht ein wenig langweilig drein-
sehend, aber sauber und sonnig, umgeben von vier
5 Mauern, Häuser vorstellend, die sich glichen wie ein
Ei dem andern. Jedes hatte das gleiche eiserne
Gitter, das es vom Square trennte, die gleiche blanke
Sandsteintreppe, den gleichen glänzenden Klopfring
an der Haustüre. Es tat dem Auge ordentlich weh,
10 daß nicht auch die metallenen Hausnummern die
gleichen waren. Der Cabman sprang von seinem
luftigen Sitz herunter und schlug drei donnernde
Schläge gegen ein sorgfältig verschlossenes Tor.
Keine fünf Sekunden vergingen, ehe ein liebliches
15 blondes Wesen mit einem wahren Engelkopf und
einem kleinen flachen Spitzenteller darauf vorsichtig
öffnete und mich mit einem ermutigenden Lächeln
begrüßte. Sie nahm meinen Koffer, bezahlte den
Cabman, der etwas brummte, denn er hätte sich
20 lieber mit mir direkt verständigt, schob mich durch
die Haustüre, klappte sie scharf zu und legte eine
Kette davor.   *Hinter Pflug und Schraubstock* (1899)

HEINRICH SEIDEL
1842–1906

238   *Die Kunst glücklich zu sein*

LEBERECHT HÜHNCHEN gehörte zu denjenigen Bevorzugten, welchen eine gütige Fee das
25 beste Geschenk, die Kunst glücklich zu sein, auf die
Wiege gelegt hatte; er besaß die Gabe aus allen
Blumen, selbst aus den giftigen, Honig zu saugen. Ich
erinnere mich nicht, daß ich ihn länger als fünf

Minuten lang verstimmt gesehen hätte; dann brach
der unverwüstliche Sonnenschein seines Innern siegreich wieder hervor, und er wußte auch die schlimm-
ste Sache so zu drehen und zu wenden, daß ein
Rosenschimmer aus ihr herausging. Er hatte eine 5
ganz geringe Unterstützung von zu Hause und
erwarb sich das Notdürftige durch schlecht bezahlte Privatstunden; dabei schloß er sich aber von
keiner studentischen Zusammenkunft aus und, was
für mich das rätselhafteste war, er hatte fast immer 10
Geld, so daß er anderen etwas zu borgen vermochte.
Eines Winterabends befand ich mich in der, ich
muß es gestehen, nicht allzu seltenen Lage, daß
meine sämtlichen Hilfsquellen versiegt waren. Nach
sorgfältigem Umdrehen aller Taschen hatte ich noch 15
dreißig Pfennige zusammengebracht und mit diesem
Besitztum, das einsam in meiner Tasche klimperte,
schlenderte ich durch die Straßen, in eifriges Nachdenken über die vorteilhafteste Anlage dieses
Kapitals versunken. In dieser Gedankenarbeit 20
unterbrach mich Hühnchen, der plötzlich mit dem
fröhlichsten Gesichte von der Welt vor mir stand
und mich fragte ob ich ihm nicht drei Taler leihen
könne. Da ich mich nun mit der Absicht getragen
hatte ein ähnliches Ansinnen an ihn zu stellen, so 25
konnte ich mich des Lachens nicht enthalten und
legte ihm die Sache klar. „Famos!" sagte er, „also
dreißig Pfennige hast du noch? Wenn wir beide
zusammen legen, haben wir auch nicht mehr. Ich
habe soeben alles fortgegeben, an unseren Landsmann 30
Braun, der das Geld notwendig brauchte. Also
dreißig Pfennige hast du noch? Dafür wollen wir
uns einen fidelen Abend machen!" Ich sah ihn ver-

wundert an. „Gib mir nur das Geld," sagte er,
„ich will einkaufen, zu Hause habe ich auch noch
allerlei — wir wollen lukullisch leben heute Abend,
lukullisch, sage ich." Wir gingen durch einige enge
5 Gassen zu seiner Wohnung. Unterwegs verschwand
er in einem kleinen Laden, und kam nach kurzer
Zeit mit zwei Tüten wieder zum Vorschein.

Leberecht Hühnchen wohnte in dem Giebel
eines lächerlich kleinen und niedrigen Häuschens,
10 das in einem ebenso winzigen Garten gelegen war.
In seinem Wohnzimmer war eben so viel Platz, daß
zwei anspruchslose Menschen die Beine darin ausstrecken konnten, und nebenan befand sich eine
Dachkammer, welche fast vollständig von seinem
15 Bette ausgefüllt wurde, so daß Hühnchen, wenn er
auf dem Bette sitzend die Stiefel ausziehen wollte,
zuvor die Tür öffnen mußte. Dieser kleine Vogel-
käfig hatte aber etwas eigentümlich Behagliches;
etwas von dem sonnigen Wesen seines Bewohners
20 war auf ihn übergegangen. „Nun vor allen Dingen
einheizen," sagte Hühnchen, „setze dich nur auf das
Sofa, aber suche dir ein Tal aus. Das Sofa ist etwas
gebirgig; man muß sehen, daß man in ein Tal zu
sitzen kommt." Das Feuer in dem kleinen eisernen
25 Ofen geriet bei dem angestrengten Blasen meines
Freundes bald in Brand, und er betrachtete wohl-
gefällig die züngelnde Flamme. Dieser Ofen war
für ihn ein steter Gegenstand des Entzückens. „Ich
begreife nicht," sagte er, „was die Menschen gegen
30 eiserne Öfen haben. In einer Viertelstunde haben
wir es nun warm. Und daß man nach dem Feuer
sehen und es schüren muß, das ist die angenehmste
Unterhaltung, welche ich kenne. Und wenn es so

recht Stein und Bein friert, da ist es herrlich, wenn
er so rot und trotzig in seiner Ecke steht und gegen
die Kälte anglüht." Hernach holte er einen kleinen
rostigen Blechtopf, füllte ihn mit Wasser und setzte
ihn auf den Ofen. Dann bereitete er den Tisch für 5
das Abendessen her. In einem kleinen Schränkchen befanden sich seine Wirtschaftsgegenstände. Da waren
zwei Tassen, eine schmale hohe, mit blauen Vergiß-
meinnicht und einem Untersatz, der nicht zu ihr
paßte, und eine ganz breite flache, welche den Henkel 10
verloren hatte. Dann kam eine kleine schiefe
Butterdose zum Vorschein, eine Blechbüchse mit
Tee und eine runde Pappschachtel, welche ehemals
Hemdenkragen beherbergt hatte und jetzt zu dem
Range einer Zuckerdose avanciert war. Das köst- 15
lichste Stück war aber eine kleine runde Teekanne
von braunem Ton, welche er stets mit besonderer
Vorsicht und Schonung behandelte, denn sie war
ein Familienerbstück und ein besonderes Heiligtum.
Drei Teller und zwei Messer, welche sich so un- 20
ähnlich waren wie das für zwei Tischmesser nur
irgend erreichbar ist, eine Gabel mit nur noch zwei
Zinken, sowie zwei verbogene neusilberne Teelöffel
vollendeten den Vorrat. Als er diese Dinge auf-
gebaut hatte, ließ er einen zärtlichen Blick der 25
Befriedigung über das Ganze schweifen und sagte:
„Alles mein Eigentum. Es ist doch schon ein
Anfang zu einer Häuslichkeit." Unterdes war das
Wasser ins Sieden geraten, und Hühnchen brachte
aus der größeren Tüte fünf Eier zum Vorschein, 30
welche zu kochen er nun mit großem Geschick unter
Beihilfe seiner Taschenuhr unternahm. Nachdem
er sodann frisches Wasser für den Tee aufgesetzt und

ein mächtiges Brot herbeigeholt hatte, setzte er sich
mit dem Ausdruck der höchsten Befriedigung zu
mir in ein benachbartes Tal des Sofas und die
Abendmahlzeit begann. Als mein Freund das erste
5 Ei verzehrt hatte, nahm er ein zweites und betrachtete es nachdenklich. „Sieh, so ein Ei,“ sagte er,
„enthält ein ganzes Huhn, es braucht nur aus-
gebrütet zu werden. Und wenn dies groß ist, da
legt es wieder Eier, aus denen nochmals Hühner
10 werden und so fort, Generationen über Generationen. Ich sehe sie vor mir, zahllose Scharen, welche
den Erdball bevölkern. Nun nehme ich dies Ei und
mit einem Schluck sind sie vernichtet! Sieh mal,
das nenne ich schlampampen!“ Und so schlam-
15 pampten wir und tranken Tee dazu. Ein kleines
gelbes Ei blieb übrig, denn zwei in fünf geht nicht
auf, und wir beschlossen es zu teilen. „Es kommt
vor,“ sagte mein Freund, indem er das Ei geschickt
mit der Messerschneide ringsum anklopfte, um es
20 durchzuschneiden, „es kommt vor, daß zuweilen
ganz seltene Exemplare unter die gewöhnlichen Eier
geraten. Die Fasanen legen so kleine gelbe; ich
glaube wahrhaftig, dies ist ein Fasanenei, ich hatte
früher eins in meiner Sammlung, das sah gerade so
25 aus.“ Er löste seine Hälfte sorgfältig aus der Schale
und schlürfte sie bedächtig hinunter. Dann lehnte
er sich zurück und mit halb geschlossenen Augen
flüsterte er unter gastronomischem Schmunzeln:
„Fasan! Lukullisch!“
30 Nach dem Essen stellte sich eine Fatalität heraus.
Es war zwar Tabak vorhanden, denn die spitze
blaue Tüte, welche Hühnchen vorher eingekauft
hatte, enthielt für zehn Pfennige dieses kostbaren

Krautes, aber mein guter Freund besaß nur eine einzige invalide Pfeife, deren Mundstück bereits bis auf den letzten Knopf weggebracht war. „Diese Schwierigkeit ist leicht zu lösen," sagte Hühnchen, „hier habe ich den *Don Quixote*," der, 5 nebenbei gesagt, außer einer Bibel und einigen fachwissenschaftlichen Werken seine ganze Bibliothek ausmachte und den er unermüdlich immer wieder las. „Der eine raucht, der andere liest vor, ein Kapitel ums andere. Du als Gast bekommst die 10 Pfeife zuerst, so ist alles in Ordnung." Dann, während ich die Pfeife stopfte und er nachdenklich den Rest seines Tees schlürfte, kam ihm ein neuer Gedanke. „Es ist etwas Großes," sagte er, „wenn man bedenkt, daß, damit ich hier in aller Ruhe 15 meinen Tee schlürfe und du deine Pfeife rauchen kannst, der fleißige Chinese in jenem fernen Lande für uns pflanzt und der Neger für uns unter der Tropensonne arbeitet. Ja, das nicht allein — die großen Dampfer durchbrausen für uns in Sturm 20 und Wogenschwall den mächtigen Ozean und die Karawanen ziehen durch die brennende Wüste. Der stolze millionenreiche Handelskönig, der in Hamburg in einem Palaste wohnt, muß uns seine Sorge zuwenden, und wenn ihm Handelskonjunk- 25 turen schlaflose Nächte machen, so liegen wir behaglich hingestreckt und träumen von schönen Dingen und lassen ihn sich quälen, damit wir zu unserem Tee und unserem Tabak gelangen. Es schmeckt mir noch einmal so gut, wenn ich daran 30 denke. . . ." Danach vertieften wir uns in den alten ewigen *Don Quixote*, und so ging dieser Abend heiter und friedlich zu Ende.   *Leberecht Hühnchen* (1882)

564

239   *Oberammergau*

NACHDEM die Ouvertüre verklungen, tritt der
Chor auf das Proscenium, Männer und Frauen
in langer faltiger Gewandung, deren würdige, ja,
fast vornehme Haltung Bewunderung erweckt.
5 Ruhig und sicher ist jede Bewegung; mit muster-
hafter Präcision, die niemals mechanisch wirkt,
schließt sich ihre Reihe; dann spricht der Führer
mit voller Stimme den Prolog. Eine feierliche Stille
liegt über dem weiten Raume, wenn nun die heilige
10 Handlung beginnt. Sie umfaßt die Leidens-
geschichte des Herrn vom Einzuge in Jerusalem bis
zur Auferstehung in siebzehn Scenen, und jede wird
durch lebende Bilder eingeleitet, die gleichsam eine
Parallele aus dem Alten Testament bieten und durch
15 den Chorgesang erklärt werden. Nicht alle sind
gleich wertvoll; manche erscheinen vielleicht ein
wenig überladen oder zu sehr stilisiert; aber im
ganzen sind sie entschieden mit einem feinen
künstlerischen Sinn gefaßt und zeigen neben großer
20 Innigkeit der Empfindung eine merkwürdige Be-
wältigung der Massen.

Das letzte Geheimnis aber dieser unvergleich-
lichen Gesamtwirkung bleibt doch immer der Stoff,
der mit tiefer Gewalt an die ersten Eindrücke
25 unserer Jugend sich wendet, der das Ergreifendste
ist, was je auf Erden geschah, der selbst für den,
welcher ohne Glauben kommt, das größte Moment
in der Gestaltung der Geschichte darstellt. Denn

diese Bedeutung wird dem Christentum auch der
Gegner nicht streitig machen. Dieser Eindruck aber
wächst dadurch, daß er in so schlichten Händen
ruht; das fühlen wir unbewußt schon bei den ersten
Bildern, wenn wir Adam und Eva sehen, die mit 5
ihren Kindern das Feld bauen, unter der Last des
alten Menschenfluches: „Im Schweiße deines Angesichtes sollst du dein Brot essen!" Dann kommt
der Einzug in Jerusalem, wo alle Plätze und Straßen
sich füllen von jauchzenden Menschen, wo sich die 10
Kinder um den Herrn drängen, wenn tausend-
stimmiges Hosianna uns entgegenklingt. Er aber
schreitet traurig in ihrer Mitte, den Schmerz der
Menschheit in der Seele tragend; segnend ruht
seine Hand auf jenen Scharen, die in wenigen Tagen 15
rufen: „Ans Kreuz mit ihm!"— Viele Augen sind
in dieser Stunde feucht, und fürwahr, dieses Bild ist
eines der großartigsten, der künstlerisch vollende-
sten des ganzen Tages; es preßt das Herz vielleicht
nicht so zusammen wie der unmittelbare Anblick 20
der Leidensscenen, aber das Herzeleid, das hinter
diesem Jubel ruht, ist für jeden, der eine vertiefte
Auffassung mitbringt, überwältigend. Und fast
erschrocken fragt man sich: Wie können schlichte
Landleute zu dieser Höhe seelischer Wirkung sich 25
aufschwingen? Das wirkt eben nicht Kunst allein
sondern nur der Glaube; auf diesen seinen Höhe-
punkten ist das Passionsspiel in der Tat—Religion.

Die Oberammergauer Passionsspiele (1880)

FRIEDRICH NIETZSCHE

1844–1900

240   *Zarathustras Untergang*

ALS Zarathustra dreißig Jahre alt war, verließ
er seine Heimat und den See seiner Heimat
und ging in das Gebirge. Hier genoß er seines
Geistes und seiner Einsamkeit und wurde dessen
5 zehn Jahre nicht müde. Endlich aber verwandelte
sich sein Herz, — und eines Morgens stand er mit
der Morgenröte auf, trat vor die Sonne hin und
sprach zu ihr also: „Du großes Gestirn! Was wäre
dein Glück, wenn du nicht die hättest, welchen du
10 leuchtest! Zehn Jahre kamst du hier herauf zu
meiner Höhle: du würdest deines Lichtes und dieses
Weges satt geworden sein ohne mich, meinen Adler
und meine Schlange. Aber wir warteten deiner an
jedem Morgen, nahmen dir deinen Überfluß ab und
15 segneten dich dafür. Siehe! Ich bin meiner Weisheit überdrüssig wie die Biene, die des Honigs zu
viel gesammelt hat, ich bedarf der Hände, die sich
ausstrecken. Ich möchte verschenken und austeilen,
bis die Weisen unter den Menschen wieder einmal
20 ihrer Torheit und die Armen wieder einmal ihres
Reichtums froh geworden sind. Dazu muß ich in
die Tiefe steigen: wie du des Abends tust, wenn du
hinter das Meer gehst und noch der Unterwelt Licht
bringst, du überreiches Gestirn! Ich muß gleich dir
25 untergehen, wie die Menschen es nennen, zu denen
ich hinab will. So segne mich denn, du ruhiges
Auge, das ohne Neid auch ein allzugroßes Glück
sehen kann! Segne den Becher, welcher überfließen

will, daß das Wasser golden aus ihm fließe und
überallhin den Abglanz deiner Wonne trage!
Siehe! Dieser Becher will wieder leer werden, und
Zarathustra will wieder Mensch werden."— Also
begann Zarathustras Untergang.   5

Also sprach Zarathustra (1883-5)

241   *Der Übermensch*

ZARATHUSTRA stieg allein das Gebirge abwärts und niemand begegnete ihm. Als er in
die nächste Stadt kam, die an den Wäldern liegt,
fand er daselbst viel Volk versammelt auf dem
Markte: denn es war verheißen worden, daß man 10
einen Seiltänzer sehen solle. Und Zarathustra sprach
also zum Volke: „Ich lehre euch den Übermenschen.
Der Mensch ist etwas, das überwunden werden soll.
Was habt ihr getan ihn zu überwinden? Alle Wesen
bisher schufen etwas über sich hinaus: und ihr wollt 15
die Ebbe dieser großen Flut sein und lieber noch
zum Tiere zurückgehn, als den Menschen überwinden? Was ist der Affe für den Menschen? Ein
Gelächter oder eine schmerzliche Scham. Und
ebendas soll der Mensch für den Übermenschen 20
sein: ein Gelächter oder eine schmerzliche Scham.
Ihr habt den Weg vom Wurme zum Menschen
gemacht, und vieles ist in euch noch Wurm. Einst
wart ihr Affen, und auch jetzt noch ist der Mensch
mehr Affe als irgendein Affe. Seht, ich lehre euch 25
den Übermenschen! Der Übermensch ist der Sinn
der Erde, euer Wille sage: der Übermensch sei der
Sinn der Erde! Der Mensch ist ein Seil, geknüpft
zwischen Tier und Übermensch, — ein Seil über

einem Abgrunde. Ein gefährliches Hinüber, ein
gefährliches Auf-dem-Wege, ein gefährliches Zurück-
blicken, ein gefährliches Schaudern und Stehen-
bleiben. Was groß ist am Menschen, das ist, daß er
5 eine Brücke und kein Zweck ist: was geliebt werden
kann am Menschen, das ist, daß er ein Übergang
und ein Untergang ist.

„O, meine Brüder, ich weihe und weise euch zu
einem neuen Adel: ihr sollt Zeuger und Züchter
10 werden und Säemänner der Zukunft, — wahrlich
nicht zu einem Adel, den ihr kaufen könntet gleich
den Krämern und mit Krämergolde: denn wenig
Wert hat alles, was seinen Preis hat. Nicht, woher
ihr kommt, macht euch fürderhin eure Ehre, son-
15 dern wohin ihr geht! Euer Wille und euer Fuß, der
über euch selber hinaus will, — das mache eure neue
Ehre! Nicht zurück soll euer Adel schauen sondern
hinaus! Aufwärts geht unser Weg, von der Art
hinüber zur Über-Art. Tausend Pfade gibt es, die
20 noch nie gegangen sind, tausend Gesundheiten und
verborgene Eilande des Lebens. Unerschöpft und
unentdeckt ist immer noch Mensch und Menschen-
Erde. Wachet und horcht! ... Von der Zukunft her
kommen Winde mit heimlichem Flügelschlagen;
25 und an feine Ohren ergeht gute Botschaft. . . .
Wahrlich, eine Stätte der Genesung soll noch die
Erde werden! Und schon liegt ein neuer Geruch
um sie, ein heilbringender, — und eine neue
Hoffnung." *Also sprach Zarathustra* (1883–5)

ERNST VON WILDENBRUCH

1845–1909

Die beiden Alten

DIE beiden waren Brüder, der eine ein Oberst,
der andere ein Geheimrat, beide schon lange
außer Dienst. Zwei Brüder, die nie gemeinsam
ausgingen — was lag näher als die Schlußfolgerung:
die beiden konnten sich nicht leiden, es waren 5
feindliche Brüder. Aber die Schlußfolgerung war
falsch. Einstmals, es war freilich schon lange her,
waren die beiden Alten das gewesen, was jeder Mann
einmal gewesen ist: Knaben; Söhne ihrer Eltern,
die im elterlichen Hause gemeinsam aufwuchsen. 10
Der Geheimrat fünf Minuten älter als der Oberst:
es waren Zwillinge. Gemeinsam hatten sie die
Schule durchgemacht, immer in derselben Klasse.
Nachdem die Schule erledigt war, ging der, welcher
später Geheimrat wurde, auf die Universität; der 15
andere wurde Soldat. Das brachte die erste Trennung. Und bei der Gelegenheit machten die beiden
eine Entdeckung, die sie ihr Leben lang nicht vergaßen: sie fühlten, daß es ihnen furchtbar schwer
wurde von einander zu gehn. Nicht, daß sie sich 20
zum Abschied um den Hals gefallen wären oder
etwas Besonderes zu einander gesprochen hätten.
Im Gegenteil, sie standen ganz stumm, sahen sich
nicht einmal an sondern zur Erde. Und als sie so
auseinander gegangen waren, blieben sie einander 25
fern, der eine am einen, der andere am anderen
Ende des Landes. Das Leben lang, das ganze
schwere Leben lang. Denn für keinen von beiden

trug das Leben Rosen. Keiner von beiden brachte
es zu etwas Besonderem; als ein pflichttreuer
Beamter, als ein pflichttreuer Offizier rückten sie
langsam von Stufe zu Stufe. Keiner von beiden
5 heiratete. Im Grunde hatte jeder von ihnen auf
Gottes weiter Welt ja nur einen einzigen Menschen
lieb — aber dem konnte er es nicht sagen. Und so,
während sie fortwährend einer an den andern
dachten, kamen sie niemals zusammen, schrieben sich
10 fast nie, bis sie beide alte Männer waren. Da
nahmen sie fast gleichzeitig den Abschied und zogen
nach Berlin, wo sie einstmals geboren waren.

Aber auch in Berlin nahmen sie keine gemeinschaftliche Wohnung. Daß jeder wußte: „Der andere
15 ist auch da," war ihnen genug. Jeder wohnte in
seiner Junggesellenwohnung für sich, mit einer
alten Wirtschafterin, die ihm das Leben besorgte.
Zweimal in jeder Woche aber kamen sie zusammen.
Der Ort, wo sie zusammen kamen, war die Wohnung
20 des Geheimrats. Zweimal in jeder Woche erschien
daselbst der Oberst; und dann spielten sie auf
einem Tafelbillard, das der Geheimrat in seinem
Zimmer aufgestellt hatte. Das war eine gesunde
Leibesbewegung. Es hatte daneben das Gute, daß
25 man dabei nicht zu sprechen brauchte. In schweigender Leidenschaftlichkeit konnte man spielen.
Denn leidenschaftlich waren sie beide bei der Sache.
Nicht um Geld, nur der Ehre des Sieges wegen.
Eine halbe Stunde bevor der Oberst fällig war,
30 wurde der alte Geheimrat unruhig, beinah aufgeregt. Von einem Zimmer ging er ins andere, hin
und her, nahm die Decke vom Billard, setzte die
Kugeln auf, brachte die Tafel in Ordnung, auf der

die Points verzeichnet wurden. Eine Kiste mit
besonders feinen Zigarren holte der Geheimrat
herbei und stellte sie für den Bruder zurecht, denn
der Herr Oberst rauchte gern etwas Feines. Pünkt-
lich mit dem Glockenschlage kam sodann der Oberst 5
an, denn ihn verlangte es nach dem Bruder und
dem Billard ganz ebenso wie den Geheimrat nach
ihm. Während sie sich einer nach dem andern
gesehnt hatten all die Tage lang, taten sie jetzt
nichts weiter als daß sie sich die Hand reichten: 10
„Na, wie geht's?" Und: „Na, so so." Alsdann
fragte regelmäßig der Geheimrat: „Na, wie ist's?
Wollen wir eine Partie Billard spielen?" Und der
Oberst erwiderte eben so regelmäßig: „Jawohl, sehr
gern." Also zogen die beiden in das Zimmer 15
nebenan, wo die Hängelampe über dem Billard
schon angezündet war und ihr warmes Licht auf
das grüne Tuch hinunter goß. Beim Spielen begab
sich etwas Sonderbares: die beiden alten Knaben
verwandelten sich in das, was sie vor fünfzig oder 20
sechzig Jahren gewesen waren, in ganz junge
Knaben. Dabei kamen ihre beiderseitigen Natur-
anlagen heraus: der Geheimrat hitzig, der Oberst
von weicherer Art. Der Oberst, wenn ihm ein paar
Karambolagen hintereinander gelangen, hüpfte wie 25
ein vergnügter Spatz um das Billard. Unterdessen
sah der Geheimrat, beinah berstend vor Wut, wie
ein Uhu auf der Krähenhütte zu. Der Oberst, wenn
er verlor, wurde nicht wütend wie der Geheimrat
sondern nur traurig. Er ließ den Kopf hängen und 30
ging davon. Wenn das nun wieder der Geheimrat
sah, packte es ihn wie mit Krallen. Gewinnen
lassen durfte er ja den Bruder nicht — aber ihn

traurig sehn, das war ihm schrecklich. Er griff dann
nach seiner Hand: „Du kommst doch bald wieder?"
Der Oberst aber nickte: ja, ja, er würde schon bald
wieder kommen. Jahre lang kam der Bruder Oberst
5 zu dem Bruder Geheimrat Billard mit ihm zu
spielen. Jahre lang sah man den alten Oberst in
seinem Straßenviertel, den alten Geheimrat in dem
seinigen spazieren gehen. Bis dann ein Tag kam,
an dem man den alten Oberst nicht mehr sah. Und
10 am Tage, der auf diesen folgte, hatte es sich herum
gesprochen: der alte Oberst war gestorben. Acht
Tage nach dem alten Oberst starb auch der Ge-
heimrat.   *Die letzte Partie* (1909)

HERMANN SUDERMANN

1857–1928

243   *Intermezzo*

15 DA geschah es eines Tages um die Osterzeit, daß
er ein Stück Ackerland bearbeiten ging,
welches fernab am Waldesrande lag. Er selbst säte,
und ein Knecht mit zwei Pferden ging eggend
hinterdrein. Er hatte ein großes weißes Sälaken um
die Schultern geschlungen und beobachtete mit
20 stillem Vergnügen, wie die Samenkörner im Sinken
gleich einem goldenen Springquell niederfunkelten.
Da war es ihm, als sähe er zwischen den dunkeln
Stämmen des Waldes etwas Hellschimmerndes auf-
und niederschaukeln — wie eine Wiege, die in der
25 Luft schwebte. Doch nahm er sich kaum Zeit
darauf zu achten, denn das Säen ist eine Arbeit, die
Aufmerken verlangt. So kam die Frühstückspause

heran. Der Knecht setzte sich auf den Kornsack,
er selbst aber, da ihm heiß geworden war, ging nach
dem Walde, um Schatten zu haben. Er warf einen
flüchtigen Blick nach der schwebenden Wiege und
dachte: „Das muß wohl eine Hängematte sein", 5
aber um den, der darinnen lag, kümmerte er sich
nicht. Da war es ihm plötzlich, als hörte er seinen
Namen rufen. „Paul, Paul!" Es klang ganz lieb und
vertraut, und mit einer hellen weichen Stimme, die
ihm wohl bekannt schien. Erschrocken schaute er 10
auf. „Paul, komm doch her", rief die Stimme noch
einmal. Es lief ihm heiß und kalt über den Nacken
herab, denn er wußte nun, wer es war. Er ließ
einen verschämten Blick über seine Arbeitskleider
gleiten und machte sich daran den Knoten des 15
Lakens loszulösen, aber der hatte sich in den Nacken
zurückgeschoben, so daß er ihn nicht erreichen
konnte. „Komm doch so, wie du bist", rief die
Stimme, und nun sah er auch, wie ihr Oberkörper
sich in der Matte emporrichtete, während ein Buch 20
mit rot und goldenem Einband ihren Händen ent-
glitt und zur Erde fiel. Zögernd kam er näher,
indem er heimlich versuchte die Stiefel, an denen
der Schmutz des feuchten Ackers klebte, in dem
Moose abzuwischen. Es verging eine ganze Weile, 25
ehe eines von beiden ein Wort hervorbrachte.
„Guten Tag — du," sagte sie dann mit einem leisen
Auflachen und streckte ihm ihre Rechte entgegen.
„Es ist wirklich 'ne Freude, daß ich wieder bei dir
bin, du bist doch der Beste von allen. Hast du dich 30
auch nach mir gebangt?" „Nein," erwiderte er
wahrheitsgetreu. „Ach geh — du," erwiderte sie
und versuchte sich schmollend nach der anderen

574

Seite zu drehen, aber da die Hängematte wieder in
ein heftiges Schwanken geriet, so blieb sie liegen und
lachte. Er wunderte sich innerlich, daß sie so lustig
war. Aber dieses Lachen gab ihm die Unbefangen-
5 heit wieder, denn er fühlte, um wie viel älter er
inzwischen geworden war als sie. „Es ist dir wohl
sehr gut gegangen — die ganze Zeit über?" fragte
er. „Gott sei Dank — ja," erwiderte sie. „Mama
kränkelt ein bißchen, aber das ist auch alles." Ein
10 Schatten flog über ihr Angesicht, war aber im
nächsten Augenblick wieder verschwunden, und
dann fuhr sie plaudernd fort: „Ich bin in der Stadt
gewesen — ach, du — was ich da alles durchgemacht
hab' — das muß ich dir bei Gelegenheit einmal
15 erzählen. Tanzstunden hab' ich genommen. Auch
Verehrer hab' ich gehabt — du kannst mir's glauben.
Fensterpromenaden haben sie mir gemacht, anonyme
Blumensträuße haben sie mir geschickt, auch Verse,
selbstgemachte Verse. Ein Student war darunter,
20 mit einem weißen Schnürrock und einer grün-weiß-
roten Mütze — o, der verstand's! Was der einem
nicht alles zu sagen wußte, — hinterher hat er sich
mit der Betty Schirrmacher verlobt, einer Freundin
von mir, das heißt ganz heimlich, außer mir weiß es
25 keiner." Paul atmete erleichtert auf, denn der
Student hatte schon begonnen ihm den Kopf warm
zu machen. „Und hast du dich nicht geärgert?"
fragte er. „Weshalb?" „Daß er dir untreu wurde."
„Nein, darüber sind wir erhaben," erwiderte sie und
30 zuckte die Achseln. „O, du — das sind ja alles
grüne Jungen im Vergleich mit dir!" Ein heißer
Schreck überlief ihn bei dem Gedanken, daß man
einen Studenten einen grünen Jungen nennen

575

konnte, und noch dazu mit ihm selber vergleichen.
„Mein Bruder ist kein grüner Junge", erwiderte er.
„Ich kenne deinen Bruder nicht," meinte sie mit
philosophischer Ruhe, „der mag vielleicht keiner
sein." — „Ja, ich bin viel, viel älter geworden", fuhr 5
sie fort. „Literaturstunden hab' ich genommen —
da hab' ich viel Schönes gelernt."

„Heb' mal das Buch auf!" Er tat's. „Kennst du
das?" Er las auf dem roten Deckel in goldener
Pressung die Worte: „Heines Buch der Lieder", und 10
schüttelte traurig den Kopf. „Ach, dann kennst du
nichts. Was da alles drin steht! Du, das Buch muß
ich dir leihen! Das lies, da lernt man was draus!
Und wenn man eine Weile drin gelesen hat, dann
kommt einem meistens das Weinen an."—„Ist es 15
denn so traurig?" fragte er und besah den roten
Deckel mit beklommener Neugier. „Ja, sehr traurig,
so schön und so traurig wie — wie —, bloß von
Liebe ist die Rede, von weiter gar nichts, und man
fühlt, wie die Sehnsucht einen übermannt, wie man 20
fliegen möchte nach dem Ganges, wo die Lotus-
blumen blühn und wo —". Sie stockte, dann lachte
sie hell auf und meinte: „Ach, das ist zu dumm —
nicht?" „Was?" „Was ich da schwatze." „Nein —
ich möcht' dich mein Lebtag so reden hören." 25
„Ja, möchtest du? — Ach, du, hier ist es mollig!
Ich komm mir so geborgen vor, wenn du dabei bist."
Und sie streckte sich in dem Netzwerk aus, als wollte
sie mit dem Kopf nach seiner Schulter hin. Ein
seltsames Gefühl von Glück und Frieden überkam 30
ihn, wie er es seit lange nicht gekannt hatte. „Warum
schaust du fort?" fragte sie. . . . „Ich schaue nicht
fort." „Doch . . . du mußt mich anschauen. Das

576

hab' ich gern. . . . Du hast so ernste, treue Augen —
du, jetzt weiß ich auch, womit ich die Lieder da
vergleichen soll!" „Nun, womit?" „Mit deinem
Pfeifen. Das ist auch so — so — na, du weißt
5 schon. . . . Pfeifst du denn auch noch manchmal?"
„Selten." „Und die Flöte hast du wohl auch nicht
spielen gelernt?" „Nein." „O, pfui! Wenn du mich
lieb hast, dann tust du's. . . . Ich werde dir auch das
nächste Mal eine schöne Flöte schenken!" „Ich habe
10 nichts dir wieder zu schenken!" „Doch — du
schenkst mir all die Lieder, die du spielst. Und wenn
dir recht wehe um's Herz ist . . . na, lies nur in dem
Buche — da steht alles." Paul besah es von allen
Seiten. „Was muß das für ein seltsames Buch sein!"
15 dachte er. *Frau Sorge* (1887)

GERHART HAUPTMANN
geb. 1862

244 *Quints erste Predigt*

AN einem Sonntagmorgen im Monat Mai erhob
sich Emanuel Quint von seiner Lagerstätte
auf dem Boden des kleinen Hüttchens, das der Vater
mit sehr geringem Recht sein Eigen nannte. Er
20 wusch sich mit klarem Gebirgswasser draußen am
Steintrog, indem er die hohlen Hände unter den
kristallenen Strahl hielt, der aus einer hölzernen,
vermorschten und bemoosten Rinne floß. Er hatte
die Nacht kaum ein wenig geschlafen und schritt
25 nun, ohne die Seinen zu wecken oder etwas zu sich
zu nehmen, in der Richtung gegen Reichenbach.
Ein altes Weib, das auf einem Feldweg ihm ent-
gegenkam, blieb stehen, als sie von fern seiner

ansichtig wurde. Denn Emanuel ging mit seinem
langen wiegenden Schritt und in einer sonderbar
würdigen Haltung, die mit seinen unbekleideten
Füßen, seinem unbedeckten Kopf, sowie mit der
Armseligkeit seiner Bekleidung überhaupt in Wider- 5
spruch stand. Bis gegen die elfte Stunde hielt
Emanuel sich fern von den Menschen in den
Feldern auf. Alsdann überschritt er die kleine
Holzbrücke, die über den Bach führte, und ging
geradezu bis zum Marktplatz des kleinen Fleckens, 10
der sehr belebt war, weil die protestantische Kirche
sich eben leerte. Der arme Mensch stieg nun auf
einen Stein, wobei er sich mit der Linken an einen
Laternenpfahl festhielt, und nachdem er sich so und
durch Zeichen der Menge bemerklich gemacht 15
hatte und alles erstaunt, belustigt oder neugierig
herzukam oder wenigstens von fern herübersah,
begann er mit lauter Stimme zu sagen: „Ihr Männer,
lieben Brüder, ihr Frauen, liebe Schwestern! Tut
Buße! Denn das Himmelreich ist nahe herbei- 20
gekommen." Diese Worte, denen viele andere nach-
folgten, ließen sogleich erkennen, daß man es mit
einem Narren oder Halbnarren zu tun hatte, von
einer so eigentümlichen Art, wie sie in dieser weit-
gedehnten Talgegend seit lange nicht vorgekommen 25
war. Die guten Leute verwunderten sich. Aber als
der einfältige und zerlumpte Mensch nicht aufhörte
zu reden und seine Stimme mehr und mehr über
den ganzen Marktplatz erschallen ließ, da entsetzten
sich viele über den unerhörten Frevel des Land- 30
streichers, der gleichsam das Heiligste in den
Schmutz der Gasse zog, liefen aufs Amt und zeigten
es an.

Als der Amtsvorsteher mitsamt dem Gendarmen
auf dem Markt erschien, herrschte dort unglaubliche
Aufregung: die Hausknechte standen vor den Gast-
häusern, die Kutscher der Droschken schrien ein-
5 ander mit lauter Stimme zu und wiesen mit den
Stöcken ihrer Peitschen auf ein Knäuel Menschen,
den Quint, predigend, überragte, und der mit jeder
Sekunde zunahm. Die Jungens gaben einander
Zeichen durch laute Signalpfiffe, und wüstes Gebrüll
10 und Gelächter übertönte zuweilen auf lange die
Stimme des seltsamen Predigers, der noch immer
eifrig und eindringlich sprach. Er hatte soeben den
Propheten Jesaia genannt und gegen Reiche und
Herrscher gedonnert, „die die Sache der Armen
15 beugen und Gewalt üben im Recht der Elenden".
Er hatte gedroht, Gott werde die Rute der Herrscher
zerbrechen, und dann zuletzt rührend und flehent-
lich alle Welt immer wieder zur Buße gemahnt.
Da faßte die unentrinnbare Faust des sechs Fuß
20 hohen Gendarmen Krautvetter ihn hinten am
Kragen fest und riß ihn unter Gejohl und Gelächter
der Zuhörer von seinem erhabenen Standorte herab.
Quer über den Markt ward nun Emanuel von
Krautvetter unter dem Hohngejauchze der Menge
25 abgeführt.

Der Narr in Christo, Emanuel Quint (1910)

245 *Jena, Weimar, und Goethe*

SIE wissen, daß Jena nicht weit von Weimar
gelegen ist, beides Orte, die man als die wesentlichen Schauplätze von Goethes irdischem Wirken
ansprechen kann. Nach Plato haben gewisse Orte

dämonische Natur, was mich bereits die ersten
Wochen meiner Studienzeit in Jena lehrten. Dieses
Thüringer Städtchen war damals noch wie ein
erweiterter Garten des Epikur. Die schwarze viel
besungene Saale durchrinnt ein helles und freund- 5
liches Geisterreich, darin die Lebenden mit den
Abgeschiedenen in heiter innigem Verkehr stehen.
Die Manen Goethes, Schillers, Alexander von
Humboldts, Fichtes, Schellings, Hegels erscheinen
hinter jedem Katheder, sitzen unter den Studenten 10
in den Hörsälen, spazieren in den Straßen und im
Stadtpark umher und machen einander den Raum
nicht streitig. Der Goethe in Weimar ist nicht der
jenensische. Der Pilger, der das Weichbild von
Weimar betritt, fühlt zunächst den Minister mit 15
dem Ordensstern auf sich wirken. Der Goethe von
Jena ist er selbst, allem Menschlichen nah und
zugänglich. Es war nur ein Allgemeingefühl, das
man von seinem Dasein hatte, durch seine persönliche Aura bedingt, die sich allem Traulichen und 20
Vertraulichen dieses unendlich lieblichen Saale-
Athen mitteilte. Man sah das Gasthäuschen, in
dem sich der Minister einmal wochenlang vor der
Welt verbarg. Man ging bei Mondschein die
nebelnden Leuthra-Wiesen entlang, die ihm den 25
Erlkönig geschenkt hatten.

  Es war eine mysteriöse Nacht, die mich zum
erstenmal auf den allen Deutschen geheiligten Boden
von Weimar brachte, auf dem sich vor anderthalb
hundert Jahren Männer zusammengefunden hatten, 30
die man die Großen von Weimar zu nennen wohl
berechtigt ist. Ströme des Geistes sind davon ausgegangen, dahinein Geister aller Nationen ihre

Fackeln getaucht und entzündet haben. Es war
eine mysteriöse Nacht! Stellen Sie sich ein kleines
Gasthaus vor, das am Waldrand auf einer Höhe
gelegen ist. Nehmen Sie an dem Tisch unter uns
5 Studenten Platz, wo man bei heiteren Reden und
Gesängen bis Mitternacht pokuliert. Elektrisches
Licht gibt es nicht, aber es werden Ihnen beim
Verlassen des Gasthauses — der Weg ist steil, und
die Nacht ist schwarz — besonders präparierte
10 Kienfackeln eingehändigt. Solche Studentengelage
bedeuteten uns damals Begeisterung: in dieser Begeisterung fassen Sie mit uns den Entschluß, trotz
Wind und Wetter nach Weimar zu wallfahrten, was
bei der Entfernung von über zwanzig Kilometern
15 eine Aufgabe ist. Bei Morgengrauen marschieren
Sie, körperlich abgeschlagen, geistig frisch, in die
Stadt. Nun befinden Sie sich auf klassischem Boden.
Es folgt ein mysteriöser Morgen einer mysteriösen
nächtlichen Wanderung, und ein ebenso mysteriöser
20 Tag. Wir sehen Goethes Wohnhaus am Frauenplan,
wir sehen das andre, das Gartenhaus. Da wie dort
haben sich Goethes Enkel, die noch leben, ein-
gesargt. Die Fenster sind durch Läden verschlossen,
von den menschenscheuen Bewohnern werden die
25 Haustüren nur den Lieferanten von Lebensmitteln
halb geöffnet. Jedenfalls geht so das Gerücht. Der
Gedanke an diese welt- und menschenscheuen
Sonderlinge, in denen das Goethe-Blut verebbt,
macht die graue winterliche Stadt nicht freundlicher
30 und breitet über Goethes lebendiges Andenken
einen trüben Schleier aus. Es wird geraunt, das
Haus am Frauenplan enthalte Wunderdinge, aber
erst nach dem Tode der Enkel könne man hoffen,

sie der Allgemeinheit aufzuschließen. Das eben
Berührte erlebten wir im Jahre 1883. Schon im
Jahre 1885 taten Läden, Fenster und Türen des
Hauses sich auf, der Muff und Moder eines stockenden Magazines, einer durcheinander gehäuften 5
Hinterlassenschaft wurde aufgelöst und hinwegge-
fegt, und gleichsam ein großes ‚Fiat‘ der Goethe-
Liebe weckte verstaubte Sammlungen von vielerlei
Objekten zu erneutem geistigen Dasein auf: ein
zauberhafter Vorgang, wie er sich wohl selten 10
irgendwo in der Welt ereignet hat. Man könnte ein
Beispiel in dem qualmenden Zustand eines flammen-
losen Brandes finden, der im nahezu luftdicht
abgeschlossenen Innern schwelt und, durch plötzlichen Zutritt von Licht und Luft zu gewaltigen 15
Flammen befreit, sich ausbreitet, weithin die Nacht
durchdringt und erhellt. Nur ist dieses wiederer-
standene Feuer des Geistes durchaus nicht zerstö-
rend sondern allenthalben schöpferisch.

Wir überspringen dreieinhalb Jahrzehnte, finden 20
uns abermals in Weimar und werden in Goethes
Wohnhaus eintreten, das, obgleich Nationalmuseum,
heute immer noch nichts weiter als Goethes
Wohnhaus ist. Es ist seinerzeit Goethen von dem
Herzog Karl August geschenkt worden. Goethe 25
hat eine schöne, breite, leicht zu ersteigende
unverhältnismäßig große Treppe eingebaut, was
einer Liebhaberei von ihm zu entsprechen scheint.
In den übrigen Räumen überläßt sich Goethe dem
spielerischen Empire, soweit es der hochbürgerlichen 30
Staffel, die er erstiegen hat, dienstbar wird. Aber
da findet sich schon auf der Treppe etwas Seltsames.
Wiederum viel zu große Abgüsse für den verhältnis-

mäßig kleinen Raum stehen auf der Treppenruhe:
Abgüsse griechischer Bildwerke, ein sitzender Blut-
hund der Artemis und der sogenannte Faun vom
Belvedere. Weiter oben die Gruppe der Dioskuren,
5 die, sagen wir ruhig mit einem Lieblingswort
Goethes und seines Lehrers Winckelmann: dem
Treppenhaus eine Großheit mitteilen. Sie zeigen
weder den Staatsmann noch den Patrizier, sondern
den einmaligen, eigentümlichen Menschen, der
10 damit eine Dominante seiner Einmaligkeit ausspricht; diesmal im ästhetischen Kultus griechischer
Vorstellungs- und Gestaltungswelt wurzelnde Natur-
verbundenheit. Von diesem Hauch der Großheit
in den Propyläen Goethescher Welt einigermaßen
15 kühl und doch lebendig angeweht, müssen wir es
bewenden lassen: er ist peripherischer Natur. Wir
wollen zum Zentrum des Goethe-Hauses durchdringen, das ja irgendwie ein Symbol und Bild der
Seele seines Besitzers ist. So schreiten wir denn
20 über ein ‚Salve‘ auf blauem Grunde hinweg in
Gemächer, ausgestaltet in kühlem Empire, mit der
Hoffnung den Dichter darin zu finden. Aber er
wird uns nicht gegenwärtig. Erst, von Ehrfurcht
zurückgehalten, an einer vor uns offenen Tür, er-
25 blicken wir einen schweigenden alten Mann, in
einem kleinen Gemache sitzend. Die düstere
Kammer, obgleich ohne Deckengewölbe, erinnert
Sie sofort an das „enge gotische Zimmer“, in das
Goethes *Faust* uns unmittelbar nach dem Vorspiel
30 führt. Sie hat zu dem übrigen Hause keinen Bezug.
Sie werden eher an einen kleinen Kramladen, ein
Apothekerstübchen mit Schüben, Fächern und
einigen Folianten, auch wohl an eine Alchemisten-

küche erinnert. In den Wohn- und Repräsentations-
räumen empfing Goethe viele Besucher, darunter
die Träger größter Namen der damaligen Welt.
Ganz anders geartet waren die, die er in seinem
Faust-Stübchen empfing. Hier besuchten Goethe 5
seine Dämonen. Es waren keine anderen als jene,
die man um jeden gotischen Dom gestaltet sieht.
Es war überwundenes und entstelltes griechisches
Heidentum des Mittelalters, dem bodenständigen,
europäisch-nordischen Heidentum und seiner Dä- 10
monen- und Götterwelt vermählt. Goethe hatte
seine Wurzeln tief in die Gotik versenkt, um alsdann
Stamm und Wipfel in die Klarheit, Reinheit und
Freiheit heller und glücklicher Griechenhimmel
emporzutreiben. 15

Rede bei der Goethefeier der Columbia-Universität,
New York, 1. März 1932

HERMANN STEHR

1864–1941

Der Geigenmacher

246 *i*

EIN Mann strebte von Kindheit auf, weil es ihm
schon im Leib der Mutter der Gesang der
Vögel und das Lied der Sterne in hellen Mitter-
nächten angetan hatte, danach die tiefsten Klänge
von Erde und Himmel zu erlauschen und so ein- 20
zufangen, daß sie nicht mehr entwischen könnten
sondern hervortreten müßten, wann es ihn gelüstete
sie zu hören. Und so geriet er auf den Gedanken ein
Geigenbauer zu werden. Er wurde auch von dem

damals lebenden größten Meister dieser göttlichen
Kunst in die Lehre genommen, und blieb so lange
in achtsamstem Fleiß erst sein Lehrling und dann
sein Geselle, wohl an sieben Jahre, daß ihn der Greis
5 eines Tages bat nun von ihm zu gehen, weil er
weiter nichts mehr besitze, was er von ihm lernen
könne. Aber es gebe des Himmlischen und Köstlichen noch im Überfluß, was in dem Gottesgefäß
einer Geige eingefangen werden könne. Allein, dem
10 müsse er nun mutterseelenalleine nachjagen, denn
sein Höchstes könne der Mensch niemals von einem
Menschen lernen, da müsse er, wie die Alten sagten,
bei dem Herrgott selber in die Schule gehen, das
heißt ihn, den Meister, und alles erworbene Wissen
15 hinter sich lassen und seine Geigen, wenn es ihn
treibe, nicht mehr aus dem Holze sondern aus dem
eigenen Herzen nach dem Urbilde des Weltalls zu
schneiden. Der Mann, als der Greis so zu ihm
gesprochen hatte, wurde betrübt. Doch fühlte er,
20 daß die Zeit nun wirklich für ihn gekommen sei
in die Pfadlosigkeit hinauszugehen; ließ alle Geigen,
die seither aus seinen Händen hervorgegangen waren,
bei dem Meister an der Wand hängen, küßte dem
ergriffenen weißhaarigen Mann noch einmal auf der
25 Schwelle die Stirn und ging dann rüstig davon.

Nun begann für den Mann eine schwere Zeit.
Denn bisher hatte er nur nötig gehabt das Genügen
seines Meisters zu erreichen, und wenn er auch
seinem eigenen Willen und Ahnen nachgegangen
30 war, so stammte seine eigene höchste Erwartung
immer im tiefsten doch aus dem Geiste des Meisters
und nahm von da sich die Form seines Ausdruckes.
Jetzt aber lag sein Wollen wie ein entfesseltes Brausen

in ihm, sein Herz spielte alle Lieder der Erde auf
einmal, und die Welt sang mit allen Registern so
auf ihn ein, daß er nur durch die Erinnerung an die
Kunst des Meisters etwas aus der Überfülle, die auf
ihn eindrang, in seine Arbeit retten konnte. Und 5
nach langen Wochen und Monaten, wenn er wieder
eine neue Geige aus dem toten Holze zum Leben
erweckt hatte, tönte eigentlich nur die Seele des
meisterlichen Greises in ihrem Klange. Wie Erde,
Himmel und er selbst in seinem Herzen klangen, 10
davon hörte er nur ein schwaches Echo in dem Liede
seines Instrumentes.

247 *ii*

ER streifte umher und suchte die Orte auf, an
denen er mit dem Schönlein geweilt hatte;
saß an dem Wasser und wartete, daß ihm das 15
Mädchen erscheine: es war umsonst. Er rief nach
ihr, und niemand als seine Stimme antwortete.
Endlich gab er alles Suchen und Ringen nach ihr auf.
Er setzte sich auf die Schwelle seiner Hütte und ließ
sich ohne Gedanken und ohne jede Gewalttat des 20
Willens in die Tiefe seines Innern sinken, die von
ihren und seinen Wundern erfüllt war.

Nachdem er auf diese Weise einen Tag und eine
Nacht in Gegenden seines Innern geweilt hatte, die
nur Gott kennt, war er ruhig und sicher geworden. 25
Denn es stiegen aus dem Dunkel seiner Tiefe die
Umrisse einer Gestalt, die zwar das Schönlein nicht
war, aber all ihre Schönheit, ihren Klang, ihre
Kühnheit und Tiefe, ihren Ernst und ihre Süße
enthielt. Die Leiden und das Glück seines Lebens 30

hatten sich zur Forderung seiner Kunst verwandelt.
„Ich will mir erst ein Abbild ihres Leibes machen,
das ihre Stimme und die Stimme unserer himmel-
hohen und erdentiefen Liebe hat“, sagte er zu sich
5 und begann nach dem Muster ihres schönen Leibes
eine Geige zu bauen. Aber was ihm der Meister
verkündet hatte, trat ein, die Geige, die unter
seinen Händen wuchs, war nicht ein totes Instrument sondern ein lebendiges Wesen. Je klarer und
10 schärfer er ihre Umrisse herausarbeitete, desto be-
glückter wurde sein Wesen und desto zaghafter und
ungenügsamer schafften seine Hände, um alle
Wunder aus des Schönleins Seele und ihrem Leibe
nachzubilden. Endlich hing die Schönlein-Geige
15 fertig besaitet über seiner Werkbank, und er saß tief
in der Nacht davor und betrachtete sie im Scheine
der fast herunter gebrannten Kerze.

Am anderen Tage ließ er dem Grafen die Nachricht zukommen, daß er mit dem Werk zu Ende sei,
20 und meldete seinen Besuch im Schlosse an, um mit
der Geige seinen Dank in die Hände seines Freundes
und Gönners zu legen. Jener Künstler, der einst
des Meisters Geige mit der Stimme und der Seele
der Namenlosigkeit zurückgegeben hatte, war zu
25 dem Abend geladen, an dem die Schönlein-Geige
die Feuertaufe der großen Kunst erhalten sollte.
Der Spielkünstler versuchte dem Meister etwas von
den Prinzipien zu entlocken nach denen er das neue
Instrument gebaut hatte; aber der Geigenmacher
30 lächelte nur, bewegte den Kopf, als verstehe er die
Fragen nicht, machte eine Handbewegung, als deute
er auf sein Herz und antwortete in bescheidenem
Stolz, die Geige solle heut' abend für sich selber

zeugen. Dann verabschiedete er sich von dem
Virtuosen mit der einzigen Bitte, die Geige mit so
viel Liebe und Hingabe zu spielen, wie er sie gebaut
habe. Er begab sich auf sein Zimmer und blieb dort
allein, bis das Glockenzeichen zum Beginn des 5
Konzertes durch das Schloß ertönte.

Der Saal war schon verdunkelt, als der Geigenmacher lautlos hereinschlüpfte. Der Künstler wollte
einige Sonaten von Mozart und zum Schluß die
Gioconda von Bach spielen. Dem Meister zog es das 10
Herz zusammen, als er seine Geige in der Gewalt
des Künstlers sah, wie er sie faßte, heraufhob, unters
Kinn preßte, und einen Augenblick war er versucht
sich auf ihn zu stürzen, sie ihm zu entreißen und damit
zu entfliehen. Aber da begann sie zu singen, und er 15
lehnte sich zurück und schloß die Augen. Alles war
wie gebannt. Denn schon nach wenigen Takten
erlagen alle einem unbegreiflichen Wunder. Das,
was aus dieser Geige drang, waren nicht Schälle, die
erst unter der genialen Gewalt der Melodie zu 20
Tönen einer himmlischen Musik wurden und nicht
weiter als bis zu den Grenzen reichten, die ihnen der
göttliche Meister gesteckt hatte; die Klänge, die aus
dieser Geige drangen, das waren selbst Könige,
Herrscher, Glorienträger und jubelnde selige 25
Geister. In ihnen war der selige Schauer der
Divinität von Anbeginn und zugleich das Feuer und
die Inbrunst der Erde, der Gesang der Dryaden, der
Bäume, der Sylphen, der Blumen und der Nymphen,
die Wasser klingen lassen, und es war in ihnen auch 30
die Gewalt und Süße des sinnlichen Menschen in
übersinnlichem Maße.

In dieser ungeheuren Verzauberung, die aus dem

Ineinanderwogen von Himmel und Erde ein un-
nennbares Paradies schuf, verharrten die Zuhörer
in einer außerirdischen Verzückung, und als am
Ende des ersten Teiles das Licht aufflammte und
5 alle langsam wie aus einem göttlichen Schlaf er-
wachten, war der Geigenmacher, auf den sie sich
begeistert stürzen wollten, verschwunden. Wonach
er in all den Wochen seiner Arbeit vergeblich gerungen hatte, das Schönlein leibhaftig vor sich zu
10 sehen, ihre Stimme zu hören, sich durch das Spiel
ihrer Bewegungen beglücken zu lassen, das war ihm
in dieser Stunde in einer solchen Beseligung durch
das Spiel des Künstlers geschenkt worden, daß er in
der Sehnsucht nach dem lebenden Schönlein lautlos
15 aus dem Zimmer geschlichen war.

Der Geigenmacher (1926)

RICARDA HUCH

geb. 1864

248 *Gustav Adolf landet auf Usedom*

DER Wind blieb nicht stetig, sondern sprang
wechselnd hin und her, so daß die Fahrt
schwieriger war und länger währte als der König
berechnet hatte; aber gegen den Abend des vierten
20 Juli begann die Küste sanft glühend, mit einer
Laubkrone geschmückt, aus dem Meere zu steigen.
„Sie biegt sich mir wie eine sehnende Braut entgegen,“ sagte der König fröhlich, „bevor die Sonne
sinkt, sollen sie meine Arme umfangen.“ Er sprang
25 als erster aus dem anlandenden Schiffe, kniete nieder
und dankte Gott für die glücklich vollendete Fahrt.

Niemand war rings zu sehen als ein paar zaghaft abseits stehende Fischer mit ihren Frauen und Kindern, die die Neugierde aus ihren Hütten getrieben hatte. Gustav Adolf trat rasch auf sie zu, sagte, daß er der König von Schweden sei, gekommen um sie bei ihrem Glauben zu schützen, und fragte, ob kaiserliche Soldaten auf der Insel wären. Nein, antwortete der eine Mann, sie wären durch Gottes Gnade kürzlich abgezogen. Ob das nicht Schanzen wären, fragte der König, auf eine Befestigung deutend, die aus dem flachen Boden aufstieg. Die Soldaten hätten sie verlassen, sagte der Mann, es wären keine mehr oder nur noch wenige auf Usedom. Die Untersuchung ergab, daß der Mann die Wahrheit gesagt hatte, und die Schweden begaben sich sofort an die Verschanzungsarbeit.

Nachdem der König auf einem kurzen Streifritt Umschau gehalten hatte, kehrte er an den Strand zurück, da wo die Landung stattgefunden hatte, und warf sich in das hohe, wildwachsende Sommergras. Zu seiner Linken, nicht weit von ihm, sah er einen breiten Strom in das Meer fließen: es schien ihm, nachdem er lange hineingeblickt hatte, als stürze die Flut schneller und schneller, um sich in der Unendlichkeit der harrenden See zu verlieren; wendete er aber den Blick ab und schaute nach einer Weile wieder hin, so schien der Fluß stillzustehen, während nur seine Oberfläche schattenhaft zog und strömte. Zwischen dem Fluß und dem Meere stand ein Hirt mit einem Hunde und einer kleinen Herde magerer Schafe, tief in warme, weiche, graublaue Luft versunken. Der König sah

eine Weile zu und winkte dann dem Hirten mit der
Hand näher heranzukommen; ob eine Kirche in
der Nähe sei, fragte er, da er läuten höre. Die
nächste Kirche sei wohl eine Stunde weit oder
5 weiter, sagte der Hirt, man höre sie nicht an dieser
Stelle, und es sei auch nicht die Stunde. Nachdem
er, die Hand am Ohr haltend, gehorcht hatte,
sagte er, er höre nichts; vielleicht habe der König
die versunkene Stadt aus dem Meere vernommen.
10 Was das sei, fragte Gustav Adolf. Vor Hunderten
von Jahren, berichtete der Hirt, habe an dieser
Stelle eine große, reiche Stadt gestanden, und wegen
des Übermutes ihrer Bewohner habe das Meer sie
verschlungen. Zuweilen, wenn das Meer sehr glatt
15 sei, könne man die goldenen Turmknöpfe und die
Dächer, die mit Gold gedeckt gewesen wären, durch
das Wasser schimmern sehen, und das Gerede gehe,
wenn einer sterben solle, höre er die Glocken von
dort unten her läuten. Das wären Märchen, sagte
20 der König, und wer dergleichen gesehen hätte,
möchte wohl tief in den Weinbecher statt ins Wasser
geblickt haben. Es sei unwahrscheinlich, daß an
dieser Stelle jemals eine große Stadt gestanden hätte,
von der keine Spur geblieben sei. Er wisse es nicht,
25 sagte der Hirt, und er wünsche auch gar nicht, daß
der König das Läuten gehört habe. „Es könnte dir
so gut wie mir gelten," sagte der König scherzend;
„deine Haare sind weiß, die meinen noch blond."
Der Hirt schüttelte den Kopf und sagte, solche
30 Zeichen pflegten große Herren anzugehen, nicht
arme namenlose Leute.

Der große Krieg in Deutschland (1912)

249 *Gustav Adolfs Tod bei Lützen*

UM neun Uhr am Morgen des sechzehnten November lag der Nebel noch dicht auf der Ebene von Lützen. Gustav Adolf ritt hin und wieder durch die aufgestellten Truppen und wechselte freundliche Worte mit den Soldaten. Der 5 Nebel werde steigen, meinte er, die Luft sei zu frisch für einen Regentag; in ein oder zwei Stunden werde die Sonne durchdringen. Wirklich begann der Dunst leise zu schwanken und durchsichtig zu werden, und man sah die Bäume, die die Straße 10 begrenzten, tropfend aus der schwindenden Hülle auftauchen. Ja, es sei jetzt Zeit, sagte der König, er wolle noch eine Ansprache halten und einen Psalm absingen lassen, die Herren sollten sich inzwischen auf ihre Posten begeben. Nachdem er 15 die schwedischen und deutschen Regimenter zur Tapferkeit ermahnt hatte, zog er das Schwert und rief: „Jesus, hilf mir heute streiten!" worauf der Angriff begann. Er ritt dabei so schnell vorwärts, daß sein Gefolge Mühe hatte in seiner Nähe zu 20 bleiben. Plötzlich senkte sich der Nebel wieder und fiel wie ein Vorhang vor die feindliche Aufstellung. „Wir sehen nichts mehr," rief der von Lauenburg, „gehen Eure Majestät nicht weiter!" „Es wird wieder hell!" antwortete der König und wurde 25 gleichzeitig von einer Kugel im Oberarm getroffen. Er empfand keinen Schmerz und achtete nicht darauf; aber Leubelfing, der Blut am Ärmel hinuntertropfen sah, rief ihm zu, er sei verwundet und solle sich doch um Gottes Barmherzigkeit willen aus 30 dem Gedränge zurückziehen. „Weißt du es besser

als ich, Närrchen," wollte er sagen; aber er hörte
seine eigene Stimme kaum, und gleichzeitig bemerkte er, daß es ihm in den Ohren sauste und
hämmerte. Mit den Worten: „Führe mich fort,
5 Vetter, ich bin schwer verwundet," wendete er sich
zum Herzog von Lauenburg um; da traf ihn eine
Kugel am Kopf, und er fühlte laues Blut über
sein Gesicht fließen. Aus dem Nebel brachen Reiter
hervor, es wurde auf beiden Seiten gefeuert, und
10 der, welcher den König geschossen hatte, fiel. Eine
Kugel traf auch des Königs Pferd, das sich bäumte
und seinen Reiter zur Erde warf, dann galoppierte
es in die Ebene zurück.

Als der junge Leubelfing den König fallen sah,
15 sprang er zum Pferde, umfaßte ihn und richtete ihn
auf, um ihm auf sein eigenes Tier zu helfen; aber er
sah wohl, daß das unmöglich wäre, da der König
nicht mehr imstande war sich zu bewegen. Nicht
einmal aus dem Gewühl schleppen konnte er den
20 schweren Körper, und es war niemand in der Nähe
ihm beizustehn. Wie der Nebel sich wieder hob,
sah er schwarze Reiter herankommen und preßte
den König fester an sich; sie hielten an und fragten,
wer der Offizier sei? in der Hoffnung auf Beute oder
25 Lösegeld. Da Leubelfing nicht antwortete, feuerten
sie ihre Pistolen auf ihn ab und ritten weiter. Der
König öffnete mit Anstrengung die Augen und sagte
mit einem Blick in Leubelfings über ihn gebeugtes
Gesicht, er solle sich retten und ihn liegen lassen,
30 er sei verloren. Entsetzt starrte der Page ihn an:
das teure Antlitz sah grau und alt, fast unkenntlich
aus, die helle Stimme klang fremd und wie aus einer
bodenlosen Tiefe herauf. Durch den Körper des

Königs ging jetzt eine zuckende Bewegung, als wolle
er sich aufrichten; er stöhnte und sagte: „Gott sei
mir gnädig", worauf er schwer auf die Schulter des
Knaben zurückfiel. Dieser mußte alle Kraft auf-
wenden um nicht zusammenzusinken. Er sah Reiter, 5
hörte Schreien, Krachen, Knallen und Schnauben,
und zugleich schien ihm das alles weit fort und ohne
Bedeutung für ihn zu sein. Furcht oder Schmerzen
fühlte er nicht, nur war es ihm, als fließe sein Leben
von ihm fort. Auf einmal mußte er an seine kleinen 10
Brüder und Schwestern denken, die in Nürnberg
am Fenster standen und auf ihn warteten; zwischen
ihnen blickten die ernsten Augen seines Vaters
hervor und waren gerade auf ihn gerichtet. Wie er
sich wunderte, daß er sie so nah vor sich sehen konnte, 15
kam von weither eine breite, immer lauter rau-
schende Welle und überschwemmte das liebe Bild,
und bevor er es wieder sammeln konnte, kam eine
andere und noch eine. Sie kamen näher und näher,
und er begriff, daß sie es auf den König, den er in 20
seinen Armen hielt, abgesehen hatten. Auffahrend
sah er, daß es nicht Wellen sondern Männer waren,
die den heiligen Leichnam ihm entrissen hatten und
sich anschickten ihn zu entkleiden. Sein Bewußtsein
wurde sofort ganz hell, und er warf sich mit ganzem 25
Leibe über die Brust des Toten. Da empfand er einen
feinen Stich in der Seite und brach ohnmächtig
zusammen.   *Der große Krieg in Deutschland* (1912)

250   *Innsbruck*

VON silbernen Zacken umkrönt, von südlicher
Sonne beschienen, vom blitzenden Inn 30
durchrauscht, diese Stadt hat etwas majestätisch

Festliches, und sie hat ihren habsburgischen Herren
als Hochzeitsstadt wohl angestanden. Österreich war
noch bis in die allerneueste Zeit das alte Reich, das
tief in den Süden und in den Osten hineinstrahlte.
5 Das Land Tirol, dessen Hauptstadt Innsbruck war,
begrenzte die Straße nach Italien, das Land, dessen
Nachfolge das Römische Reich Deutscher Nation
übernommen hatte, mit dem es als mit dem Sitz des
Papstes verbunden war, zu dem es in so viel wich-
10 tigen, sowohl kriegerischen wie friedlichen Beziehungen stand. Wenn Vermählungen der Kaiser mit
italienischen Prinzessinnen stattfanden, bot sich die
Stadt am Inn als schicklicher Punkt dar, wohin ihr
Geleit sie führen, wo sie der hohe Bräutigam er-
15 warten konnte, der sie von dort als Gemahl weiter
in die neue Heimat brachte. In Innsbruck feierte
Kaiser Maximilian 1494 die Hochzeit mit seiner
zweiten Frau Bianca Maria Sforza, durch welche
der Zusammenhang mit Mailand befestigt werden
20 sollte. Zum Andenken an diese Begebenheit ließ
der Kaiser das Goldene Dachl erbauen, einen Erker
an dem Hause, das sich ein früherer Herzog von
Tirol, Friedrich mit der leeren Tasche, als Residenz
erbaut hatte. Das zierliche Gebilde aus schön-
25 bearbeitetem rotem Marmor schützt ein steiles
Dach, das mit mehr als dreitausend vergoldeten
Kupferblättchen gedeckt ist; wenn die Sonne darauf
scheint, schießt es blendende Strahlen die Straße
entlang, die das Haus abschließt.
30 Mit dem Andenken Maximilians ist Innsbruck
nicht nur durch das Goldene Dachl sondern durch
ein zweites Kunstwerk verknüpft: sein Grabmal
nämlich, das ihm sein Enkel in Erfüllung seines

letzten Willens in der Hofkirche errichten ließ. Auf
einem hohen viereckigen Sarkophage in der Mitte
des Schiffes der Kirche kniet der Kaiser im Krönungs-
ornat, das charakteristische souveräne Gesicht dem
Altar zugewendet. Auf vierundzwanzig Marmor- 5
tafeln sind die bedeutendsten Ereignisse seines
Lebens in Relief erzählt. Als sein Trauergeleite
stehen zu beiden Seiten des Sarges achtundzwanzig
eherne Gestalten, von denen mehrere in vorge-
streckter Hand Fackeln zu tragen bestimmt waren. 10
Die, deren lange Folge er krönte, waren erstanden,
um den Sohn, der ihre Reihe vollendete, ehrend zu
empfangen. Er fühlte sich als der Letzte einer
Epoche, als der Letzte eines großen Geschlechts,
soweit es sich aus germanischem Stamm entwickelte. 15
Zu seinen Vorfahren rechnete Maximilian nach der
willkürlichen Genealogie jener Zeit den Franken-
herzog Chlodwig, den Sagenkönig Artus, den Ost-
goten Theoderich, Gottfried von Bouillon. Schaurig groß starrt inmitten des sich beständig 20
erneuernden Lebens die Versammlung der Könige
des deutschen Weltreichs. Hier an der alten Straße
ins italische Land sind sie festgehalten worden, hier
schwingt sich der eherne Klang vertraut zu den
Alpen empor.   *Im alten Reich, Städtebilder* (1929) 25

HERMANN LÖNS

1866–1914

251   *Die allerschönste Blume*

ALLE Blumen ohne Ausnahme sind schön. Auch
die kleinen und unscheinbaren haben ihre
Schönheit, auch die seltsamen und unheimlichen

ihre Reize. Man kann nicht sagen, welche Blume
am schönsten ist. Der eine liebt der edlen Rose volle
Formen, der andere des Heckenrösleins schlichte
Gestalt. Dieser wieder freut sich an des Mai-
5 glöckchens zierlichem Bau, jener an der Würde der
Lilien. Den dünkt keine herrlicher als des Flieders
leuchtende Rispe, der wieder zieht der Heide
winzige Blüte vor. Auch die Blumen sind der Mode
unterworfen, auch von ihnen werden einige heute
10 gefeiert und morgen mißachtet. Dem Tulpen-
kultus folgte der Dahliensport, dann errang die
Hyazinthe große Erfolge, diese wich dem Chrysan-
themum, das jetzt vor den wunderbaren und
wunderlichen Orchideen der Tropen in den Hinter-
15 grund tritt. Auch die wilden Blumen sind von der
Mode abhängig, wenn auch nicht so sehr wie die
Gartenblumen. Stets hat man sich am ersten
Veilchen gefreut, zu allen Zeiten Himmelschlüssel
gebrochen. Eine Blume aber war nie modern und
20 wird nie modern werden. Sie ist zu gewöhnlich,
zu gemein. Sie steht an jedem Wege, sie wächst auf
allen Wiesen, blüht auf jedem Anger, selbst zwischen
den Pflastersteinen fristet sie ihr Leben und wuchert
auf dem Kies der Fabrikdächer. Jedes Kind kennt
25 sie, jeder Mensch weiß ihren Namen, alle sehen sie,
aber keiner macht Aufhebens von ihr, sagt, daß sie
schön sei. Das ist der Löwenzahn, die Butterblume,
die Kettenblume der Kinder, deren kleine goldene
Sonnen in jedem Rasen leuchten, in jedem Gras-
30 garten strahlen, an allen Rainen brennen, so massen-
haft, so tausendfach, so zahllos, daß man sie nicht
mehr sieht, weil man sie überall zu sehen gewohnt
ist. Und deshalb hält man es nicht für der Mühe

wert sie zu betrachten und sich ihrer feinen Schönheit, ihrer vornehmen Form, ihrer leuchtenden
Farbe zu erfreuen. Nur die Kinder lieben sie.
Vielleicht nicht deshalb, weil ihnen die Schönheit
dieser Blume zum Bewußtsein kommt, sondern 5
deshalb, weil es die einzige ist, die sie immer und
überall pflücken dürfen. Kein Wärter knurrt, kein
Bauer brummt, wenn die Kleinen sich ganze Hände
voll davon abrupfen; sie sehen es sogar gern,
denn es ist ein böses Unkraut, der Löwenzahn, ein 10
Grasverdränger und Rasenzerstörer, gegen den alle
Arbeit und Mühe nichts hilft. Eine Woche lang
kann die alte Frau, sich mit steifem Rücken mühsam
bückend, Busch an Busch aus ihrem Grasgarten
stechen; der Wind bläst die Samen heran, die 15
lustigen braunen Kerlchen mit dem silbernen
Federkrönchen; niedliche grüne Pflänzchen wachsen
aus ihnen, treiben feste Pfahlwurzeln in den Boden,
und übers Jahr kann die alte Frau wieder in ihrem
Garten stehen und jäten, bis ihr das Kreuz lahm ist. 20

Als die alte Frau noch ein kleines Ding war, da
hat sie sich nicht über die Butterblumen geärgert.
Da hat sie sich die ganze Schürze voll davon gesammelt, hat sich unter den alten Apfelbaum gesetzt
in das grüne, mit weißen Apfelblütenblättern dicht 25
bestreute Gras, hat Stiel um Stiel gedreht, bis der
Kranz fertig war, ihn sich auf das blonde Haar
gesetzt, ist in die Stube gelaufen, auf den Stuhl
geklettert, hat vor dem Spiegel lachend die von dem
Milchsaft der Stengel schwarz und klebrig gewor- 30
denen Händchen zusammengepatscht und gemeint,
sie sei die Königin. Und da eine Königin nicht nur
eine Krone sondern auch Geschmeide haben muß,

so ist die Königin in den Grasgarten gegangen, hat
sich wieder auf ihren grünen weißgestickten Thron
unter den rosenroten und schneeweißen Baldachin
gesetzt, hat vielen Kettenblumen die Köpfe ab-
gerissen und die hohlen Stengel fein säuberlich
ineinandergesteckt, einige Blumenköpfe darein geflochten und sich wunderbar schöne Ohrringe gemacht und herrliche Armbänder und eine Kette,
dreimal um den Hals. Und weil eine Königin auch
ein Zepter haben muß, so hat sie mit ihrem Daumen-
nagel viele Kettenblumenstengel oben fein gespalten, in den Brunnentrog gelegt, damit sie sich
kräuseln, und sie dann mit roter Wolle um eine
Rute gebunden. Und nun hat sie ein Zepter; das
sah in der Sonne aus, als hätten es die Zwerge aus
Mondscheinstrahlen geschmiedet und mit Sonnenstäubchen bestreut. Am andern Tage war freilich
die ganze goldene Herrlichkeit welk und schlaff, aber
das schadete nichts, denn überall wuchsen Kettenblumen, und kein Mensch wehrte es der Kleinen sie
zu pflücken. Und als der Blumen goldenes Blond zu
silbernem Weiß verblichen war, auch da noch boten
sie dem Kinde lustigen Zeitvertreib. Mit vor-
sichtigen Fingern brach sie die Stiele, hielt die
silbernen Kugeln vor ihr Stumpfnäschen, machte
aus ihren roten Lippen ein spitzes Schnäuzchen und
pustete in die weiße Kugel hinein, daß die braunen
Männchen mit den silbernen Federkrönchen so sehr
erschraken, daß sie alle schnell fortflogen. — So
haben es wohl alle Kinder gemacht, die unter
blühenden Apfelbäumen im Mai spielen durften
und darum war ihnen die Kettenblume die liebste
Blume und schien ihnen die allerschönste zu sein.

Später vergaßen sie sie über Nelken und Flieder
und Tulpen, aber ganz tief in ihrem Herzen klang
doch ein Lied aus alter Zeit, wenn sie im Mai im
grünen Gras die erste Butterblume blühen sahen,
unwillkürlich grüßten ihre Augen mit zärtlichem 5
Blick die goldene Blüte am Wege.

Da draußen vor dem Tore (1912)

RUDOLF BINDING

1867–1938

252 *Die junge Gräfin von Nevers*

WIE die Loire, der Strom der Touraine, den
sie täglich von den Fenstern ihres Schlosses
sah, hell und sonnenfroh aber auch stolz und eigenwillig, so war die junge Gräfin von Nevers. Der 10
Fluß weiß sich freizuhalten von der Knechtschaft
der Schiffahrt; denn nahe unter dem blausilbernen
Spiegel zieht er, überall zerstreut, seine gelben
Sandbänke dahin, die jeden Kiel hemmen, der seine
Furchen in die selbstbewußte Flut graben wollte. 15
Auch die junge Gräfin von Nevers hat ihre Sandbänke unter der lachenden Oberfläche; auch sie will
frei durch ihr Land ziehen und setzt einen geheimen
Widerstand an ihre Freiheit. Mit dem Falken als
dem Wahrzeichen ihres freien Adels auf der Faust 20
streift sie auf brandrotem Pferd durch das jagbare
Land, und wenn sie auch im Trupp mit den Jägern
und Edeln von den Schlössern ringsum hinausreitet,
so weiß sie doch trotz ihrer siebzehn Jahre nicht,
wie ein Mann aussieht. Denn wenn sie ihre Augen 25
erhebt, so ist es zu dem grünen Geäst einer Kastanie
oder zu einem funkelnden Stern am Abendhimmel,

und wenn ihre Blicke auf etwas ruhen, so sind es die
grünen Ufer, die beschaulichen Flecken, die ihren
Platz behaupten wie sie, und die Berge der Loire,
in deren blauender Ferne sie sich mit dem Strom
5 zugleich zu verlieren scheint. Außer der Sonne hat
ihr noch niemand ins Antlitz lachen dürfen, außer
dem Wind noch keiner ihre Wange gestreichelt,
außer dem Wasser des Stroms, das frohlockend an
ihr emporspritzt, wenn sie ihn durchreitet, keiner
10 ihren Leib geliebkost.

Deshalb erschrak die junge Gräfin von Nevers —
das erstemal in ihrem Leben — als ihr eines Tages
ihre Mutter, die verwitwete Herrin von Schloß und
Land, welche aus Flandern gebürtig war und die
15 Loire und deren Ähnlichkeit mit ihrer Tochter
nicht verstand, die Mitteilung machte, der Graf von
Blois habe um ihre Hand angehalten und werde in
ritterlicher Weise, gefolgt von seinen Edeln, sich
ihr Jawort holen. Sie erschrak: denn sie wußte, daß
20 ihre Mutter, die nach der gemessenen Art ihrer
Landsleute nichts angriff was sie nicht durchzuführen gedachte, dieser Werbung nicht einmal
Erwähnung getan haben würde, wenn ihr die
Annahme des Antrags nicht als etwas Unabweis-
25 bares erschienen wäre, über das sie mit einer Tochter,
zu jung um klug zu sein, keine Worte machen werde;
und sie wußte auch, daß der Graf von Blois der
mächtigste Herr der Touraine war, stark und unbeugsam wie sein Schloß über der Loire; sein
30 Werbezug würde nicht wie das Geleit eines Ritters
auf dem Heimweg von der Jagd sein, für das man
sich mit einem Lachen und abgewandtem Haupt
bedanken konnte. Der Schreck fuhr dem Fräulein

in die Glieder wie ein Blitz aus dem heitern Himmel
ihrer Freiheit, so daß sie von dem brandroten
Hengst, der nach dem offenen Burgtor und der
Sonne wieherte, wieder herabglitt und von Jagen
und Reiten nichts wissen wollte an diesem Tage. 5
Klopfenden Herzens rannte sie vielmehr die breiten
flachgewendelten Stufen des runden Schloßturms
hinauf, und erst als sie den Schlüssel zum Turmgemach droben in der Hand hielt, fand ihre Erregung
eine Antwort. „Hier mag er in ritterlicher Weise 10
vor mir erscheinen," rief sie, „wenn er es vermag";
und die Tür fiel ins Schloß, daß der Mörtel nieder-
rieselte. Die Mutter hielt Einsamkeit, Nachdenken
und Hunger für ihre besten Bundesgenossen und ließ
sie. Als indessen am folgenden Tage der Graf von 15
Blois mit einem adeligen Gefolge von Freunden und
Rittern in dem Schloß einzog und das Fräulein noch
kein Verlangen gezeigt hatte ihren befestigten
Schlupfwinkel zu verlassen, vermochte die Gräfin
von Nevers dem verwunderten Freier nichts Bes- 20
seres als jenes Wort ihrer Tochter zu bestellen, daß
er ihr in dem Turmgemach auf ritterliche Art
nahen und seine Werbung anbringen solle. Denn
sie wollte selbst mit der Wahrheit in dieser Sache
nichts verschütten oder unterbinden und hoffte, 25
daß der Graf von Blois über den kapriziösen Empfang, den ihm seine Braut bereitete, nicht das Ziel
seiner Fahrt vergessen werde. Der Graf besann sich;
und da er an Umkehr nicht dachte, solange er noch
eine Turmtreppe vor sich sah, ließ er die Pferde in 30
die Stallungen ziehen, und überdachte die Botschaft,
die ihm geworden war. Er begriff leicht, daß er
eine keineswegs ritterliche Figur abgeben würde,

wenn er droben vor dem verschlossenen Turmgemach stehen und seine Werbung dem Fräulein
durch das Schlüsselloch vorbringen müsse; also
sann er auf einen Ausweg, der sie zwingen würde
5 ihm zu öffnen und ihn anzuhören, und wenn das
nicht, ihm doch wenigstens einen ritterlichen
Rückzug sicherte.

Am andern Morgen erschrak die junge Gräfin das
zweitemal in ihrem Leben, aber grausamer als das
10 erstemal. Denn hinan zu ihr auf dröhnenden
hölzernen Bohlen ritt der Graf von Blois in voller
Rüstung die Schräge der Turmtreppe. Über Nacht
hatte er die Stufen herausreißen und starke nach der
Treppenspindel sich verjüngende Bohlen zwischen
15 diese und die Mauer stemmen lassen, welche die
Stiege in eine fortlaufende Rampe verwandelten.
Das Fräulein schrie, als sie die donnernden Huftritte
in den Gewölben hallen hörte. Es war genug der
Gewalt; und der Graf von Blois fand das Turm-
20 gemach offen. Aber in eine Ecke gedrückt mit allen
Zeichen des Entsetzens stand die junge Gräfin von
Nevers, und ihre Augen starrten ihn an, daß es ihn
seiner Tat graute und er seine Werbung vergaß.
Hier, das sah er wohl, hatte er einem Kinde zu nahe
25 getan. Er glitt aus dem Sattel, drückte das Pferd
ein wenig zurück und wandte es dann zum langsamen
Abstieg. Er, der zur Eroberung eines stolzen Weibes
hinaufgeritten war, schlich wie ein Mädchen-
schänder davon. *Angelucia* (1925)

603

Das innere Auge

EIN großer Maler hatte eine Anzahl von Schülern,
die er in seiner Kunst unterwies. Mit Bedacht
ließ er sie lang und fleißig die Dinge der Natur
nachbilden. Eines Tages aber sagte er zu ihnen:
„Geht nun auf den Platz der Stadt und male dort 5
jeder nach seiner Wahl und seinem Standort das,
was er sieht." Die Schüler, froh eines Auftrags, der
ihnen, wie es schien, größere Freiheiten erlaubte,
zogen mit Leinwand, Pinsel und Farben hinaus,
und jeder malte den Platz mit seinen Gebäuden, 10
den Menschen die darauf ab und zu gingen, um-
herstanden oder unter dem Zeltdach des Cafés
saßen, den Pferden, Wagen, Zeitungsständen,
Blumenkiosken und dem hohen Turm der Kirche,
die den Platz behütete — jeder von einem anderen 15
Standort, der ihm die malerischste Wirkung versprach, und jeder so gut wie er es vermochte. Doch
wie erstaunt waren die Jünger, als der Meister, dem
sie ihr Werk nach Hause brachten, die Gemälde gar
nicht ansah, sie ziemlich achtlos einsammelte und 20
allesamt in einem Schrank verschloß. „So," sagte er
zu den Enttäuschten, „nun geht, ein jeder in seine
Kammer oder wohin ihr sonst mögt, und malt das
Bild das ihr nun schaut; das Bild, das in euch lebt;
das Bild nicht aus der Kraft der Natur sondern aus 25
eurer Kraft." Die Schüler gingen; jeder trug wohl
ein Bild in sich, aber es schien ihnen nur ein Rest
von dem Reichtum jener farbigen Wirklichkeit zu
sein, die sie auf dem Platze mit leiblichen Augen
eingesogen hatten. Ihr inneres Auge schien manches 30
zu versagen, manches zu unterdrücken, für manches

blind geworden zu sein. Mit Aufwendung einer
ungeheuren, bisher nie gekannten Energie, einer
zitternden, halb noch verzagenden Inbrunst suchten
sie das wenige in nun von der Natur nicht mehr
5 kontrollierten Pinselstrichen, in groben nur ihrer
Vorstellung angehörenden Farben zum Ausdruck
zu bringen was in ihnen lebte. Sie fühlten: es
gewann Gestalt, es schloß sich zusammen zu neuer
ungeahnter Wirklichkeit — keiner wußte recht wie.
10 Da war auf des einen Bild nur jenes Café mit den
im Schatten liegenden Wölbungen in der Tiefe
und den hellen roten Sandsteinfeuern der sonnbe-
glänzten Fassade. Da war bei dem andern nur die
Ecke mit dem Blumenkiosk, ein paar Menschen
15 davor, und der übrige Platz war leer; das Café schien
unbesucht. Da waren bei dem dritten der Turm,
die Häuser, das Café nur als Gebäude, als mannig-
farbige, um den Platz gestellt. Da waren bei dem
vierten hastende Menschen, in Gruppen und Reihen,
20 still und in Bewegung vor dem Café, in dem man
das Leben, den Betrieb und das Gesumm ahnte.
Da war bei jedem etwas anderes.

Als sie aber ihre Bilder dem Meister brachten,
betrachtete er sie lange schweigend. Er ging an den
25 verschlossenen Schrank, entnahm ihm jene Nach-
bilder der Natur und stellte jedes Schülers Werk des
leiblichen Auges neben das zugehörige des innern.
Und da geschah es, daß maßloses Erstaunen die
jungen Maler erfaßte. Denn mit ihren eigenen
30 Augen, an ihrer eigenen Hände Werk, gewahrten sie
um wieviel wahrhaftiger, wirklicher das echte Bild
des Künstlers, das in ihnen lebte, war im Vergleich
mit dem Abbild. Farben standen klar und leuchtend

nebeneinander, gegeneinander, wo früher ein gleich-
gültiges Durcheinander war. Linien stiegen und
sanken nach einem geheimen Gesetz, zum Einfachen
neigend, wo früher ein Gewimmel und Gewirr die
Leinwand gefüllt hatte. Das Bild hatte die Schwäche 5
des Nachbilds und Abbilds verloren. Es genoß die
Kraft eigener Schöpfung.

Was ich hier von dem Maler erzählte, der Dichter
müßte das gleiche von sich erzählen; und jeder
Künstler von seiner Kunst.   *Rufe und Reden* (1928) 10

WILHELM SCHÄFER

geb. 1868

254   *Goethes „Faust"*

EIN altes Puppenspiel hatte dem Knaben in
Frankfurt die Taten des Faust vorgeprahlt, der
seine Seele dem Teufel verschrieb und ein Schwarzkünstler wurde. Als danach den Jüngling in Straßburg das junge Blut plagte, als ihm die Brust 15
schwoll und der Kopf brannte von Zweifeln und
trotzigen Fragen, kam ihm der Faust aus dem
Puppenspiel wieder, und er sah seinesgleichen. Er
sah der Tugend den Fallstrick gelegt in der täglichen
Ordnung der Väter, Himmel und Hölle halfen ihn 20
halten; aber der Menschengeist trotzte den Vätern
samt ihren allmächtigen Helfern; er wollte sich
selber gerecht sein und jede Art Lust büßen statt
in der fremden Gerechtigkeit bleiben. So wurde
dem Jüngling in Straßburg das alte Puppenspiel neu, 25
Himmel und Hölle zum Trotz sollte sein Faust sein,
der Menschheit zur Fackel. Herder, der herbe, wies

den hitzigen Jüngling auf nähere Wege, er wurde
der Dichter des Götz mit der eisernen Hand; aber
schon auf den Wertherwiesen in Wetzlar trug er den
trotzigen Plan von neuem umher, wenn ihm die
5 Brust eng war vom Staub seiner Tage. Als der
Herzog von Weimar den Dichter zu Gast lud,
brachte er ihm sein Puppenspiel mit: Schattenrisse,
in raschen Auftritten wechselnd, mit Worten wie
von Hans Sachs, nur weiter und wehender. Wie
10 ein Bräutigam seinen Freunden die Braut zeigt, so
aus dem heimlichen Glück las er sein Stück vor;
aber er wußte, daß seine trotzige Neigung noch
keine Liebe, daß die rasch gepflückte Frucht noch
keine Ernte war.

15 Er wurde in Weimar Minister und legte den
Faust in die Lade, der Schwarzkünstler paßte nicht
in sein Dasein geheimrätlicher Pflicht; und als er
danach in Rom wieder faustisch zu denken begann,
nahm ihm die klassische Luft die Lust an dem
20 nordischen Spuk. Erst Schiller, der treffliche
Treiber, vermochte ihn wieder an das verlassene
Werk der Jugend zu bringen; aber dem reifen Mann
wollte der Jünglingstrotz nicht mehr ziemen: eine
leuchtende Lohe wuchs aus dem Höllenbrand seiner
25 Jugend. Als Schiller, der glühende, starb, und
Goethe, grämlich allein, das unübersehbare Gut
seines Daseins bestellte, ließ er sein Faustfragment
zum dritten Mal liegen. Es war im sechzigsten
Jahr seines Lebens, und sechzehn Jahre vergingen,
30 bevor er als Greis — nach einem halben Jahrhundert — sich wieder den schwankenden Gestalten
seiner Jugend zuwandte. Längst hieß sein Werk
kein Puppenspiel mehr; Himmel und Hölle rangen

um Faust, der ein Schwarzkünstler war und der
Menschengeist wurde. In allen Weiten und Winden
des Lebens, in allen Sorgen und Sünden wissend,
genießend und tätig sollte er sein, und allen höllischen Mächten zum Trotz seinen Weg in den 5
Himmel schreiten. Aber kein Wunder konnte die
Seele erlösen, das Wunder vermochte der Geist
allein: er mußte den Kampf der Mächte ausmachen,
er mußte durch Himmel und Hölle der eigenen
Brust Meister des Schicksals bleiben. 10

So hatte ein halbes Jahrhundert über dem
hitzigen Plan seiner Jugend den stolzen Dombau
begonnen; der Greis sah das Pfeilerwerk riesenhoch
ragen, aber noch fehlten der Helm auf dem Turm
und die Wölbung. Am glutroten Münster in 15
Straßburg hatte sein trunkenes Auge gehangen, als
er den Riesenbau plante; nun war der Dichter des
Götz ein Grieche geworden, und über dem gotischen
Grundriß sollte ein marmorner Tempelbau prangen.
Der Schwarzkünstler ging aus den Nürnberger 20
Gassen in Griechenland ein, Faust wurde Herzog
und Fürst, und Helena herrschte, wo Gretchen,
das deutsche Bürgerkind, ihre schmerzhafte Gunst
gab. Aber der faustische Schritt ging in die Leere
des Alters; Schattenfiguren wuchsen ihm aus der 25
blassen Unendlichkeit zu. Was unmöglich war,
konnte auch Goethe der Greis nicht mehr zwingen;
vieles gelang ihm, manches Portal war mit schönen
Gestalten bestellt, und manches Glasfenster gab
farbiges Glas: der Traum seines Tempels blieb ein 30
Turmbau zu Babel. Je mehr ihm der Schatten des
nahenden Todes in seinen gewaltigen Dom fiel, je
eifriger war er am Werk, bis ihm zuletzt das Notdach

gelang, den herrlich verzettelten Bau mit allen Hallen und Weiten des Lebens vor Wind und Wetter zu schützen. So stand der Tempeldom da, als Goethe, der Greis, die sterblichen Augen zu-
5 machte; so steht er im Reich als der mächtigste Bau, so wird er den Völkern und Zeiten ein Wunderwerk bleiben, ein ragendes Zeugnis, was einmal ein Mensch aus eigener Vollmacht vermochte.

Die dreizehn Bücher der deutschen Seele (1922)

255 *Gräfin Hatzfeld und Napoleon*

10 MAN kann nicht sagen, daß die Fürsten Europas vor dem Advokatensohn aus Korsika mit Männerstolz gestanden hätten; und manche haben nicht verschmäht die Anmut ihrer Frauen in heiklen Stunden vorzuschicken. Nicht immer nur um einen Fußfall so zu tun, wie ihn die Gräfin Hatzfeld um
15 ihren Mann aus freien Stücken tat. Das war nun freilich auch kein Held, der den Berlinern nach der Schlacht bei Jena als Gouverneur verkündete, daß Ruhe nun die erste Pflicht des Bürgers sei. Auch nahm er sich in Briefen kaum mehr in acht; und weil
20 er glaubte, daß an der kaiserlichen Macht durch Konspirationen gerüttelt werden könnte, so brachten seine aufgefangenen Briefe ihn eines Tages vor das Kriegsgericht, so daß er unvermutet fast zum Märtyrer preußischer Freiheit geworden wäre.
25 Das Todesurteil war schon ausgesprochen, als sich die Gräfin — zur Audienz befohlen — im Jammern um den Vater ihrer Kinder noch ins Schloß begeben durfte. Es war ein winterlicher Herbsttag, der Kaiser im Begriff auszugehen und also schon in Hut

und Degen, als sie ihm aller Ängste voll zu Füßen
stürzte, nicht um Gerechtigkeit, nur um Erbarmen
flehend. An solche Dinge täglich gewöhnt und
durch die Kleinlichkeiten schlechter Intriganten
aufs übelste gereizt, ließ er sie wenig reden, nur vom 5
Boden aufstehen und selber einen Brief von ihrem
Gatten lesen, der — wie er ihr aufs kürzeste bedeutete
— durchaus verhinderte, daß an Begnadigung zu
denken wäre. Da hielt die arme Frau das glatt-
gefaltete Papier in Händen, das ihrem Mann das 10
Leben kosten sollte — indessen der Kaiser, an einem
Handschuh knöpfend, hin- und wiederging — und
weil die Tränen in den Augen sie hinderten den
Brief zu lesen, den ihre Finger fast zerissen — so
zitterten sie — und weil der Kaiser nach seiner 15
Gewohnheit am Kaminfeuer stehen blieb und mit
den Händen auf dem Rücken den kleinen blauen
Flämmchen zusah, die um den roten Brand auf-
zuckten, und eine Kohle platzte ab und sprang im
Bogen auf ihn zu, daß er den Fuß, der so viel 20
Staaten zertreten hatte, dennoch zurückzog seiner
weichen Stiefel wegen: da sprang auch in den Kopf
der kleinen Frau ein Funke, daß sie ganz ohne Hast,
gleichmütig fast, an den Kamin ging und behutsam
das Papier ins Feuer legte, indessen sie noch nassen 25
Auges und von der rasch entflammten Glut beleuchtet mit einem Lächeln stiller Art dem Kaiser
in das stumme Antlitz sah. Der zuckte nicht mit
einer Hand, versenkte nur sein Auge fast träumend
und erstaunt in ihres — und weil er nicht an Diplo- 30
matentischen sondern im freien Feld gewachsen
war, wo dem das Spiel gehört, der es tollkühn gewinnt — so sagte er kein Wort, nahm nur mit

sanfter Artigkeit ihre Hand und küßte sie. So daß
die Gräfin, erst draußen zwischen den Gardisten
erwachend aus dem Traum der kühnen Handlung,
nicht anders meinte, als daß er ihr wie einer
5 Schwester fast gütig und auch ein wenig scherzhaft
zugelächelt habe. *Die Anekdoten* (1928)

DIEDRICH SPECKMANN
1872–1938

256 *Gottesdienst für heimgekehrte Soldaten*

DIE kleine Glocke, die den Krieg überstanden
hatte, lockte mit kümmerlichen Klängen, und
Martin lenkte seine Schritte dem Gotteshause zu.
10 Er fand einen Platz seitlich der Orgel, von wo aus
er die bis auf den letzten Platz sich füllende Kirche
gut überblicken konnte. An den Brüstungen der
Emporen wie an den Wänden rechts und links des
Altars hing aus Tannengrün Kranz an Kranz, und
15 jeder umschloß einen in schwarzen Buchstaben auf
weißen Karten gezeichneten Namen. Nach Martins
Überschlag hatte die Gemeinde in diesem Kriege
an die zweihundert Tote zu beklagen. Die Orgel
erbrauste. Ihr hatte der Krieg zwar die Zierpfeifen
20 des Prospekts, aber nichts von ihrem vollen, rauschenden Klang genommen. Und nun erhoben
wohl anderthalbtausend Menschen einmütig ihre
Stimmen und sangen: „Macht hoch die Tür, die
Tor' macht weit." Es lief Martin, der niemals
25 einem dörflichen Gottesdienst beigewohnt hatte,
heiß und kalt über den Rücken. In diesem Gesang
war nichts von Weichlichkeit und gefühliger Hingebung. Alles war wuchtige, kraftvolle Sachlichkeit.

Es war darin die schlichte, allem Aufgeregten ab-
holde, vielleicht ein wenig starre Seele des nieder-
deutschen Landvolks. Sein Banknachbar, ein alter
Bauer, der ein gewaltiger Sänger vor dem Herrn war,
nahm Anstoß daran, daß er nicht mitsang. Er sah 5
ihn über die Brille weg mißbilligend an, hielt ihm
sein Gesangbuch unter die Augen und zeigte mit
dem Finger auf die Worte, die eben dran waren.
Da stimmte Martin tapfer ein, und nun wurde seine
Seele noch mächtiger in die Andacht und das ge- 10
meinsame Gefühl der großen Bauerngemeinde mit
hineingezogen.

Der Pastor, der nach dem Gemeindegesang „Was
Gott tut, das ist wohlgetan" auf der Kanzel erschien,
war ein jüngerer Mann mit durchgeistigtem Bauern- 15
gesicht. Er las zu Beginn keinen Text vor und hielt
keine künstlich aufgebaute Predigt. Nach kurzen
einleitenden Worten fuhr er fort: „Wir gedenken
in dieser Stunde zunächst derer, die nimmer wieder-
kehren. Erhebet Euch und vernehmt ein Wort des 20
Propheten Jeremias: ‚Ach, daß ich Wassers genug
hätte in meinem Haupte, und meine Augen Tränen-
quellen wären, daß ich Tag und Nacht beweinen
möchte die Erschlagenen in meinem Volk!' Wir
hören noch einmal die Namen unserer teuren Toten, 25
deren Gedächtnis uns ewig heilig sein wird." Und
nun folgte eine schier endlose Reihe von Namen
erdigen Klanges, wie sie in diesem Heidewinkel gang
und gäbe waren. Durch die Gemeinde ging ein
unterdrücktes Weinen und Schluchzen, überall in 30
dem ernsten Schwarz wurden weiße Taschentücher
sichtbar. Die Verlesung schloß mit den Worten:
„Sie ruhen in Frieden und das ewige Licht leuchte

ihnen." „Wir gedenken," fuhr der Prediger fort, „auch derer, die heute noch nicht in unserer Mitte sein können, und beten mit dem Psalmisten: ‚Herr, bringe wieder unsere Gefangenen, wie du die Wasser
5 wiederbringst im Mittagslande.'" Und von der Gemeinde flogen stille Grüße der Sehnsucht in ferne Lande, wo eine Anzahl ihrer Söhne noch eine Weile auf den glücklichsten Tag ihres Lebens warten mußten. Der Pastor gab der Gemeinde mit der
10 Hand einen Wink, daß sie sich setzen möge, lehnte sich ein wenig über die Kanzelbrüstung, und seine Stimme bekam einen warmen, herzlich werbenden Klang. „Und nun komme ich zu euch liebe Brüder, die ihr in den letzten Tagen und Wochen aus diesem
15 furchtbaren Kriege zu euren Lieben in die Heimat zurückgekehrt seid. Laßt euch grüßen mit dem Wort des 118. Psalms: ‚Dies ist der Tag, den der Herr macht; lasset uns freuen und fröhlich darinnen sein. Wir segnen euch, die ihr vom Hause des Herrn
20 seid.'" Mit schlichten Worten hieß er die Heimgekehrten willkommen. Von ihren Heldentaten und all dem, was hinter ihnen lag, sprach er wenig, desto mehr aber von dem, was die Gegenwart von ihnen verlange und die Heimat von ihren treuen
25 Söhnen erwarte. Es möge ihnen wohl schwer werden sich wieder in die alten, ihnen so fremd gewordenen Verhältnisse einzuleben; aber von dem Boden der Heimat gehe eine Kraft aus, die ihnen dabei helfen werde, und dieses ehrwürdige Haus,
30 das einst am Morgen ihres Lebens, an ihrem Tauftag, sie begrüßt habe und sie heut aufs neue willkommen heiße, richte an sie die Bitte ihnen ebenfalls dabei Unterstützung leihen zu dürfen. *Die Heidhklause* (1919)

HUGO VON HOFMANNSTHAL

1874–1929

257 *Schöne Sprache*

„SCHÖN", das ist eines von den Worten, mit
denen die Leute am geläufigsten operieren,
und bei denen sie sich am wenigsten denken, und
„schöne Sprache" oder „schön geschrieben" ist ein
richtiges Verlegenheitswort, das dem in den Mund 5
kommt, dem ein Buch nichts gegeben und ein Stück
Prosa nichts gesagt hat. Und doch gibt es keinen
schönen und auch keinen bedeutenden Gehalt ohne
eine wahrhaft schöne Darstellung, denn der Gehalt
kommt erst durch die Darstellung zur Welt, und 10
es kann ein schönes Buch ohne schöne Sprache
ebensowenig geben als ein schönes Bild ohne schöne
Malerei; und gerade das ist das Kriterium des schön
geschriebenen Buches, daß es uns viel sagt, des häßlich geschriebenen aber, daß es uns wenig oder nichts 15
sagt, wenngleich es uns immerhin irgend etwas
übermitteln oder zu Verstand bringen oder Tat-
bestände vor die Augen führen kann. Der Theolog
oder der Anthroposoph, trägt uns das vor, was ihm
als höchste Einsicht oder überirdische Ahnung vor- 20
schwebt — und welch höherer Gegenstand wäre
denkbar als die Zusammenhänge unserer Natur mit
dem Göttlichen — aber trägt er es in einem Kauf-
mannston, in einer abgenützten Zeitungssprache
oder in einer flauen stammelnden Bildersprache vor, 25
so ist es nicht da; aber Boccaccio hat seine Erzählungen so hingeschrieben, daß alles daran für ewig da
ist, und ihr Gegenstand sind die Begegnungen von

Verliebten, Überlistungen von Ehemännern und
andere schlechte Streiche; aber in ihrer Unzerstör-
barkeit und geistigen, man kann nicht anders sagen
als geistigen Anmut stehen diese frivolen Ge-
5 schichten neben den Dialogen des Plato, deren
Gehalt der erhabenste ist. So käme man fast in die
Nähe des Gedankens, es gäbe keinen an sich hohen
und keinen an sich niedrigen Gegenstand sondern
nur Reflexe des unfaßlichen geistig-sinnlichen Welt-
10 elementes in den Personen, und diese Reflexe seien
von unendlich verschiedenem Rang und Wert, je
nach der Beschaffenheit des spiegelnden Geistes.

Von den Gegenständen gleitet unser Blick plötzlich zurück auf den Mund, der zu uns redet. Aber
15 auch das Montaigne'sche „Tel par la bouche que
sur le papier" ist eine subtile Wahrheit, die verstanden sein will; denn zwar ganz sicherlich ist das,
was den tiefsten Zauber des schöngeschriebenen
Buches ausmacht, eine Art von versteckter Münd-
20 lichkeit, eine Art von Enthüllung der geistigen
Person, durch die Sprache; aber diese Mündlichkeit
setzt einen Zuhörer voraus; somit ist alles Geschriebene ein Zwiegespräch und kein Selbst-
gespräch. Von dieser Einsicht aus fällt mir durch
25 ein seitlich aufgehendes Fenster eine Menge Licht
auf gewisse Vorzüglichkeiten, an denen wir das
gutgeschriebene Buch, die gutgeschriebene Seite
Prosa — denn die Prosa ist es und durchaus nicht
die Poesie, welche wir hier betrachten — zu er-
30 kennen und die wir an ihr hervorzuheben gewohnt
sind. Eine behagliche Vorstellung oder eine bedeutende körnige Kürze, eine reizende oder eine
kühne Art zu verknüpfen und überzeugen, wohl-

tuende Maße, eine angenehme Übereinstimmung
zwischen dem Gewicht des Dargestellten und dem
Gewicht der Darstellung; die Distanz, welche ein
Autor zu seinem Thema, die, welche er zur Welt,
und die besonders, welche er zu seinem Leser zu 5
nehmen weiß, die Beständigkeit des Kontaktes mit
diesem Zuhörer, in der man ihn verharren fühlt, das
sind lauter Eindrücke, die auf ein zartes geselliges
Verhältnis zu zweien hindeuten, und sie umschreiben einigermaßen jenes geistig-gesellige leuch- 10
tende Element, das der prosaischen Äußerung ihren
Astralleib gibt; und es ist keins unter ihnen, das
sich nicht auf den Stil des Robinson Crusoe ebensogut anwenden ließe als auf den Voltaires, auf
Lessings Streitschriften ebenso wie auf Sören 15
Kierkegaards Traktate. Auf Kontakt mit einem
idealen Zuhörer läuft es bei ihnen allen hinaus.
Dieser Zuhörer ist so zu sprechen der Vertreter der
Menschheit, und ihn mitzuschaffen und das Gefühl
seiner Gegenwart lebendig zu erhalten, ist vielleicht 20
das Feinste und Stärkste, was die schöpferische
Kraft des Prosaikers zu leisten hat. Denn dieser
Zuhörer muß so zartfühlend, so schnell in der
Auffassung, so unbestechlich im Urteil, so fähig zur
Aufmerksamkeit, so Kopf und Herz in eins gedacht 25
werden, daß er fast über dem zu stehen scheint, der
zu ihm redet, oder es wäre nicht der Mühe wert,
für ihn zu schreiben; und doch muß ihm von dem,
der ihn geschaffen hat, eine gewisse Unvollkommenheit zugemutet werden, mindestens eine gewisse 30
Unvollkommenheit der Entwicklung, daß er es notwendig hat, auf vieles erst hingeführt zu werden;
eine starke Naivität, daß er mit dem, was das Buch

bringt, wirklich zu ergötzen sei und dadurch etwas
wesentlich Neues erfahren werde. Vielleicht könnte
man eine ganze Rangordung aller Bücher und ganz
besonders der belehrenden danach aufrichten, wie
5 zart und wie bedeutend das Verhältnis zu dem
Zuhörer in ihm erfühlt sei; und nichts zieht ein
Buch oder einen Autor schneller herunter, als wenn
man ihm ansieht, er habe von diesem seinem unsichtbaren Klienten eine verworrene, unachtsame
10 und respektlose Vorstellung im Kopf gehabt. Es
sind also immer ihrer zwei: einer, der redet oder
schreibt, und einer, der hört oder liest, und
auf den Kontakt zwischen diesen zweien läuft's
hinaus; aber dieser Kontakt gilt, je bedeutender er
15 ist, in je höherer Sphäre er wirksam wird, um so mehr
als Übergewicht des Gebenden, während der Em-
pfangende in diesen höheren Sphären immer leichter
und dünner wird, ohne daß er freilich je aufhören
würde da zu sein.

20   Wenn Goethe sagt, ihm sei, so oft er eine Seite
Kant aufschlage, als trete er in ein helles Zimmer, so
ist uns ein lichtvoller, mit der höchsten Quelle allen
Lichtes kommunizierter Geist vorgestellt. Aber
ebenso wie diese Eigenschaft ein Licht zu sein,
25 spüren wir bei anderen großen Autoren andere
oberste Qualitäten des Geistes: die Stärke, welche
von der inneren Ordnung nicht zu trennen ist; die
wahre Selbstachtung, welche zusammengeht mit
der Ehrfurcht; die seltene Glut der geistigen
30 Leidenschaft. In der Darstellung eines solchen
Geistes meinen wir wahrhaft die Welt zu empfangen, und wir empfangen sie auch und nicht nur
in den Gegenständen, die er erwähnt; sondern alles

das, was er unerwähnt läßt, ist irgendwie einbezogen.
Gerade die Kraft und die Überlegenheit, von dem
ungeheuren Wust der Dinge unzählig viele fort-
zulassen — nicht ihrer zu vergessen, was die Sache
eines schwachen und zerstreuten Geistes wäre, 5
sondern sich mit bewußter Gelassenheit über sie
hinwegzusetzen; die unerwarteten Anknüpfungen
und Verbindungen, hinwiederum, in denen plötzlich eine nach allen Seiten gewandte Aufmerksamkeit und Spannkraft sich offenbart; die Zerstreutheit 10
sogar endlich und die Willkürlichkeiten, welche
zuweilen reizend sein können, all dies gehört zu dem
geistigen Gesicht des Schriftstellers, dem Gesicht,
das wir zugleich mit der Spiegelung der Welt
empfangen. Wie ein Seiltänzer geht er vor unseren 15
Augen auf einem dünnen Seil, das von Kirchturm
zu Kirchturm gespannt ist; die Schrecknisse des
Abgrundes, in den er jeden Augenblick stürzen
könnte, scheinen für ihn nicht da, und plumpe
Schwerkraft, die uns alle niederzieht, scheint an 20
seinem Körper machtlos. Mit Entzücken folgen wir
seinem Schritt, mit um so höherem, je mehr es
scheint, als ginge er auf bloßer Erde. So wie dieser
wandelt, genau so läuft die Feder des guten Schriftstellers ihren Rhythmus, der uns entzückt und der 25
so eigenartig ist wie eine menschliche Physiognomie,
wie die Balance eines Schreitenden, der seinen Weg
verfolgt, unbeirrbar durch die Schrecknisse und An-
ziehungskräfte einer Welt; und eine schöne Sprache
ist die Offenbarung eines unter den erstaunlichsten 30
Umständen, unter einer Vielheit von Drohungen,
Verführungen und Anfechtungen aller Art bewahrten
inneren Gleichgewichts.   *Gesammelte Prosa* (1907)

618

geb. 1875

258   *Freiwillige*

MAN hat sie herangeholt, die Kameraden, um
dem Gefechte letzten Nachdruck zu geben,
das schon den ganzen Tag gedauert hat und das den
Wiedergewinn jener Hügelstellung und der dahinter
5 liegenden brennenden Dörfer gilt, die vor zwei
Tagen an den Feind verloren gingen. Es ist ein
Regiment Freiwilliger, junges Blut, Studenten
zumeist, nicht lange im Felde. Sie wurden alarmiert
in der Nacht, sie fuhren mit der Bahn bis zum
10 Morgen und marschierten im Regen bis zum Nachmittag auf schlimmen Wegen,—auf gar keinen Wegen,
die Straßen waren verstopft, es ging durch Äcker
und Moor, sieben Stunden lang, im schwergesogenen
Mantel, mit Sturmgepäck, und das war kein Lust-
15 wandel; denn wollte man nicht die Stiefel verlieren,
so mußte man fast bei jedem Schritte gebückt mit
dem Finger in die Lasche greifen und den Fuß daran
aus dem quatschenden Grunde ziehen. So haben sie
eine Stunde gebraucht um über eine kleine Wiese zu
20 kommen. Nun sind sie da, ihr junges Blut hat alles
geschafft, ihre erregten und schon erschöpften aber
aus tiefsten Lebensreserven in Spannung gehaltenen
Körper fragen dem vorenthaltenen Schlaf, der
Nahrung nicht nach. Ihre nassen, mit Schmutz
25 bespritzten, vom Sturmband umrahmten Gesichter
unter den grau bespannten verschobenen Helmen
glühen. Sie glühen von Anstrengung und von dem
Anblick der Verluste, die sie beim Zuge durch den
morastigen Wald erlitten haben. Denn der Feind,

ihres Anrückens kundig, hat Sperrfeuer von Schrap-
nells und großkalibrigen Granaten auf ihren Weg
gelegt, das schon durch den Wald splitternd in ihre
Gruppen schlug und heulend, spritzend und flam-
mend das weite Sturzackerland peitscht. Sie müssen 5
hindurch, die dreitausend fiebernden Knaben, sie
müssen als Nachschub mit ihren Bajonetten den
Sturm auf die Gräben vor und hinter der Hügelzeile,
auf die brennenden Dörfer entscheiden und helfen
ihn vorzutragen bis zu einem bestimmten Punkt, 10
der bezeichnet ist in dem Befehl, den ihr Führer in
seiner Tasche trägt. Sie sind dreitausend, damit sie
noch ihrer zweitausend sind, wenn sie bei den
Hügeln, den Dörfern anlangen; das ist der Sinn ihrer
Menge. Sie sind ein Körper, darauf berechnet nach 15
großen Ausfällen noch handeln und siegen, den Sieg
noch immer mit tausendstimmigem Hurrah begrüßen zu können, — ungeachtet derer, die sich
vereinzelten, indem sie ausfielen. Manch einer schon
hat sich vereinzelt, fiel aus beim Gewaltmarsch, für 20
den er sich als zu jung und zart erwies. Er wurde
blasser und wankte, forderte verbissen Mannheit
von sich und blieb endlich doch zurück. Er schleppte
sich noch eine Weile neben der Marschkolonne hin,
Rotte um Rotte überholte ihn, und er verschwand, 25
blieb liegen, wo es nicht gut war. Und dann war der
splitternde Wald gekommen. Aber der Hervor-
schwärmenden sind immer noch viele; dreitausend
können einen Aderlaß aushalten und sind auch
dann noch ein wimmelnder Verband. Schon über- 30
fluten sie unser gepeitschtes Regenland, die Chaussee,
den Feldweg, die verschlammten Äcker; wir
schauenden Schatten am Wege sind mitten unter

ihnen. Am Waldesrand wird immer das Seiten-
gewehr aufgepflanzt, mit gedrillten Griffen, das
Zink ruft dringend, die Trommel klopft und rollt
im tieferen Donner, und vorwärts stürzen sie, wie
5 es gehen will, mit sprödem Schreien und qual-
traumschwer die Füße, da die Ackerklüten sich
bleiern an ihre plumpen Stiefel hängen. Sie werfen
sich nieder vor anheulenden Projektilen, um wieder
aufzuspringen und weiter zu hasten, mit jung-
10 sprödem Mutgeschrei, weil es sie nicht getroffen hat.
Sie werden getroffen, sie fallen, mit den Armen
fechtend, in die Stirn, in das Herz, ins Gedärm
geschossen. Sie liegen, die Gesichter im Kot, und
rühren sich nicht mehr. Sie liegen, den Rücken vom
15 Tornister gehoben, den Hinterkopf in den Grund
gebohrt, und greifen krallend mit ihren Händen in
die Luft. Aber der Wald sendet neue, die sich hin-
werfen und springen und schreiend oder stumm
zwischen den Ausgefallenen vorwärts stolpern.
20 Da ist unser Bekannter, da ist Hans Castorp!
Schon ganz von weitem haben wir ihn erkannt. Er
glüht durchnäßt wie alle. Er läuft mit acker-
schweren Füßen, das Spießgewehr in hängender
Faust. Seht, er tritt einem ausgefallenen Kameraden
25 auf die Hand — tritt diese Hand mit seinem Nagel-
stiefel tief in den schlammigen mit Splitterzweigen
bedeckten Grund hinein. Er ist es trotzdem. Was
denn, er singt! Wie man in stierer gedankenloser
Erregung vor sich hinsingt, ohne es zu wissen, so
30 nutzt er seinen abgerissenen Atem, um halblaut für
sich zu singen:

> „Ich schnitt in seine Rinde
> So manches liebe Wort —.“

Er stürzt. Nein, er hat sich platt hingeworfen, da
ein Höllenhund anheult, ein großes Brisanzgeschoß,
ein ekelhafter Zuckerhut des Abgrunds. Er liegt,
das Gesicht im kühlen Kot, die Beine gespreizt, die
Füße gedreht, die Absätze erdwärts. Das Produkt 5
einer verwilderten Wissenschaft, geladen mit dem
Schlimmsten, fährt dreißig Schritte schräg vor ihm
wie der Teufel selbst tief in den Grund, zerplatzt
dort unten mit gräßlicher Übergewalt und reißt
einen haushohen Springbrunnen von Erdreich, Feuer, 10
Eisen, Blei und zerstückeltem Menschentum in die
Lüfte empor. Denn dort lagen zwei — es waren
Freunde, sie hatten sich zusammengelegt in der
Not: nun sind die vermengt und verschwunden.

O Scham unserer Schattensicherheit! Hinweg! 15
Wir erzählen das nicht! Ist unser Bekannter getroffen? Er meinte einen Augenblick, es zu sein.
Ein großer Erdklumpen fuhr ihm gegen das Schien-
bein, das tat wohl weh, ist aber lächerlich. Er macht
sich auf, er taumelt hinkend weiter mit erdschweren 20
Füßen, bewußtlos singend:

> „Und sei-ne Zweige rau-uschten
> Als rie-fen sie mir zu—".

Und so, im Getümmel, in dem Regen, der Dämmerung, kommt er uns aus den Augen.   25

Der Zauberberg (1924)

RAINER MARIA RILKE

1875–1926

259 *An einen jungen Dichter*

Paris, 17. Februar 1903

SIE fragen, ob Ihre Verse gut sind. Sie fragen
mich. Sie haben vorher andere gefragt. Sie
senden sie an Zeitschriften. Sie vergleichen sie mit
anderen Gedichten, und Sie beunruhigen sich, wenn
5 gewisse Redaktionen Ihre Versuche ablehnen. Nun
(da Sie mir gestattet haben Ihnen zu raten), bitte
ich Sie das alles aufzugeben. Sie sehen nach außen,
und das vor allem dürfen Sie jetzt nicht tun.
Niemand kann Ihnen raten und helfen, niemand.
10 Es gibt nur ein einziges Mittel. Gehen Sie in sich.
Erforschen Sie den Grund, der Sie schreiben heißt;
prüfen Sie, ob er in der tiefsten Stelle Ihres Herzens
seine Wurzeln ausstreckt; gestehen Sie sich ein, ob
Sie sterben müßten, wenn es Ihnen versagt würde
15 zu schreiben. Dieses vor allem: fragen Sie sich in
der stillsten Stunde Ihrer Nacht: muß ich schreiben?
Graben Sie in sich nach einer tiefen Antwort. Und
wenn diese zustimmend lauten sollte, wenn Sie mit
einem starken und einfachen „Ich muß" dieser
20 ernsten Frage begegnen dürfen, dann bauen Sie Ihr
Leben nach dieser Notwendigkeit; Ihr Leben bis
hinein in seine gleichgültigste und geringste Stunde
muß ein Zeichen und Zeugnis werden diesem
Drange. Dann nähern Sie sich der Natur. Dann
25 versuchen Sie, wie ein ernster Mensch, zu sagen was
Sie sehen und erleben und lieben und verlieren.
Schreiben Sie nicht Liebesgedichte; weichen Sie

623

zuerst denjenigen Formen aus, die zu geläufig und
gewöhnlich sind: sie sind die schwersten, denn es
gehört eine große ausgereifte Kraft dazu Eigenes zu
geben, wo sich gute und zum Teil glänzende Überlieferungen in Menge einstellen. Darum retten Sie 5
sich vor den allgemeinen Motiven zu denen, die
Ihnen Ihr eigener Alltag bietet; schildern Sie Ihre
Traurigkeiten und Wünsche, die vorübergehenden
Gedanken und den Glauben an irgend eine Schönheit — schildern Sie das alles mit inniger, stiller, de- 10
mütiger Aufrichtigkeit und gebrauchen Sie, um
sich auszudrücken, die Dinge Ihrer Umgebung, die
Bilder Ihrer Träume und die Gegenstände Ihrer
Erinnerung. Wenn Ihr Alltag Ihnen arm scheint,
klagen Sie ihn nicht an; klagen Sie sich an, daß Sie 15
nicht Dichter genug sind seine Reichtümer zu
rufen, denn für den Schaffenden gibt es keine Armut
und keinen armen gleichgültigen Ort. Und wenn
Sie selbst in einem Gefängnis wären, dessen Wände
keines von den Geräuschen der Welt zu Ihren Sinnen 20
kommen ließen — hätten Sie dann nicht immer
noch Ihre Kindheit, diesen köstlichen königlichen
Reichtum, dieses Schatzhaus der Erinnerungen?
Wenden Sie dorthin Ihre Aufmerksamkeit. Versuchen Sie die versunkenen Sensationen dieser 25
weiten Vergangenheit zu heben; Ihre Persönlichkeit
wird sich festigen, Ihre Einsamkeit wird sich erweitern und wird eine dämmernde Wohnung
werden, daran der Lärm der anderen fern vorüber-
geht. — Und wenn aus dieser Wendung nach innen, 30
aus dieser Versenkung in die eigene Welt Verse
kommen, dann werden Sie nicht daran denken
jemanden zu fragen, ob es gute Verse sind. Sie

werden auch nicht den Versuch machen Zeitschriften für diese Arbeiten zu interessieren: denn
Sie werden in ihnen Ihren lieben natürlichen Besitz,
ein Stück und eine Stimme Ihres Lebens sehen.
5 Ein Kunstwerk ist gut, wenn es aus Notwendigkeit
entstand. In dieser Art seines Ursprungs liegt sein
Urteil: es gibt kein anderes. . . .

260 *Wie der Verrat nach Rußland kam*

D ER schreckliche Zar Iwan wollte den benachbarten Fürsten Tribut auferlegen und drohte
10 ihnen mit einem großen Krieg, falls sie nicht Gold
nach Moskau, in die weiße Stadt, schicken würden.
Die Fürsten sagten, nachdem sie Rat gepflogen
hatten, wie ein Mann: „Wir geben dir drei Rätsel-
fragen auf. Komm an dem Tage, den wir dir
15 bestimmen, in den Orient, zu dem weißen Stein,
wo wir versammelt sein werden, und sage uns die
drei Lösungen. Sobald sie richtig sind, geben wir dir
die zwölf Tonnen Goldes, die du von uns verlangst."
Zuerst dachte der Zar Iwan Wassiljewitsch nach,
20 aber es störten ihn die vielen Glocken seiner weißen
Stadt Moskau. Da rief er seine Gelehrten und Räte
vor sich, und jeden, der die Frage nicht beantworten konnte, ließ er auf den großen, roten Platz
führen, wo gerade die Kirche für Wassilij, den
25 Nackten, gebaut wurde, und einfach köpfen. Bei
einer solchen Beschäftigung verging ihm die Zeit
so rasch, daß er sich plötzlich auf der Reise fand nach
dem Orient, zu dem weißen Stein, bei welchem die
Fürsten warteten. Er wußte auf keine der drei
30 Fragen etwas zu erwidern, aber der Ritt war lang,

und es war immer noch die Möglichkeit einem
Weisen zu begegnen; denn damals waren viele Weise
unterwegs auf der Flucht, da alle Könige die Gewohnheit hatten ihnen den Kopf abschneiden zu
lassen, wenn sie ihnen nicht weise genug schienen. 5
Ein solcher kam ihm nun allerdings nicht zu Gesicht,
aber an einem Morgen sah er einen alten bärtigen
Bauer, welcher an einer Kirche baute. Er war schon
dabei angelangt den Dachstuhl zu zimmern und die
kleinen Latten darüber zu legen. Da war es nun 10
recht verwunderlich, daß der alte Bauer immer
wieder von der Kirche herunterstieg, um von den
schmalen Latten, welche unten aufgeschichtet
waren, jede einzeln zu holen, statt viele auf einmal
in seinem langen Kaftan mitzunehmen. Er mußte 15
so beständig auf und nieder klettern, und es war
gar nicht abzusehen, daß er auf diese Weise überhaupt jemals alle vielhundert Latten an ihren Ort
bringen würde. Der Zar wurde deshalb ungeduldig:
„Dummkopf," schrie er (so nennt man in Rußland 20
meistens die Bauern), „du solltest dich tüchtig
beladen mit deinem Holz und dann auf die Kirche
kriechen, das wäre bei weitem einfacher." Der
Bauer, der gerade unten war, blieb stehen, hielt die
Hand über die Augen und antwortete: „Das mußt 25
du schon mir überlassen, Zar Iwan Wassiljewitsch,
jeder versteht sein Handwerk am besten; indessen,
weil du schon hier vorüberreitest, will ich dir die
Lösung der drei Rätsel sagen, welche du am weißen
Stein im Orient, gar nicht weit von hier, wirst 30
wissen müssen." Und er schärfte ihm die drei
Antworten der Reihe nach ein. Der Zar konnte vor
Erstaunen kaum dazu kommen zu danken. „Was

soll ich dir geben zum Lohne?" fragte er endlich.
„Nichts," machte der Bauer, holte eine Latte und
wollte auf die Leiter steigen. „Halt," befahl der
Zar, „das geht nicht an, du mußt dir etwas wün-
5 schen." „Nun, Väterchen, wenn du befiehlst, gib
mir eine von den zwölf Tonnen Goldes, welche du
von den Fürsten im Orient erhalten wirst." „Gut,"
nickte der Zar. „Ich gebe dir eine Tonne Goldes."
Dann ritt er eilends davon, um die Lösungen nicht
10 wieder zu vergessen.

Später, als der Zar mit den zwölf Tonnen zurückgekommen war aus dem Orient, schloß er sich in
Moskau in seinem Palast, mitten im fünftorigen
Kreml, ein und schüttete eine Tonne nach der
15 anderen auf die glänzenden Dielen des Saales aus,
so daß ein wahrer Berg aus Gold entstand, der einen
großen schwarzen Schatten über den Boden warf.
In Vergeßlichkeit hatte der Zar auch die zwölfte
Tonne ausgeleert. Er wollte sie wieder füllen, aber
20 es tat ihm leid so viel Gold von dem herrlichen
Haufen wieder fortnehmen zu müssen. In der Nacht
ging er in den Hof hinunter, schöpfte feinen Sand
in die Tonne, bis sie zu drei Vierteilen voll war,
kehrte leise in seinen Palast zurück, legte Gold über
25 den Sand und schickte die Tonne mit dem nächsten
Morgen durch einen Boten in die Gegend des
weiten Rußland, wo der alte Bauer seine Kirche
baute. Als dieser den Boten kommen sah, stieg er
von dem Dach, welches noch lange nicht fertig war,
30 und rief: „Du mußt nicht näher kommen, mein
Freund, reise zurück samt deiner Tonne, welche
drei Vierteile Sand und ein knappes Viertel Gold
enthält; ich brauche sie nicht. Sage deinem Herrn,

bisher hat es keinen Verrat in Rußland gegeben.
Er aber ist selbst daran schuld, wenn er bemerken
sollte, daß er sich auf keinen Menschen verlassen
kann; denn er hat nunmehr gezeigt, wie man verrät,
und von Jahrhundert zu Jahrhundert wird sein 5
Beispiel in ganz Rußland viele Nachahmer finden.
Ich brauche nicht das Gold, ich kann ohne Gold
leben. Ich erwarte nicht Gold von ihm sondern
Wahrheit und Rechtlichkeit. Er aber hat mich
getäuscht. Sage das deinem Herrn, dem schreck- 10
lichen Zaren Iwan Wassiljewitsch, der in seiner
weißen Stadt Moskau sitzt mit seinem bösen Gewissen und in einem goldenen Kleid." Nach einer
Weile Reitens wandte sich der Bote nochmals um:
der Bauer und seine Kirche waren verschwunden. 15
Und auch die aufgeschichteten Latten lagen nicht
mehr da, es war alles leeres flaches Land. Da jagte
der Mann entsetzt zurück nach Moskau, stand atemlos vor dem Zaren und erzählte ihm ziemlich unverständlich, was sich begeben hatte, und daß der 20
vermeintliche Bauer niemand anderes gewesen sei
als Gott selbst.

Geschichten vom lieben Gott (1904)

261 „*Die Weise von Liebe und Tod*"
anno 1663

REITEN, reiten, reiten, durch den Tag, durch
die Nacht, durch den Tag.
Reiten, reiten, reiten. 25
Und der Mut ist so müde geworden und die Sehnsucht so groß. Es gibt keine Berge mehr, kaum

einen Baum. Nichts wagt aufzustehen. Fremde
Hütten hocken durstig an versumpften Brunnen.
Nirgends ein Turm. Und immer das gleiche Bild.
Man hat zwei Augen zuviel. Nur in der Nacht
5 manchmal glaubt man den Weg zu kennen. Vielleicht kehren wir nächtens immer wieder das Stück
zurück, das wir in der fremden Sonne mühsam gewonnen haben? Es kann sein. Die Sonne ist schwer,
wie bei uns tief im Sommer. Aber wir haben im
10 Sommer Abschied genommen. Die Kleider der
Frauen leuchteten lang aus dem Grün. Und nun
reiten wir lang'. Es muß also Herbst sein. Wenigstens dort, wo traurige Frauen von uns wissen.

Jemand erzählt von seiner Mutter. Ein Deutscher
15 offenbar. Laut und langsam setzt er seine Worte.
Wie ein Mädchen, das Blumen bindet, nachdenklich
Blume um Blume probt und noch nicht weiß, was
aus dem Ganzen wird —: so fügt er seine Worte.
Zu Lust? Zu Leide? Alle lauschen.

20 Da sind alle einander nah, diese Herren, die aus
Frankreich kommen und aus Burgund, aus den
Niederlanden, aus Kärntens Tälern, von den
böhmischen Burgen und vom Kaiser Leopold. Denn
was der Eine erzählt, das haben auch sie erfahren
25 und gerade so. Als ob es nur eine Mutter gäbe. . . .

Wachtfeuer. Man sitzt rundumher und wartet.
Wartet, daß einer singt. Aber man ist so müd. Das
rote Licht ist schwer. Es liegt auf den staubigen
Schuhn. Es kriecht bis an die Kniee, es schaut in
30 die gefalteten Hände hinein. Es hat keine Flügel.
Die Gesichter sind dunkel. Dennoch leuchten eine
Weile die Augen des kleinen Franzosen mit eigenem
Licht. Er hat eine kleine Rose geküßt, und nun darf

sie weiterwelken an seiner Brust. Der von Langenau
hat es gesehen, weil er nicht schlafen kann. Er
denkt: Ich habe keine Rose, keine.

Dann singt er. Und das ist ein altes trauriges Lied,
das zu Hause die Mädchen auf den Feldern singen, 5
im Herbst, wenn die Ernten zu Ende gehen.

Einmal, am Morgen, ist ein Reiter da, und dann
ein zweiter, vier, zehn. Ganz in Eisen, groß. Dann
tausend dahinter: das Heer.

Man muß sich trennen. 10
„Kehrt glücklich heim, Herr Marquis."—
„Die Maria schützt Euch, Herr Junker."
Und sie können nicht voneinander. Sie sind Freunde
auf einmal, Brüder. Haben einander mehr zu ver-
trauen; denn sie wissen schon so viel Einer vom 15
Andern. Sie zögern. Und ist Hast und Hufschlag
um sie. Da streift der Marquis den großen rechten
Handschuh ab. Er holt die kleine Rose hervor,
nimmt ihr ein Blatt. Als ob man eine Hostie bricht.
„Das wird Euch beschirmen. Lebt wohl." Der von 20
Langenau staunt. Lange schaut er dem Franzosen
nach. Dann schiebt er das fremde Blatt unter den
Waffenrock. Und es treibt auf und ab auf den
Wellen seines Herzens. Hornruf. Er reitet zum
Heer, der Junker. Er lächelt traurig: ihn schützt 25
eine fremde Frau.

Der von Langenau schreibt einen Brief, ganz in
Gedanken. Langsam malt er mit großen, ernsten,
aufrechten Lettern:

                „Meine gute Mutter, 30
        seid stolz: Ich trage die Fahne,
        seid ohne Sorge: Ich trage die Fahne,
        habt mich lieb: Ich trage die Fahne — "

Dann steckt er den Brief zu sich in den Waffenrock,
an der heimlichsten Stelle, neben das Rosenblatt.
Und denkt: Er wird bald duften davon. Und denkt:
Vielleicht findet ihn einmal Einer. . . . Und denkt. . .;
5 denn der Feind ist nah.—

Ist das der Morgen? Sind das Vögel? Alles ist
hell, aber es ist kein Tag. Alles ist laut, aber es
sind nicht Vogelstimmen. Das sind die Balken,
die leuchten. Das sind die Fenster, die schrein,
10 rot, in die Feinde hinein, die draußen stehn im
flackernden Land, schrein: Brand.
Er läuft um die Wette mit brennenden Gängen,
durch Türen, die ihn glühend umdrängen, über
Treppen, die ihn versengen, bricht er aus aus dem
15 rasenden Bau. Auf seinen Armen trägt er die Fahne
wie eine weiße, bewußtlose Frau. Und er findet
ein Pferd, und es ist wie ein Schrei: über alles dahin
und an allem vorbei, auch an den Seinen.
Der von Langenau ist tief im Feind, aber ganz
20 allein. Der Schrecken hat um ihn einen runden
Raum gemacht, und er hält, mitten drin, unter
seiner langsam verlodernden Fahne.
Der Waffenrock ist im Schlosse verbrannt, der
Brief und das Rosenblatt einer fremden Frau.—

25 Im nächsten Frühjahr (es kam traurig und kalt) ritt
ein Kurier des Freiherrn von Pirovano langsam in
Langenau ein. Dort hat er eine alte Frau weinen sehen.

Die Weise von Liebe und Tod des Cornets
Christoph Rilke (1899)

ANMERKUNGEN

Abkürzungen. Anm. = Anmerkung. a.a.O. = am angegebenen Orte. geb. = geboren. gest. = gestorben. Acc. = Accusativ. Dat. = Dativ. Gen. = Genitiv. Nr. = Nummer. vergl. = vergleiche. Jahrh. = Jahrhundert. v. Chr. = vor Christi Geburt. *O.B.G.V.* = Oxford Book of German Verse. z. B. = zum Beispiel.

Die großen Zahlen bezeichnen die Lesestücke, die kleineren die Seiten und Zeilen.

In Wörtern mit unregelmäßiger Betonung ist die betonte Silbe mit einem nachgestellten Akzent bezeichnet, z. B. Plakat', fatal'.

1. Luthers Übersetzung des Neuen Testamentes erschien im September 1522. In den beiden nächsten Jahren folgten die Bücher des Alten Testamentes, und 1534 wurde die ganze deutsche Bibel in Wittenberg gedruckt.

2, 12 **Knoten,** Knospen. 3, 5 **der Liebe,** Gen. abhängig von *nicht*, ursprünglich Substantivum wie das Englische „nought". 3, 6 **tönend** = tönendes. Adjektive wurden früher oft unflektiert gebraucht.

2. In dieser Schrift wandte sich Luther gegen die Kritiker seiner Bibelübersetzung. Er schrieb sie auf der Feste Koburg, wohin ihn der Kurfürst Johann von Sachsen während des Reichstags von Augsburg in Sicherheit gebracht hatte, und schickte sie an den Pastor Wenzeslaus Link in Nürnberg mit der Bitte, sie zu veröffentlichen als einen Brief Luthers. Link erfüllte Luthers Bitte und ließ die Schrift im September 1530 in Wittenberg drucken.

4, 5 **des geflissen** = dessen beflissen, befleißigt. **Dol-**

ANMERKUNGEN

metschen, Übersetzen. **4, 8 einiges** = einziges. **4, 9 funden** = gefunden. **4, 10 M. Philips,** Magister Philippus Melanchthon (eigentlich Schwarzerd), Professor des Griechischen an der Universität Wittenberg; **Aurogallus** (eigentlich Goldhahn), Wittenberger Professor des Hebräischen. Wittenberg hatte von 1502 bis 1815 eine Universität, an der auch Luther seit 1508 wirkte. **4, 13 meistern,** kritisieren, bemängeln. **4, 14 itzt** = jetzt. **4, 16 Wacken,** große Steine. **4, 18 müßt schwitzen** = schwitzen müssen. **4, 22 Stöcke,** Wurzelstöcke, Baumstümpfe. **4, 25 selbs** = selbst. **4, 26 eigen** = eigenen. **5, 5 Ex abundantia . . .** Matth. 12, 34. **5, 6 Eseln,** Luthers Kritiker und Widersacher sind gemeint. **5, 22 Mariam,** lateinischer Acc. **5, 24 schlecht den lateinischen Buchstaben nach,** einfach buchstäblich (wörtlich) nach dem Lateinischen der Vulgata: „Ave Maria gratia plena, Dominus tecum" (Luk. 1, 28). **6, 1 engelischen Gruß,** des Engels Gruß.

3. **6, 18 Büchsen,** Schießwaffen. **6, 21 Gemach,** Gemächlichkeit, Sicherheit. **6, 24** Luther unterscheidet noch die drei Geschlechter: **zween, zwo, zwei. 6, 26, Ratherr** = Ratsherr, Mitglied der obersten Behörde einer Stadt. **7, 13 mit allem Vermögen,** mit allen Kräften. **7, 17 zeuge** = erzeuge. **7, 21 der Arbeit,** Gen. Objekt von *warten,* auf etwas acht haben, etwas besorgen. **7, 28 rammeln,** sich balgen, raufen. **8. 11 die freien Künste,** „artes liberales", die neben Theologie, Jurisprudenz und Medizin in den mittelalterlichen Universitäten gelehrten Wissenschaften. Auch sonst hat „Kunst" bei Luther noch wie früher die Bedeutung „Wissenschaft".

4. **8, 17 Schreiberamt** bezeichnet hier alle gelehrten Berufe. **9, 6 Handzeug,** Werkzeug. **baß,** besser, leichter. **9, 8 der** = deren. **9, 11 so,** im älteren Deutsch als Relativpronomen gebraucht. **9, 16–18** Luther dachte an den Spruch, der sich oft am Ende mittelalterlicher

Manuskripte findet: „Scribere qui nescit nullum putat esse laborem, Tres digiti scribunt totum corpusque laborat." 9, 19 **Maximilian,** deutscher Kaiser 1493–1519. 9, 20 **die großen Hansen,** die vornehmen Herren. 9, 30 **des reisigen Standes,** des Soldatenstandes. 9, 32 **Scharrhans,** Prahler. 10, 12 **schier,** beinahe, fast.

5. Luthers Sohn Johannes (Hans) war damals vier Jahre alt. 10, 17 **ein schön,** der unbestimmte Artikel und die Adjektive wurden im sechzehnten Jahrhundert oft unflektiert gebraucht. 10, 18 **Jahrmarkt,** auf dem Jahrmarkt gekauftes Geschenk. 10, 20 **gülden** = golden. 11, 7 **Lippus** = Philippus, Sohn Melanchthons. **Jost** = Justus, Sohn des Theologen Jonas. 11, 12 **zugericht** = zugerichtet. **eitel güldene,** ganz goldene. 11, 15 **gessen** = gegessen. 11, 21 **Lene** = Magdalene, die Tante (Muhme) des Knaben, Schwester von Luthers Frau. 11, 29 **Buß,** Kuß.

6. Luthers Tischgespräche wurden von seinen Freunden und Studenten aufgeschrieben, dann von seinem früheren Schüler und Famulus, Johann Aurifaber (eigentlich Goldschmidt) gesammelt und 1566 veröffentlicht mit dem Titel „Tischreden oder Colloquia Doctor Martin Luthers, so er in vielen Jahren gegen gelarten Leuten auch frembden Gästen und seinen Tischgesellen gefüret". **gegen** wurde früher mit dem Dat. verbunden. **gelart** = gelehrt. **frembd** = fremd. **gefüret** = geführt.
12, 23 **halten,** die Hände schützend halten.

7. **Till Eulenspiegel** (in England bekannt als Owlglass oder Howleglass, in Frankreich als Espiègle) der Sohn eines Bauern im Lande Braunschweig, gestorben und begraben 1350 in Mölln bei Lübeck. Er machte sich einen Namen durch allerhand lustige Streiche, und so wurden ihm auch viele andere aus seiner und älterer Zeit zugeschrieben. Die erste erhaltene Ausgabe des Buches

erschien 1515 in Straßburg. Die darin gebrauchte niederdeutsche Namensform Dyl Ulenspiegel und eine Zahl niederdeutscher Wörter im Texte weisen auf ein niederdeutsches Original, das aber verloren ist.

13, 7 Brief, Plakat', Zettel. 13, 10 **Spital', Spi'tel** = Hospital'. 13, 19 **verwilligte sich,** willigte ein. 13, 20 **nit** = nicht. 13, 24 **gebreste,** gebreche, fehle. 14, 16 **Sage,** Rede. 14, 17 **nach seinem Anlaß,** nach seiner Abmachung, wie abgemacht. 14, 21 **kommen** = gekommen. 14, 23 **Ende,** Ort. 14, 29 **zubracht** = zugebracht. 14, 30 **gangen** = gegangen. 15, 1 **vor** = vorher.

8. 15, 5 **Collegat',** Lehrer. 15, 6 **wurden zu Rate,** gingen zu Rate. 16, 8 **jetzund** = jetzt.

9. Berichte gelehrter Zeitgenossen bezeugen, daß ein **Dr. Georg Faustus** von etwa 1480 bis 1540 gelebt hat, daß er sich für einen Alchemisten und Astrologen ausgab und sich seines Bundes mit dem Teufel rühmte. Auf ihn übertrug die Sage auch viele alte Zaubergeschichten und änderte, vielleicht durch Verwechslung mit dem berühmten Drucker Johann Fust (†1466), seinen Vornamen in Johann. Eine Sammlung aller damals bekannten Faustgeschichten erschien 1587 in Frankfurt am Main mit dem Titel „Historia von D. Johann Fausten, dem weitbeschreyten Zauberer und Schwartzkünstler". Vermutlich schon im nächsten Jahre wurde sie ins Englische übersetzt („The Historie of the damnable life and deserved death of Doctor John Faustus") und bald nachher von Christopher Marlowe dramatisiert („The Tragical History of D. Faustus"). Englische Komödianten brachten sein Drama nach Deutschland, wo es bald auch in deutschen Bearbeitungen aufgeführt und allmählich mehr und mehr mit komischen Zutaten durchsetzt wurde, bis es endlich als Puppenspiel auf den Jahrmärkten erschien. In dieser Form mag Goethe vielleicht schon als Knabe mit der Faustsage bekannt geworden sein.

16, 12 **gessen** = gegessen. 16, 13 **Gaukelspiel,** Zauberstück. 16, 14 **zeitig,** reif.

10. 17, 2 **Erfurt,** Stadt in Thüringen, besaß von 1378 bis 1816 eine hohe Schule (Universität). **gehalten** = aufgehalten. 17, 4 **fürtrefflich** = vortrefflich. **gelesen,** Vorlesungen gehalten. 17, 14 **bittlichen,** bittweise; **ihn darum bittlichen angelangt,** ihn mit Bitten darum bestürmt. 17, 26 **obernannte** = oben genannte. 18, 5 **gen Berg,** zu Berge.

11. **Das Lalebuch** (1597) ist eine Sammlung lächerlicher Geschichten von den Bürgern der Stadt Laleburg „im Königreich Utopien". In einer späteren Ausgabe (1598) werden diese Geschichten von den Schildaern, den Einwohnern der Stadt Schilda „in Misnopotamia hinter Utopien gelegen" erzählt, und so wurden sie als „Schildbürgerstreiche" bekannt. — Lale, Narr.

18, 20 ihrer **Hab' und Güter** = für ihr Hab' und Gut. 19, 4 **derowegen** = deswegen. 19, 14 **aus war,** vorüber war.

12. **Olearius** (eigentlich Ölschläger) begleitete eine Gesandtschaft, die der Herzog Friedrich von Schleswig-Holstein zur Anknüpfung von Handelsbeziehungen nach Rußland und Persien schickte. Sie verließ Hamburg im November 1633 und kehrte im Juli 1638 zurück. Auch der Dichter Paul Fleming schloß sich der Gesandtschaft an und dichtete vor Antritt der Reise das Lied „In allen meinen Taten" (*O.B.G.V*. Nr. 36).

19, 21 **billig,** mit Recht. 20, 3 **vor die Hand nehme,** in die Hand nehme, gebrauche. **traktiere,** anwende. 20, 8 **Balbier** = Barbier. 20, 14 **Strelitzen** (= russisch „strjeltsi"), Soldaten der Leibwache der russischen Zaren. 20, 22 **Geschrei,** Gerücht. 21, 4 **Boja're,** adliger Herr. 21, 22 **traktiert,** behandelt.

13. **Schah,** König von Persien. 23, 8 **Trabant',** Leibwächter. 23, 18 **Pilar',** Säule. 23, 29 **Habit',** Kleidung.

24, 15 **obhanden,** vorhanden. 24, 17 **Reverenz',** Verbeugung. 25, 10 **Handpauke,** Trommel. **Schalmei',** Hirtenflöte. 25, 11 **darein,** dazwischen. 25, 19 **ohngefähr** = ungefähr. 25, 28 **derwegen** = deswegen.

14. Der „Simplicissimus" ist der erste deutsche autobiographische Roman. Grimmelshausen schildert darin sein Leben, beginnend mit seinen Erlebnissen während des Dreißigjährigen Kriegs (1618–48). Nach der Zerstörung seines Heimatdorfes durch plündernde Soldaten flieht der Knabe in den Wald und findet Aufnahme bei einem Einsiedler, der ihn wegen seiner Einfalt Simplicissimus nennt. Vergl. *O.B.G.V.* Nr. 43.

26, 1 **Einsiedel,** Einsiedler. 26, 18 **Hudler,** schlechter Arbeiter, Pfuscher, Stümper. 26, 27 **davor** = dafür; **hältst du davor,** glaubst du. 26, 28 **wann,** weil. 27, 3 **Wie . . . richten,** wie . . . finden, wie soll ich dein Gespräch verstehen? 27, 8 **in welcher . . . anzulegen,** in welcher ich werde Geduld und du wirst Fleiß anzulegen haben. 27, 12 **folgends,** später.

15. Auffallend ist die Ähnlichkeit mit der fünfzig Jahre späteren Erzählung Daniel Defoes *Robinson Crusoe* (1719).

27, 16 **caput bonae speranzae,** Kap der guten Hoffnung. 28, 7 **allgemach,** allmählich. 28, 17 **irgends hin,** irgendwohin. 28, 21 **derowegen** = deshalb. 28, 32 **worden** = geworden. 30, 5 **zetteln,** (verzetteln), streuen. 30, 16 **drang,** drängte, zwang. 30, 19 **Mund,** Mündung. 30, 24 **Schlauraffenland** = Schlaraffenland, Land der Faulenzer, Utopien.

16. Spener war der Begründer des Pietismus.

17. Abraham a Santa Clara (eigentlich Ulrich Megerle), Augustiner Mönch und berühmter Prediger. Schiller benutzte mehrere seiner Predigten für die Kapuzinerpredigt in *Wallensteins Lager.*

Die Türken, seit 1538 im Besitz von Ungarn, zogen 1683

gegen Wien, das sie vom 24. Juli bis 12. September belagerten. 34, 2 **Polster-Truckerl** = Polster-Drückerlein, kleiner Schoßhund. 34, 3 **Mucken** = Mücke; „u" anstatt „ü" ist süddeutsch; vergl. Innsbruck, Rucksack. 34, 8 **derzeiten**, zu dieser Zeit, jetzt. 34, 13 **das Römisch Reich** = „Das Heilige Römische Reich deutscher Nation", Bezeichnung des deutschen Reichs seit der Kaiserkrönung Ottos I. in Rom am 2. Februar 962 bis zum 1. August 1806, als Franz I. die römische Kaiserkrone niederlegte und sich zum Kaiser von Österreich erklärte. Schon Karl der Große hatte sich als Nachfolger der römischen Kaiser betrachtet. 34, 20 **Hungarn** = Ungarn. 34, 25 **Chiragra**, Gicht in den Händen (vom griechischen χείρ, Hand); **Podagra**, Gicht in den Füßen.

18. 35, 15 **Lämbl** = Lämmlein. 35, 20 **glimpflich**, ehrerbietig. 36, 4 **kommen**, p.p., in der älteren Sprache meist ohne *ge*.

20. Leibniz, vielseitiger Gelehrter (Philosoph, Mathematiker, Physiker), Gründer der Preußischen Akademie der Wissenschaften, schrieb seine gelehrten Werke lateinisch oder französisch, war aber eifrig bemüht, die deutsche Sprache für die „schöne Literatur" auszubilden.

38, 2 Nach **hoch gebracht** ergänze *haben*. 38, 3 **so**, rel. pron. 38, 7 Nach **gewesen** ergänze *sind*. 38, 8 Nach **überlassen** ergänze *haben*. 38, 20 **Osterlinge**, Hanseaten, Norddeutsche. 38, 22 **ereignet sich einiger Abgang**, zeigt sich etwas Mangel. 39, 8 **fürnehmlich** = vornehmlich, besonders. 39, 19 **anitzo** = jetzt. 39, 23 **verderbt**, richtige Form des transitiven Zeitwortes *verderben*, jetzt verdrängt durch *verdirbt*, die Form des intransitiven. 39, 27 **Engelsächsisch** = Angelsächsisch. 39, 32 **gemeiniglich**, gewöhnlich. 40, 2 **außer** wurde früher mit dem Gen. verbunden. 40, 4 Nach **eingeschlichen** ergänze *waren*. 40, 12 **in die Rapuse gangen**, zu Grunde gegangen. 40, 15 **der Münstersche Friede**, am 24. Oktober 1648 zu Münster in Westfalen abge-

schlossen, beendete den Dreißigjährigen Krieg. 40, 24
Ohnerfahrenheit, Unerfahrenheit. 40, 25 **behenken
blieben**, hängen geblieben ist. 40, 29 Nach **gelangt**
ergänze *sind*. 40, 29 **Franz-Gesinnte**, französisch Gesinnte. 41, 1 **in Abrede sein**, in Abrede stellen. **Frem-
denz'**, von Leibniz nach *Tendenz'* geprägtes Wort, Streben
nach Fremdem, Hang (Hinneigen) zum Fremden. **un-
vorgreiflich**, ohne andern vorzugreifen, unmaßgeblich,
bescheiden.

21. **Thomasius** (eigentlich Thomas) lehrte seit 1687 an
der Universität Leipzig, seit 1688 Herausgeber der ersten
deutschen Monatsschrift (*Monatsgespräche, vornehmlich
über neue Bücher*), erregte den Unwillen seiner Kollegen
durch seine Vorlesungen in deutscher, anstatt wie bis
dahin üblich, in lateinischer Sprache, und mußte daher
1690 Leipzig verlassen.

42, 11 **dannenhero** = daher. **ungereimt**, töricht.
42, 26 **derowegen** = deswegen. 43. 9 *Louis Quatorze* ist
gemeint. 43, 11 **Schulfuchs**, pedantischer Schulmeister.
43, 14 **Scribent'**, Schriftsteller. **erzählen**, herzählen, auf-
zählen. 44, 5 **verhunzen**, entstellen, verderben.

22. 44, 22 **jener ihre Fehler** = die Fehler jener;
dieser ihre Tugenden = die Tugenden dieser. 44, 27
derohalben = deshalb. 45, 13 **vergesellschaft** = ver-
gesellschaftet; verbunden. 45, 21 **temperieren**, mäßigen,
mildern. 45, 32 **figieren** (franz. *figer*, lat. *figere*), befestigen, beruhigen.

23. **Gottsched**, „der Weltweisheit und Dichtkunst
öffentlicher Lehrer" an der Universität Leipzig, suchte das
deutsche Drama nach französischem Muster auszubilden.
Durch seine Kritik beherrschte er lange Zeit die deutsche
Literatur und Bühne, bis sein Einfluß durch Lessing
gebrochen wurde.

47, 17 **Schaupfennig**, Denkmünze. 47, 18 **Nimrod**, nach
Genesis 10, 8–10 ein gewaltiger Jäger und Gründer des

babylonischen Reichs, nach dem jüdischen Historiker Josephus der Erbauer des babylonischen Turms. 47, 25 **Semiramis,** sagenhafte Königin von Assyrien. 47, 26 **Ninive,** Hauptstadt des assyrischen Reiches.

24. 48, 1 **Fabel,** Handlung. 48, 9 *zwoen,* Dat. Pl. von *zwo.* Sieh Anm. 6, 24.

25. 51, 6 **Mundart,** hier nicht = Dialekt (Volkssprache einer Provinz), sondern in erweiterter Bedeutung: Sprache eines Volkes.

26. Goethe in *Dichtung und Wahrheit,* vii : „Rabener, von heiterer und keineswegs gehässiger Natur, ergriff die allgemeine Satire. Pedantische Gelehrte, eitle Jünglinge, jede Art von Beschränktheit und Dünkel bescherzt er mehr als daß er sie verspottet, und selbst sein Spott drückt keine Verachtung aus. Ebenso spaßt er über seinen eignen Zustand, über sein Unglück, sein Leben und seinen Tod."
53, 6 **ihre Kleider** ist Subjekt. 53, 13 **einförmig,** einfach. 53, 21 **billig,** gerecht. 53, 22 **aufwarten,** einen Höflichkeitsbesuch machen. 53, 29 **Antichambre,** Vorzimmer, Wartezimmer. 54, 4 **faseln,** tänzeln.

27. Gellert war seit 1751 Professor der Philosophie an der Universität Leipzig. Goethe hörte seine Vorlesungen und berichtet in *Dichtung und Wahrheit,* vi : „Die Verehrung und Liebe, welche Gellert von allen jungen Leuten genoß, war außerordentlich. Ich hatte ihn schon besucht und war freundlich von ihm aufgenommen worden. Nicht groß von Gestalt, zierlich aber nicht hager, sanfte eher traurige Augen, eine sehr schöne Stirn, eine nicht übertriebene Habichtsnase, ein feiner Mund, ein gefälliges Oval des Gesichts, alles machte seine Gegenwart angenehm und gefällig und wünschenswert. Es kostete einige Mühe zu ihm zu gelangen. Seine zwei Famuli schienen Priester, die ein Heiligtum bewahren, wozu nicht jedem, noch zu jeder Zeit, der Zutritt erlaubt ist; und eine solche

Vorsicht war wohl notwendig, denn er würde seinen ganzen Tag aufgeopfert haben, wenn er alle die Menschen, die sich ihm vertraulich zu nähern gedachten, hätte aufnehmen und befriedigen wollen." (*Famulus*, älterer Student, der einen Professor bedient.)

Eine englische Übersetzung dieses Gespräches in Thomas Carlyles *History of Friedrich II of Prussia*, book xx, chap. 27. 55, 25 **Quintus Icilius** (eigentlich Guichard), Carlyle über ihn a.a.O. xix, i. 56, 3 **balbiert** = barbiert. 56, 30 **Skribent'**, Schriftsteller. 57, 13 **Auguste,** Beschützer und Förderer der Kunst wie Augustus, der erste römische Kaiser, unter dessen Regierung Virgil', Horaz', Tibull', Properz', Ovid' und Livius ihre Werke schrieben. 58, 23 **Maler in Athen,** sieh *O.B.G.V.* Nr. 72.

28. Winckelmann, Begründer der klassischen Archäologie. Sieh Walter Paters Aufsatz über ihn in *Studies in the History of the Renaissance* (1873). — **Laokoon** war nach Virgil (*Aeneis*, ii, 40–233) ein Priester des Apollo in Troja zur Zeit des trojanischen Krieges (um 1190 v. Chr.). Nach zehnjähriger Belagerung gingen die Griechen zu Schiffe, ließen aber ein großes hölzernes Pferd zurück, worin sie eine Zahl ihrer besten Helden versteckt hatten, in der Hoffnung, die Trojaner würden es in die Stadt ziehen. Laokoon warnte sie. Als er dann mit seinen beiden Söhnen am Meeresufer ein Opfer anzündete, wurden alle drei von riesigen Schlangen umstrickt und getötet. Dies ist dargestellt in einer antiken Marmorgruppe, die 1506 in Rom aufgefunden und im Antikenmuseum des päpstlichen Palastes aufgestellt wurde, wo Winckelmann sie sah.

59, 15 **Nikomachus,** griechischer Maler des vierten Jahrhunderts v. Chr. 59, 16 **Zeuxis,** griechischer Maler des fünften Jahrhunderts v. Chr., berühmt durch ein Bild der Helena. 60, 16 **Philoktetes** begleitete die Griechen auf ihrer Fahrt nach Troja. Als sie auf einer Insel landeten, wurde er von einer giftigen Schlange

gebissen und von den Griechen zurückgelassen. Er ist
der Held eines Dramas von Sophokles.

29. Möser, preußischer Diplomat, war 1763, am Ende
des Siebenjährigen Krieges, in London, um über die
Hilfsgelder zu verhandeln, welche die englische Regierung Friedrich dem Großen versprochen hatte.
60, 20 **Schuter** = Edward Shuter (1728–76) spielte
komische Rollen unter Garrick am Covent Garden
Theatre. Das Theater wurde 1732 im Covent Garden,
früher „convent garden" erbaut. 61, 5 Lot, ehemaliges
Gewicht, etwa = half an ounce. 61, 32 **Humpen,** großes
Trinkglas. 62, 5 **Gassenlied,** ein auf der Gasse (Straße)
gesungenes Lied.

30. 62, 21 **Schatzung,** Erpressung von Steuern. 62, 23
Stock = Weinstock. 62, 24 **Eimer,** ehemaliges Flüssig-
keitsmaß. 63, 3 **papierne Verschreibung,** Wertpapier.
63, 18 Flurgenosse, Nachbar. 63, 27 **Westphalen** =
Westfalen, preußische Provinz mit fruchtbarem Getreide-
land.

31. Veranlaßt durch die Schrift Friedrichs des Großen
De la Littérature allemande (1780), worin der König
schreibt: „Pour vous convaincre du peu de goût qui
jusqu'à nos jours règne en Allemagne, vous n'avez qu'à
vous rendre aux Spectacles publics. Vous y verrez repré-
senter les abominables pièces de Schakespear, traduites en
notre langue. On peut pardonner à Schakespear ces
écarts bizarres, car la naissance des arts n'est jamais le
point de leur maturité. Mais voilà encore un *Goetz de
Berlichingen,* imitation détestable de ces mauvaises pièces
angloises, et le Parterre applaudit et demande avec
enthousiasme la répétition de ces dégoûtantes platitudes."

32. 68, 27 **verstatten,** zugeben, gelten lassen. 69, 7
Eitelkeit, Vergänglichkeit. 69, 26 **ohnerachtet,** obgleich.
70, 8 **einigen,** irgend einen. 70, 17 **der Zeug** (jetzt: *das*

ANMERKUNGEN

Zeug), Stoff. 70, 29 *Universi* (lat. Gen.), des Universums, des Weltalls.

33. 71, 11 **Elysium,** nach Homer (*Odyssee,* iv. 365 ff.) ein schönes Gefilde am Westrande der Erde, wo die Menschen in Seligkeit leben. 71, 12 **Gürtel der Venus,** nach Homer (*Ilias,* xiv. 215) von solchem Zauberreiz, daß selbst der Weise betört wird.

34. **kategor'isch,** unbedingt, unabhängig von jedem anderen Gebot und jeder anderen Rücksicht.

36. 75, 7 **Surat,** Stadt an der Nordwestküste von Indien.

38. Ausgehend von dem Unterschiede der Darstellungen von Laokoons Tode (sieh Anm. zu Lesestück 28) in einer antiken Marmorgruppe und in Virgils *Aeneide,* ii. 199 ff. sucht Lessing in seinem *Laokoon* die Grenzen der bildenden Künste (Malerei, Skulptur) und der Dichtung zu bestimmen. — Über die Wirkung des Werkes auf die Zeitgenossen schreibt Goethe in *Dichtung und Wahrheit,* viii: „Man muß Jüngling sein, um sich zu vergegenwärtigen, welche Wirkung Lessings *Laokoon* auf uns ausübte. Das so lange mißverstandene ‚ut pictura poesis' war auf einmal beseitigt, der Unterschied der bildenden und Redekünste klar; die Gipfel beider erschienen nun getrennt, wie nah' ihre Basen auch zusammenstoßen mochten."

78, 19 **bequem,** passend. 80, 33 *Ilias,* v. 722 ff. 81, 1 **Hebe,** Tochter der Juno. 81, 6 *Ilias,* i. 43 ff.

39. *Die Hamburgische Dramaturgie* enthält Lessings Besprechungen der Dramen, die 1767-8 im Hamburger National Theater aufgeführt wurden.

81, 20–28 Zitiert aus Voltaires *Dissertation sur la tragédie ancienne et moderne,* 3me partie, *de Sémiramis.* 81, 29 hat Gespenster geglaubt=hat an Gespenster geglaubt. 82, 2 Lessing denkt an *Die Perser* des Aischylos, worin der Schatten des Perserkönigs Darius erscheint. 83, 27

Verstand, Sinn. 84, 19 **Popanz,** Schreckgestalt. 85, 3 **ekel,** zaghaft.

40. 85, 12 ff. Die Stelle steht in Kap. ix der *Poetik* des Aristoteles.

85, 27 **Fabel,** Handlung. 86, 19 **Panegyrikus,** Lobrede.

41. Aristoteles fordert, daß die Handlung in sich abgeschlossen sei und ein Ganzes bilde, dessen Teile so eng zusammenhängen, daß es zerfällt, wenn irgend einer herausgenommen wird; und ferner, daß die Handlung innerhalb eines Tages vor sich gehe oder sich nur wenig darüber ausdehne. Die Einheit des Ortes wird von Aristoteles nicht gefordert.

87, 14 **simplifieren** = simplifizieren, vereinfachen.

42. 89, 7 **verquisten,** verschwenden.

43. 91, 7 **Euklides** (um 300 v. Chr.), dessen Schrift *Stoicheia* (Elemente der Geometrie) bis in die neueste Zeit als Schulbuch gebraucht wurde.

44. 91, 18 **hinter die Wahrheit kommen,** die Wahrheit erkennen. *Eine Duplik* (Erwiderung), der Titel von Lessings Antwort auf Angriffe gegen seine theologischen Streitschriften.

45. Geßners Idyllen waren vor dem Erscheinen von Goethes *Werther* das beliebteste deutsche Buch in England und Frankreich.

47. Abderiten, Einwohner der griechischen Stadt Abdera, standen im Rufe der Torheit, ähnlich wie die Lalen in Deutschland. Sieh Anm. zu Nr. 11. Auf Grund eigener Erfahrungen als städtischer Beamter in dem süddeutschen Städtchen Biberach schildert Wieland die Schwächen der deutschen Kleinstädter seiner Zeit.

97, 1 **einsmals** = einst. 97, 5 **Auflage,** städtische Steuer. 97, 9 **Triton'en,** Seegötter, dargestellt mit menschlichem Oberkörper, Vorderfüßen eines Pferdes und Fischschwanz, auf Seemuscheln blasend. **Delphi'ne,**

ANMERKUNGEN

fischartige Seetiere. 97, 20 **Praxiteles** (um 390 v. Chr.).
Die Alten preisen ihn als ihren größten Marmorbildner.
97, 26 **einhellig,** einstimmig.

48. Unter antiker Maske richtet Wieland seine spöttische Satire gegen die Dramatiker seiner Zeit. Hyperbolus vertritt die Kraftgenies des „Sturmes und Dranges“, Thlaps die Verfasser seichter Lustspiele.

98, 14 **Hyperbolus,** Übertreiber, Übertreffer; von Wieland gebildet aus griech. *hyper* (über, übertrieben), und *ballein* (werfen), *bolos* (Wurf). Vergl. **Hyperbole,** übertriebener bildlicher Ausdruck. 99, 5 **Anakreon, Alkäus, Pindar,** Lyriker; **Äschylus,** Tragödiendichter; **Aristophanes,** Lustspieldichter der klassischen griechischen Literatur. 99, 20 **sich** (Dat.) **nicht wenig wissen mit,** sich (Dat.) nicht wenig einbilden auf. 99, 24 **Demokritus,** Philosoph, geb. um 460 in Abdera. Wieland macht ihn zum Vertreter seiner eigenen Ansichten. 100, 13 **attische Urbanität',** die hohe Gesittung und Kunst Athens, der Hauptstadt von Attika, in der Sophokles lebte. 101, 8 **Spektatorium,** das zuschauende Publikum. 101, 28 **drucksen,** oft und stark drücken, sich anstrengen.

49. 102, 3 **Euripides,** griechischer Tragiker (um 480–406 v. Chr.). Von seinem Drama *Andromeda* sind nur Fragmente erhalten. Die an einen Felsen gefesselte und einem Ungeheuer preisgegebene Andromeda wird von Perseus befreit. 102, 7 **Nomophylax** (griech. *nomos,* Gesetz, und *phylax,* Wächter), der oberste Richter in Abdera. 103, 13 **Kyklops** ein satirisches Drama des Euripides.

50. 104, 3 **mittäglich,** südlich. 104, 6 **geworfen,** geboren. 104, 9 **lastbar,** Last tragend. 104, 20 **nu** = nun. 104, 29 **beim Jason!** vergl. „by Jove!“, „par Dieu!“, „beim Himmel!“ Jason (sieh Anm. zu Nr. 105) wurde in Abdera göttlich verehrt.

51. Rübezahl, nach der Sage gutmütiger Geist im

schlesischen Riesengebirge. Sein Name ursprünglich =
„Rübenschwanz" [Rübe + „zahl" aus älterem „zagel" =
engl. tail], später umgedeutet als „Rübenzähler", weil er
aus Geiz oder auf Befehl seiner Geliebten täglich die
Rüben auf seinem Felde zählte.

106, 6 **Gottestischrock**, Rock, beim Abendmahl in der
Kirche getragen. *Gottestisch*, Altar. 106, 12 **heimsuchen**,
jemanden in seinem Heim besuchen. 106, 20 **saß er auf**,
stieg er auf den Wagen. 106, 26 **gemachsam**, gemächlich,
langsam. 106, 29 **etwas um**, etwas länger, ein Umweg.
107, 1 **schlug er sich waldein**, ging er in den Wald.
107, 7 **zu deiner Freundschaft**, zu deinen Verwandten.
107, 9 **Knauser**, Geizhals. 107, 11 **foppen**, verspotten.
107, 15 **wuchern**, wachsen, Ertrag bringen. 107, 28
verziehen, warten. 108, 27 **Rasenrain**, Grasrand am
Wege. 108, 30 **Ekelname**, Spottname. 108, 31 **bleuen**,
schlagen. **zausen**, hin und her zerren, schütteln.

52. **Ulrich Bräker**, geb. im Tockenburg, einem Teile
des Kantons St. Gallen in der Schweiz, starb dort als
armer Weber. Seine Selbstbiographie erschien unter dem
Titel *Der arme Mann in Tockenburg*.

Geißbub, Ziegenhirte, Hirtenknabe. 110, 14 **ver-
scheuchen**, scheu machen, wild machen. 110, 23 **son-
nenhalb**, wegen der Sonne. 111, 4 **Gitze**, junge Ziege.
111, 7 **abkafeln** (schweizerisches Dialektwort), abfressen.
111, 25 **halt**, in Süddeutschland, Österreich, und der
Schweiz als verstärkendes Adverb gebraucht. 112, 7 **dahin**,
tot. 112, 18 **Zetergeschrei**, lautes Geschrei.

53. **Sturz** begleitete 1768 König Christian VII. von
Dänemark auf einer Reise nach England während der
Regierung Georgs III.

114, 4–6 **Sir Robert Walpole**, Premierminister 1721–
42; Philip Chesterfield und William Pultney waren seine
politischen Gegner. **Philippiken**, Kampfreden, Streitschriften. Cicero nannte seine Reden **gegen** Antonius

ANMERKUNGEN

Orationes Philippicae mit Bezug auf die Reden des Demosthenes gegen Philipp von Macedonien. **The Craftsman,** politische Zeitschrift (1726–36). 115, 7 **Charlotte** (1761–1818), Prinzessin von Mecklenburg-Strelitz, Gemahlin Georgs III.

54. David Garrick (1717–79), berühmter Schauspieler, damals Direktor und Besitzer des Drury Lane Theaters. 115, 17 **Claude Lorrain** (1600–82), franz. Maler. 116, 17 **Angelika Kauffmann** lebte 1766–81 in London, 1769 Mitglied der Royal Academy, 1781 bis zu ihrem Tode (1807) in Rom, wo sie mit Goethe befreundet war und sein Porträt malte. 116, 27 **pied de roi,** Längenmaß = 32, 5 cm. = 1 foot.

55. Claudius war erst Mitarbeiter, dann Herausgeber der Zeitschrift *Der Wandsbecker Bote*, die in Wandsbeck bei Hamburg erschien. 119, 3 **Frauenzimmer,** ursprünglich in vornehmen Häusern das Zimmer, in dem die Frauen sich aufhielten, dann diese selbst; **Mannzimmer** danach von Claudius gebildet: Männer.

56. 120, 26 **allgemach** = allmählich. 121, 31 **gemach** = allgemach. 123, 5 **niemand nichts** = niemandem etwas. In der älteren, und noch heute in der volkstümlichen Sprache verstärken zwei Negationen einander. 123, 10 **Leides** (partitiver Gen.) *tun,* ein Leid antun. Vergl. „Erlkönig hat mir ein Leids getan". *O.B.G.V.* No. 119, vii. 4.

57. Jung, Sohn armer Dorfleute. Im Alter von dreißig Jahren wurde er Student der Medizin in Straßburg, wo er ein Freund und Tischgenosse Goethes war. Auf Goethes Veranlassung schrieb er die Geschichte seiner abenteuerlichen Jugend nieder, die Goethe zum Druck besorgte. Jung nannte sich darin Stilling, wahrscheinlich um sich als einen der „Stillen im Lande", wie sie halb im

Scherz, halb im Ernst genannt wurden, zu bezeichnen, jener frommen Seelen, die, ohne sich zu irgend einer Sekte zu bekennen, eine unsichtbare Kirche bildeten. Sieh Goethe, *Dichtung und Wahrheit*, ix, xii, xvi.

124, 2 **Brabant'**, ehemals deutsches Herzogtum, jetzt belgische Provinz. 124, 3 **Schirrmeister** (vergl. „Geschirr", „anschirren"), Führer mehrerer Wagen. 125, 2 **Hahnen** (alter Acc.), Hahn am Gewehr. 125, 29 **einem das Licht ausblasen**, einen töten. 126, 2 **akkordieren**, verabreden, vereinbaren.

58. 126, 26 **einsmalen** = einmal. 127, 4 **in** = in'n = in den. 127, 32 **Zachiel**, Name eines bösen Geistes. **wenns Möndel** = wenn das Möndel (Diminutiv von „Mond").

59. Engels Roman erschien zuerst in Schillers Zeitschrift *Die Horen*. Seine saubere Nüchternheit wurde als klassische Vollendung gepriesen, aber Goethe, der damals am *Wilhelm Meister* arbeitete, sah sich in der Hoffnung getäuscht „von dem Herrn Kollegen was zu lernen".

129, 19 **Stutz**, kleine Perücke ohne Zopf. **wenn's galt**, bei wichtigen Gelegenheiten. **Troddelperücke**, Perücke mit langen Locken. 130, 2 **Staat**, Schmuck. 131, 24 **verkleidete, verritt, verfuhr**, für Kleider, Reiten und Fahren ausgab. 132, 11 **Hagestolz**, unverheirateter Mann, Junggeselle.

60. Lichtenberg, seit 1769 Professor der Physik in Göttingen, schrieb die Briefe aus England während seines zweiten Aufenthaltes in London, 1774–5. Er sah Garrick als Hamlet im Drury Lane Theater. Vergl. Nr. 54.

134, 9 **that lets me**, der mich verhindert, aufhält. 134, 16 **ausgelegt**, gegen den Gegner vorgestreckt.

61. 136, 28 **fatal'**, verhängnisvoll, störend.

62. (& 63). *Von deutscher Art und Kunst* enthält Aufsätze von Herder, Goethe und J. Möser, **in** denen die

Ideen und Bestrebungen der „Sturm und Drang"-Bewegung ihren ersten Ausdruck fanden. **Art**, Charakter, Wesen.

138, 3 **kompensieren**, (mehrere Dinge gegen einander) abwägen. 138, 4 **das absolvo**, die Freisprechung von einer Anklage oder Sünde. Bei Erteilung der Absolution in Beichtstuhl spricht der Priester: „Absolvo te."

63. 138, 8 **in gewissem Betracht**, in gewisser Hinsicht. 139, 11 **Verstand**, Sinn. 139, 16 **homerisieren**, mit Homer vergleichen. 139, 25 **Rhapsodist**, Lobredner. 140, 4 Ergänze *sind* vor *beide*.

64. 141, 32 Nach der griech. Sage baute **Amphion** die Stadt Theben, indem er durch den Zauber seines Saitenspiels große Steinblöcke zwang, sich zu Mauern zusammenzufügen.

142, 7 Keltische Dichtungen, von James Macpherson 1760–3 veröffentlicht und einem Barden des 3. Jahrhunderts namens **Ossian** zugeschrieben, erregten die Bewunderung Herders, Goethes und ihrer Zeitgenossen und hatten weitgehenden Einfluß auf die deutsche Literatur.

65. Humanität', höchste Ausbildung der dem Menschen eigentümlichen Anlagen, volle Entfaltung menschlicher Kultur und Gesittung.

66. Herder reiste im August 1788 nach Italien und blieb dort bis Juli 1789.

145, 8 **die** = an der. 145, 9 ff. **Maximilian**, deutscher Kaiser 1493–1519, „der letzte Ritter". Gemsen jagend hatte er sich einst auf einem steilen Felsen (der **Martinswand**) so hoch verstiegen, daß er erst nach drei Tagen gerettet werden konnte. Sein Denkmal ist umgeben von 28 Bronzestandbildern seiner wirklichen und sagenhaften Ahnen, darunter der Gotenkönig Theodorich und König Arthur (Artus) von Britannien.

68. 149, 16 **Schäfergedichte**, beliebt im achtzehnten

Jahrhundert, idealisierten das Leben der Schäfer.
Anakreon, griech. Lyriker des 6. Jahrh. v. Chr., dessen
Lieder zum Preise der Liebe, des Weins und heiterer
Geselligkeit im achtzehnten Jahrh. von Hagedorn, Gleim
und andern (*O.B.G.V.* Nr. 64, 65, 74–76) nachgeahmt
wurden. Hagedorn schrieb:

> „Anakreon, mein Lehrer,
>   Singt nur von Wein und Liebe;
>
> .   .   .   .
>
>   Soll ich, sein treuer Schüler,
>   Von Haß und Wasser singen?"

69. 150, 13 **Gassenhauer**, ein auf der Gasse (Straße)
gesungenes volkstümliches Lied; bei Bürger noch ohne den
jetzigen verächtlichen Sinn. 150, 14 **Bleiche**, Wiese oder
Rasenplatz, wo im Sommer die Wäsche gebleicht wird.
150, 15 **Spinnstuben**, Wohnstuben der Bauern, wo an
Winterabenden Mädchen und Burschen zum Spinnen
zusammenkamen und sich dabei mit Erzählen, Rätselraten
und Singen unterhielten. 150, 22 **Odem** = Atem.
151, 2 Percys *Reliques of Ancient English Poetry* (1765).
Bürgers Wunsch wurde erfüllt durch Herders Sammlung
von Volksliedern (1778), später bekannt als *Stimmen der
Völker in Liedern* und durch *Des Knaben Wunderhorn,
Alte deutsche Lieder*, hrsg. von Achim und Brentano
(1806–8). 151, 12 **kursieren**, umlaufen, in Umlauf sein.

70. **Freiherr Hieronymus von Münchhausen** (1720–
97 in Hannover) kämpfte in russischen Diensten gegen die
Türken. Geschichten, die er von seinen Taten erzählte,
und andere, die man ihm beilegte, wurden 1785 gesammelt
und in englischer Sprache herausgegeben von Rudolf
Erich Raspe (geb. 1737 in Hannover, kam 1785 nach
England, starb 1794 in Irland). Bürger übertrug sie ins
Deutsche und fügte 13 Erzählungen hinzu.

151, 25 **Liefland** (Livonia, Livland, Latvia), damals
russische Provinz.

71. 153, **7 verjunkerieren,** Geld für Vergnügungen wie ein junger Edelmann (Junker = junger Herr) ausgeben. 153, 27 **Dakapo,** Wiederholung (vom ital. „da capo", von Anfang).

73. 155, 20 **im Hui,** blitzschnell.

74. 156, 8 **Litauer,** ein in Litauen (Lithuania, damals russisch) gezüchtetes Pferd.

75. Goethe kam am 2. April 1770 mit der Postkutsche in Straßburg an und studierte an der dortigen Universität bis August 1771.

158, 16 **Werder,** bewaldete Flußinsel. 158, 18 **Ill,** Nebenfluß des Rheins.

76. 159, 11 **Sozietät',** eine Gruppe von Studenten, die sich regelmäßig beim Mittagessen trafen. 160, 14 **adrett'** (= franz. adroit), gewandt.

161, 25 **Polterer,** Krittler, Tadler. 162, 22 Herders *Fragmente über die neuere deutsche Literatur* erschienen 1767, *Kritische Wälder oder Betrachtungen die Wissenschaft und Kunst des Schönen betreffend,* 1769. **Silvae** (Wälder) in der lat. Literatur Titel gesammelter Gedichte oder Aufsätze. 163, 24 Die **Lebensbeschreibung des Ritters Götz von Berlichingen** mit der eisernen Hand (1480–1562) ist von ihm selbst verfaßt, aber erst 1731 gedruckt. Goethe hatte sie wahrscheinlich in der Bibliothek seines Vaters gelesen. 163, 28 **Puppenspielfabel,** die Handlung des Puppenspiels. Goethe hatte ein Puppenspiel vom Dr. Faust schon als Knabe in Frankfurt gesehen.

77. Friedrike, damals achtzehn Jahre alt, war die Tochter des Pfarrers Brion in Sesenheim, einem Dorfe wenige Meilen nördlich von Straßburg.

204, 14 **F. L. Weyland,** damals Student der Medizin, begleitete Goethe auf seinem ersten Besuche in Sesenheim und führte ihn in die Familie Brion ein, mit der er verwandt war. 265, 15 **Falbel** (= ital. „falbala" 〉 engl. „fur-

below"), Faltensaum an Frauenkleidern. 165, 24 **artig,**
hübsch. **Stumpfnäschen,** „turned up little nose".
166, 27 Oliver Goldsmith's *Vicar of Wakefield* erschien
1766, eine deutsche Übersetzung 1767. Herder las sie im
Nov. 1770 den Straßburger Freunden vor. Der Land-
prediger, Dr. Primrose, hat zwei Töchter, Olivia und
Sophia; der zweite seiner vier Söhne heißt Moses.

78. Bald nach seiner Rückkehr aus Straßburg, in der
von Herder entzündeten Begeisterung für Shakespeare,
faßte Goethe den Plan zu einer Shakespeare-Feier im
elterlichen Hause. Shakespeares Geburtstag war zu weit
entfernt, und so wählte er den 14. Oktober, der in
manchen protestantischen Kalendern den Namen Wilhelm
führt. Herder sollte Ehrengast sein und die Festrede
halten. Da er nicht kam, mußte Goethe die Rede halten
und benützte dazu einen vielleicht schon in Straßburg
geschriebenen Aufsatz, den er der Gelegenheit anpaßte
und vorlas. In dem lateinisch geführten Rechnungsbuche
von Goethes Vater findet sich der Eintrag: „Dies onomaticus Schackspear, 14 Oct. 1771, fl. 6, 24; Musicis in
die onom. Schacksp. 3 fl.—" (fl. = florin, eine damalige
Goldmünze; „dies onomaticus", Namenstag).

167, 18 **Wandrer,** Erdenpilger. Goethes eigene **Er-**
klärung am Anfange der Rede: „Jeder macht große
Schritte durch dieses Leben, eine Bereitung für den
unendlichen Weg drüben." (Bereitung = Vorbereitung.)
167, 23 **geahndet** = geahnt. 168, 6 **erkenntlich,** erken-
nend, „Dank sei meinem Schutzgeist, der dies erkannte und
es mich erkennen ließ". 168, 7 **Genius,** Schutzgeist. 168,
22 **Pylades,** in der griech. Sage treuer Freund des Orestes,
den er nach Tauris (an der Nordküste des Schwarzen
Meeres) begleitete, um dessen Schwester Iphigenie von
dort nach Griechenland zurückzubringen. 168, 24 **Delphi,**
Stadt in Griechenland mit berühmtem Tempel des Apollo.
168, 25 **Raritätenkasten,** früher auf Jahrmärkten be-
liebter Guckkasten, in dem man durch ein Glas sehend

ANMERKUNGEN

(„guckend") allerlei seltsame Dinge (Raritäten) erblickte.
169, 8 **Thersit**, in Homers *Ilias* ii, 211 ff. ein böswilliger
Kritiker. 169, 10 **verzerren**, in heftigem Schmerz zusammenziehen. 169, 15 Nach griechischer Sage bildete
Prometheus Menschen aus Tonerde und belebte sie
durch den Hauch seines Atems.

79. **„Die Leiden des jungen Werthers"**, ein Roman
in Briefen wie Rousseaus *Nouvelle Héloise* und die Romane
Richardsons. Werther schreibt an seinen Freund Wilhelm
und an Lotte. Wie bekannt das Werk in England war
zeigt unter anderen Thackerays Gedicht *Werther and
Lotte*: „Would you know how first he met her? | She was
cutting bread and butter." und George Crabbes Schilderung des Wohnzimmers in einem englischen Landhause
(*The Parish Register* (1807) Part II)

> „Fair prints along the paper'd wall are spread;
> There, Werter sees the sportive children fed,
> And Charlotte, here, bewails her lover dead."

80. 171, 12 **Melusine**, eine Wassernixe. Goethe hatte
als Knabe das alte Volksbuch, das ihre Geschichte erzählt,
gelesen. (*Dichtung und Wahrheit*, i.)

82. 173, 19 **Frauenzimmer** (sieh Anm. 119, 3). 173, 27
verziehen, warten. **Mamsell'** (= Mademoiselle) im
18. Jahrh. höfliche Bezeichnung junger Mädchen. 174, 29
durchziehen, durchhecheln, bekritteln. 175, 21 **Nun
ging's an**, nun fing es (das Tanzen) an. 175, 31 **vom
Flecke gehen**, gelingen.

83. 176, 3 **Wetterkühlen**, Wetterleuchten, fernes
Blitzen ohne Donner. 176, 13 **Fühlbarkeit**, Empfindsam-
keit. 176, 26 **Schlucker**, ursprünglich einer, der viel ißt
und trinkt (schluckt); hier auf die jungen Männer angewandt, die den Mädchen möglichst viele Küsse rauben
wollen. **steuern** mit Dat. Einhalt tun, wehren. 177, 7
Vortrag tun, vortragen, mündlich erklären. Lotte erklärt

die Regeln des Spiels. 177, 8 **spielen** mit Gen., noch jetzt „Versteckens spielen" neben „Verstecken spielen". 177, 24 **Geschwärm**, wirres Durcheinander. 178, 1 **Klopstocks Ode** *Die Frühlingsfeier* (*O.B.G.V.* Nr. 80).

85. 180, 20 **Das interessante Kind** ist Mignon, die von den Seiltänzern aus ihrer italienischen Heimat geraubt worden war. Sieh Mignons Lieder *O.B.G.V.* Nr. 123 ff. 181, 10 **Eiertanz**, Tanz zwischen nahe bei einander liegenden Eiern.

87. 185, 3 **Gebrechlichkeit** ist Wielands Übersetzung von Shakespeares „frailty" (*Hamlet* i, 2), A. W. Schlegel übersetzte es durch „Schwachheit". 185, 29 Goethe gibt Wielands Übersetzung, Schlegel übersetzt; „Die Zeit ist aus den Fugen; Schmach und Gram, Daß ich zur Welt, sie einzurichten, kam." (*Hamlet* i, 5.)

88. 186, 26 **sich aufdringen**, bei Goethe oft anstatt „sich aufdrängen". 187, 7 **Gehalt**, Inhalt, Stoff. 187, 11 **Siebenjähriger Krieg**, 1756–63. 187, 18 **temporär**, zeitgenössisch. 187, 20 **im Gegensatze von**, jetzt üblicher: im Gegensatze zu. 187, 27 **Tauentzien** kämpfte im Siebenjährigen Kriege. Lessing trat 1760 als Sekretär in seinen Dienst.

89. Rüdesheim am Rhein, gegenüber Bingen, darüber der Rochusberg mit einer Kapelle, die 1677 zum Andenken an die Pest vom Jahre 1666 erbaut worden war. In den französischen Kriegen wurde sie zerstört aber 1814 wieder hergestellt und am 16. August neu geweiht. Nach der Legende hatte St. Rochus viele Pestkranke geheilt, wurde aber selbst von der Krankheit ergriffen. Um nicht andere anzustecken flüchtete er in einen Wald. Ein Hund brachte ihm jeden Tag ein Brot bis er durch ein Wunder wieder gesund wurde.

189, 19 **das Hochwürdigste**, das Allerheiligste, die Hostie. 189, 21 **zeitige Autoritäten**, weltliche Würden-

träger. 190, 10 **runden,** rund herum gehen, **die Runde**
machen, kreisen. 191, 4 **Tedeum,** Anfang der Hymne
„Te Deum laudamus". 191, 19 **Nothelfer,** Helfer in Not,
Heilige, zu denen man in besonderen Nöten (Trocken-
heit, Feuersbrunst, Krankheit) betete. 191, 20 **Obliegen-
heit,** Verpflichtung, Geschäft.

90. Thomas **Carlyle** (1795–1881) stand in Briefwechsel
mit Goethe 1824–31, übersetzte *Wilhelm Meister,* schrieb
eine Biographie Schillers und viele Aufsätze über deutsche
Literatur.
191, **25** Die Sendung bestand aus Carlyles *Life of
Schiller,* London 1825 und *German Romance,* 4 vols.
Edinburgh, 1827. 191, 28 Goethes Paket enthielt seine
Gedichte in 5 Bänden, ein Taschenbuch für Thomas
Carlyle und eine Halskette für Mrs. Carlyle. Bald nachher
schrieb Carlyle an seine Mutter: „A ribbon with the order
of the Garter would scarcely have flattered either of us
more." 191, 26 **mehrer,** doppelter Komparativ. 193, 8
läßlich (zulässig), milde.

91. 194, 24 **Sibyllen,** Priesterinnen im alten Rom. Sie
boten dem König Tarquinius eine Sammlung alter
Orakel in neun Büchern zum Kaufe an, aber er fand den
Preis zu hoch. Da verbrannten sie drei und verlangten
denselben Preis für die übrigen sechs. Da er sie immer
noch nicht kaufen wollte, verbrannten sie wieder drei und
forderten für die letzten drei denselben Preis, den er
schließlich bezahlte.

92. 197, **1 weitschweifend,** bald hierhin bald dorthin
strebend. 197, 9 **nun,** in Straßburg. 197, **17 Geselle,**
Kamerad, Studiengenosse.

94. 199, 10 **Körner** (1791–1813) kämpfte und fiel im
Freiheitskriege. Sieh *O.B.G.V.* Nr. 239. **kleiden** mit
Dat. oft bei Goethe.

ANMERKUNGEN

95. Schiller benutzte Müllers Werk für „Wilhelm Tell" und erwähnt ihn Akt v, 1:

> „Bei Bruck fiel König Albrecht
> Durch Mörders Hand — ein glaubenswerter Mann,
> Johannes Müller, bracht' es von Schaffhausen."

Die Sage vom Apfelschuß, schon im 10. Jahrh. weit über Europa verbreitet, wurde später mit Tell und dem Freiheitskampfe der Schweizer (1307–8) verknüpft. Die Kantone Uri, Schwyz, Unterwalden und Luzern gehörten damals zum deutschen Reiche, genossen aber weitgehende Selbständigkeit. Um diese mehr und mehr zu beschränken, ernannte der Kaiser in jedem Kantone einen Vogt.

201, 3 Waldstettensee, Vierwaldstätter See, umgeben von den vier genannten Kantonen. **201, 4 Rütli,** eine Wiese am Ufer dieses Sees. **201, 5 Föhn,** Südwind. **201, 10 billig,** berechtigt.

99. 206, 25 Shakespeares Felsen, so genannt nach *King Lear* iv, 6. **207, 25 gewässert,** geflammt, moiré.

100. 208, 6 Präsent', Geschenk. **208, 11 Stännerl,** Constanze, Mozarts Frau. **208, 14 Watsche,** Ohrfeige. **208, 20 Hofmeister,** ein damals bekannter Musikverleger. **209, 23 nach Contrapunkt,** nach den Regeln musikalischer Composition. **210, 30 auslassen,** hinauslassen; lassen Sie mich aus (österreichische Redensart), erlassen Sie mir das, verschonen Sie mich damit.

101. 211, 8 Wischi Waschi, Gewäsch, leeres Geschwätz. **211, 14 in petto,** in Bereitschaft. **211, 16 tot spielen** (durch Spielen töten), überwinden. **211, 23 J. W. Häßler** (1747–1822), damals berühmter Organist. **211, 24 Emanuel Bach,** Sohn Sebastian Bachs, wurde 1767 Organist in Hamburg. **211, 26 es ihm versetzt hatte,** ihm einen Schlag versetzt hatte. **212, 1 Anhaltungsbrief,** in dem er um die Hand der Constanze bei ihrem Vater anhielt. **212, 3 nichts für ungut,** nehmen Sie es nicht übel. **212, 9 anklingen,** (mit Weingläsern) anstoßen.

ANMERKUNGEN

102. 213, 11 **Montur'**, Uniform. 215, 12 **altfränkisch,** gotisch.

103. 219, 8 **Mr. Modd** war Chorsänger am Magdalen College und später Kaplan am Corpus Christi College.

104. 223, 16 **Hyperbel**, Übertreibung.

105. 226, 2 In der Tragödie des Euripides ist **Medea** die Tochter des Königs von Kolchis am Schwarzen Meere, der das goldene Vlies, ein Widderfell von unermeßlichem Werte, besaß. Sie hilft dem Griechen **Jason** es zu gewinnen, wird sein Weib und flieht mit ihm nach Griechenland. Als er sie nach zehnjähriger Ehe verläßt, um die Tochter des Königs von Korinth zu heiraten, steckt sie dessen Palast in Brand und tötet ihre Kinder. 226, 5 Shakespeares *Macbeth* v, 1. 226, 21 ff. *King Lear* II, 4. 227, 24 Molières *L'Avare*. 227, 25 **Karl Moor**, Hauptmann der Banditen in Schillers Schauspiel *Die Räuber*.

108. Aus Schillers Antrittsvorlesung als Professor der Geschichte an der Universität Jena am 26. Mai, 1789. 231, 5 **sie** (die Reisebeschreiber) ist Subjekt. 232, 5 Cäsars *Commentarii de bello Gallico* (um 52 v. Chr.) und die *Germania* (um 98 v. Chr.) des Tacitus enthalten Berichte über die Sitten der alten Germanen.

109. **Albrecht Wallenstein**, Fürst zu Friedland (1583–1634), wurde 1625 im Dreißigjährigen Kriege (1618–48), zum Generalissimus der kaiserlichen Armee ernannt, 1629 entlassen, aber nach der Landung des schwedischen Königs Gustav Adolf und seinem siegreichen Vordringen bis nach Süddeutschland 1630 wieder in sein Amt eingesetzt. Am 25. Feb. 1634 wurde er in Eger (Böhmen) ermordet.

110. 236, 12 **der goldene Schlüssel**, Abzeichen der Kammerherrn als Symbol ihres Amtes. 236, 23 **Liverei'** (= Livree), Tracht der Diener.

ANMERKUNGEN

112. 239, 18 **Illo,** Vertrauter Wallensteins. 239, 25 mehresten = meisten. 240, 6 **Octavio Piccolomini,** Vertrauter des Kaisers, Italiener.

240, 11 **Terzky,** Wallensteins Schwager; Tscheche.

114. Der Brief, in dem Schiller die geistige Eigenart
Goethes mit wunderbarem Scharfblick beschreibt, be-
gründete die Freundschaft der beiden Dichter.
242, 12 **vor** = für. 242, 25 Das Schicksal hatte dem
Achilles die Wahl gelassen zwischen einem langen friedlichen Leben in seiner Vaterstadt Phthia und einem
kurzen aber ruhmvollen im Kriege gegen Troja. Er
wählte das letztere. *Ilias,* ix, 410 ff. 243, 33 **Intuition',**
unmittelbare nicht durch Erfahrung oder Überlegung
(Reflexion) gewonnene Einsicht (Anschauung).

115. 244, 25 **naiv'** (lat. „nativus", angeboren), natürlich, ungekünstelt. 244, 28 **erhellt,** wird klar.

116. 245, 27 **übersieht,** unbeachtet läßt. 246, 8 **naiv,**
kindlich, einfältig. 246, 26 **naiv,** einfältig. 247, 3 **Ingenuität',** Natürlichkeit, Unbefangenheit.

117. 247, 13–22 Diese Sätze enthalten den Hauptgedanken der Abhandlung. Schiller wiederholt ihn in
kürzerer Form: „ Der Dichter i s t entweder Natur, oder
er wird sie s u c h e n. Jenes macht den naiven, dieses den
sentimentalischen Dichter". **sentimenta'lisch.** Schiller
gebraucht das Wort nicht in dem Sinne von *sentimental'*
(empfindsam), sondern mit der Bedeutung „reflektierend"
(nachdenkend). „Naiv" (naturnah) waren nach seiner
Meinung vor allem die Griechen, wogegen ihm die
meisten Schriftsteller der christlichen Jahrhunderte und
besonders seiner eigenen Zeit „sentimentalisch" (die
Natur nicht unmittelbar erlebend, sondern über sie reflektierend) schienen. Unter den Neueren galten ihm
Shakespeare und Goethe als naive Dichter; sich selbst
zählte er unter die sentimentalischen Dichter.

118. 250, 3 die **Schimäre** (Chimäre), das Hirngespinst.

119. 252, 16 **Ansicht**, das Anschauen, die Beurteilung. 252, 17 **schielend**, fehlerhaft.

120. F. Huber (1764–1804), an den der Brief gerichtet ist, war mit Schiller in Leipzig befreundet.

254, 5 **Ökonomie'**, Haushaltung. 254, 11 **ökono'misch**, den Haushalt betreffend. 255, 13 **Yorick**, der witzige Pfarrer in L. Sternes *Tristram Shandy*. Sterne entlehnte den Namen aus *Hamlet* v, 1: „Alas, poor Yorick! I knew him, a fellow of infinite jest."

121. Aus einem Briefe Schillers **an den dänischen** Dichter **Jens Baggesen**, der ihm in Dänemark eine ansehnliche Geldhilfe verschafft hatte.

256, 6 Im Januar 1782 besuchte Schiller, damals Regimentsmedicus im Dienste des Herzogs von Württemberg, ohne Urlaub Aufführungen seiner *Räuber* in Mannheim, und in der Nacht des 22. September floh er aus Stuttgart.

123. 258, 19 **Falun**, Stadt mit Kupferbergwerk, in dem man 1719 die unversehrte Leiche eines Jünglings fand, der 1670 dort verunglückt war und von einem alten Mütterchen als ihr Bräutigam erkannt wurde. 258, 21 **auf Sankt Lucia**, am Fest der heiligen Lucia: 13. Dez. 259, 20 ff. Lissaboner Erdbeben 1755. Siebenjähriger Krieg 1756–63. Teilung Polens 1772. Tod Maria Theresias 1780. Unabhängigkeit der Vereinigten Staaten 1783. Belagerung Gibraltars 1782. Französische Revolution 1789. Napoleon in Preußen 1806. Beschießung Kopenhagens 1807. 259, 31 **St. Johannistag**, 24. Juni. 260, 13 **auf die Schicht**, zur Arbeit. 260, 23–4 **auf die Grube**, zum Bergwerk.

124. Fichte hielt die *Reden an die deutsche Nation* im Winter 1807 in Berlin während der Besetzung der Stadt durch französische Truppen.

ANMERKUNGEN

261, 12 Flor (Blüte), Wohlstand. **261, 17 Klemenz',** Gnade. **261, 25 aufrücken,** vorwerfen. **262, 16 denn,** als. **263,** 5 Sieg der Germanen über die Römer im Teutoburger Wald, 9 n. Chr.

126. 266, 1 sich spitzen auf, sich freuen auf, hoffen auf. **266, 11 sich schor** = sich scherte; sich kümmerte. **266, 15 verwinden,** überwinden. **266, 23 sich zusammenkrempen** (-krämpfen), sich zusammenziehen.

128. 268, 15 die Staude, der Strauch. **268, 17 Zweifalter,** Schmetterling.

129. 270, 16 Kirchenrat, Ehrentitel höherer Pastoren. **270, 18 Hoffiskal,** Verwalter der Hoffinanzen. **270, 23 Stadtsekret,** Siegel der Stadt. **272, 8 Schusterlicht,** von Schuhmachern bei ihrer Arbeit gebraucht: brennende Kerze oder Öllampe hinter einer mit Wasser gefüllten Glaskugel. **272, 31 schlug's zu,** gelang es. **273, 7 Pumpenstiefel,** Pumpenstock. **273, 11 Vermod-,** Vermodern.

131. 275, 1 Frau **Charlotte** Diede (1769–1846). Da sie durch den Krieg völlig verarmt war, wandte sie sich um Rat an Humboldt. Er unterstützte sie großmütig und blieb bis an seinen Tod mit ihr in Briefwechsel.

132. Tegel, Dorf bei Berlin, in dem Humboldt ein Schloß besaß.

133. Sieh Anm. zu Nr. 90 in *O.B.G.V.* **277, 28 Doge** (Dialektform von „duce"), Oberhaupt der ehemaligen Republik Venedig. Bald nach seiner Wahl feierte er seine symbolische Vermählung mit dem Meer, indem er von einem Schiff einen kostbaren Ring in die Fluten warf. **278, 24 hebend,** stark.

134. 281, 4 *The Winter's Tale,* iii, 3. **281, 11** *Twelfth Night.* **281, 24** *As You Like It,* iv, 3.

136. Hölderlins Hyperion ist ein Roman in Briefen, die Hyperion an seinen Freund Bellarmin schreibt. Hyperion, in dem Hölderlin sich selbst schildert, ist ein junger

Grieche, der an dem Freiheitskampfe seines Volkes gegen die Türken im Jahre 1770 teilnimmt. Auf der Insel Kalaurea trifft er Diotima und gewinnt ihre Liebe. — Hölderlin entlehnte den Namen Hyperion aus der griech. Mythologie, wo er einen Titanen bezeichnet; den Namen Diotima fand er in Platons *Symposion*, wo er eine Priesterin bezeichnet, die den Sokrates über das Wesen der echten Liebe unterrichtet.

286, 4 **Salamis**, griech. Insel gegenüber der Küste von Attika, nach Homer die Heimat des Ajax, der sich im Trojanischen Kriege auszeichnete. 286, 5 **Mastix**, immergrüner Baum. 287, 15 **Charon**, in der griechischen Mythologie der Fährmann, der die Schatten der Toten über die Flüsse der Unterwelt setzt. 288, 29 **erhubst**= erhobst.

138. 290, 12 **Ganymed**, in der griech. Mythologie ein schöner Jüngling, den Zeus durch seinen Adler zum Olymp emportragen ließ, wo er die Götter als Mundschenk bedienen musste.

142. **Beethoven** schrieb den Brief an seine Brüder Karl und Johann während einer schweren Krankheit in Heiligenstadt bei Wien, er wird daher oft „Beethovens Heiligenstädter Testament" genannt.

295, 16 **Professor J. A. Schmidt**, Beethovens Arzt, dem er die Bearbeitung als Klaviertrio (op. 38) seines Septetts (op. 20) widmete.

143. 296, 10 Gedichte von Goethe, *O.B.G.V.* Nr. 127; Beethovens Komposition für Chor und Orchester „dem unsterblichen Goethe gewidmet". 296, 19 **veritas odium parit** (Wahrheit erzeugt Haß), Zitat aus dem Lustspiele *Andria* i, 1 des Terentius. 296, 22 **Rastlose Liebe**, *O.B.G.V.* Nr. 112. Beethovens Komposition blieb unvollendet. 297, 2 **Dukat'**, Goldmünze im Werte von etwa 10 shillings. 297, 14 **erschreiben**, durch Schreiben verdienen.

ANMERKUNGEN

Eine Antwort Goethes auf diesen Brief ist nicht bekannt.

144. Stolprian, ungeschickter Mensch, „stolpernder
Jan (Johann)", vergl. Dummrian, Grobian. 298, 24 **Base,**
Tante.

145. 301, 24 **Der Jüngling** ist der junge Heinrich von
Ofterdingen, ein Minnesänger, der nach der Sage an dem
Sängerkrieg auf der Wartburg (sieh Lesestück 149)
teilnahm. Novalis macht ihn zum Sohne eines einfachen
Handwerkers in Eisenach. 301, 25 ff. Heinrich hatte einen
Fremden getroffen, der ihm von großen Schätzen er-
zählte, und von einer blauen Blume, die in ihrer Nähe
blüht. 303, 30 ff. Auf Grund dieser Schilderung machten
die Romantiker **die blaue Blume** zum Symbol ihrer
Dichtung.

146. Vergl. Longfellow:

Quaint old town of toil and traffic, quaint old town of art
and song ...
Here Hans Sachs the cobbler-poet, laureate of the gentle craft,
Wisest of the Twelve Wise Masters, in huge folios sang and
laughed.

305, 13–15 **H. Sachs** (1494–1576), der berühmteste der
Meistersinger von Nürnberg. **A. Kraft** (um 1440–1507),
sein bekanntestes Werk ist das Sakramentshäuslein in der
St. Lorenzkirche. **W. Pirckheimer** (1470–1530), einer der
gelehrtesten Humanisten seiner Zeit. **A. Dürer** (1471–
1528), meisterhafter Maler, Zeichner und Kupferstecher.

147. 309, 11 ff. **Waldeinsamkeit,** von Tieck geprägt,
wurde ein Lieblingswort der Romantiker. A. W. Schlegel
äußerte einmal zu Tieck: „Diese Verse sind die Quintessenz deiner Dichtung."

149. R. Wagner benutzte diese Erzählung für seine
Oper *Tannhäuser.* Die Sage vom Sängerkriege auf der
Wartburg wurde zuerst von einem unbekannten Dichter

am Ende des 13. Jahrhunderts erzählt. Sieben Minnesänger, darunter Wolfram von Eschenbach, Walther von
der Vogelweide und Heinrich von Ofterdingen, sollen im
Jahre 1207 am Hofe des Landgrafen von Thüringen miteinander auf Leben und Tod um den Sieg in Dichten und
Singen gesungen haben. Heinrich von Ofterdingen soll
vorher lange Zeit bei Frau Venus im Hörselberge unweit
Eisenach gelebt haben. Vergl. Nr. 165.

150. Ritter von Gluck (1714–87), hervorragender
Opernkomponist. **J. Callot** (1592–1635), frz. Zeichner
und Radierer mit Vorliebe für das Bizarre und Gespenster-
hafte.

317. 1 **Friedrichstraße** in Berlin. 317, 11 **ausstaf-
fieren**, einrichten. 317, 19 **rastriert**, mit Linien für
Musiknoten. 318, 20 **Melismen**, Verzierungen. 319,
15 **Potenz′**, Stärke; hier im mathematischen Sinne:
quadriert, cubiert u. s. w.; wie z. B. $3^2 = 3 \times 3 = 9$.

152. Undine (lat. „unda", Welle), Wellenfee, Meernixe.

153. Da der Ritter sie lieblos behandelt, wird Undine
von ihren Verwandten gezwungen ihn zu verlassen.
Er tröstet sich bald und wünscht die Herzogstochter
Bertalda zu heiraten.

155. Michael Kohlhaas (eigentlich Hans Kohlhase),
Berliner Pferdehändler, „einer der rechtschaffensten
zugleich und entsetzlichsten Menschen seiner Zeit"
wurde auf dem Wege zur Leipziger Messe im Oktober
1532 bei der Tronkenburg an der Elbe auf Befehl des
Junkers Tronka angehalten und gezwungen seine besten
Pferde zurückzulassen. Da die Gerichte seine Klage
abwiesen, griff er zur Selbsthilfe, sammelte eine Bande
um sich, brannte das Schloß des Junkers nieder und
durchzog raubend und mordend das Land, bis er endlich
gefangen und enthauptet wurde.

327, 26 **Plakat′**, Anschlag, Anschlagzettel. 328, 6
Gemeinschaft, Gemeinde. 328, 9 **Gemeinheit**, Gesell-

schaft. 328, 32 **Lützen**, Stadt nicht weit von Leipzig.
329, 22 Kohlhaases Frau war infolge von Mißhandlungen
durch Soldaten gestorben. 330, 20 **Anplackung**, Be-
kanntmachung durch Plakat. 330, 26 **aufheben**, gefangen
nehmen. 331, 14 **die Kurfürsten** von Brandenburg und
Sachsen. 331, 20 **Famulus**, Gehilfe oder Diener eines
Gelehrten. 331, 24 **wirkte**, arbeitete, zu öffnen suchte.

156. **Lureley**, der Name eines hohen Felsens am Rhein
bei St. Goarshausen. In der älteren Sprache und noch
jetzt in der Rheingegend heißt *Lei* so viel wie Fels, *Lurlei*
bedeutet Fels der Luren oder lauernden Berggeister,
denen man das vielfache Echo des Felsens zuschrieb.
Brentano in seinem Gedicht *Die Lore Lay* (*O.B.G.V.*
Nr. 176) übertrug den Namen auf eine Zauberin oder
Nixe und erfand die Sage, die später durch Heines
Gedicht *Lorelei* (*O.B.G.V.* Nr. 278) allgemein bekannt
wurde.

334, **25 kein Sterbenswörtchen**, nicht das leiseste
Wort.

157. 336, 4 **Kunststraße**, makadamisierte oder mit
Steinen gepflasterte Straße. 336, 7 **Karlsbad**, berühmter
Badeort in Böhmen. 336, 15 **Läufe**, rasche Folge von
Tönen. 338, 1 Zitat aus Schillers Gedicht *An die Freude*
(*O.B.G.V.* Nr. 139, 9).

158–160. Chamisso schrieb über die Entstehung seiner
Erzählung an einen Freund: „Ich hatte auf einer Reise
Hut, Handschuhe, Schnupftuch und mein ganzes be-
wegliches Gut verloren. Fouqué frug, ob ich nicht auch
meinen Schatten verloren hätte, und ich malte mir die
Folgen eines solchen Verlustes aus." Er hat manches aus
seinem eigenen Schicksal in Schlemihls Geschichte hin-
eingedichtet. Er war als neunjähriger Knabe bei Ausbruch
der Revolution mit seinen Eltern aus seiner französischen
Heimat geflohen, wurde Offizier in der preußischen
Armee, nahm aber 1808 seinen Abschied, um nicht gegen

sein Vaterland kämpfen zu müssen. Er hatte früher seiner Geburt als Ausländer keinerlei Bedeutung beigelegt, empfand aber nun schmerzlich, daß sie ihn von einer vollen Beteiligung an den großen Zeitereignissen ausschloß. Er suchte Trost in naturwissenschaftlichen Studien und machte 1815–18 eine Reise um die Welt. — In einem Briefe an seinen Bruder Hippolyt erklärte er den Namen Schlemihl: „Er ist hebräisch, bedeutet Gottlieb und ist in der gewöhnlichen Sprache der Juden die Benennung von ungeschickten oder unglücklichen Leuten."

342, 32 ff. Die Springwurzel sprengt jedes Türschloß. **Wechselpfennige** bringen bei jedem Umdrehen ein Goldstück hervor. **Raubtaler** kehren stets zu ihrem Besitzer zurück und bringen ihm alle Geldstücke, die sie berührt haben, mit. Das Tischtuch, das **Rolands Knappe** von einer Hexe erhielt, bedeckt sich auf Wunsch mit den köstlichsten Speisen. **Galgenmännlein** werden in der Erde unter Galgen gefunden und können ihren Besitzern vergrabene Schätze verschaffen. **Fortunatus** ist der Held eines deutschen Volksbuches. Er erzählt, daß er einen Hut besaß, mit dessen Hilfe er sich an jeden beliebigen Ort versetzen konnte, und einen Geldbeutel, der niemals leer wurde. **343, 10 Belieben der Herr,** „will der Herr so freundlich sein". **343, 18 Topp!** (Ausruf, gewöhnlich mit Handschlag verbunden), angenommen!, einverstanden!

159. 344, 4 Schildwacht = Schildwache. **344, 11–12 hatte es gleich weg,** bemerkte es sogleich.

160. 346, 5 Flecken, Dorf. **Kirmes** (verkürzt aus „Kirchmesse"), Fest zur Erinnerung an die Einweihung einer Kirche, verbunden mit weltlichen Vergnügungen und Jahrmarkt.

161. 348, 8 Trift, Feld, Wiese. **350, 4 Dümmling,** dummer, einfältiger Mensch. Vergl. Nr. 162, 9.

164. 354, 19 Roßtäuscher, Pferdehändler; einer, der

ANMERKUNGEN

Pferde tauscht (verkauft), aber mit der üblen Neben-
bedeutung: beim Tausche betrügt: täuscht.

165. Tannhäuser, Minnesänger des dreizehnten Jahr-
hunderts. 357, 3 **Holle** (= Holde), in der altdeutschen
Mythologie eine freundliche Göttin, später als Liebes-
göttin der römischen **Venus** gleichgestellt. Nach dem
Volksglauben lebt sie im Hörselberg bei Eisenach in
Thüringen. In seiner Oper *Tannhäuser* hat R. Wagner
die Sage vom Sängerkrieg auf der Wartburg mit der
Tannhäusersage verbunden.

358, 3 **hub** = hob. 358,11 **Mißtrost,** schlechter
Trost.

166. 359, 26 Grimm entlehnt die Worte einem Volks-
liede in der um 1402 verfaßten *Limburger Chronik*:
„in ruh ergrünet mir das herze mein| als auf einer aue."
360, 9 ff. *Atldänische Heldenlieder,* 1811. *Altdeutsche
Wälder,* 1813–16. *Die deutsche Heldensage,* 1829. *Deutsche
Grammatik,* 1819–37. *Deutsches Wörterbuch,* 1854 (unvollendet).

167. Bettina (Elisabeth), Schwester Clemens Brentanos,
heiratete 1811 Achim von Arnim. Sie verlebte ihre
Kindheit in Frankfurt und war befreundet mit Goethes
Mutter, die ihr viel von ihrem Sohne erzählte. Im
Frühling 1807 begleitete sie ihre Schwester Lulu und
deren Gatten, K. von Savigny, auf einer Reise von
Berlin nach Süd-Deutschland und bewog, sie den Umweg
über Weimar zu machen um Goethe kennen zu lernen.
Sie war damals zweiundzwanzig, Goethe achtundfünfzig
Jahre alt.

362, 25 Der größte Teil Deutschlands war damals von
den Franzosen besetzt. 363, 5 **Grempelmarkt** = Krämp-
pelmarkt, Trödelmarkt, wo man alte Kleider verkauft.
363, 7 **Savoyardenbube,** junger Mann aus Savoyen,
wandernder Bettelmusikant. 363, 27–8 **hatte nicht kalt**

(n'avait pas froid), westdeutscher Gallizismus für „mich fror nicht". 365, 23 **Portechaise,** Tragstuhl, Sänfte.

168. J. Kerner studierte Medizin in Tübingen und wurde Arzt, beschäftigte sich mit Spiritismus und glaubte an den Verkehr der Geister mit den Lebenden.

367, 22 **K. Linné** (1707–78), schwedischer Botaniker, bekannt durch seine Versuche, Pflanzen und Tiere in Klassen einzuteilen.

169. 369, 25 Horaz, Oden II, vi, 13. („O, wie mich vor allem Bezirk des Erdreichs | Jener Ort anlacht.")

170. Walther von der Vogelweide (nach 1160–um 1230), der größte deutsche Lyriker des Mittelalters.

370, 11 **Kaiser Heinrich** starb 1197. 370, 19 **erheben,** erforschen, feststellen. 373, 6 **daß nicht die Leute sein verdrieße** = daß es nicht die Leute (Acc.) sein (Gen.) verdrieße; daß die Leute ihm nicht zürnen. Früher, noch von Goethe, wurde „verdrießen" unpersönlich gebraucht: „es verdrießt mich eines Dinges". 374, 14 ff. **Würzburg,** Stadt in Bayern. Vergl. Longfellows Gedicht:

> Vogelweid the Minnesinger,
> When he left this world of ours,
> Laid his body in the cloister,
> Under Würzburg's minster towers.
>
> And he gave the monks his treasures,
> Gave them all with this behest:
> They should feed the birds at noontide
> Daily on his place of rest.

172. 378, 26 Vergl. Goethes *Generalbeichte:*
Lasset heut' im edlen Kreis| Meine Warnung gelten: Nehmt die ernste Stimmung wahr,| Denn sie kommt so selten!

174. 382, 26 **Antinous,** römischer Jüngling, oft als Idealbild jugendlicher Schönheit in antiken Skulpturen dargestellt; viele davon sind erhalten und gehören zu den schönsten Werken antiker Kunst.

176. 385, **3 er,** ein junger Edelmann namens **Florio,** der Held der Erzählung. Sieh Zeile 15.

177. 388, 9 **rumo'ren,** lärmen, lärmend arbeiten. 389, 5 **Adjes** = Adieu. 389, 10 Sieh *O.B.G.V.* Nr. 219. 390, 4 **Reverenz',** Verbeugung.

178. 390, 13 **Philis'ter,** in der Studentensprache Spottname für alle Nichtstudenten, wahrscheinlich um 1690 in Jena entstanden. Bei einer Schlägerei zwischen Studenten und jungen Bürgersleuten wurde ein Student getötet, und bei seinem Begräbnis sprach der Geistliche über den Bibeltext *Richter* xvi, 9–21: „Philister über dir." 390, 25 **sich betreten ließen',** sich (beim Betreten) sehen ließen. 391, 4 **Sukkurs,** Beistand, Verstärkung. 391, 25 **Mummenschanz,** Maskerade. 392, 5 **Kommers',** (lat. „commercium"), studentisches Trinkgelage. 392, 11 **Burschenlieder,** Studentenlieder. 392, 17 **Sancho Pansa,** der prosaische Knappe des sinnreichen Ritters (ingenioso hidalgo) Don Quixote in dem berühmten Roman von Miguel de Cervantes Saavedra.

179. 393, 6 **indes,** während. 393, 23 Horaz, *Satiren* I, i, 106. „Est modus in rebus, sunt certi denique fines". (Alle Dinge haben ein Maß und am Ende scharfe Begrenzung.) 395, 8 **Gassenhauer,** auf den Gassen (Straßen) gesungene, abgedroschene Melodie. 395, 27 **lebe der Hoffnung** (Gen.) = lebe in der Hoffnung.

180. Grillparzer besuchte London im Frühjahre 1836. 396, 18 **irische Zehntbill,** Irish Tithe Bill. 397, 4 ff. **R. L. Sheil** (1791–1851), irischer Dramatiker und Politiker. **Sir Robert Peel** (1788–1850), Prime Minister 1834–35 und 1841–46. **Daniel O'Connell** (1775–1847), irischer Staatsmann. 397, 23 **Edward Lytton Bulwer** (1803–73), Schriftsteller und Parlamentsmitglied 1831–41.

181. Eckermann war Sekretär Goethes während dessen letzten Lebensjahren.

ANMERKUNGEN

399, 33 Ökonomie', Farm, Meierei. 400, 12 **Cirrus** (lat. „cirrus", Haarlocke), Federwolke. 400, 27 Aquarellgemälde von J. H. Meyer (1759–1832). 401, 26 Zuerst gedruckt 1787 mit der Überschrift *Erwählter Fels*.

182. Vergl. Anm. zu Nr. 70. Immermann geißelt in humoristisch-satirischer Weise die innere Verlogenheit vieler Kreise seiner Zeit.

406, 17 J. Görres, *Die christliche Mystik* (1836). D. F. Strauß, *Das Leben Jesu* (1835). 406, 30 H. E. G. Paulus (1761–1851), J. C. F. Steudel (1779–1835), P. K. Marheineke (1780–1846), Professoren der Theologie, Gegner von Strauß. 407, 20 Voltaire hat in seinem Gedicht die Jungfrau von Orleans verspottet und, wie Schiller sagt, „in den Staub gezogen". 407, 27 **in sich schlagen,** in sich gehen, bereuen. 407, 33 **litterae non erubescunt** (Buchstaben erröten nicht), nach Ciceros Briefen *ad familiares* v, 12, 1 „epistola non erubescit".

185. 413, 4 Mit Bezug auf die Bezwingung der Brunhilde durch Siegfried im *Nibelungenliede*.

186. **Die Meistersinger** waren Handwerker (Bäcker, Weber, Schlosser, Schneider, Schuster und dergleichen), die ihre freie Zeit der Pflege der Dichtkunst widmeten. Sie hielten ihre Übungen, die sie **Singschulen** nannten, an Sonntagen nach dem Gottesdienst in der Kirche. Zu Ostern, Pfingsten und Weihnachten wurden **Festschulen** gehalten, bei denen zwei Preise verliehen wurden. Der erste Preis, der **Davidsgewinner,** war eine goldene oder silberne Kette mit einer Denkmünze, auf der König David, die Harfe spielend, abgebildet war; der zweite Preis war ein Kranz von seidenen Blumen. Vom vierzehnten bis sechzehnten Jahrhundert bestanden Singschulen in den meisten größeren deutschen Städten, die Nürnberger war die berühmteste im sechzehnten Jahrhundert. R. Wagner hat Hagens Novelle für seine Oper *Die Meistersinger von Nürnberg* benützt.

414, 5 **Peter Vischer,** der Jüngere (um 1490–1528), Bildhauer. 414, 28 **Hans Sachs** (1494–1576), sieh Anm. zu Nr. 146. **Lienhart Nunnenbeck,** Weber, unterrichtete H. Sachs im Meistergesang. 415, 3 **Tabulatur** (von lat. „tabula"), Regelbuch, Sammlung der ursprünglich auf Tafeln geschriebenen Regeln. Vergl. Engl. „to tabulate". 415, 16 **Konrad Nachtigall,** Bäcker. 416, 2 **versingen,** falsch singen. 416, 28 **M. Behaim,** Weber. 416, 31 **sonder,** ohne.

187. J. Gotthelf, eigentlich Albert Bitzius. *Uli, der Pächter* ist die Fortsetzung der Erzählung *Uli, der Knecht,* in der erzählt wird, wie Uli (Ulrich) sich mit dem Vreneli (Vrenchen, Veronica) verheiratet und Pächter eines Bauerngutes wird.

417, 9 **Wetter,** Gewitter. 418, 26 **Hof,** Bauernhof, Bauerngut. 420, 7 **nit** (Dialektform) = nicht.

189. Heine machte im September 1824 eine Fußwanderung durch das Harzgebirge.

423, 2 **Brocken,** höchster Berg (3750 ft.) des Harzgebirges. 423, 17 **es sich sauer werden lassen,** schwere Arbeit tun. 424, 12 **Walpurgisnacht,** die Nacht vom 30. April zum 1. Mai, in der nach dem Volksglauben Hexen und böse Geister auf dem Brocken zusammenkommen und ein wildes Fest feiern. 424, 17 **Moritz Retzsch** (1779–1857), bekannt durch seine Umriß-Zeichnungen zu Goethes *Faust.* 424, 22 ff. **Pferdefuß,** nach der Sage hat Mephisto einen Klumpfuß. Heine denkt an die Walpurgisnacht-Szene in Goethes *Faust I.*

190. Die Sage vom **Fliegenden Holländer** wurde in England zuerst durch F. Marryats Novelle *The Phantom Ship* (1839) bekannt.

425, 9 **Fockmast,** Vormast. 425, 29 Ein solches Stück ist nicht nachweisbar. Die Erlösung des Holländers durch die Treue eines Weibes, die R. Wagner in seine Operndichtung übernahm, wurde vermutlich von Heine erfunden.

191–3. Heines Werk über die *Romantische Schule* ist aus Aufsätzen entstanden, die zuerst in französischer Sprache erschienen und die Franzosen mit der neueren deutschen Literatur bekannt machen sollten.

191. Das Nibelungenlied, deutsches Volksepos des dreizehnten Jahrhunderts. Über seine Entstehung und seinen künstlerischen Wert wurde damals viel gestritten. Der erste Teil des Epos handelt von Kriemhilds Liebe zu Siegfried und seiner Ermordung durch Hagen, der zweite von Kriemhilds Rache an dem Mörder: sie schlägt ihm mit Siegfrieds Schwerte das Haupt ab.

428, 19 die Kour (Cour) **machen,** den Hof machen.

192. 430, 21 **Kuhreigen,** Melodie, welche Schweizer Hirten beim Aus- und Eintreiben des Viehs singen oder auf dem Alphorn blasen. 430, 25 Das Lied, mit der Überschrift *Der Schweizer,* beginnt:

> Zu Straßburg auf der Schanz'
> Da ging mein Trauren an;
> Das Alphorn hört' ich drüben wohl anstimmen,
> Ins Vaterland mußt' ich hinüber schwimmen,
> Das ging nicht an.

Vergl. die ältere Fassung: *O.B.G.V.* Nr. 59.

193. Heine besuchte Goethe auf dem Rückwege von seiner Harzreise. In Goethes Tagebuch die kurze Notiz: „Okt. 2, 1824. Heine aus Göttingen."

196. Fechner, Begründer der Psychophysik; ein wichtiges Gesetz der Psychologie heißt nach ihm und dem Physiologen E. H. Weber (1795–1878) das Fechner–Webersche Gesetz.

197. 439, 32 **Nanna,** in der nordischen Mythologie eine Göttin, die das Leben der Pflanzen beschützt und erhält.

198. 441, 7 **Franz I.,** Kaiser von Österreich 1804–35;

ANMERKUNGEN

Friedrich Wilhelm III., König von Preußen 1797–1840.
442, 5 Kügelgens Mutter war in Rußland geboren.
443, 1 **nischt** (Dialektform) = nichts. 443, 12 **aus den Federn,** aus dem Federbett.

199. 446, 18 **Rolandssäulen,** steinerne Ritterfiguren auf den Marktplätzen vieler alter deutscher Städte. Sie stammen aus dem Mittelalter und wurden erst später als Standbilder von Roland, dem sagenhaften Paladin Karls des Großen, gedeutet. Am berühmtesten ist die Bremer Rolandssäule, die Friedrich Rückert zu einem Gedicht anregte: „Roland der Ries', am Rathaus zu Bremen | Steht er ein Standbild standhaft und wacht...."

200. Vox populi, vox Dei, Volksstimme, Gottesstimme. 450, 7 Hauff schrieb 1827 den historischen Roman *Lichtenstein,* in dem er Walter Scott nachahmte.

201. 450, 21 **Alb** (die schwäbische Alb), Gebirge in Süd-Deutschland.

203. Im Herbst 1787 reiste Mozart von Wien nach Prag zu der ersten Aufführung seiner Oper *Don Juan* (*Don Giovanni*). Während eines Aufenthaltes in einem Dorfe machte er einen Spaziergang zu dem nahe gelegenen Schloßgarten. Der Zutritt, hörte er, sei gestattet und die Familie überdies heute ausgefahren.

Pomeranze, Orange, Apfelsine. 454, 23 **Orangerie',** Gruppe von Orangenbäumen.

204. 458, 19 **Karwoche** (vom altdeutschen Wort „kara", Trauer, verwandt mit engl. „care"), die Woche vor Ostern.

205. Der St. Stephansdom in Wien mit einem 139 m. (450 ft.) hohen Turme.

207. 466, 18 **Johann Fischart** (um 1545–91), äußerst fruchtbarer Dichter, Erzähler, Humorist und Satiriker, lebte in Straßburg, stammte aber aus Mainz, weshalb er sich auch **Menzer** (Mainzer) nannte. Er liebte, wie Jean

Paul, seltsame Wortbildungen und Wortspiele, besonders in seiner **Geschichtklitterung**, einer freien Bearbeitung des ersten Buches von Rabelais, *Gargantua et Pantagruel*. **Klitterung** (von „klittern", schlecht schreiben, klecksen, schmieren), Schmiererei. **affentheurlich**, abenteuerlich (mit Anlehnung an „Affe"). **naupengeheurlich**, ungeheuerlich (mit Anlehnung an „naupe"), Schrulle, närrischer Einfall.

208. Der Roman erzählt von zwei feindlichen Brüdern, Apollonius und Fritz. Beide sind Dachdecker („steeplejacks") und beide lieben Christiane. Sie heiratet Fritz, und Apollonius geht in die Fremde. Erst nach mehreren Jahren kommt er zurück, aber die alte Eifersucht besteht weiter. Eines Tages, als Apollonius auf dem Dache des Kirchturmes, „zwischen Himmel und Erde", arbeitet, steigt Fritz hinauf, entschlossen, den Bruder hinabzuwerfen.

467, 22 **Rüststange**, Balken. 467, 23 **gemahnt**, dünkt. 468, 4 **Dachstuhl**, Balken, die das Dach tragen. 468, 17 **Rüstung**, Gerüst. 468, 25 **Helmstange**, Balken am Helme (Dache) des Turmes.

209. 470, 2 **Blech**, Metallplatte. **Zier**, Verzierung. 470, 3 **Flaschenzug**, Seil auf Rollen zum Hinauf- und Hinabziehen des Fahrzeugs oder fliegenden Gerüstes. 471, 1 **die Uhr hob** (zum Schlagen) **aus**; „heben" hier nur scheinbar intransitiv, das Objekt, „den Hammer des Schlagwerks", ist ausgelassen. **auf zwei**, beinahe zwei. 471, 2 **Mittag machen**, eine Ruhepause für das Mittagessen machen. 472, 11 **sie**, Christiane. 472, 12 **das Wort**, das Versprechen für sie zu sorgen.

211. 475, 14 **Nexus**, Verbindung, Zusammenhang.

212. 478, 21 **Helgoland** gehörte 1807–90 zu England. 478, 25 **Hebbel** wurde in Wesselburen, einem Dorfe in Dithmarschen an der Nordsee geboren.

213. 479, 23 „Üb' immer Treu und Redlichkeit",
Anfang eines Gedichtes von Hölty (*O.B.G.V.* Nr. 97),
das nach der Melodie des Liedes „Ein Mädchen oder
Weibchen" in Mozarts *Zauberflöte* gesungen wird.
479, 24 „Wir winden dir den Jungfernkranz", Chor
in der Oper *Der Freischütz* (1821) von Karl Maria von
Weber (1786–1826). Weber war damals Kapellmeister der
Hofoper in Dresden. 480, 15 Cornelius Nepos (um 95–24
v. Chr.), römischer Geschichtsschreiber; seine Biographien
berühmter Männer, *De viris illustribus*, wurden beim
Latein-Unterricht viel gebraucht. 481, 10 In deutschen
Schulen heißt die unterste Klasse „Sexta", die oberste
„Prima". 481, 32 Die berühmten Gewandhauskonzerte
fanden ursprünglich in dem Verkaufshause der Tuch- und
Kleiderhändler in Leipzig statt; daher der Name.
482, 10 Generalbass, Theorie musikalischer Komposition.
482, 11 J. B. Logier, deutscher Musiker, kam 1790 nach
Irland, wo er 1846 starb. Logiers *Practical Thorough-
Bass* erschien 1819 in deutscher Übersetzung.

214. 483, 7 Hoffmanns *Fantasiestücke in Callots
Manier.* Sieh Nr. 150. 483, 30 Ignaz Pleyel (1757–1831),
ungeheuer fruchtbarer Komponist, Schüler und später
Rivale Haydns. Seine Sonaten wurden beim Klavierunterricht viel benützt.

215. Die Novelle ist ein Fantasiestück: Beethoven starb
1827, als Wagner 14 Jahre alt war.

217. 490, 21 Märmel, Kügelchen aus Stein (Marmor)
oder Glas zum Spielen.

218. Rector Magnificus, das Oberhaupt einer deutschen Universität. Er wird von den Professoren aus ihrer
Mitte für ein Jahr gewählt.
492, 27 Privatdozent (lat. „privatim docens"), Universitätslehrer ohne feste Anstellung. 493, 7 ergeben,
resigniert, geduldig. 493, 9 Aula, Festsaal der Universität.

ANMERKUNGEN

219. 494, 16 **Siebenjähriger Krieg** 1756–63, Friedrich II. im Kampfe gegen Frankreich, Österreich, Rußland, Sachsen, Schweden. 494, 26 **die Netze,** Fluß in West-Preußen. 495, 18 **Sanssouci** („Ohnesorge"), Schloß in Potsdam.

222. Jahre sind vergangen. Elisabeth, die auf Drängen ihrer Mutter einen andern Bewerber geheiratet hat, lebt mit ihrem Gatten und ihrer Mutter auf einem Landgute am Immensee. Dort besucht sie Reinhard.

501, 11 **Schnaderhüpferl,** lustige Verse, die in Bayern und **Tirol** bei ländlichen Tänzen gesungen werden. „Schnader", vermutlich = Schnitter; -„hüpferl" (von „hüpfen", springen), Tanz; -l verkürzt aus -lein. 501, 18 **Mariengarn,** in der Luft fliegende Fäden kleiner Spinnen, vom Volksglauben für Gespinste der Frau Holle (sieh Anm. zu Nr. 165) oder der Jungfrau Maria gehalten. In Frankreich heißen sie „fils de la Vierge", „cheveux de Notre Dame", in England „gossamer".

223. Königin Luise (1776–1810), geb. Prinzessin von Mecklenburg-Strelitz, Gemahlin König Friedrich Wilhelms III. von Preußen, Mutter Kaiser Wilhelms I.

502, 9 **Maria Theresia,** Erzherzogin von Österreich und Königin von Ungarn und Böhmen 1740–80, verheiratet mit Franz I., deutscher Kaiser 1745–65. 503, 19 **Schlacht bei Jena,** 14. Okt. 1806, Sieg Napoleons über die Preußen. 503, 8 **verwelschen,** französisch werden. 504, 10 **Blücher,** preußischer Feldmarschall, Anführer der Preußen in der Schlacht bei Waterloo (Belle Alliance) 18. Juni 1815. **Art,** Charakter. **Freiherr vom Stein** (1757–1831), preußischer Staatsmann. 504, 30 Schlußworte von Goethes *Faust*:

> Das Unbeschreibliche,| Hier ist's getan;
> Das Ewig-Weibliche | Zieht uns hinan.

224. 505, 10 **bleuen,** (verwandt mit engl. „blow", Schlag) prügeln, schlagen; auch „bläuen" geschrieben in falscher Anlehnung an „blau". 506, **1 Theatermehl,** Blitzpulver, Kolophonium (line 22). 506, 30 **hatte kein Arges,** erwartete nichts Übles.

225. 508, 15 **Meerkatze** (aus Afrika über das Meer gebrachtes **Tier** mit langem Schwanze wie die Katze), Affe. 508, 18 **Garderobe,** Ankleideraum. 509, 22 **Hexenküche,** Szene in *Faust,* in der mehrere Meerkatzen auftreten.

227. 513, 28 **Fastnacht,** die Woche, ursprünglich nur die Nacht, vor den Fasten, in der allerlei Feste, Maskeraden, Umzüge und dramatische Aufführungen stattfanden. 514, 4 Sieh Anm. zu Nr. 95. 515, 3 Schiller verlegt die Handlung auf eine Wiese bei Altdorf im Kanton Uri. 516, 32 **der Wirt** (Hausherr, Hausbesitzer), der den Tell spielte: „ein fester Wirt und Schütze, ein angesehener Mann im Dorfe von etwa vierzig Jahren, auf welchen die Wahl zum Tell einstimmig gefallen war."

228. Während des Krieges von 1870–1 reiste Fontane in Frankreich, um Studien für ein Geschichtswerk zu machen. 517, 6 **Domremy-la-Pucelle,** Dorf nördlich von Neufchâteau in Ostfrankreich. 517, 12 **Sommerfäden.** Sieh Anm. zu Nr. 222. 518, 3 **Religieuse,** Nonne. 519, 14 **perorieren,** lebhaft reden. 519, 17 **poignard,** Dolch. 519, 23 **Präfektur'** = frz. préfecture. 519, 27 **Franktireur** (frz. „franc-tireur"), Freischärler. 519, 29 **Blusenmann,** französischer Arbeiter, so genannt, weil er bei der Arbeit eine Bluse trägt. 520, 26 **greffier** (lat. „graphiarius"), Gerichtsschreiber. 522, 8 Wallenstein in Schillers Drama v, 5 kurz vor seiner Ermordung: „Ich denke einen langen Schlaf zu tun, | Denn dieser letzten Tage Qual war groß." 523, 3 **gappsen** (jappsen), jappen, schnappen.

229. 523, 13 **Biebrich,** Stadt am Rhein, Riehls Geburtsort. 524, 4 Die **Lateinische Grammatik** von K. Zumpt (1792–1849) wurde damals im Schulunterricht viel gebraucht. 524, 12 *Rinaldo Rinaldini,* Räuberroman (1798) von C. A. Vulpius. 526, 29 **Eppelein**, Raubritter des 14. Jahrhunderts auf Schloß Gailingen bei Rothenburg ob der Tauber. Seine kühnen Streiche wurden in Volksliedern besungen. Um seinen Verfolgern zu entgehen, sprengte er einst in Nürnberg über acht Wagen hinweg. 526, 32 **Haimonskinder**, vier Söhne des Grafen Haimon, von deren Taten ein Volksbuch des 16. Jahrhunderts erzählt. Der jüngste besaß das schwarze Roß **Bayard**, das ihn mit Leichtigkeit über breite Gräben trug und so schnell lief wie ein Pfeil von einem Bogen geschossen. 527, 22 **Denkzettel**, ursprünglich ein Zettel, auf den man schreibt woran man denken will; dann eine Strafe, die an ein begangenes Vergehen erinnern soll. 528, 5 Bei dem festlichen Einzug eines siegreichen Feldherrn in die Stadt Rom erschien dieser (der **Triumpha'tor**) auf einem von vier weißen Rossen gezogenen Wagen.

230. 528, 15 **Vakanz'**, Ferienzeit. 531, 18 **Jacob van Ruysdael** (1628–82), holländischer Maler. 532, 4 **Rapport'**, Einfluß.

231. Jürg (Georg) Jenatsch (1596–1639) kämpfte für die Freiheit der Schweiz im Dreißigjährigen Kriege, zuerst auf Seite der Protestanten, später auf Seite der Katholiken. Er tötete Pompejus Planta, das Haupt der katholischen Partei und wurde von dessen Sohn Rudolf ermordet. In Meyers Roman hat Pompejus eine Tochter Lukretia und Rudolf ist sein Neffe.

533, 2 ff. Hier irrt Meyer oder erlaubt sich eine poetische Licenz. Weder, „magadis" noch „magas" kommt in der *Ilias* vor, und, „magadis" war der Name eines Saiteninstrumentes, von dessen Form freilich nichts Genaues bekannt ist; „magas" bezeichnete wahrscheinlich den Steg des Instrumentes. Anakreon (sieh Anm. zu Nr. 68) sagt, er habe auf einer „magadis" mit 20 Saiten gespielt. 534, 20 **göttlich**, ergötzlich. 534, 20 ff. Odysseus kam nach langen Irrfahrten wieder in seine

Heimat und wurde von seinem alten Diener, einem trefflichen Sauhirten, freudig begrüßt. *Odyssee* xiv. 534, 21 **Nausikaa,** Tochter des Königs der Insel Scheria. Odysseus, von einem Sturme auf die Insel verschlagen, fand sie beim Trocknen der Wäsche am Strande. *Odyssee* vi. 536, 2 ff. Die Episode zeigt nicht nur die Verschiedenheit im Charakter der beiden Knaben, sondern deutet auch auf ihre künftige Eifersucht und Feindschaft. Beide lieben Lukretia und werden erbitterte politische Feinde. 536, 11 **Filz,** Mütze aus Filztuch.

232. Das **Benediktiner Kloster St. Gallen** südlich vom Bodensee (lac de Constance) in der Schweiz, gegründet 720 von St. Othmar an Stelle einer Zelle, in der St. Gallus, ein irischer Mönch, 614–30 gelebt hatte. Unter den Mönchen des Klosters im 10. Jahrh. sind zwei namens Ekkehard besonders berühmt. Ekkehard I. († 973), der Verfasser des lat. Epos *Waltharius manu fortis,* und Ekkehard II. († 990), dessen Schönheit, Klugheit und Beredsamkeit in der Kloster-Chronik gerühmt werden. Hadwig, Nichte Kaisers Otto I., war nach dem Tode ihres Gatten, des Herzogs von Schwaben († 973), Regentin des Landes und Schirmvogt (Patronin) von St. Gallen. Die Kloster-Chronik berichtet, daß sie um 974 das Kloster besuchte und Ekkehard II. bat, sie Latein zu lehren. Scheffel hat den Helden seines Romans aus den beiden Ekkeharden gebildet.

Scheffel gebraucht ältere Wörter und Wortformen und gibt seinem Stil auch durch die Wortstellung und veraltete Konstruktionen einen altertümlichen Charakter, z. B. 538, 11 **stund** = stand, 538, 23 **Klostersigill** = Klostersiegel. 538, 32 **entbeut** = entbietet. 539, 14 **hub** = hob. 540, 21 **jetzo** = jetzt, 541, 29 **Glimpf,** Heiterkeit, 542, 14 **kein Leides** = kein Leid. 537, 8 **gliederlösend,** erschlaffend. 542, 19 **Griechin,** die junge Kammerfrau und Begleiterin (542, 29) der Herzogin.

234. Volkmann-Leander, berühmter Chirurg, machte

den Feldzug von 1870–1 mit und schrieb die *Träumereien* während der Belagerung von Paris.

236. Raabe erzählt hier, wie er zu dem Plane kam, die *Chronik der Sperlingsgasse* zu schreiben.

551, 24 Chodowiecki (1726–1801), Zeichner und Kupferstecher. **351, 25 Asmus omnia sua secum portans,** Titel der Gesamtausgabe der Werke von M. Claudius, der den Namen „Asmus" als Pseudonym gebrauchte. Claudius was Herausgeber der Zeitschrift *Der Wandsbecker Bote*, weshalb er oft selbst so genannt wird. Sieh Anm. zu Nr. 55.

237. M. Eyth, Maschinentechniker, kam 1877 nach England, um beim Bau der Tay Bridge zu arbeiten.

556, 14 Orbis pictus (Gemalte Welt), Titel eines geographischen Schulbuches von J. A. Comenius (1592–1670).

238. 560, 16 **dreißig Pfennige,** etwa 4 pence. 560, 33 fidel', vergnügt. 563, 14 **schlampam'pen,** schlemmen. 563, 29 **lukull'isch,** schwelgerisch, üppig (wie der reiche Römer Lucullus († 57)).

239. Oberammergau, Dorf in Bayern, bekannt durch seine Passionsspiele, die zur Erinnerung an die Pest von 1634 jedes zehnte Jahr an allen Sonntagen im Sommer aufgeführt werden.

240. Zarathustra (Zoroaster), der sagenhafte Stifter der Glaubenslehre der alten Iraner, soll ungefähr 600 Jahre v. Chr. gelebt haben. Nietzsche macht ihn zum Vertreter seiner eigenen Gedanken. Nietzsche strebte seinen Stil der Sprache von Luthers Bibelübersetzung anzugleichen, z. B. 567, 3 „genoß seines Geistes", 567, 13 „warteten deiner", 567, 17 „bedarf der Hände".

242. 572, 25 **Karambola'ge** (5 Silben, aber mit frz. g), Anstoßen zweier Bälle durch den Spielball.

243. 573, 18 **Sälaken,** Sätuch. 574, 31 **gebangt,** gesehnt. 576, 21 **Ganges** ... **Lotosblumen,** sieh Heines *Auf Flügeln des Gesanges, O.B.G.V.* Nr. 273.

ANMERKUNGEN

244. Emanuel Quint glaubt der wiedergekehrte Heiland zu sein. 577, 26 **Reichenbach**, Stadt in Schlesien.

245. 580, 1 **dämonisch**, von Geistern beherrscht. 580, 4 **Epikur'** (341–270 v. Chr.) gründete in seinem Garten in Athen eine Schule, in der man neben philosophischen Gesprächen heitere Geselligkeit pflegte. Einmal in jedem Monat versammelten sich seine Schüler in dem Garten zu einem fröhlichen Fest. 580, 4–5 **die Saale**, der Fluß, an dem Jena liegt; **viel besungen** z. B. von L. Drever in seinem Gedicht „Auf den Bergen die Burgen | Im Tale die Saale." *O.B.G.V.* Nr. 393. 580, 8 **Manen** (lat. „manes"), bei den alten Römern die Geister (Schatten) der Verstorbenen. 580, 9 **A. v. Humboldt**, Naturforscher, lebte 1797 drei Monate in Jena in engem Verkehr mit Goethe und Schiller. **Fichte, Schelling, Hegel** waren Professoren der Philosophie in Jena. 580, 10 **Kathe'der**, Lehrstuhl, Lesepult. 580, 20 **Aura**, (lat. „aura", Lufthauch), Atmosphäre. Beim Übersenden eines neuen Gedichtes am 7. Juli 1797 schrieb Goethe: „Möge Ihnen die *aura*, die Ihnen daraus entgegenweht, angenehm und erquicklich sein." 580, 26 Goethes Ballade **Erlkönig** entstand 1780–1. Am 14. Okt. 1780 „um Mitternacht" schrieb er an Frau von Stein „der Mond ist unendlich schön. Ich bin durch die neuen Wege gelaufen. Die Elfen sangen:

> Um Mitternacht, wenn die Menschen erst schlafen,
> Auf Wiesen an den Erlen
> Wir suchen unsern Raum
> Und wandeln und singen
> Und tanzen einen Traum."

Man darf wohl daraus schließen, daß jener Spaziergang Goethes über die nebelnden Wiesen in der mondhellen Herbstnacht ihm den *Erlkönig* schenkte. 581, 6 **pokulieren**, fröhlich trinken, zechen. 581, 10 **Kienfackel**, Harzfackel. 582, 7 **fiat** (lux), es werde (Licht!). 582, 30 **Empire**, Stil der **französischen** Kunst (besonders der Möbel) zur Zeit

Napoleons I. 583, 4 **Diosku´ren,** in der griech. Sage die Zwillingssöhne des Zeus, Kastor und Pollux. 583, 6 **Winckelmann,** sieh Anm. zu Nr. 28. 583, 10 **Dominan´-te,** (beherrschender) Grundton. **seiner Einmaligkeit,** seines einzigartigen Charakters. 583, 14 **Propylä´en,** Vorhalle. 583, 16 **periphe´rischer Natur,** nur der äußere Umkreis (die Peripherie´).

248. Gustav Adolf war König von Schweden 1611–32, kämpfte im Dreißigjährigen Kriege auf protestantischer Seite. Er landete am 4. Juli 1630 mit 13000 Mann auf der Insel Usedom in der Ostsee, setzte auf das Festland über, zog siegreich bis nach Süd-Deutschland, und fiel am 16. Nov. 1632 in der Schlacht bei Lützen. 586, 9 Vergl. W. Müllers Gedicht *Vineta*, *O.B.G.V.* Nr. 249.

249. 593, 14 **Leubelfing** ist der Held von C. F. Meyers Novelle *Gustav Adolfs Page* (1882).

250. 595, 32 **Grabmal Maximilians,** sieh Anm. zu Nr. 66, Seite 145, 9.

251. 597, 27 **Butterblume,** in manchen Gegenden der Name des Löwenzahns (engl. dandelion). 597, 4 **Mai-glöckchen,** engl. lily of the valley. 598, 20 **Kreuz,** Rückenkreuz, Rückgrat.

255. Graf Hatzfeld war Gouverneur von Berlin während der französischen Besatzung 1806. Ein Brief, den er kurz vor Ankunft der Franzosen an den König schickte, wurde aufgefangen, und Hatzfeld wurde verhaftet. Seine Gemahlin warf sich Napoleon zu Füßen. Als er ihr den Brief ihres Gatten als Beweis seiner Schuld entgegenhielt, ergriff sie ihn rasch und verbrannte ihn an einem neben ihr stehenden Lichte. Der Graf wurde bald nachher freigelassen.

256. 611, 13 **die Empo´re,** Galerie in einer Kirche. 606, 20 **der Prospekt´,** Vorderseite.

257. 614, 19 **Anthroposoph´** (griech. „anthropos“, Mensch; „sophos“, gelehrt). Gelehrter, der sich mit Anthroposophie' beschäftigt, einer von R. Steiner (1861–1925) begründeten Wissenschaft, die das Wesen der menschlichen Seele zu erforschen sucht. 615, 15 **Michel de Montaigne** (1533–92), frz. Philosoph, berühmt durch seine *Essais*. „Tel par la bouche que sur le papier", „Schreibe wie du sprichst". 616, 12 **Astral'leib** (lat. „astralis", zu den Sternen gehörend), nach der Lehre des Paracelsus (1493–1541), erneut durch R. Steiner, eine unsichtbare Hülle der Seele. **keins unter ihnen,** keines von den genannten Merkmalen eines guten Stiles. 616, 16 **Kierkegaard** (1813–55), dänischer Philosoph. **Traktat',** Abhandlung.

258. 621, 3 **das Zink** (die Zinke), Trompete. 621, 6 **Ackerklüte,** Klumpen von Ackererde. 621, 32–3 und 622, 22–3, Aus W. Müllers Gedicht *Der Lindenbaum O.B.G.V.* Nr. 245.

259. Der Brief ist gerichtet an Franz Kappus (geb. 1883), damals Leutnant in der österreichischen Armee, seitdem als Verfasser von Novellen bekannt geworden.

260. Iwan Wassiljewitch (d. h. Sohn des Wassilij), russischer Zar 1547–84, wegen seiner Grausamkeit „der Schreckliche" genannt.

Rilke lebte 1899–1900 in Russland. Die *Geschichten vom lieben Gott* sind russischen Volksmärchen nachgebildet.

261. Im Jahre 1663 fiel in einer Schlacht des Kaisers Leopold (1658–1705) gegen die Türken ein Christoph Rilke von Langenau, Cornet (Fahnenträger) in der Kompanie des Freiherrn von Pirovano eines österreichischen Reiter-Regiments. Angeregt durch einen kurzen Bericht darüber, hat Rilke **die Weise** (Sang, Erzählung) frei erfunden.

Die Weise von Liebe und Tod des Cornets Christoph Rilke, geschrieben 1899, gedruckt 1906. Im Jahre 1912 erschien sie als erstes Bändchen der *Insel-Bücherei,* von dem bis Mai 1937 fünfhundertfünfzigtausend Exemplare verkauft wurden.

LISTE DER VERFASSER

Die Zahlen bezeichnen die Lesestücke

Abraham a Santa Clara, 17–19
Arndt, Ernst Moritz, 135
Arnim, Achim von, 157
Arnim, Bettina von, 167
Beethoven, Ludwig van, 142–143
Binding, Rudolf, 252–253
Bitzius, Albert, 187
Bräker, Ulrich, 52
Brentano, Clemens, 156
Bürger, Gottfried August, 69–74
Chamisso, Adalbert von, 158–160
Claudius, Matthias, 55–56
Droste-Hülshoff, Annette, 185
Eckermann, Johann Peter, 181
Eichendorff, Joseph von, 176–178
Engel, Johann Jakob, 59
Eyth, Max, 237
Fechner, Gustav, 196–197
Fichte, Johann Gottlieb, 124–125
Fontane, Theodor, 228
Forster, Georg, 98–99
Fouqué, Friedrich de la Motte, 152–154
Freytag, Gustav, 217–219
Gellert, Christian Fürchtegott, 27
Geßner, Salomon, 45–46
Goethe, Johann Wolfgang von, 75–94

Goltz, Bogumil, 194–195
Gotthelf, Jeremias, 187
Gottsched, Johann Christoph, 23–25
Grillparzer, Franz, 179–180
Grimm, Jakob, 161–166
Grimm, Wilhelm, 161–165
Grimmelshausen, Christoph von, 14–15
Hagen, August, 186
Hardenberg, Friedrich von, 145
Hauff, Wilhelm, 200–201
Hauptmann, Gerhart, 244–245
Hebbel, Friedrich, 210–212
Hebel, Johann Peter, 123
Heine, Heinrich, 188–193
Herder, Johann Gottfried, 62–68
Heyse, Paul, 233
Hoffmann, Ernst Theodor Amadeus, 149–151
Hofmannsthal, Hugo von, 257
Hölderlin, Friedrich, 136–141
Huch, Ricarda, 248–250
Humboldt, Wilhelm von, 131–132
Immermann, Karl, 182–183
Jung-Stilling, Heinrich, 57–58
Kant, Immanuel, 32–37
Keller, Gottfried, 224–227
Kerner, Justinus, 168–169
Kleist, Heinrich von, 155
Knigge, Adolf von, 96–97

683

LISTE DER VERFASSER

Kügelgen, Wilhelm von, 198–199

Leibniz, Gottfried Wilhelm, 20

Lessing, Gotthold Ephraim, 38–44

Lichtenberg, Georg Christoph, 60–61

Löns, Hermann, 251

Ludwig, Otto, 208–209

Luther, Martin, 1–6

Mann, Thomas, 258

Megerle, Ulrich, 17–19

Meyer, Conrad Ferdinand, 231

Mommsen, Theodor, 223

Mörike, Eduard, 203

Moritz, Karl Philipp, 102–105

Möser, Justus, 29–31

Mozart, Wolfgang Amadeus, 100–101

Müller, Johannes von, 95

Musäus, Johann Karl, 51

Nietzsche, Friedrich, 240–241

Novalis, 145

Olearius, Adam, 12–13

Paul, Jean, 126–130

Platen, August Graf von, 184

Raabe, Wilhelm, 235–236

Rabener, Gottlieb Wilhelm, 26

Richter, Johann Paul Friedrich, 126–130

Richter, Ludwig, 202

Riehl, Wilhelm Heinrich, 229–230

Rilke, Rainer Maria, 259–261

Schäfer, Wilhelm, 254–255

Scheffel, Joseph Victor von, 232

Schelling, Friedrich Wilhelm, 148

Schiller, Friedrich von, 106–122

Schlegel, August Wilhelm, 133–134

Schopenhauer, Arthur, 171–175

Seidel, Heinrich, 238

Speckmann, Diedrich, 256

Spener, Philipp Jakob, 16

Stehr, Hermann, 246–247

Stieler, Karl, 239

Stifter, Adalbert, 204–206

Storm, Theodor, 220–222

Sturz, Helferich Peter, 53–54

Sudermann, Hermann, 243

Thomasius, Christian, 21–22

Tieck, Ludwig, 147

Uhland, Ludwig, 170

Vischer, Friedrich Theodor, 207

Volkmann-Leander, Richard von, 234

Volksbücher, 7–11

Wackenroder, Wilhelm Heinrich, 146

Wagner, Richard, 213–216

Wieland, Christoph Martin, 47–50

Wildenbruch, Ernst von, 242

Winckelmann, Johann Joachim, 28

Zschokke, Heinrich, 144

55
68
69
91
81
83
118
137
140
146
159
164
186
195
197 + 98 ✓

2 2 4
2 2 5